DE L'ESPRIT DES LOIS
II

MONTESQUIEU

DE L'ESPRIT DES LOIS

II

Chronologie, introduction, bibliographie
par
Victor GOLDSCHMIDT

GF Flammarion

© 1979, GARNIER-FLAMMARION.
ISBN : 978-2-0807-0326-2

QUATRIÈME PARTIE

LIVRE XX

*DES LOIS, DANS LE RAPPORT QU'ELLES ONT AVEC
LE COMMERCE, CONSIDÉRÉ DANS SA NATURE ET
SES DISTINCTIONS*

Docuit quæ maximus Atlas.
VIRGIL. *Æneid*.

INVOCATION AUX MUSES

Vierges du mont Piérie, entendez-vous le nom que je
vous donne ? Inspirez-moi. J'ai couru une longue carrière. Je suis accablé de peines, de fatigues et d'ennuis.
Mettez dans mon esprit ce calme et cette douceur qui
fuit aujourd'hui loin de moi. Vous n'êtes jamais si divines
que quand vous menez à la sagesse et à la vérité par le
plaisir.

Mais si vous ne voulez pas adoucir la rigueur de mes
travaux, cachez le travail même. Faites que je réfléchisse
et que je paraisse sentir. Faites que l'on soit instruit et
que je n'enseigne pas, et que, quand j'annoncerai des
choses utiles, on croie que je ne savais rien et que vous
m'avez tout dit.

Quand les eaux de votre fontaine sortent du rocher
que vous aimez, elles ne montent pas dans les airs pour
retomber, elles coulent dans la prairie, elles font vos
délices parce qu'elles font les délices des bergers.

Muses charmantes, si vous jetez sur moi un seul de
vos regards, tout le monde lira mes ouvrages, et ce qui
ne devait être un amusement sera un plaisir.

Divines Muses, je sens que vous m'inspirez, non pas
seulement ce que l'on chante à Tempé sur les chalu-
meaux, ou ce qu'on répète à Délos sur la lyre. Vous
voulez encore que je fasse parler la raison. Elle est le
plus noble, le plus parfait, le plus exquis de nos sens.

CHAPITRE PREMIER

Du commerce.

Les matières qui suivent demanderaient d'être traitées avec plus d'étendue; mais la nature de cet ouvrage ne le permet pas. Je voudrais couler sur une rivière tranquille; je suis entraîné par un torrent.

Le commerce guérit des préjugés destructeurs : et c'est presque une règle générale que, partout où il y a des mœurs douces, il y a du commerce; et que, partout où il y a du commerce, il y a des mœurs douces.

Qu'on ne s'étonne donc point si nos mœurs sont moins féroces qu'elles ne l'étaient autrefois. Le commerce a fait que la connaissance des mœurs de toutes les nations a pénétré partout : on les a comparées entre elles, et il en a résulté de grands biens.

On peut dire que les lois du commerce perfectionnent les mœurs; par la même raison que ces mêmes lois perdent les mœurs. Le commerce corrompt les mœurs pures[a]; c'était le sujet des plaintes de Platon : il polit et adoucit les mœurs barbares, comme nous le voyons tous les jours.

---

a. César dit des Gaulois, que le voisinage et le commerce de Marseille les avait gâtés de façon, qu'eux, qui autrefois avaient toujours vaincu les Germains, leur étaient devenus inférieurs. *Guerre des Gaules*, liv. VI.

Chapitre II

De l'esprit du commerce.

L'effet naturel du commerce est de porter à la paix. Deux nations qui négocient ensemble se rendent réciproquement dépendantes : si l'une a intérêt d'acheter, l'autre a intérêt de vendre ; et toutes les unions sont fondées sur des besoins mutuels.

Mais, si l'esprit de commerce unit les nations, il n'unit pas de même les particuliers. Nous voyons que, dans les pays [a] où l'on n'est affecté que de l'esprit de commerce, on trafique de toutes les actions humaines, et de toutes les vertus morales : les plus petites choses, celles que l'humanité demande, s'y font, ou s'y donnent pour de l'argent.

L'esprit de commerce produit, dans les hommes, un certain sentiment de justice exacte, opposé d'un côté au brigandage, et de l'autre à ces vertus morales qui font qu'on ne discute pas toujours ses intérêts avec rigidité et qu'on peut les négliger pour ceux des autres.

La privation totale du commerce produit, au contraire, le brigandage, qu'Aristote met au nombre des manières d'acquérir. L'esprit n'en est point opposé à de certaines vertus morales : par exemple, l'hospitalité, très rare dans les pays de commerce, se trouve admirablement parmi les peuples brigands.

C'est un sacrilège chez les Germains, dit Tacite, de fermer sa maison à quelque homme que ce soit, connu ou inconnu. Celui qui a exercé [b] l'hospitalité envers un étranger, va lui montrer une autre maison où on l'exerce encore, et il y est reçu avec la même humanité. Mais lorsque les Germains eurent fondé des royaumes, l'hospitalité leur devint à charge. Cela paraît par deux lois du code [c] des Bourguignons, dont l'une inflige une peine à tout barbare qui irait montrer à un étranger la maison d'un Romain ; et l'autre règle que celui qui recevra un étranger sera dédommagé par les habitants, chacun pour sa quote-part.

---

a. La Hollande.
b. *Et qui modo hospes fuerat, monstrator hospitii.* De morib. Germ. Voyez aussi César, *Guerre des Gaules*, liv. VI.
c. Tit. 38.

Chapitre III

De la pauvreté des peuples.

Il y a deux sortes de peuples pauvres : ceux que la dureté du gouvernement a rendus tels; et ces gens-là sont incapables de presque aucune vertu, parce que leur pauvreté fait une partie de leur servitude : les autres ne sont pauvres que parce qu'ils ont dédaigné, ou parce qu'ils n'ont pas connu les commodités de la vie; et ceux-ci peuvent faire de grandes choses, parce que cette pauvreté fait une partie de leur liberté.

Chapitre IV

Du commerce, dans les divers gouvernements.

Le commerce a du rapport avec la constitution. Dans le gouvernement d'un seul, il est ordinairement fondé sur le luxe; et, quoiqu'il le soit aussi sur les besoins réels, son objet principal est de procurer à la nation qui le fait tout ce qui peut servir à son orgueil, à ses délices et à ses fantaisies. Dans le gouvernement de plusieurs, il est plus souvent fondé sur l'économie. Les négociants ayant l'œil sur toutes les nations de la terre, portent à l'une ce qu'ils tirent de l'autre. C'est ainsi que les républiques de Tyr, de Carthage, d'Athènes, de Marseille, de Florence, de Venise et de Hollande ont fait le commerce.

Cette espèce de trafic regarde le gouvernement de plusieurs par sa nature, et le monarchique par occasion. Car, comme il n'est fondé que sur la pratique de gagner peu, et même de gagner moins qu'aucune autre nation, et de ne se dédommager qu'en gagnant continuellement, il n'est guère possible qu'il puisse être fait par un peuple chez qui le luxe est établi, qui dépense beaucoup, et qui ne voit que de grands objets.

C'est dans ces idées que Cicéron [a] disait si bien : « Je

---

a. *Nolo eumdem populum imperatorem et portitorem esse terrarum.*

n'aime point qu'un même peuple soit, en même temps, le
dominateur et le facteur de l'univers. » En effet, il faudrait supposer que chaque particulier dans cet Etat, et
tout l'Etat même, eussent toujours la tête pleine de grands
projets, et cette même tête remplie de petits : ce qui est
contradictoire.

Ce n'est pas que, dans ces Etats qui subsistent par le
commerce d'économie, on ne fasse aussi les plus grandes
entreprises, et que l'on n'y ait une hardiesse qui ne se
trouve pas dans les monarchies : en voici la raison.

Un commerce mène à l'autre, le petit au médiocre, le
médiocre au grand : et celui qui a eu tant d'envie de
gagner peu, se met dans une situation où il n'en a pas
moins de gagner beaucoup.

De plus : les grandes entreprises des négociants sont
toujours nécessairement mêlées avec les affaires publiques.
Mais, dans les monarchies, les affaires publiques sont,
la plupart du temps, aussi suspectes aux marchands,
qu'elles leur paraissent sûres dans les Etats républicains.
Les grandes entreprises de commerce ne sont donc pas
pour les monarchies, mais pour le gouvernement de
plusieurs.

En un mot, une plus grande certitude de sa prospérité,
que l'on croit avoir dans ces Etats, fait tout entreprendre ;
et, parce qu'on croit être sûr de ce que l'on a acquis, on
ose l'exposer pour acquérir davantage ; on ne court de
risque que sur les moyens d'acquérir : or, les hommes
espèrent beaucoup de leur fortune.

Je ne veux pas dire qu'il y ait aucune monarchie qui
soit totalement exclue du commerce d'économie ; mais
elle y est moins portée par sa nature : Je ne veux pas dire
que les républiques que nous connaissons soient entièrement privées du commerce de luxe ; mais il a moins de
rapport à leur constitution.

Quant à l'Etat despotique, il est inutile d'en parler.
Règle générale : dans une nation qui est dans la servitude,
on travaille plus à conserver qu'à acquérir ; dans une nation
libre, on travaille plus à acquérir qu'à conserver.

CHAPITRE V

Des peuples qui ont fait le commerce d'économie.

Marseille retraite nécessaire au milieu d'une mer orageuse; Marseille, ce lieu où tous les vents, les bancs de la mer, la disposition des côtes ordonnent de toucher, fut fréquentée par les gens de mer. La stérilité[a] de son territoire détermina ses citoyens au commerce d'économie. Il fallu qu'ils fussent laborieux, pour suppléer à la nature qui se refusait; qu'ils fussent justes, pour vivre parmi les nations barbares qui doivent faire leur prospérité; qu'ils fussent modérés, pour que leur gouvernement fût toujours tranquille; enfin, qu'ils eussent des mœurs frugales, pour qu'ils pussent toujours vivre d'un commerce qu'ils conserveraient plus sûrement lorsqu'il serait moins avantageux.

On a vu partout la violence et la vexation donner naissance au commerce d'économie, lorsque les hommes sont contraints de se réfugier dans les marais, dans les îles, les bas-fonds de la mer, et ses écueils même. C'est ainsi que Tyr, Venise et les villes de Hollande furent fondées; les fugitifs y trouvèrent leur sûreté. Il fallut subsister; ils tirèrent leur subsistance de tout l'univers.

CHAPITRE VI

Quelques effets d'une grande navigation.

Il arrive quelquefois qu'une nation qui fait le commerce d'économie, ayant besoin d'une marchandise d'un pays qui lui serve de fonds pour se procurer les marchandises d'un autre, se contente de gagner très peu, et quelquefois rien, sur les unes; dans l'espérance ou la certitude de gagner beaucoup sur les autres. Ainsi, lorsque la Hollande faisait presque seule le commerce du midi au nord de l'Europe, les vins de France, qu'elle portait au nord,

a. Justin, liv. XLIII, chap. III.

ne lui servaient, en quelque manière, que de fonds pour faire son commerce dans le nord.

On sait que souvent, en Hollande, de certains genres de marchandise venue de loin ne s'y vendent pas plus cher qu'ils n'ont coûté sur les lieux mêmes. Voici la raison qu'on en donne : Un capitaine, qui a besoin de lester son vaisseau, prendra du marbre ; il a besoin de bois pour l'arrimage, il en achètera : et, pourvu qu'il n'y perde rien, il croira avoir beaucoup fait. C'est ainsi que la Hollande a aussi ses carrières et ses forêts.

Non seulement un commerce qui ne donne rien peut être utile ; un commerce même désavantageux peut l'être. J'ai ouï dire, en Hollande, que la pêche de la baleine, en général, ne rend presque jamais ce qu'elle coûte : mais ceux qui ont été employés à la construction du vaisseau, ceux qui ont fourni les agrès, les appareaux, les vivres, sont aussi ceux qui prennent le principal intérêt à cette pêche. Perdissent-ils sur la pêche, ils ont gagné sur les fournitures. Ce commerce est une espèce de loterie, et chacun est séduit par l'espérance d'un billet noir. Tout le monde aime à jouer ; et les gens les plus sages jouent volontiers, lorsqu'ils ne voient point les apparences du jeu, ses égarements, ses violences, ses dissipations, la perte du temps, et même de toute la vie.

CHAPITRE VII

Esprit de l'Angleterre sur le commerce.

L'Angleterre n'a guère de tarif réglé avec les autres nations ; son tarif change, pour ainsi dire, à chaque parlement, par les droits particuliers qu'elle ôte, ou qu'elle impose. Elle a voulu encore conserver sur cela son indépendance. Souverainement jalouse du commerce qu'on fait chez elle, elle se lie peu par des traités, et ne dépend que de ses lois.

D'autres nations ont fait céder des intérêts du commerce à des intérêts politiques : celle-ci a toujours fait céder ses intérêts politiques aux intérêts de son commerce.

C'est le peuple du monde qui a le mieux su se prévaloir à la fois de ces trois grandes choses, la religion, le commerce et la liberté.

Chapitre VIII

Comment on a gêné quelquefois le commerce d'économie.

On a fait, dans certaines monarchies, des lois très propres à abaisser les Etats qui font le commerce d'économie. On leur a défendu d'apporter d'autres marchandises que celles du cru de leur pays : on ne leur a permis de venir trafiquer qu'avec des navires de la fabrique du pays où ils viennent.

Il faut que l'Etat qui impose ces lois puisse aisément faire lui-même le commerce : sans cela, il se fera, pour le moins, un tort égal. Il vaut mieux avoir affaire à une nation qui exige peu, et que les besoins du commerce rendent en quelque façon dépendante; à une nation qui, par l'étendue de ses vues ou de ses affaires, sait où placer toutes les marchandises superflues; qui est riche, et peut se charger de beaucoup de denrées; qui les payera promptement; qui a, pour ainsi dire, des nécessités d'être fidèle; qui est pacifique par principe; qui cherche à gagner, et non pas à conquérir : il vaut mieux, dis-je, avoir affaire à cette nation, qu'à d'autres toujours rivales, et qui ne donneraient pas tous ces avantages.

Chapitre IX

De l'exclusion en fait de commerce.

La vraie maxime est de n'exclure aucune nation de son commerce, sans de grandes raisons. Les Japonais ne commercent qu'avec deux nations, la chinoise et la hollandaise. Les Chinois [a] gagnent mille pour cent sur le sucre, et quelquefois autant sur les retours. Les Hollandais font des profits à peu près pareils. Toute nation qui se conduira sur les maximes japonaises sera nécessairement trompée. C'est la concurrence qui met un prix juste aux marchandises, et qui établit les vrais rapports entre elles.

a. Le Père du Halde, t. II, p. 170.

Encore moins un Etat doit-il s'assujettir à ne vendre ses marchandises qu'à une seule nation, sous prétexte qu'elle les prendra toutes à un certain prix. Les Polonais ont fait, pour leur blé, ce marché avec la ville de Dantzig ; plusieurs rois des Indes ont de pareils contrats, pour les épiceries, avec les Hollandais *b*. Ces conventions ne sont propres qu'à une nation pauvre, qui veut bien perdre l'espérance de s'enrichir, pourvu qu'elle ait une subsistance assurée ; ou à des nations dont la servitude consiste à renoncer à l'usage des choses que la nature leur avait données, ou à faire sur ces choses un commerce désavantageux.

CHAPITRE X

Etablissement propre au commerce d'économie.

Dans les Etats qui font le commerce d'économie, on a heureusement établi des banques, qui, par leur crédit, ont formé des nouveaux signes des valeurs. Mais on aurait tort de les transporter dans les Etats qui font le commerce de luxe. Les mettre dans des pays gouvernés par un seul, c'est supposer l'argent d'un côté, et de l'autre la puissance : c'est-à-dire, d'un côté, la faculté de tout avoir sans aucun pouvoir ; et, de l'autre, le pouvoir avec la faculté de rien du tout. Dans un gouvernement pareil, il n'y a jamais eu que le prince qui ait eu, ou qui ait pu avoir un trésor ; et, partout où il y en a un, dès qu'il est excessif, il devient d'abord le trésor du prince.

Par la même raison, les compagnies de négociants, qui s'associent pour un centain commerce, conviennent rarement au gouvernement d'un seul. La nature de ces compagnies est de donner aux richesses particulières la force des richesses publiques. Mais, dans ces Etats, cette force ne peut se trouver que dans les mains du prince. Je dis plus : elles ne conviennent pas toujours dans les Etats où l'on fait le commerce d'économie ; et, si les affaires ne sont si grandes qu'elles soient au-dessus de la portée des particuliers, on fera encore mieux de ne point gêner, par des privilèges exclusifs, la liberté du commerce.

b. Cela fut premièrement établi par les Portugais. *Voyages de François Pyrard,* chap. xv, part. II.

Chapitre XI

Continuation du même sujet.

Dans les Etats qui font le commerce d'économie, on peut établir un port franc. L'économie de l'Etat, qui suit toujours la frugalité des particuliers, donne, pour ainsi dire, l'âme à son commerce d'économie. Ce qu'il perd de tributs par l'établissement dont nous parlons, est compensé par ce qu'il peut tirer de la richesse industrielle de la république. Mais, dans le gouvernement monarchique, de pareils établissements seraient contre la raison; ils n'auraient d'autre effet que de soulager le luxe du poids des impôts. On se priverait de l'unique bien que ce luxe peut procurer, et du seul frein que, dans une constitution pareille, il puisse recevoir.

Chapitre XII

De la liberté du commerce.

La liberté du commerce n'est pas une faculté accordée aux négociants de faire ce qu'ils veulent; ce serait bien plutôt sa servitude. Ce qui gêne le commerçant ne gêne pas pour cela le commerce. C'est dans les pays de la liberté que le négociant trouve des contradictions sans nombre; et il n'est jamais moins croisé par les lois, que dans les pays de la servitude.

L'Angleterre défend de faire sortir ses laines; elle veut que le charbon soit transporté par mer dans la capitale; elle ne permet point la sortie de ses chevaux, s'ils ne sont coupés; les vaisseaux [a] de ses colonies qui commercent en Europe, doivent mouiller en Angleterre. Elle gêne le négociant; mais c'est en faveur du commerce.

a. *Acte de navigation* de 1660. Ce n'a été qu'en temps de guerre, que ceux de Boston et de Philadelphie ont envoyé leurs vaisseaux en droiture, jusque dans la Méditerranée, porter leurs denrées.

Chapitre XIII

Ce qui détruit cette liberté.

Là, où il y a du commerce, il y a des douanes. L'objet du commerce est l'exportation et l'importation des marchandises en faveur de l'Etat; et l'objet des douanes est un certain droit sur cette même exportation, aussi en faveur de l'Etat. Il faut donc que l'Etat soit neutre entre sa douane et son commerce, et qu'il fasse en sorte que ces deux choses ne se croisent point; et alors on y jouit de la liberté du commerce.

La finance détruit le commerce par ses injustices, par ses vexations, par l'excès de ce qu'elle impose : mais elle le détruit encore, indépendamment de cela, par les difficultés qu'elle fait naître, et les formalités qu'elle exige. En Angleterre, où les douanes sont en régie, il y a une facilité de négocier singulière : un mot d'écriture fait les plus grandes affaires; il ne faut point que le marchand perde un temps infini, et qu'il ait des commis exprès, pour faire cesser toutes les difficultés des fermiers, ou pour s'y soumettre.

Chapitre XIV

Des lois du commerce qui emportent la confiscation des marchandises.

La grande charte des Anglais défend de saisir et de confisquer, en cas de guerre, les marchandises des négociants étrangers, à moins que ce ne soit par représailles. Il est beau que la nation anglaise ait fait de cela un des articles de sa liberté.

Dans la guerre que l'Espagne eut avec les Anglais en 1740, elle fit une loi [a] qui punissait de mort ceux qui introduiraient dans les Etats d'Espagne des marchandises d'Angleterre; elle infligeait la même peine à ceux qui

a. Publiée à Cadix au mois de mars 1740.

porteraient dans les Etats d'Angleterre des marchandises d'Espagne. Une ordonnance pareille ne peut, je crois, trouver de modèle que dans les lois du Japon. Elle choque nos mœurs, l'esprit du commerce, et l'harmonie qui doit être dans la proportion des peines; elle confond toutes les idées faisant un crime d'Etat de ce qui n'est qu'une violation de police.

Chapitre XV

De la contrainte par corps.

Solon [a] ordonna à Athènes qu'on n'obligerait plus le corps pour dettes civiles. Il tira cette loi d'Egypte [b]; Boccoris l'avait faite, et Sésostris l'avait renouvelée.

Cette loi est très bonne pour les affaires [c] civiles ordinaires; mais nous avons raison de ne point l'observer dans celles du commerce. Car les négociants étant obligés de confier de grandes sommes pour des temps souvent fort courts, de les donner et de les reprendre, il faut que le débiteur remplisse toujours au temps fixé ses engagements; ce qui suppose la contrainte par corps.

Dans les affaires qui dérivent des contrats civils ordinaires, la loi ne doit point donner la contrainte par corps; parce qu'elle fait plus de cas de la liberté d'un citoyen, que de l'aisance d'un autre. Mais, dans les conventions qui dérivent du commerce, la loi doit faire plus de cas de l'aisance publique, que de la liberté d'un citoyen; ce qui n'empêche pas les restrictions et les limitations que peuvent demander l'humanité et la bonne police.

---

a. Plutarque, au traité : *Qu'il ne faut point emprunter à usure.*
b. Diodore, liv. I, partie II, chap. III.
c. Les législateurs grecs étaient blâmables, qui avaient défendu de prendre en gage les armes et la charrue d'un homme, et permettaient de prendre l'homme même. Diodore, liv. I, part. II, chap. III.

Chapitre XVI

Belle loi.

La loi de Genève qui exclut des magistratures, et même de l'entrée dans le grand conseil, les enfants de ceux qui ont vécu ou qui sont morts insolvables, à moins qu'ils n'acquittent les dettes de leur père, est très bonne. Elle a cet effet, qu'elle donne de la confiance pour les négociants ; elle en donne pour les magistrats ; elle en donne pour la cité même. La foi particulière y a encore la force de la foi publique.

Chapitre XVII

Loi de Rhodes.

Les Rhodiens allèrent plus loin. Sextus Empiricus [a] dit que, chez eux, un fils ne pouvait se dispenser de payer les dettes de son père, en renonçant à sa succession. La loi de Rhodes était donnée à une république fondée sur le commerce : Or, je crois que la raison du commerce même y devait mettre cette limitation, que les dettes contractées par le père depuis que le fils avait commencé à faire le commerce, n'affecteraient point les biens acquis par celui-ci. Un négociant doit toujours connaître ses obligations, et se conduire à chaque instant suivant l'état de sa fortune.

Chapitre XVIII

Des juges pour le commerce.

Xénophon, au livre des *Revenus*, voudrait qu'on donnât des récompenses à ceux des préfets du commerce qui

_____

a. *Hippotiposes*, liv. I, chap. XIV.

expédient le plus vite les procès. Il sentait le besoin de notre juridiction consulaire.

Les affaires du commerce sont très peu susceptibles de formalités. Ce sont des actions de chaque jour, que d'autres de même nature doivent suivre chaque jour. Il faut donc qu'elles puissent être décidées chaque jour. Il en est autrement des actions de la vie qui influent beaucoup sur l'avenir, mais qui arrivent rarement. On ne se marie guère qu'une fois; on ne fait pas tous les jours des donations ou des testaments; on n'est majeur qu'une fois.

Platon [a] dit que, dans une ville où il n'y a point de commerce maritime, il faut la moitié moins de lois civiles; et cela est très vrai. Le commerce introduit dans le même pays différentes sortes de peuples, un grand nombre de conventions, d'espèces de biens, et de manières d'acquérir.

Ainsi, dans une ville commerçante, il y a moins de juges, et plus de lois.

a. *Des lois*, liv. VIII.

Chapitre XIX

Que le prince ne doit point faire le commerce.

Théophile [a] voyant un vaisseau où il y avait des marchandises pour sa femme Théodora, le fit brûler. « Je suis empereur, lui dit-il, et vous me faites patron de galère. En quoi les pauvres gens pourront-ils gagner leur vie, si nous faisons encore leur métier ? » Il aurait pu ajouter : Qui pourra nous réprimer, si nous faisons des monopoles ? Qui nous obligera de remplir nos engagements ? Ce commerce que nous faisons, les courtisans voudront le faire; ils seront plus avides et plus injustes que nous. Le peuple a de la confiance en notre justice; il n'en a point en notre opulence : tant d'impôts, qui font sa misère, sont des preuves certaines de la nôtre.

a. Zonare.

CHAPITRE XX

Continuation du même sujet.

Lorsque les Portugais et les Castillans dominaient dans les Indes orientales, le commerce avait des branches si riches, que leurs princes ne manquèrent pas de s'en saisir. Cela ruina leurs établissements dans ces parties-là.

Le vice-roi de Goa accordait à des particuliers des privilèges exclusifs. On n'a point de confiance en de pareilles gens; le commerce est discontinué par le changement perpétuel de ceux à qui on le confie; personne ne ménage ce commerce, et ne se soucie de le laisser perdu à son successeur; le profit reste dans des mains particulières, et ne s'étend pas assez.

CHAPITRE XXI

Du commerce de la noblesse, dans la monarchie.

Il est contre l'esprit du commerce que la noblesse le fasse dans la monarchie. «Cela serait pernicieux aux villes, disent [a] les empereurs Honorius et Théodose, et ôterait entre les marchand et les plébéiens la facilité d'acheter et de vendre. »

Il est contre l'esprit de la monarchie que la noblesse y fasse le commerce. L'usage qui a permis en Angleterre le commerce à la noblesse, est une des choses qui ont le plus contribué à y affaiblir le gouvernement monarchique.

CHAPITRE XXII

Réflexion particulière.

Des gens frappés de ce qui se pratique dans quelques Etats, pensent qu'il faudrait qu'en France il y eût des lois

---

a. Leg. *nobiliores*, cod. *de commerc.* et Leg. *ult.* cod. *de rescind. vendit.*

qui engageassent les nobles à faire le commerce. Ce serait le moyen d'y détruire la noblesse, sans aucune utilité pour le commerce. La pratique de ce pays est très sage : Les négociants n'y sont pas nobles; mais ils peuvent le devenir. Ils ont l'espérance d'obtenir la noblesse, sans en avoir l'inconvénient actuel. Ils n'ont pas de moyen plus sûr de sortir de leur profession que de la bien faire, ou de la faire avec bonheur; chose qui est ordinairement attachée à la suffisance.

Les lois qui ordonnent que chacun reste dans sa profession, et la fasse passer à ses enfants, ne sont et ne peuvent être utiles que dans les Etats [a] despotiques, où personne ne peut, ni ne doit avoir d'émulation.

Qu'on ne dise pas que chacun fera mieux sa profession lorsqu'on ne pourra pas la quitter pour une autre. Je dis qu'on fera mieux sa profession, lorsque ceux qui y auront excellé espéreront de parvenir à une autre.

L'acquisition qu'on peut faire de la noblesse à prix d'argent encourage beaucoup les négociants à se mettre en état d'y parvenir. Je n'examine pas si l'on fait bien de donner ainsi aux richesses le prix de la vertu : il y a tel gouvernement où cela peut être très utile.

En France, cet état de la robe qui se trouve entre la grande noblesse et le peuple; qui, sans avoir le brillant de celle-là, en a tous les privilèges; cet Etat qui laisse les particuliers dans la médiocrité, tandis que le corps dépositaire des lois est dans la gloire; cet Etat encore dans lequel on n'a de moyen de se distinguer que par la suffisance et par la vertu; profession honorable, mais qui en laisse toujours voir une plus distinguée : cette noblesse toute guerrière, qui pense qu'en quelque degré de richesses que l'on soit, il faut faire sa fortune; mais qu'il est honteux d'augmenter son bien, si on ne commence par le dissiper; cette partie de la nation, qui sert toujours avec le capital de son bien; qui, quand elle est ruinée, donne sa place à une autre qui servira avec son capital encore; qui va à la guerre pour que personne n'ose dire qu'elle n'y a pas été; qui, quand elle ne peut espérer les richesses, espère les honneurs; et, lorsqu'elle ne les obtient pas, se console, parce qu'elle a acquis de l'honneur : toutes ces choses ont nécessairement contribué à la grandeur de ce royaume. Et si, depuis deux ou trois siècles, il a augmenté sans cesse sa puissance, il faut attribuer cela

a. Effectivement cela y est souvent ainsi établi.

à la bonté de ses lois, non pas à la fortune, qui n'a pas ces sortes de confiance.

CHAPITRE XXIII

A quelles nations il est désavantageux de faire le commerce.

Les richesses consistent en fonds de terre, ou en effets mobiliers : les fonds de terre de chaque pays sont ordinairement possédés par ses habitants. La plupart des Etats ont des lois qui dégoûtent les étrangers de l'acquisition de leurs terres ; il n'y a même que la présence du maître qui les fasse valoir : ce genre de richesses appartient donc à chaque Etat en particulier. Mais les effets mobiliers, comme l'argent, les billets, les lettres de change, les actions sur les compagnies, les vaisseaux, toutes les marchandises, appartiennent au monde entier, qui, dans ce rapport, ne compose qu'un seul Etat, dont toutes les sociétés sont les membres : le peuple qui possède le plus de ces effets mobiliers de l'univers, est le plus riche. Quelques Etats en ont une immense quantité : ils les acquièrent chacun par leurs denrées, par le travail de leurs ouvriers, par leur industrie, par leurs découvertes, par le hasard même. L'avarice des nations se dispute les meubles de tout l'univers. Il peut se trouver un Etat si malheureux, qu'il sera privé des effets des autres pays, et même encore de presque tous les siens : les propriétaires des fonds de terre n'y seront que les colons des étrangers. Cet Etat manquera de tout, et ne pourra rien acquérir, il vaudrait bien mieux qu'il n'eût de commerce avec aucune nation du monde : c'est le commerce qui, dans les circonstances où il se trouvait, l'a conduit à la pauvreté.

Un pays qui envoie toujours moins de marchandises ou de denrées qu'il n'en reçoit, se met lui-même en équilibre en s'appauvrissant : il recevra toujours moins, jusqu'à ce que, dans une pauvreté extrême, il ne reçoive plus rien.

Dans les pays de commerce, l'argent qui s'est tout à coup évanoui, revient, parce que les Etats qui l'ont reçu le doivent : dans les Etats dont nous parlons, l'argent ne revient jamais, parce que ceux qui l'ont pris ne doivent rien.

La Pologne servira ici d'exemple. Elle n'a presque aucune des choses que nous appelons les effets mobiliers de l'univers, si ce n'est le blé de ses terres. Quelques seigneurs possèdent des provinces entières ; ils pressent le laboureur pour avoir une plus grande quantité de blé qu'ils puissent envoyer aux étrangers, et se procurer les choses que demande leur luxe. Si la Pologne ne commerçait avec aucune nation, ses peuples seraient plus heureux. Ses grands, qui n'auraient que leur blé, le donneraient à leurs paysans pour vivre ; de trop grands domaines leur seraient à charge, ils les partageraient à leurs paysans ; tout le monde, trouvant des peaux ou des laines dans ses troupeaux, il n'y aurait plus une dépense immense à faire pour les habits ; les grands, qui aiment toujours le luxe, et qui ne le pourraient trouver que dans leur pays, encourageraient les pauvres au travail. Je dis que cette nation serait plus florissante, à moins qu'elle ne devînt barbare : chose que les lois pourraient prévenir.

Considérons à présent le Japon. La quantité excessive de ce qu'il peut recevoir produit la quantité excessive de ce qu'il peut envoyer : les choses seront en équilibre, comme si l'importation et l'exportation étaient modérées et d'ailleurs cette espèce d'enflure produira à l'Etat mille avantages : il y aura plus de consommation, plus de choses sur lesquelles les arts peuvent s'exercer, plus d'hommes employés, plus de moyens d'acquérir de la puissance. Il peut arriver des cas où l'on ait besoin d'un secours prompt, qu'un Etat si plein peut donner plutôt qu'un autre. Il est difficile qu'un pays n'ait des choses superflues : mais c'est la nature du commerce de rendre les choses superflues utiles, et les utiles nécessaires. L'Etat pourra donc donner les choses nécessaires à un plus grand nombre de sujets.

Disons donc que ce ne sont point les nations qui n'ont besoin de rien qui perdent à faire le commerce ; ce sont celles qui ont besoin de tout. Ce ne sont point les peuples qui se suffisent à eux-mêmes, mais ceux qui n'ont rien chez eux, qui trouvent de l'avantage à ne trafiquer avec personne.

Livre XXI

*DES LOIS, DANS LE RAPPORT QU'ELLES ONT AVEC
LE COMMERCE, CONSIDÉRÉ DANS LES RÉVOLUTIONS
QU'IL A EUES DANS LE MONDE*

Chapitre Premier

Quelques considérations générales.

Quoique le commerce soit sujet à de grandes révolutions, il peut arriver que de certaines causes physiques, la qualité du terrain ou du climat, fixent pour jamais sa nature.

Nous ne faisons aujourd'hui le commerce des Indes que par l'argent que nous y envoyons. Les Romains [a] y portaient toutes les années environ cinquante millions de sesterces. Cet argent, comme le nôtre aujourd'hui, était converti en marchandises qu'ils rapportaient en Occident. Tous les peuples qui ont négocié aux Indes y ont toujours porté des métaux, et en ont rapporté des marchandises.

C'est la nature même qui produit cet effet. Les Indiens ont leurs arts, qui sont adaptés à leur manière de vivre. Notre luxe ne saurait être le leur, ni nos besoins être leurs besoins. Leur climat ne leur demande, ni ne leur permet presque rien de ce qui vient de chez nous. Ils vont en grande partie nus; les vêtements qu'ils ont, le pays les leur fournit convenables; et leur religion, qui a sur eux tant d'empire, leur donne de la répugnance pour les choses qui nous servent de nourriture. Ils n'ont donc besoin que de nos métaux qui sont les signes des valeurs, et pour lesquels ils donnent des marchandises, que leur frugalité et la nature de leur pays leur procure en grande abondance. Les auteurs anciens qui nous ont parlé des

---

a. Pline, liv. VI, chap. XXIII.

Indes, nous les dépeignent [b] telles que nous les voyons aujourd'hui, quant à la police, aux manières et aux mœurs. Les Indes ont été, les Indes seront ce qu'elles sont à présent; et, dans tous les temps, ceux qui négocieront aux Indes y porteront de l'argent, et n'en rapporteront pas.

CHAPITRE II

Des peuples d'Afrique.

La plupart des peuples des côtes de l'Afrique sont sauvages ou barbares. Je crois que cela vient beaucoup de ce que des pays presque inhabitables séparent de petits pays qui peuvent être habités. Ils sont sans industrie; ils n'ont point d'arts; ils ont en abondance des métaux précieux qu'ils tiennent immédiatement des mains de la nature. Tous les peuples policés sont donc en état de négocier avec eux avec avantage; ils peuvent leur faire estimer beaucoup des choses de nulle valeur, et en recevoir un très grand prix.

CHAPITRE III

Que les besoins des peuples du midi
sont différents de ceux des peuples du nord.

Il y a, dans l'Europe, une espèce de balancement entre les nations du midi et celles du nord. Les premières ont toutes sortes de commodités pour la vie, et peu de besoins; les secondes ont beaucoup de besoins, et peu de commodités pour la vie. Aux unes, la nature a donné beaucoup, et elles ne lui demandent que peu; aux autres, la nature donne peu, et elles lui demandent beaucoup. L'équilibre se maintient par la paresse qu'elle a donnée aux nations du midi, et par l'industrie et l'activité qu'elle a données à celles du nord. Ces dernières sont obligées de

---

b. Voyez Pline, liv. VI, chap. xix; et Strabon, et liv. XV.

travailler beaucoup; sans quoi, elles manqueraient de tout, et deviendraient barbares. C'est ce qui a naturalisé la servitude chez les peuples du midi : comme ils peuvent aisément se passer de richesses, ils peuvent encore mieux se passer de liberté. Mais les peuples du nord ont besoin de la liberté, qui leur procure plus de moyens de satisfaire tous les besoins que la nature leur a donnés. Les peuples du nord sont donc dans un état forcé, s'ils ne sont libres ou barbares : presque tous les peuples du midi sont, en quelque façon, dans un état violent, s'ils ne sont esclaves.

Chapitre IV

*Principale différence du commerce des anciens,
d'avec celui d'aujourd'hui.*

Le monde se met, de temps en temps, dans des situations qui changent le commerce. Aujourd'hui le commerce de l'Europe se fait principalement du nord au midi. Pour lors la différence des climats fait que les peuples ont un grand besoin des marchandises les uns des autres. Par exemple, les boissons du midi portées au nord forment une espèce de commerce que les anciens n'avaient guère. Aussi la capacité des vaisseaux, qui se mesurait autrefois par muids de blé, se mesure-t-elle aujourd'hui par tonneaux de liqueurs.

Le commerce ancien que nous connaissons, se faisant d'un port de la Méditerranée à l'autre, était presque tout dans le Midi. Or les peuples du même climat ayant chez eux à peu près les mêmes choses, n'ont pas tant de besoin de commercer entre eux, que ceux d'un climat différent. Le commerce en Europe était donc autrefois moins étendu qu'il ne l'est à présent.

Ceci n'est point contradictoire avec ce que j'ai dit de notre commerce des Indes : la différence excessive du climat fait que les besoins relatifs sont nuls.

Chapitre V

Autres différences.

Le commerce, tantôt détruit par les conquérants, tantôt gêné par les monarques, parcourt la terre, fuit d'où il est opprimé, se repose où on le laisse respirer : il règne aujourd'hui où l'on ne voyait que des déserts, des mers et des rochers; là où il régnait, il n'y a que des déserts.

A voir aujourd'hui la Colchide, qui n'est plus qu'une vaste forêt, où le peuple, qui diminue tous les jours, ne défend sa liberté que pour se vendre en détail aux Turcs et aux Persans; on ne dirait jamais que cette contrée eût été, du temps des Romains, pleine de villes où le commerce appelait toutes les nations du monde. On n'en trouve aucun monument dans le pays; il n'y en a de traces que dans Pline [a] et Strabon [b].

L'histoire du commerce est celle de la communication des peuples. Leurs destructions diverses, et de certains flux et reflux de populations et de dévastations, en forment les plus grands événements.

a. Liv. VI,
b. Liv. II.

Chapitre VI

Du commerce des anciens.

Les trésors immenses de [a] Sémiramis, qui ne pouvaient avoir été acquis en un jour, nous font penser que les Assyriens avaient eux-mêmes pillé d'autres nations riches, comme les autres nations les pillèrent après.

L'effet du commerce sont les richesses, la suite des richesses le luxe, celle du luxe la perfection des arts. Les arts portés au point où on les trouve du temps de Sémiramis [b], nous marquent un grand commerce déjà établi.

a. Diodore, liv. II.
b. Ibid.

Il y avait un grand commerce de luxe dans les empires d'Asie. Ce serait une belle partie de l'histoire du commerce que l'histoire du luxe; le luxe des Perses était celui des Mèdes, comme celui des Mèdes était celui des Assyriens.

Il est arrivé de grands changements en Asie. La partie de la Perse qui est au nord-est, l'Hyrcanie, la Margiane, la Bactriane, etc., étaient autrefois pleines de villes florissantes *c* qui ne sont plus; et le nord *d* de cet empire, c'est-à-dire, l'isthme qui sépare la mer Caspienne du Pont-Euxin, était couvert de villes et de nations, qui ne sont plus encore.

Eratosthène *e* et Aristobule tenaient de Patrocle *f*, que les marchandises des Indes passaient par l'Oxus dans la mer du Pont. Marc Varron *g* nous dit que l'on apprit, du temps de Pompée dans la guerre contre Mithridate, que l'on allait en sept jours de l'Inde dans le pays des Bactriens, et au fleuve Icarus qui se jette dans l'Oxus; que par là les marchandises de l'Inde pouvaient traverser la mer Caspienne, entrer de là dans l'embouchure du Cyrus; que, de ce fleuve, il ne fallait qu'un trajet par terre de cinq jours pour aller au Phase qui conduisait dans le Pont-Euxin. C'est sans doute par les nations qui peuplaient ces divers pays, que les grands empires des Assyriens, des Mèdes et des Perses, avaient une communication avec les parties de l'Orient et de l'Occident les plus reculées.

Cette communication n'est plus. Tous ces pays ont été dévastés par les Tartares *h*, et cette nation destructrice les habite encore pour les infester. L'Oxus ne va plus à la mer Caspienne; les Tartares l'ont détourné pour des raisons particulières *i*; il se perd dans des sables arides.

Le Jaxarte, qui formait autrefois une barrière entre les

c. Voyez Pline, liv. VI, chap. XVI; et Strabon, liv. XI.

d. *Ibid.*

e. *Ibid.*

f. L'autorité de Patrocle est considérable, comme il paraît par un récit de Strabon, liv. II.

g. Dans Pline, liv. VI, chap. XVII. Voyez aussi Strabon, liv. XI, sur le trajet des marchandises du Phase au Cyrus.

h. Il faut que, depuis le temps de Ptolémée, qui nous décrit tant de rivières qui se jettent dans la partie orientale de la mer Caspienne, il y ait eu de grands changements dans ce pays. La carte du tsar ne met, de ce côté-là, que la rivière d'Astrabat; et celle de M. Bathalsi, rien du tout.

i. Voyez la relation de Genkinson, dans le *Recueil des voyages du Nord*, t. IV.

nations policées et les nations barbares, a été tout de même détourné [k] par les Tartares, et ne va plus jusqu'à la mer.

Séleucus Nicator forma le projet [l] de joindre le Pont-Euxin à la mer Caspienne. Ce dessein, qui eût donné bien des facilités au commerce qui se faisait dans ce temps-là, s'évanouit à sa mort [m]. On ne sait s'il aurait pu l'exécuter dans l'isthme qui sépare les deux mers. Ce pays est aujourd'hui très peu connu ; il est dépeuplé et plein de forêts. Les eaux n'y manquent pas, car une infinité de rivières descendent du mont Caucase : mais ce Caucase, qui forme le nord de l'isthme, et qui étend des espèces de bras [n] au midi, aurait été un grand obstacle, surtout dans ces temps-là, où l'on n'avait point l'art de faire des écluses.

On pourrait croire que Séleucus voulait faire la jonction des deux mers dans le lieu même où le czar Pierre Ier l'a faite depuis, c'est-à-dire, dans cette langue de terre où le Tanaïs s'approche du Volga : mais le nord de la mer Caspienne n'était pas encore découvert.

Pendant que, dans les empires d'Asie, il y avait un commerce de luxe ; les Tyriens faisaient par toute la terre un commerce d'économie. Bochard a employé le premier livre de son Chanaan à faire l'énumération des colonies qu'ils envoyèrent dans tous les pays qui sont près de la mer ; ils passèrent les colonnes d'Hercule, et firent des établissements [o] sur les côtes de l'océan.

Dans ces temps-là, les navigateurs étaient obligés de suivre les côtes, qui étaient, pour ainsi dire, leur boussole. Les voyages étaient longs et pénibles. Les travaux de la navigation d'Ulysse ont été un sujet fertile pour le plus beau poème du monde, après celui qui est le premier de tous.

Le peu de connaissance que la plupart des peuples avaient de ceux qui étaient éloignés d'eux, favorisait les nations qui faisaient le commerce d'économie. Elles mettaient dans leur négoce les obscurités qu'elles voulaient : elles avaient tous les avantages que les nations intelligentes prennent sur les peuples ignorants.

---

k. Je crois que de là s'est formé le lac Aral.
l. Claude César, dans Pline, liv. VI, chap. 11.
m. Il fut tué par Ptolémée Céranus.
n. Voyez Strabon, liv. XI.
o. Ils fondèrent Tartèse, et s'établirent à Cadix.

L'Egypte éloignée, par la religion et par les mœurs, de toute communication avec les étrangers, ne faisait guère de commerce au-dehors : elle jouissait d'un terrain fertile et d'une extrême abondance. C'était le Japon de ces temps-là : elle se suffisait à elle-même.

Les Égyptiens furent si peu jaloux du commerce du dehors, qu'ils laissèrent celui de la mer Rouge à toutes les petites nations qui y eurent quelque port. Ils souffrirent que les Iduméens, les Juifs et les Syriens y eussent des flottes. Salomon [p] employa à cette navigation des Tyriens qui connaissaient ces mers.

Josephe [q] dit que sa nation, uniquement occupée de l'agriculture, connaissait peu la mer : aussi ne fut-ce que par occasion que les Juifs négocièrent dans la mer Rouge. Ils conquirent, sur les Iduméens, Elath et Asiongaber qui leur donnèrent ce commerce : ils perdirent ces deux villes, et perdirent ce commerce aussi.

Il n'en fut pas de même des Phéniciens : ils ne faisaient pas un commerce de luxe; ils ne négociaient point par la conquête : leur frugalité, leur habileté, leur industrie, leurs périls, leurs fatigues, les rendaient nécessaires à toutes les nations du monde.

Les nations voisines de la mer Rouge ne négociaient que dans cette mer et celle d'Afrique. L'étonnement de l'univers à la découverte de la mer des Indes, faite sous Alexandre, le prouve assez. Nous avons dit [r] qu'on porte toujours aux Indes des métaux précieux, et que l'on n'en rapporte point [s] : les flottes juives, qui rapportaient par la mer Rouge de l'or et de l'argent, revenaient d'Afrique, et non pas des Indes.

Je dis plus : cette navigation se faisait sur la côte orientale de l'Afrique : et l'état où était la marine pour lors prouve assez qu'on n'allait pas dans des lieux bien reculés.

Je sais que les flottes de Salomon et de Jozaphat ne revenaient que la troisième année : mais je ne vois pas que la longueur du voyage prouve la grandeur de l'éloignement.

Pline et Strabon nous disent que le chemin qu'un navire des Indes et de la mer Rouge, fabriqué de joncs,

---

p. Livre III des *Rois*, chap. IX; *Paralip.*, liv. II, chap. VIII.
q. Contre Appion.
r. Au chap. I de ce livre.
s. La proportion établie en Europe entre l'or et l'argent peut quelquefois faire trouver du profit à prendre dans les Indes de l'or pour de l'argent; mais c'est peu de chose.

faisait en vingt jours, un navire grec ou romain le
faisait en sept [t]. Dans cette proportion, un voyage d'un
an pour les flottes grecques et romaines était à peu près
de trois pour celles de Salomon.

Deux navires d'une vitesse inégale ne font pas leur
voyage dans un temps proportionné à leur vitesse : la
lenteur produit souvent une plus grande lenteur. Quand
il s'agit de suivre les côtes, et qu'on se trouve sans cesse
dans une différente position; qu'il faut attendre un bon
vent pour sortir d'un golfe, en avoir un autre pour aller
en avant, un navire bon voilier profite de tous les temps
favorables; tandis que l'autre reste dans un endroit
difficile, et attend plusieurs jours un autre changement.

Cette lenteur des navires des Indes qui, dans un temps
égal, ne pouvaient faire que le tiers du chemin que
faisaient les vaisseaux grecs et romains, peut s'expliquer
par ce que nous voyons aujourd'hui dans notre marine.
Les navires des Indes, qui étaient de jonc, tiraient moins
d'eau que les vaisseaux grecs et romains, qui étaient de
bois, et joints avec du fer.

On peut comparer ces navires des Indes à ceux de
quelques nations d'aujourd'hui, dont les ports ont peu
de fond : tels sont ceux de Venise, et même en général
de l'Italie [u], de la mer Baltique, et de la province de
Hollande [x]. Leurs navires, qui doivent en sortir et y
rentrer, sont d'une fabrique ronde et large de fond; au
lieu que les navires d'autres nations qui ont de bons
ports sont, par le bas, d'une forme qui les fait entrer
profondément dans l'eau. Cette mécanique fait que ces
derniers navires naviguent plus près du vent, et que les
premiers ne naviguent presque que quand ils ont le
vent en poupe. Un navire qui entre beaucoup dans l'eau
navigue vers le même côté à presque tous les vents : ce
qui vient de la résistance que trouve dans l'eau le vaisseau
poussé par le vent, qui fait un point d'appui; et de la
forme longue du vaisseau qui est présenté au vent par
son côté, pendant que, par l'effet de la figure du gouver-
nail, on tourne la proue vers le côté que l'on se propose;
en sorte qu'on peut aller très près du vent, c'est-à-dire,
très près du côté d'où vient le vent. Mais, quand le

[t]. Voyez Pline, liv. VI, chap. XXII; et Strabon, liv. XV.
[u]. Elle n'a presque que des rades : mais la Sicile a de très bons
ports.
[x]. Je dis de la province de Hollande; car les ports de celle de
Zélande sont assez profonds.

navire est d'une figure ronde et large de fond, et que par conséquent il enfonce peu dans l'eau, il n'y a plus de point d'appui; le vent chasse le vaisseau, qui ne peut résister, ni guère aller que du côté opposé au vent. D'où il suit que les vaisseaux d'une construction ronde de fond sont plus lents dans leurs voyages : 1º ils perdent beaucoup de temps à attendre le vent, surtout s'ils sont obligés de changer souvent de direction; 2º ils vont plus lentement; parce que, n'ayant pas de point d'appui, ils ne sauraient porter autant de voiles que les autres. Que si, dans un temps où la marine s'est si fort perfectionnée; dans un temps où les arts se communiquent; dans un temps où l'on corrige, par l'art, et les défauts de la nature, et les défauts de l'art même, on sent ces différences, que devait-ce être dans la marine des anciens ?

Je ne saurais quitter ce sujet. Les navires des Indes étaient petits, et ceux des Grecs et des Romains, si l'on en excepte ces machines que l'ostentation fit faire, étaient moins grands que les nôtres. Or, plus un navire est petit, plus il est en danger dans les gros temps. Telle tempête submerge un navire, qui ne ferait que le tourmenter, s'il était plus grand. Plus un corps en surpasse un autre en grandeur, plus sa surface est relativement petite : d'où il suit que, dans un petit navire, il y a une moindre raison, c'est-à-dire, une plus grande différence de la surface du navire au poids ou à la charge qu'il peut porter, que dans un grand. On sait que, par une pratique à peu près générale, on met dans un navire une charge d'un poids égal à celui de la moitié de l'eau qu'il pourrait contenir. Supposons qu'un navire tînt huit cents tonneaux d'eau, sa charge serait de quatre cents tonneaux; celle d'un navire qui ne tiendrait que quatre cents tonneaux d'eau serait de deux cents tonneaux. Ainsi la grandeur du premier navire serait, au poids qu'il porterait, comme 8 est à 4; et celle du second, comme 4 est à 2. Supposons que la surface du grand soit, à la surface du petit, comme 8 est à 6; la surface ^y de celui-ci fera, à son poids, comme 6 est à 2; tandis que la surface de celui-là ne fera, à son poids, que comme 8 est à 4; et les vents et les flots n'agissant que sur la surface, le grand vaisseau résistera plus, par son poids, à leur impétuosité, que le petit.

---

y. C'est-à-dire, pour comparer les grandeurs de même genre : l'action ou la prise du fluide sur le navire sera, à la résistance du même navire, comme, etc.

CHAPITRE VII

Du commerce des Grecs.

Les premiers Grecs étaient tous pirates. Minos, qui avait eu l'empire de la mer, n'avait eu peut-être que de plus grands succès dans les brigandages : son empire était borné aux environs de son île. Mais, lorsque les Grecs devinrent un grand peuple, les Athéniens obtinrent le véritable empire de la mer; parce que cette nation commerçante et victorieuse donna la loi au monarque [a] le plus puissant d'alors, et abattit les forces maritimes de la Syrie, de l'île de Chypre et de la Phénicie.

Il faut que je parle de cet empire de la mer qu'eut Athènes. « Athènes, dit Xénophon [b], a l'empire de la mer : mais, comme l'Attique tient à la terre, les ennemis la ravagent, tandis qu'elle fait ses expéditions au loin. Les principaux laissent détruire leurs terres, et mettent leurs biens en sûreté dans quelque île : la populace, qui n'a point de terres, vit sans aucune inquiétude. Mais, si les Athéniens habitaient une île, et avaient outre cela l'empire de la mer, ils auraient le pouvoir de nuire aux autres, sans qu'on pût leur nuire, tandis qu'ils seraient les maîtres de la mer. » Vous diriez que Xénophon a voulu parler de l'Angleterre.

Athènes remplie de projets de gloire; Athènes qui augmentait la jalousie, au lieu d'augmenter l'influence; plus attentive à étendre son empire maritime, qu'à en jouir; avec un tel gouvernement politique, que le bas-peuple se distribuait les revenus publics, tandis que les riches étaient dans l'oppression; ne fit point ce grand commerce que lui promettaient le travail de ses mines, la multitude de ses esclaves, le nombre de ses gens de mer, son autorité sur les villes grecques, et, plus que tout cela, les belles institutions de Solon. Son négoce fut presque borné à la Grèce et au Pont-Euxin, d'où elle tira sa subsistance.

Corinthe fut admirablement bien située : elle sépara deux mers, ouvrit et ferma le Péloponnèse, et ouvrit et

a. Le roi de Perse.
b. De republ. athen.

ferma la Grèce. Elle fut une ville de la plus grande importance, dans un temps où le peuple grec était un monde, et les villes grecques des nations. Elle fit un plus grand commerce qu'Athènes. Elle avait un port pour recevoir les marchandises d'Asie; elle en avait un autre pour recevoir celles d'Italie : car, comme il y avait de grandes difficultés à tourner le promontoire Malée, où des vents *c* opposés se rencontrent et causent des naufrages, on aimait mieux aller à Corinthe, et l'on pouvait même faire passer par terre les vaisseaux d'une mer à l'autre. Dans aucune ville on ne porta si loin les ouvrages de l'art. La religion acheva de corrompre ce que son opulence lui avait laissé de mœurs. Elle érigea un temple à Vénus, où plus de mille courtisanes furent consacrées. C'est de ce séminaire que sortirent la plupart de ces beautés célèbres dont Athénée a osé écrire l'histoire.

Il paraît que, du temps d'Homère, l'opulence de la Grèce était à Rhodes, à Corinthe et à Orcomène. « Jupiter, dit-il *d*, aima les Rhodiens, et leur donna de grande richesses. » Il donne à Corinthe *e* l'épithète de riche. De même, quand il veut parler des villes qui ont beaucoup d'or, il cite Orcomène *f*, qu'il joint à Thèbes d'Egypte. Rhodes et Corinthe conservèrent leur puissance, et Orcomène la perdit. La position d'Orcomène, près de l'Hellespont, de la Propontide et du Pont-Euxin, fait naturellement penser qu'elle tirait sa richesse d'un commerce sur les côtes de ces mers, qui avait donné lieu à la fable de la toison d'or : Et effectivement le nom de Miniares est donné à Orcomène *g* et encore aux Argonautes. Mais, comme dans la suite ces mers devinrent plus connues; que les Grecs y établirent un très grand nombre de colonies; que ces colonies négocièrent avec les peuples barbares; qu'elles communiquèrent avec leur métropole; Orcomène commença à déchoir, et elle rentra dans la foule des autres villes grecques.

Les Grecs, avant Homère, n'avaient guère négocié qu'entre eux, et chez quelque peuple barbare; mais ils étendirent leur domination, à mesure qu'ils formèrent de nouveaux peuples. La Grèce était une grande péninsule dont les caps semblaient avoir fait reculer les mers,

c. Voyez Strabon, liv. VIII.
d. *Iliade*, liv. II.
e. *Ibid.*
f. *Ibid.*, liv. I, v. 381. Voyez Strabon, liv. IX, p. 414, éd. de 1620.
g. Strabon, liv. IX, p. 414.

et les golfes s'ouvrir de tous côtés, comme pour les recevoir encore. Si l'on jette les yeux sur la Grèce, on verra,
dans un pays assez resserré, une vaste étendue de côtes.
Ses colonies innombrables faisaient une immense circon-
férence autour d'elle; et elle y voyait, pour ainsi dire,
tout le monde qui n'était pas barbare. Pénétra-t-elle en
Sicile et en Italie ? elle y forma des nations. Navigua-t-elle
vers les mers du Pont, vers les côtes de l'Asie mineure,
vers celles d'Afrique ? elle en fit de même. Ses villes
acquirent de la prospérité, à mesure qu'elles se trouvèrent
près de nouveaux peuples. Et, ce qu'il y avait d'admirable,
des îles sans nombre, situées comme en première ligne
l'entouraient encore.

Quelles causes de prospérité pour la Grèce, que des
jeux qu'elle donnait, pour ainsi dire, à l'univers; des
temples, où tous les rois envoyaient des offrandes; des
fêtes, où l'on assemblait de toutes parts; des oracles, qui
faisaient l'attention de toute la curiosité humaine; enfin,
le goût et les arts portés à un point, que de croire les
surpasser, sera toujours ne les pas connaître ?

Chapitre VIII

D'Alexandre. Sa conquête.

Quatre événements arrivés sous Alexandre firent,
dans le commerce, une grande révolution; la prise de Tyr,
la conquête de l'Egypte, celle des Indes, et la découverte
de la mer qui est au midi de ce pays.

L'empire des Perses s'étendait jusqu'à l'Indus [a].
Longtemps avant Alexandre, Darius [b] avait envoyé des
navigateurs qui descendirent ce fleuve, et allèrent jusqu'à
la mer Rouge. Comment donc les Grecs furent-ils les
premiers qui firent par le midi le commerce des Indes ?
Comment les Perses ne l'avaient-ils pas fait auparavant ?
Que leur servaient des mers qui étaient si proches d'eux,
des mers qui baignaient leur empire ? Il est vrai
qu'Alexandre conquit les Indes : mais faut-il conquérir un pays pour y négocier ? J'examinerai ceci.

a. Strabon, liv. XV.
b. Hérodote, in Melpomene.

L'Ariane [c], qui s'étendait depuis le golfe Persique jusqu'à l'Indus, et de la mer du midi jusqu'aux montagnes des Paropamisades, dépendait bien en quelque façon de l'empire des Perses : mais, dans sa partie méridionale, elle était aride, brûlée, inculte et barbare. La tradition [d] portait que les armées de Sémiramis et de Cyrus avaient péri dans ces déserts : et Alexandre, qui se fit suivre par sa flotte, ne laissa pas d'y perdre une grande partie de son armée. Les Perses laissaient toute la côte au pouvoir des icthyophages [e], des Orittes, et autres peuples barbares. D'ailleurs, les Perses n'étaient pas navigateurs, et leur religion même leur ôtait toute idée de commerce maritime [f]. La navigation que Darius fit faire sur l'Indus et la mer des Indes, fut plutôt une fantaisie d'un prince qui qui veut montrer sa puissance, que le projet réglé d'un monarque qui veut l'employer. Elle n'eut de suite, ni pour le commerce, ni pour la marine ; et, si l'on sortit de l'ignorance, ce fut pour y retomber.

Il y a plus : il était reçu [g], avant l'expédition d'Alexandre, que la partie méridionale des Indes était inhabitable [h] : ce qui suivait de la tradition que Sémiramis [i] n'en avait ramené que vingt hommes, et Cyrus que sept.

Alexandre entra par le nord. Son dessein était de marcher vers l'orient : mais, ayant trouvé la partie du midi pleine de grandes nations, de villes et de rivières, il en tenta la conquête, et la fit.

Pour lors, il forma le dessein d'unir les Indes avec l'occident par un commerce maritime, comme il les avait unies par des colonies qu'il avait établies dans les terres.

Il fit construire une flotte sur l'Hydaspe, descendit cette rivière, entra dans l'Indus, et navigua jusqu'à son embouchure. Il laissa son armée et sa flotte à Patale, alla lui-même avec quelques vaisseaux reconnaître la mer,

c. Strabon, liv. XV.

d. *Ibid.*

e. Pline, liv. VI, chap. XXIII ; Strabon, liv. XV.

f. Pour ne point souiller les éléments, ils ne naviguaient pas sur les fleuves. M. HIDDE, *Religion des Perses.* Encore aujourd'hui ils n'ont point de commerce maritime, et ils traitent d'athées ceux qui vont sur mer.

g. Strabon, liv. XV.

h. HÉRODOTE, *in Melpomene,* dit que Darius conquit les Indes. Cela ne peut être entendu que de l'Ariane : encore ne fut-ce qu'une conquête en idée.

i. Strabon, liv. XV.

marqua les lieux où il voulut que l'on construisît des ports, des havres, des arsenaux. De retour à Patale, il se sépara de sa flotte, et prit la route de terre, pour lui donner du secours, et en recevoir. La flotte suivit la côte depuis l'embouchure de l'Indus, le long du rivage des pays des Orittes, des icthyophages, de la Caramanie et de la Perse. Il fit creuser des puits, bâtir des villes; il défendit aux icthyophages [k] de vivre de poisson; il voulait que les bords de cette mer fussent habités par des nations civilisées. Néarque et Onésicrite ont fait le journal de cette navigation, qui fut de dix mois. Ils arrivèrent à Suse; ils y trouvèrent Alexandre qui donnait des fêtes à son armée.

Ce conquérant avait fondé Alexandrie, dans la vue de s'assurer de l'Egypte : C'était une clef pour l'ouvrir, dans le lieu même où les rois ses prédécesseurs avaient une clef pour la fermer [l] : Et il ne songeait point à un commerce dont la découverte de la mer des Indes pouvait seule lui faire naître la pensée.

Il paraît même qu'après cette découverte, il n'eut aucune vue nouvelle sur Alexandrie. Il avait bien, en général, le projet d'établir un commerce entre les Indes et les parties occidentales de son empire : mais, pour le projet de faire ce commerce par l'Egypte, il lui manquait trop de connaissances pour pouvoir le former. Il avait vu l'Indus, il avait vu le Nil; mais il ne connaissait point les mers d'Arabie, qui sont entre deux. A peine fut-il arrivé des Indes, qu'il fit construire de nouvelles flottes, et navigua [m] sur l'Euléus, le Tigre, l'Euphrate et la mer : il ôta les cataractes que les Perses avaient mises sur ces fleuves : il découvrit que le sein persique était un golfe de l'océan. Comme il alla reconnaître [n] cette mer, ainsi qu'il avait reconnu celle des Indes; comme il fit construire

---

k. Ceci ne saurait s'entendre de tous les icthyophages, qui habitaient une côte de dix milles stades. Comment Alexandre aurait-il pu leur donner la subsistance ? Comment se serait-il fait obéir ? Il ne peut être ici question que de quelques peuples particuliers. Néarque, dans le livre *Rerum indicarum*, dit, qu'à l'extrémité de cette côte, du côté de la Perse, il avait trouvé les peuples moins icthyophages. Je croirais que l'ordre d'Alexandre regardait cette contrée, ou quelque autre encore plus voisine de la Perse.

l. Alexandrie fut fondée dans une plage appelée *Racotis*. Les anciens rois y tenaient une garnison, pour défendre l'entrée du pays aux étrangers, et surtout aux Grecs, qui étaient, comme on sait, de grands pirates. Voyez Pline, livre VI, chap. x; et Strabon, liv. XVIII.

m. ARRIEN, *De expeditione Alexandri*, lib. VII.

n. Ibid.

un port à Babylone pour mille vaisseaux, et des arsenaux; comme il envoya cinq cents talents en Phénicie et en Syrie, pour en faire venir des nautoniers, qu'il voulait placer dans les colonies qu'il répandait sur les côtes; comme enfin il fit des travaux immenses sur l'Euphrate et les autres fleuves de l'Assyrie, on ne peut douter que son dessein ne fût de faire le commerce des Indes par Babylone et le golfe Persique.

Quelques gens, sous prétexte qu'Alexandre voulait conquérir l'Arabie [o], ont dit qu'il avait formé le dessein d'y mettre le siège de son empire : mais, comment aurait-il choisi un lieu qu'il ne connaissait pas [p] ? D'ailleurs, c'était le pays du monde le plus incommode : il se serait séparé de son empire. Les califes, qui conquirent au loin, quittèrent d'abord l'Arabie, pour s'établir ailleurs.

o. Strabon, liv. XVI, à la fin.
p. Voyant la Babylonie inondée, il regardait l'Arabie, qui en est proche, comme une île. Aristobule, dans Starbon, liv. XVI.

Chapitre IX

Du commerce des rois grecs, après Alexandre.

Lorsque Alexandre conquit l'Egypte, on connaissait très peu la mer Rouge, et rien de cette partie de l'océan qui se joint à cette mer, et qui baigne d'un côté la côte d'Afrique, et de l'autre celle de l'Arabie : on crut même depuis qu'il était impossible de faire le tour de la presqu'île d'Arabie. Ceux qui l'avaient tenté de chaque côté avaient abandonné leur entreprise. On disait [a] : « Comment serait-il possible de naviguer au midi des côtes de l'Ariabe, puisque l'armée de Cambyse, qui la traversa du côté du nord, périt presque toute; et que celle que Ptolomée, fils de Lagus, envoya au secours de Séleucus Nicator à Babylone, souffrit des maux incroyables, et, à cause de la chaleur, ne put marcher que la nuit ? »

Les Perses n'avaient aucune sorte de navigation. Quand ils conquirent l'Egypte, ils y apportèrent le même esprit qu'ils avaient eu chez eux : et la négligence fut si extra-

a. Voyez le livre *Rerum indicarum*.

ordinaire, que les rois grecs trouvèrent que non seulement
les navigateurs des Tyriens, des Iduméens et des Juifs
dans l'océan étaient ignorées; mais que celles même de
la mer Rouge l'étaient. Je crois que la destruction de la
première Tyr par Nabuchodonosor, et celle de plusieurs
petites nations et villes voisines de la mer Rouge, firent
perdre les connaissances que l'on avait acquises.

L'Egypte, du temps des Perses, ne confrontait point à
le mer Rouge : elle ne contenait [b] que cette lisière de terre
longue et étroite que le Nil couvre par ses inondations,
et qui est resserrée des deux côtés par des chaînes de
montagnes. Il fallut donc découvrir la mer Rouge une
seconde fois, et l'océan une seconde fois; et cette découverte appartint à la curiosité des rois grecs.

On remonta le Nil; on fit la chasse des éléphants dans
les pays qui sont entre le Nil et la mer; on découvrit
les bords de cette mer par les terres : Et, comme cette
découverte se fit sous les Grecs, les noms en sont grecs,
et les temples sont consacrés [c] à des divinités grecques.

Les Grecs d'Egypte purent faire un commerce très
étendu : ils étaient maîtres des ports de la mer Rouge;
Tyr, rivale de toute nation commerçante, n'était plus;
ils n'étaient point gênés par les anciennes [d] superstitions
du pays; l'Egypte était devenue le centre de l'univers.

Les rois de Syrie laissèrent à ceux d'Egypte le commerce méridional des Indes, et ne s'attachèrent qu'à ce
commerce septentrional qui se faisait par l'Oxus et la
mer Caspienne. On croyait, dans ces temps-là, que cette
mer était une partie de l'océan septentrional [e] : et
Alexandre, quelque temps avant sa mort, avait fait construire [f] une flotte, pour découvrir si elle communiquait
à l'océan par le Pont-Euxin, ou par quelque autre mer
orientale vers les Indes. Après lui, Séleucus et Antiochus
eurent une attention particulière à la reconnaître : ils y
entretinrent des flottes [g]. Ce que Séleucus reconnut fut
appelé mer Séleucide : ce qu'Antiochus découvrit fut
appelé mer Anthiochide. Attentifs aux projets qu'ils

---

b. Strabon, liv. XVI.
c. *Ibid.*
d. Elles leur donnaient de l'horreur pour les étrangers.
e. Pline, liv. II, chap. LXVIII; et liv. VI, chap. IX et XII; Strabon,
liv. XI; ARRIEN, *De l'expédition d'Alexandre*, liv. III, p. 74; et liv. V,
p. 104.
f. ARRIEN, *De l'expédition d'Alexandre*, liv. VII.
g. Pline, liv. II, chap. LXIV.

pouvaient avoir de ce côté-là, ils négligèrent les mers du midi ; soit que les Ptolomées, par leurs flottes sur la mer Rouge, s'en fussent déjà procuré l'empire ; soit qu'ils eussent découvert dans les Perses un éloignement invincible pour la marine. La côte du midi de la Perse ne fournissait point de matelots ; on n'y en avait vu que dans les derniers moments de la vie d'Alexandre. Mais les rois d'Egypte, maître de l'île de Chypre, de la Phénicie, et d'un grand nombre de places sur les côtes de l'Asie mineure, avaient toutes sortes de moyens pour faire des entreprises de mer. Ils n'avaient point à contraindre le génie de leurs sujets ; ils n'avaient qu'à le suivre.

On a de la peine à comprendre l'obstination des anciens à croire que la mer Caspienne était une partie de l'océan. Les expéditions d'Alexandre, des rois de Syrie, des Parthes et des Romains, ne purent leur faire changer de pensée : c'est qu'on revient de ses erreurs le plus tard qu'on peut. D'abord on ne connut que le midi de la mer Caspienne ; on la prit pour l'océan : A mesure que l'on avança le long de ses bords du côté du nord, on crut encore que c'était l'océan qui entrait dans les terres : En suivant les côtes, on n'avait reconnu, du côté de l'est, que jusqu'au Jaxarte ; et, du côté de l'ouest, que jusqu'aux extrémités de l'Albanie. La mer, du côté du nord, était vaseuse [h], et par conséquent très peu propre à la navigation. Tout cela fit que l'on ne vit jamais que l'océan.

L'armée d'Alexandre n'avait été, du côté de l'orient, que jusqu'à l'Hypanis, qui est la dernière des rivières qui se jettent dans l'Indus. Ainsi, le premier commerce que les Grecs eurent aux Indes se fit dans une très petite partie du pays. Séleucus Nicator pénétra jusqu'au Gange [i] ; et par-là on découvrit la mer où ce fleuve se jette, c'est-à-dire, le golfe de Bengale. Aujourd'hui l'on découvre les terres par les voyages de mer ; autrefois on découvrait les mers par la conquête des terres.

Strabon [k], malgré le témoignage d'Appollodore, paraît douter que les rois [l] grecs de Bactriane soient allés plus loin que Séleucus et Alexandre. Quand il serait vrai qu'ils n'auraient pas été plus loin vers l'orient que Séleucus, ils

---

h. Voyez la carte du czar.
i. Pline, liv. VI, chap. XVII.
k. Liv. XV.
l. Les Macédoniens, de la Bactriane, des Indes et de l'Ariane, s'étant séparés du royaume de Syrie, formèrent un grand Etat.

allèrent plus loin vers le midi : ils découvrirent [m] Siger
et des ports dans le Malabar, qui donnèrent lieu à la
navigation dont je vais parler.

Pline [n] nous apprend qu'on prit successivement trois
routes pour faire la navigation des Indes. D'abord, on
alla, du promontoire de Siagre, à l'île de Patalène, qui
est à l'embouchure de l'Indus : on voit que c'était la route
qu'avait tenue la flotte d'Alexandre. On prit ensuite un
chemin plus court [o] et plus sûr; et on alla, du même
promontoire, à Siger. Ce Siger ne peut être que le
royaume de Siger dont parle Strabon [p], que les rois grecs
de Bactriane découvrirent. Pline ne peut dire que ce
chemin fût plus court, que parce qu'on le faisait en moins
de temps; car Siger devait être plus reculé que l'Indus,
puisque les rois de Bactriane le découvrirent. Il fallait
donc que l'on évitât par-là le détour de certaines côtes,
et que l'on profitât de certains vents. Enfin, les marchands
prirent une troisième route : ils se rendaient à Canes ou à
Océlis, ports situés à l'embouchure de la mer Rouge, d'où,
par un vent d'ouest, on arrivait à Muziris, première
étape des Indes, et de là à d'autres ports. On voit qu'au
lieu d'aller de l'embouchure de la mer Rouge jusqu'à
Siagre en remontant la côte de l'Arabie heureuse au
nord-est, on alla directement de l'ouest à l'est, d'un côté
à l'autre, par le moyen des moussons, dont on découvrit
les changements en naviguant dans ces parages. Les anciens
ne quittèrent les côtes, que quand ils se servirent des
moussons [q] et des vents alizés, qui étaient une espèce de
boussole pour eux.

Pline [r] dit qu'on partait pour les Indes au milieu de
l'été, et qu'on en revenait vers la fin de décembre et au
commencement de janvier. Ceci est entièrement conforme
aux journaux de nos navigateurs. Dans cette partie de la
mer des Indes qui est entre la presqu'île d'Afrique et
celle de deçà le Gange, il y a deux moussons : la première,
pendant laquelle les vents vont de l'ouest à l'est, commence au mois d'août et de septembre; la deuxième,

---

m. Apollonius Adramittin, dans Strabon, liv. XI.
n. Liv. VI, chap. XXIII.
o. Pline, liv. VI, chap. XXIII.
p. Liv. XI, *Sigertidis regnum*.
q. Les moussons soufflent une partie de l'année d'un côté, et une
partie de l'année de l'autre; les vents alizés soufflent du même côté
toute l'année.
r. Liv. VI, chap. XXIII.

pendant laquelle les vents vont de l'est à l'ouest, commence en janvier. Ainsi, nous partons d'Afrique pour le Malabar dans le temps que partaient les flottes de Ptolomée, et nous en revenons dans le même temps.

La flotte d'Alexandre mit sept mois pour aller de Patale à Suze. Elle partit dans le mois de juillet, c'est-à-dire, dans un temps où aujourd'hui aucun navire n'ose se mettre en mer pour revenir des Indes. Entre l'une et l'autre mousson, il y a un intervalle de temps pendant lequel les vents varient; et où un vent de nord, se mêlant avec les vents ordinaires, cause, surtout auprès des côtes, d'horribles tempêtes. Cela dure les mois de juin, de juillet et d'août. La flotte d'Alexandre, partant de Patale au mois de juillet, essuya bien des tempêtes, et le voyage fut long, parce qu'elle navigua dans une mousson contraire.

Pline dit qu'on partait pour les Indes à la fin de l'été : ainsi on employait le temps de la variation de la mousson à faire le trajet d'Alexandrie à la mer Rouge.

Voyez, je vous prie, comment on se perfectionna peu à peu dans la navigation. Celle que Darius fit faire, pour descendre l'Indus et aller à la mer Rouge, fut de deux ans et demi [s]. La flotte d'Alexandre [t] descendant l'Indus, arriva à Suze dix mois après, ayant navigué trois mois sur l'Indus, et sept sur la mer des Indes. Dans la suite, le trajet de la côte de Malabar à la mer Rouge se fit en quarante jours [u].

Strabon, qui rend raison de l'ignorance où l'on était des pays qui sont entre l'Hypanis et le Gange, dit que, parmi les navigateurs qui vont de l'Egypte aux Indes, il y en a peu qui aillent jusqu'au Gange. Effectivement, on voit que les flottes n'y allaient pas; elles allaient, par les moussons de l'ouest à l'est, de l'embouchure de la mer Rouge à la côte de Malabar. Elles s'arrêtaient dans les étapes qui y étaient, et n'allaient point faire le tour de la presqu'île deçà le Gange par le cap de Comorin et la côte de Coromandel. Le plan de la navigation des rois d'Egypte et des Romains était de revenir la même année [x].

Ainsi il s'en faut bien que le commerce des Grecs et des Romains aux Indes ait été aussi étendu que le nôtre;

s. Hérodote, in Melpomene.
t. Pline, liv. VI, chap. XXIII.
u. Ibid.
x. Ibid.

nous qui connaissons des pays immenses qu'ils ne connaissaient pas; nous qui faisons notre commerce avec toutes les nations indiennes, et qui commerçons même pour elles et naviguons pour elles.

Mais ils faisaient ce commerce avec plus de facilité que nous : et, si l'on ne négociait aujourd'hui que sur la côte du Guzarat et du Malabar; et que, sans aller chercher les îles du midi, on se contentât des marchandises que les insulaires viendraient apporter, il faudrait préférer la route de l'Egypte à celle du cap de Bonne-Espérance. Strabon [y] dit que l'on négociait ainsi avec les peuples de la Taprobane.

y. Liv. XV.

CHAPITRE X

Du tour de l'Afrique.

On trouve, dans l'histoire, qu'avant la découverte de la boussole, on tenta quatre fois de faire le tour de l'Afrique. Des Phéniciens envoyés par Nécho [a] et Eudoxe [b], fuyant la colère de Ptolémée Lature, partirent de la mer Rouge, et réussirent. Sataspe [c] sous Xerxès, et Hannon qui fut envoyé par les Carthaginois, sortirent des colonnes d'Hercule, et ne réussirent pas.

Le point capital pour faire le tour de l'Afrique était de découvrir et de doubler le cap de Bonne-Espérance. Mais, si l'on partait de la mer Rouge, on trouvait ce cap de la moitié du chemin plus près qu'en partant de la Méditerranée. La côte qui va de la mer Rouge au cap est plus saine que [d] celle qui va du cap aux colonnes d'Hercule. Pour que ceux qui partaient des colonnes d'Hercule aient pu découvrir le cap, il a fallu l'invention de la boussole, qui a fait que l'on a quitté la côte d'Afrique et qu'on a

a. Hérodote, liv. IV. Il voulait conquérir.
b. Pline, liv. II, chap. LXVII. Pomponius Mela, liv. III, chap. IX.
c. HÉRODOTE, in Melpomene.
d. Joignez à ceci, ce que je dis au chap. XI de ce livre, sur la navigation d'Hannon.

navigué dans le vaste océan * pour aller vers l'île de Sainte-Hélène ou vers la côte du Brésil. Il était donc très possible qu'on fût allé de la mer Rouge dans la Méditerranée, sans qu'on fût revenu de la Méditerranée à la mer Rouge.

Ainsi, sans faire ce grand circuit, après lequel on ne pouvait plus revenir, il était plus naturel de faire le commerce de l'Afrique orientale par la mer Rouge, et celui de la côte occidentale par les colonnes d'Hercule.

Les rois grecs d'Egypte découvrirent d'abord, dans la mer Rouge, la partie de la côte d'Afrique qui va depuis le fond du golfe où est la cité d'Heroum, jusqu'à Dira, c'est-à-dire, jusqu'au détroit appelé aujourd'hui de Babelmandel. De là, jusqu'au promontoire des Aromates situé à l'entrée de la mer Rouge *, la côte n'avait point été reconnue par les navigateurs : et cela est clair par ce que nous dit Artémidore *, que l'on connaissait les lieux de cette côte, mais qu'on en ignorait les distances ; ce qui venait de ce qu'on avait successivement connu ces ports par les terres, et sans aller de l'un à l'autre.

Au-delà de ce promontoire où commence la côte de l'océan, on ne connaissait rien, comme nous * l'apprenons d'Eratosthène et d'Artémidore.

Telles étaient les connaissances que l'on avait des côtes d'Afrique du temps de Strabon, c'est-à-dire, du temps d'Auguste. Mais, depuis Auguste, les Romains découvrirent le promontoire *Raptum* et le promontoire *Prassum*, dont Strabon ne parle pas, parce qu'ils n'étaient pas encore connus. On voit que ces deux noms sont romains.

Ptolémée le géographe vivait sous Adrien et Antonin Pie ; et l'auteur du Périple de la mer Erythrée, quel qu'il soit, vécut peu de temps après. Cependant le premier borne l'Afrique * connue au promontoire *Prassum*, qui

---

e. On trouve dans l'océan Atlantique, aux mois d'octobre, novembre, décembre et janvier, un vent de nord-est. On passe la ligne ; et, pour éluder le vent général d'est, on dirige sa route vers le sud : ou bien on entre dans la zone torride, dans les lieux où le vent souffle de l'ouest à l'est.

f. Ce golfe, auquel nous donnons aujourd'hui ce nom, était appelé, par les anciens, le sein Arabique : ils appelaient mer Rouge la partie de l'océan voisine de ce golfe.

g. Strabon, liv. XV.

h. Ibid., liv. XVI. Artémidore bornait la côte connue au lieu appelé *Austricornu ;* et Eratosthène, *Ad Cinnamomiferam.*

i. Liv. I, chap. VII ; liv. IX, chap. IX ; table IV de l'Afrique.

est environ au quatorzième degré de latitude sud : et l'auteur du Périple *k* au promontoire *Raptum*, qui est à peu près au dixième degré de cette latitude. Il y a apparence que celui-ci prenait pour limite un lieu où l'on allait, et Ptolomée un lieu où l'on n'allait plus.

Ce qui me confirme dans cette idée, c'est que les peuples autour du *Prassum* étaient anthropophages *l*. Ptolomée, qui *m* nous parle d'un grand nombre de lieux entre le port des Aromates et le promontoire *Raptum*, laisse un vide total depuis le *Raptum* jusqu'au *Prassum*. Les grands profits de la navigation des Indes durent faire négliger celle d'Afrique. Enfin les Romains n'eurent jamais sur cette côte de navigation réglée : ils avaient découvert ces ports par les terres, et par des navires jetés par la tempête : Et, comme aujourd'hui on connaît assez bien les côtes de l'Afrique, et très mal l'intérieur *n*, les anciens connaissaient assez bien l'intérieur, et très mal les côtes.

J'ai dit que des Phéniciens, envoyés par Nécho et Eudoxe sous Ptolomée Lature, avaient fait le tour de l'Afrique : il faut bien que, du temps de Ptolomée le géographe, ces deux navigations fussent regardées comme fabuleuses, puisqu'il place *o*, depuis le *sinus magnus*, qui est, je crois, le golfe de Siam, une terre inconnue, qui va d'Asie en Afrique, aboutir au promontoire *Prassum ;* de sorte que la mer des Indes n'aurait été qu'un lac. Les anciens, qui reconnurent les Indes par le nord, s'étant avancés vers l'Orient, placèrent vers le Midi cette terre inconnue.

---

k. On a attribué ce périple à Arrien.
l. Ptolomée, liv. IV, chap. IX.
m. Liv. IV, chap. VII et VIII.
n. Voyez avec quelle exactitude Strabon et Ptolémée nous décrivent les diverses parties de l'Afrique. Ces connaissances venaient des diverses guerres que les deux plus puissantes nations du monde, les Carthaginois et les Romains, avaient eues avec les peuples d'Afrique, des alliances qu'ils avaient contractées, du commerce qu'ils avaient fait dans les terres.
o. Liv. VII, chap. III.

Chapitre XI

Carthage et Marseille.

Carthage avait un singulier droit des gens; elle faisait noyer[a] tous les étrangers qui trafiquaient en Sardaigne et vers les colonnes d'Hercule : Son droit politique n'était pas moins extraordinaire; elle défendit aux Sardes de cultiver la terre, sous peine de la vie. Elle accrut sa puissance par ses richesses, et ensuite ses richesses par sa puissance. Maîtresse des côtes d'Afrique que baigne la Méditerranée, elle s'étendit le long de celles de l'océan. Hannon, par ordre du sénat de Carthage, répandit trente mille Carthaginois depuis les colonnes d'Hercule jusqu'à Cerné. Il dit que ce lieu est aussi éloigné des colonnes d'Hercule, que les colonnes d'Hercule le sont de Carthage. Cette position est très remarquable; elle fait voir qu'Hannon borna ses établissements au vingt-cinquième degré de latitude nord, c'est-à-dire, deux ou trois degrés au-delà des îles Canaries, vers le sud.

Hannon, étant à Cerné, fit une autre navigation, dont l'objet était de faire des découvertes plus avant vers le midi. Il ne prit presque aucune connaissance du continent. L'étendue des côtes qu'il suivit fut de vingt-six jours de navigation, et il fut obligé de revenir faute de vivres. Il paraît que les Carthaginois ne firent aucun usage de cette entreprise d'Hannon. Scylax[b] dit qu'au-delà de Cerné, la mer n'est pas navigable[c], parce qu'elle y est basse, pleine de limon et d'herbes marines : effectivement il y en a beaucoup dans ces parages[d]. Les marchands carthaginois dont parle Scylax, pouvaient trouver des obstacles qu'Hannon, qui avait soixante navires de cinquante rames chacun, avait vaincus. Les difficultés sont relatives; et de plus, on ne doit pas confondre une entre-

---

a. Eratosthène, dans Strabon, liv. XVII, p. 802.
b. Voyez son Périple, article de Carthage.
c. Voyez Hérodote, *In Melpomene*, sur les obstacles que Sataspe trouva.
d. Voyez les cartes et les relations, le premier volume des *Voyages qui ont servi à l'établissement de la compagnie des Indes*, part. I, p. 201. Cette herbe couvre tellement la surface de la mer, qu'on a de la peine à voir l'eau; et les vaisseaux ne peuvent passer au travers que par un vent frais.

prise qui a la hardiesse et la témérité pour objet, avec ce qui est l'effet d'une conduite ordinaire.

C'est un beau morceau de l'Antiquité que la relation d'Hannon : le même homme, qui a exécuté, a écrit : il ne met aucune ostentation dans ses récits. Les grands capitaines écrivent leurs actions avec simplicité, parce qu'ils sont plus glorieux de ce qu'ils ont fait, que de ce qu'ils ont dit.

Les choses sont comme le style. Il ne donne point dans le merveilleux : tout ce qu'il dit du climat, du terrain, des mœurs, des manières des habitants, se rapporte à ce qu'on voit aujourd'hui dans cette côte d'Afrique : il semble que c'est le journal d'un de nos navigateurs.

Hannon remarqua sur sa flotte, que, le jour, il régnait dans le continent un vaste silence; que, la nuit, on entendait les sons de divers instruments de musique; et qu'on voyait partout des feux, les uns plus grands, les autres moindres *e*. Nos relations confirment ceci : on y trouve que, le jour, ces sauvages, pour éviter l'ardeur du soleil, se retirent dans les forêts; que, la nuit, ils font de grands feux, pour écarter les bêtes féroces; et qu'ils aiment passionnément la danse et les instruments de musique.

Hannon nous décrit un volcan avec tous les phénomènes que fait voir aujourd'hui le Vésuve : et le récit qu'il fait de ces deux femmes velues, qui se laissèrent plutôt tuer que de suivre les Carthaginois, et dont il fit porter les peaux à Carthage, n'est pas, comme on l'a dit, hors de vraisemblance.

Cette relation est d'autant plus précieuse, qu'elle est un monument punique; et c'est parce qu'elle est un monument punique, qu'elle a été regardée comme fabuleuse. Car les Romains conservèrent leur haine contre les Carthaginois, même après les avoir détruits. Mais ce ne fut que la victoire qui décida s'il fallait dire *la foi punique*, ou *la foi romaine*.

Des modernes *f* ont suivi ce préjugé. Que sont devenues, disent-ils, les villes qu'Hannon nous décrit, et dont, même du temps de Pline, il ne restait pas le moindre vestige ? Le merveilleux serait qu'il en fût resté. Etait-ce Corinthe ou Athènes, qu'Hannon allait bâtir sur ces côtes ? Il laissait, dans les endroits propres au commerce,

---

e. Pline nous dit la même chose, en parlant du mont Atlas : *Noctibus micare crebris ignibus, tibiarum cantu tympanorumque sonitu strepere, neminem interdiu cerni.*

f. M. Dodwel : voyez sa *Dissertation sur le Périple d'Hannon.*

des familles carthaginoises; et, à la hâte, il les mettait en
sûreté contre les hommes sauvages et les bêtes féroces.
Les calamités des Carthaginois firent cesser la navigation
d'Afrique; il fallut bien que ces familles périssent, ou
devinssent sauvages. Je dis plus : quand les ruines de ces
villes subsisteraient encore, qui est-ce qui aurait été en
faire la découverte dans les bois et dans les marais ? On
trouve pourtant, dans Scylax et dans Polybe, que les Carthaginois avaient de grands établissements sur ces côtes.
Voilà les vestiges des villes d'Hannon; il n'y en a point
d'autres, parce qu'à peine y en a-t-il d'autres de Carthage même.

Les Carthaginois étaient sur le chemin des richesses :
Et, s'ils avaient été jusqu'au quatrième degré de latitude
nord, et au quinzième de longitude, ils auraient découvert
la côte d'Or et les côtes voisines. Ils y auraient fait un
commerce de toute autre importance que celui qu'on y
fait aujourd'hui, que l'Amérique semble avoir avili les
richesses de tous les autres pays : ils y auraient trouvé des
trésors qui ne pouvaient être enlevés par les Romains.

On a dit des choses bien surprenantes des richesses de
l'Espagne. Si l'on en croit Aristote [g] les Phéniciens, qui
abordèrent à Tartèse, y trouvèrent tant d'argent, que leurs
navires ne pouvaient le contenir; et ils firent faire, de ce
métal, leurs plus vils ustensiles. Les Carthaginois, au
rapport de Diodore [h], trouvèrent tant d'or et d'argent
dans les Pyrénées, qu'ils en mirent aux ancres de leurs
navires. Il ne faut point faire de fond sur ces récits populaires : voici des faits précis.

On voit, dans un fragment de Polybe cité par Strabon [i],
que les mines d'argent qui étaient à la source du Bétis, où
quarante mille hommes étaient employés, donnaient au
peuple romain vingt-cinq mille dragmes par jour : cela
peut faire environ cinq millions de livres par an, à cinquante francs le marc. On appelait les montagnes où
étaient ces mines, les *montagnes d'argent* [k]; ce qui fait
voir que c'était le Potosi de ces temps-là. Aujourd'hui les
mines d'Hanover n'ont pas le quart des ouvriers qu'on
employait dans celles d'Espagne, et elles donnent plus :
mais les Romains n'ayant guère que des mines de cuivre,
et peu de mines d'argent, et les Grecs ne connaissant

g. *Des choses merveilleuses.*
h. Liv. VI.
i. Liv. III.
k. *Mons Argentarius.*

que les mines d'Attique très peu riches, ils durent être étonnés de l'abondance de celles-là.

Dans la guerre pour la succession d'Espagne, un homme appelé le *marquis de Rhodes*, de qui on disait qu'il s'était ruiné dans les mines d'or, et enrichi dans les hôpitaux [l], proposa à la cour de France d'ouvrir les mines des Pyrénées. Il cita les Tyriens, les Carthaginois et les Romains : on lui permit de chercher; il chercha, il fouilla partout; il citait toujours, et ne trouvait rien.

Les Carthaginois, maîtres du commerce de l'or et de l'argent, voulurent l'être encore de celui du plomb et de l'étain. Ces métaux étaient voiturés par terre, depuis les ports de la Gaule sur l'océan, jusqu'à ceux de la Méditerranée. Les Carthaginois voulurent les recevoir de la première main; ils envoyèrent Himilcon, pour former [m] des établissements dans les îles Cassitérides, qu'on croit être celles de Silley.

Ces voyages, de la Bétique en Angleterre, ont fait penser à quelques gens que les Carthaginois avaient la boussole : mais il est clair qu'ils suivaient les côtes. Je n'en veux d'autre preuve que ce que dit Himilcon, qui demeura quatre mois à aller de l'embouchure du Bétis en Angleterre : outre que la fameuse histoire [n] de ce pilote carthaginois, qui, voyant venir un vaisseau romain, se fit échouer pour ne lui pas apprendre la route d'Angleterre [o], fait voir que ces vaisseaux étaient très près des côtes lorsqu'ils se rencontrèrent.

Les anciens pourraient avoir fait des voyages de mer qui feraient penser qu'ils avaient la boussole, quoiqu'ils ne l'eussent pas. Si un pilote s'était éloigné des côtes; et que, pendant son voyage, il eût un temps serein; que, la nuit, il eût toujours vu une étoile polaire, et le jour le lever et le coucher du soleil; il est clair qu'il aurait pu se conduire comme on fait aujourd'hui par la boussole : mais ce serait un cas fortuit, et non pas une navigation réglée.

On voit, dans le traité qui finit la première guerre punique, que Carthage fut principalement attentive à se conserver l'empire de la mer, et Rome à garder celui de la terre. Hannon [p], dans la négociation avec les Romains,

---

l. Il en avait eu, quelque part, la direction.
m. Voyez Festus Avienus.
n. Strabon, liv. III, sur la fin.
o. Il en fut récompensé par le sénat de Carthage.
p. Tite-Live, supplément de Frenshemius, seconde décade, liv. VI.

déclara qu'il ne souffrirait pas seulement qu'ils se lavassent les mains dans les mers de Sicile ; il ne leur fut pas permis de naviguer au-delà du beau Promontoire ; il leur fut défendu *q* de trafiquer en Sicile *r*, en Sardaigne, en Afrique, excepté à Carthage : exception qui fait voir qu'on ne leur y préparait pas un commerce avantageux.

Il y eut, dans les premiers temps, de grandes guerres entre Carthage et Marseille *s* au sujet de la pêche. Après la paix, ils firent concurremment le commerce d'économie. Marseille fut d'autant plus jalouse, qu'égalant sa rivale en industrie, elle lui était devenue inférieure en puissance : voilà la raison de cette grande fidélité pour les Romains. La guerre que ceux-ci firent contre les Carthaginois en Espagne, fut une source de richesses pour Marseille, qui servait d'entrepôt. La ruine de Carthage et de Corinthe augmenta encore la gloire de Marseille : et, sans les guerres civiles, où il fallait fermer les yeux, et prendre un parti, elle aurait été heureuse sous la protection des Romains, qui n'avaient aucune jalousie de son commerce.

q. Polybe, liv. III.
r. Dans la partie sujette aux Carthaginois.
s. Justin, liv. XLIII, chap. v.

Chapitre XII

Ile de Délos. Mithridate.

Corinthe ayant été détruite par les Romains, les marchands se retirèrent à Délos. La religion et la vénération des peuples faisait regarder cette île comme un lieu de sûreté *a* ; de plus, elle était très bien située pour le commerce de l'Italie et de l'Asie, qui, depuis l'anéantissement de l'Afrique et l'affaiblissement de la Grèce, était devenu plus important.

Dès les premiers temps, les Grecs envoyèrent, comme nous avons dit, des colonies sur la Propontide et le Pont-Euxin : elles conservèrent, sous les Perses, leurs lois et leur liberté. Alexandre, qui n'était parti que contre les

a. Voyez Strabon, liv. X.

barbares, ne les attaqua pas [b]. Il ne paraît pas même que les rois de Pont, qui en occupèrent plusieurs, leur eussent [c] ôté leur gouvernement politique.

La puissance [d] de ces rois augmenta, sitôt qu'ils les eurent soumises. Mithridate se trouva en état d'acheter partout des troupes; de réparer [e] continuellement ses pertes; d'avoir des ouvriers, des vaisseaux, des machines de guerre; de se procurer des alliés; de corrompre ceux des Romains, et les Romains même, de soudoyer [f] les barbares de l'Asie et de l'Europe; de faire la guerre long-temps, et, par conséquent de discipliner ses troupes : il put les armer, et les instruire dans l'art militaire [g] des Romains, et former des corps considérables de leurs transfuges : enfin, il put faire de grandes pertes, et souffrir de grands échecs, sans périr : et il n'aurait point péri, si, dans les prospérités, le roi voluptueux et barbare n'avait pas détruit ce qui, dans la mauvaise fortune, avait fait le grand prince.

C'est ainsi que, dans le temps que les Romains étaient au comble de la grandeur, et qu'ils semblaient n'avoir à craindre qu'eux-mêmes, Mithridate remit en question ce que la prise de Carthage, les défaites de Philippe, d'Antiochus et de Persée, avaient décidé. Jamais guerre ne fut plus funeste : et les deux partis ayant une grande puissance et des avantages mutuels, les peuples de la Grèce et de l'Asie furent détruits, ou comme amis de Mithridate, ou comme ses ennemis. Délos fut enveloppée dans le malheur commun. Le commerce tomba de toutes parts; il fallait bien qu'il fût détruit, les peuples l'étaient.

Les Romains, suivant un système dont j'ai parlé ailleurs [h], destructeurs pour ne pas paraître conquérants, ruinèrent Carthage et Corinthe : et, par une telle pratique, ils se seraient peut-être perdus, s'ils n'avaient pas

b. Il confirma la liberté de la ville d'Amise, colonie athénienne, qui avait joui de l'état populaire, même sous les rois de Perse. Lucullus, qui prit Synope et Amise, leur rendit la liberté, et rappela les habitants, qui s'étaient enfuis sur leurs vaisseaux.

c. Voyez ce qu'écrit Appien sur les Phanagoréens, les Amisiens, les Synopiens, dans son livre *De la guerre contre Mithridate*.

d. Voyez Appien, sur les trésors immenses que Mithridate employa dans ses guerres, ceux qu'il avait cachés, ceux qu'il perdit si souvent par la trahison des siens, ceux qu'on trouva après sa mort.

e. Il perdit une fois 170 000 hommes, et de nouvelles armées reparurent d'abord.

f. Voyez APPIEN, *De la guerre contre Mithridate*.

g. *Ibid.*

h. Dans les *Considérations sur les causes de la grandeur des Romains*.

conquis toute la terre. Quand les rois de Pont se rendirent
maîtres des colonies grecques du Pont-Euxin, ils n'eurent
garde de détruire ce qui devait être la cause de leur grandeur.

Chapitre XIII

Du génie des Romains pour la marine.

Les Romains ne faisaient cas que des troupes de terre,
dont l'esprit était de rester toujours ferme, de combattre
au même lieu, et d'y mourir. Ils ne pouvaient estimer la
pratique des gens de mer, qui se présentent au combat,
fuient, reviennent, évitent toujours le danger, emploient
la ruse, rarement la force. Tout cela n'était point du
génie des Grecs [a], et était encore moins de celui des
Romains.

Ils ne destinaient donc à la marine que ceux qui
n'étaient pas des citoyens assez considérables [b] pour
avoir place dans les légions : les gens de mer étaient ordinairement des affranchis.

Nous n'avons aujourd'hui ni la même estime pour les
troupes de terre, ni le même mépris pour celles de mer.
Chez les premières [c], l'art est diminué; chez les
secondes [d], il est augmenté : or on estime les choses à
proportion du degré de suffisance qui est requis pour les
bien faire.

a. Comme l'a remarqué Platon, liv. IV *Des lois.*
b. Polybe, liv. V.
c. Voyez les *Considérations sur les causes de la grandeur des Romains,*
etc.
d. *Ibid.*

Chapitre XIV

Du génie des Romains pour le commerce.

On n'a jamais remarqué aux Romains de jalousie sur le
commerce. Ce fut comme nation rivale, et non comme
nation commerçante, qu'ils attaquèrent Carthage. Ils

favorisèrent les villes qui faisaient le commerce, quoiqu'elles ne fussent pas sujettes : ainsi ils augmentèrent, par la cession de plusieurs pays, la puissance de Marseille. Ils craignaient tout des barbares, et rien d'un peuple négociant. D'ailleurs, leur génie, leur gloire, leur éducation militaire, la forme de leur gouvernement, les éloignaient du commerce.

Dans la ville, on n'était occupé que de guerres, d'élections, de brigues et de procès; à la campagne, que d'agriculture; et, dans les provinces, un gouvernement dur et tyrannique était incompatible avec le commerce.

Que si leur constitution politique y était opposée, leur droit des gens n'y répugnait pas moins. « Les peuples, dit le jurisconsulte Pomponius [a], avec lesquels nous n'avons ni amitié, ni hospitalité, ni alliance, ne sont point nos ennemis : cependant, si une chose qui nous appartient tombe entre leurs mains, ils en sont propriétaires, les hommes libres deviennent leurs esclaves; et ils sont dans les mêmes termes à notre égard. »

Leur droit civil n'était pas moins accablant. La loi de Constantin, après avoir déclaré bâtards les enfants des personnes viles qui se sont mariées avec celles d'une condition relevée, confond les femmes qui ont une boutique [b] de marchandises avec les esclaves, les cabaretières, les femmes de théâtre, les filles d'un homme qui tient un lieu de prostitution, ou qui a été condamné à combattre sur l'arène : ceci descendait des anciennes institutions des Romains.

Je sais bien que des gens pleins de ces deux idées; l'une, que le commerce est la chose du monde la plus utile à un État; et l'autre, que les Romains avaient la meilleure police du monde, ont cru qu'ils avaient beaucoup encouragé et honoré le commerce : mais la vérité est qu'ils y ont rarement pensé.

a. Leg. 5, § 2, ff. De captivis.
b. Quæ mercimoniis publice præfuit. Leg. I, cod. de natural. liberis.

Chapitre XV

Commerce des Romains avec les barbares.

Les Romains avaient fait, de l'Europe, de l'Asie et de l'Afrique, un vaste empire : la faiblesse des peuples et la tyrannie du commandement unirent toutes les parties de ce corps immense. Pour lors, la politique romaine fut de se séparer de toutes les nations qui n'avaient pas été assujetties : la crainte de leur porter l'art de vaincre fit négliger l'art de s'enrichir. Ils firent des lois pour empêcher tout commerce avec les barbares. « Que personne, disent Valens et Gratien [a], n'envoie du vin, de l'huile ou d'autres liqueurs aux barbares, même pour en goûter. Qu'on ne leur porte point de l'or, ajoutent Gratien, Valentinien et Théodose [b] ; et que même ce qu'ils en ont, on le leur ôte avec finesse. » Le transport du fer fut défendu sous peine de la vie [c].

Domitien, prince timide, fit arracher les vignes dans la Gaule [d], de crainte, sans doute, que cette liqueur n'y attirât les barbares, comme elle les avait autrefois attirés en Italie. Probus et Julien, qui ne les redoutèrent jamais, en rétablirent la plantation.

Je sais bien que, dans la faiblesse de l'empire, les barbares obligèrent les Romains d'établir des étapes [e] et de commercer avec eux. Mais cela même prouve que l'esprit des Romains était de ne pas commercer.

a. Leg. ad Barbaricum, cod. *quæ res exportari non debeant.*
b. Leg. 2, cod. *de commerc. et mercator.*
c. Leg. 2, *quæ res exportati non debeant.*
d. Procope, *Guerre des Perses*, liv. I.
e. Voyez les *Considérations sur les causes de la grandeur des Romains, et de leur décadence*, Paris, 1755.

Chapitre XVI

Du commerce des Romains avec l'Arabie et les Indes.

Le négoce de l'Arabie heureuse et celui des Indes furent les deux branches, et presque les seules, du com-

merce extérieur. Les Arabes avaient de grandes richesses :
ils les tiraient de leurs mers et de leurs forêts; et, comme
ils achetaient peu, et vendaient beaucoup, ils attiraient[a]
à eux l'or et l'argent de leurs voisins. Auguste[b] connut
leur opulence, et il résolut de les avoir pour amis, ou pour
ennemis. Il fit passer Elius Gallus d'Egypte en Arabie.
Celui-ci trouva des peuples oisifs, tranquilles et peu
aguerris. Il donna des batailles, fit des sièges, et ne perdit
que sept soldats : mais la perfidie de ses guides, les
marches, le climat, la faim, la soif, les maladies, des
mesures mal prises, lui firent perdre son armée.

Il fallut donc se contenter de négocier avec les Arabes
comme les autres peuples avaient fait, c'est-à-dire, de
leur porter de l'or et de l'argent pour leurs marchandises.
On commerce encore avec eux de la même manière; la
caravane d'Alep et le vaisseau royal de Suez y portent des
sommes immenses[c].

La nature avait destiné les Arabes au commerce; elle
ne les avait pas destinés à la guerre : mais, lorsque ces
peuples tranquilles se trouvèrent sur les frontières des
Parthes et des Romains, ils devinrent auxiliaires des uns
et des autres. Elius Gallus les avait trouvés commerçants;
Mahomet les trouva guerriers : il leur donna de l'enthou-
siasme, et les voilà conquérants.

Le commerce des Romains aux Indes était considérable. Strabon[d] avait appris en Egypte qu'ils y employaient
cent vingt navires : ce commerce ne se soutenait encore
que par leur argent. Ils y envoyaient, tous les ans, cinquante millions de sesterces. Pline[e] dit que les marchandises qu'on en rapportait se vendaient à Rome le
centuple. Je crois qu'il parle trop généralement : ce
profit, fait une fois, tout le monde aura voulu le faire; et,
dès ce moment, personne ne l'aura fait.

On peut mettre en question s'il fut avantageux aux
Romains de faire le commerce de l'Arabie et des Indes.
Il fallait qu'ils y envoyassent leur argent; et ils n'avaient
pas, comme nous, la ressource de l'Amérique, qui sup-
plée à ce que nous envoyons. Je suis persuadé qu'une des

a. Pline, liv. VIII, chap. xxviii; et Strabon, liv. XVI.
b. *Ibid.*
c. Les caravanes d'Alep et de Suez y portent deux millions de
notre monnaie, et il en passe autant en fraude; le vaisseau royal de
Suez y porte aussi deux millions.
d. Liv. II, p. 81.
e. Liv. VI, chap. xxiii.

raisons qui fit augmenter chez eux la valeur numéraire des monnaies, c'est-à-dire, établir le billon, fut la rareté de l'argent, causée par le transport continuel qui s'en faisait aux Indes. Que si les marchandises de ce pays se vendaient à Rome le centuple, ce profit des Romains se faisait sur les Romains mêmes, et n'enrichissait point l'empire.

On pourra dire, d'un autre côté, que ce commerce procurait aux Romains une grande navigation, c'est-à-dire, une grande puissance; que des marchandises nouvelles augmentaient le commerce intérieur, favorisaient les arts, entretenaient l'industrie; que le nombre des citoyens se multipliait à proportion des nouveaux moyens qu'on avait de vivre; que ce nouveau commerce produisait le luxe, que nous avons prouvé être aussi favorable au gouvernement d'un seul, que fatal à celui de plusieurs; que cet établissement fut de même date que la chute de leur république; que le luxe à Rome était nécessaire; et qu'il fallait bien qu'une ville qui attirait à elle toutes les richesses de l'univers, les rendît par son luxe.

Strabon [f] dit que le commerce des Romains aux Indes était beaucoup plus considérable que celui des rois d'Egypte : et il est singulier que les Romains, qui connaissaient peu le commerce, aient eu, pour celui des Indes, plus d'attention que n'en eurent les rois d'Egypte, qui l'avaient, pour ainsi dire, sous les yeux. Il faut expliquer ceci.

Après la mort d'Alexandre, les rois d'Egypte établirent aux Indes un commerce maritime; et les rois de Syrie, qui eurent les provinces les plus orientales de l'empire, et par conséquent les Indes, maintinrent ce commerce dont nous avons parlé au chapitre VI, qui se faisait par les terres et par les fleuves, et qui avait reçu de nouvelles facilités par l'établissement des colonies macédoniennes : de sorte que l'Europe communiquait avec les Indes, et par l'Egypte, et par le royaume de Syrie. Le démembrement qui se fit du royaume de Syrie, d'où se forma celui de Bactriane, ne fit aucun tort à ce commerce. Marin Tyrien, cité par Ptolémée [g], parle des découvertes faites aux Indes par le moyen de quelques marchands macédoniens. Celles que les expéditions des rois n'avaient pas

_f._ Il dit, au liv. XII, que les Romains y employaient cent vingt navires; et, au liv. XVII, que les rois grecs y en envoyaient à peine vingt.

_g._ Liv. I, chap. II.

faites, les marchands les firent. Nous voyons, dans Ptolémée [h], qu'ils allèrent depuis la tour de Pierre [i] jusqu'à Séra : et la découverte faite par les marchands d'une étape si reculée, située dans la partie orientale et septentrionale de la Chine, fut une espèce de prodige. Ainsi, sous les rois de Syrie et de Bactriane, les marchandises du midi de l'Inde passaient, par l'Indus, l'Oxus et la mer Caspienne, en occident ; et celles des contrées plus orientales et plus septentrionales étaient portées, depuis Séra, la tour de Pierre, et autres étapes, jusqu'à l'Euphrate. Ces marchands faisaient leur route, tenant, à peu près, le quarantième degré de latitude nord, par des pays qui sont au couchant de la Chine, plus policés qu'ils ne sont aujourd'hui, parce que les Tartares ne les avaient pas encore infestés.

Or, pendant que l'empire de Syrie étendait si fort son commerce du côté des terres, l'Égypte n'augmenta pas beaucoup son commerce maritime.

Les Parthes parurent, et fondèrent leur empire : et, lorsque l'Égypte tomba sous la puissance des Romains, cet empire était dans sa force, et avait reçu son extension.

Les Romains et les Parthes furent deux puissances rivales, qui combattirent, non pas pour savoir qui devait régner, mais exister. Entre les deux empires, il se forma des déserts ; entre les deux empires, on fut toujours sous les armes ; bien loin qu'il y eût de commerce, il n'y eut pas même de communication. L'ambition, la jalousie, la religion, la haine, les mœurs, séparèrent tout. Ainsi, le commerce entre l'occident et l'orient, qui avait eu plusieurs routes, n'en eut plus qu'une ; et Alexandrie étant devenue la seule étape, cette étape grossit.

Je ne dirai qu'un mot du commerce intérieur. Sa branche principale fut celle des blés qu'on faisait venir pour la subsistance du peuple de Rome : ce qui était une matière de police, plutôt qu'un objet de commerce. A cette occasion, les nautoniers reçurent quelques privilèges [k], parce que le salut de l'empire dépendait de leur vigilance.

---

h. Liv. VI, chap. XIII.
i. Nos meilleures cartes placent la tour de Pierre au centième degré de longitude, et environ le quarantième de latitude.
k. SUET., *In Claudio*. Leg. 7, cod. THÉODOS., *de naviculariis*.

Chapitre XVII

Du commerce après la destruction des Romains en occident.

L'empire romain fut envahi; et l'un des effets de la calamité générale, fut la destruction du commerce. Les barbares ne le regardèrent d'abord que comme un objet de leurs brigandages; et, quand ils furent établis, ils ne l'honorèrent pas plus que l'agriculture et les autres professions du peuple vaincu.

Bientôt il n'y eut presque plus de commerce en Europe; la noblesse, qui régnait partout, ne s'en mettait point en peine.

La loi des Wisigoths [a] permettait aux particuliers d'occuper la moitié du lit des grands fleuves, pourvu que l'autre restât libre pour les filets et pour les bateaux; il fallait qu'il y eût bien peu de commerce dans les pays qu'ils avaient conquis.

Dans ces temps-là, s'établirent les droits insensés d'aubaine et de naufrage : les hommes pensèrent que les étrangers ne leur étant unis par aucune communication du droit civil, ils ne leur devaient, d'un côté, aucune sorte de justice; et, de l'autre, aucune sorte de pitié.

Dans les bornes étroites où se trouvaient les peuples du nord, tout leur était étranger : dans leur pauvreté, tout était pour eux un objet de richesses. Etablis avant leurs conquêtes sur les côtes d'une mer resserrée et pleine d'écueils, ils avaient tiré parti de ces écueils mêmes.

Mais les Romains, qui faisaient des lois pour tout l'univers, en avaient fait de très humaines sur les naufrages [b] : ils réprimèrent, à cet égard, les brigandages de ceux qui habitaient les côtes, et, ce qui était plus encore, la rapacité de leur fisc [c].

---

a. Liv. VIII, tit. 4, § 9.
b. Toto titulo, ff. *de incend. ruin. naufrag.* et cod. *de naufragiis;* et leg. 3, ff. de leg. Cornel. *de sicariis.*
c. Leg. 1, cod. *de naufragiis.*

CHAPITRE XVIII
Règlement particulier.

La loi des Wisigoths [a] fit pourtant une disposition favorable au commerce : elle ordonna que les marchands qui venaient de delà la mer seraient jugés, dans les différends qui naissaient entre eux, par les lois et par des juges de leur nation. Ceci était fondé sur l'usage établi chez tous ces peuples mêlés, que chaque homme vécût sous sa propre loi; chose dont je parlerai beaucoup dans la suite.

a. Liv. XI, tit. III, § 2.

CHAPITRE XIX
*Du commerce, depuis l'affaiblissement
des Romains en orient.*

Les Mahométans parurent, conquirent, et se divisèrent. L'Egypte eut ses souverains particuliers. Elle continua de faire le commerce des Indes. Maîtresse des marchandises de ce pays, elle attira les richesses de tous les autres. Ses soudans furent les plus puissants princes de ces temps-là : on peut voir dans l'histoire comment, avec une force constante et bien ménagée, ils arrêtèrent l'ardeur, la fougue et l'impétuosité des croisés.

CHAPITRE XX
*Comment le commerce se fit jour en Europe,
à travers la barbarie.*

La philosophie d'Aristote ayant été portée en occident, elle plut beaucoup aux esprits subtils, qui, dans les temps d'ignorance, sont les beaux esprits. Des scolastiques s'en infatuèrent, et prirent de ce philosophe [a] bien des explications sur le prêt à intérêt, au lieu que la source en était si naturelle dans l'évangile ; ils le condamnèrent indistinctement et dans tous les cas. Par là, le commerce, qui n'était que la profession des gens vils, devint encore celle des malhonnêtes gens : car, toutes les fois que l'on défend une chose naturellement permise ou nécessaire, on ne fait que rendre malhonnêtes gens ceux qui la font.

Le commerce passa à une nation pour lors couverte d'infamie ; et bientôt il ne fut plus distingué des usures les plus affreuses, des monopoles, de la levée des subsides, et de tous les moyens malhonnêtes d'acquérir de l'argent.

Les Juifs [b], enrichis par leurs exactions, étaient pillés par les princes avec la même tyrannie : chose qui consolait les peuples, et ne les soulageait pas.

Ce qui se passa en Angleterre donnera une idée de ce qu'on fit dans les autres pays. Le roi Jean [c] ayant fait emprisonner les Juifs pour avoir leur bien, il y en eut peu qui n'eussent au moins quelque œil crevé : ce roi faisait ainsi sa chambre de justice. Un d'eux, à qui on arracha sept dents, une chaque jour, donna dix mille marcs d'argent à la huitième. Henri III tira d'Aaron, juif d'York, quatorze mille marcs d'argent, et dix mille pour la reine. Dans ces temps-là, on faisait violemment ce qu'on fait aujourd'hui en Pologne avec quelque mesure. Les rois ne pouvant fouiller dans la bourse de leurs sujets à cause de leurs privilèges, mettaient à la torture les Juifs, qu'on ne regardait pas comme citoyens.

Enfin, il s'introduisit une coutume, qui confisqua tous les biens des Juifs qui embrassaient le christianisme. Cette coutume si bizarre, nous la savons par la loi [d] qui l'abroge. On en a donné des raisons bien vaines ; on a dit qu'on voulait les éprouver, et faire en sorte qu'il ne restât rien de l'esclavage du démon. Mais il est visible que cette confiscation était une espèce de droit [e] d'amortissement, pour le prince ou pour les seigneurs, des taxes qu'ils

---

a. Voyez ARISTOTE, *Politique*, liv. I, chap. IX et X.

b. Voyez, dans *Marca Hispanica*, les constitutions d'Aragon, des années 1228 et 1231 ; et, dans Brussel, l'accord de l'année 1206, passé entre le roi, la comtesse de Champagne, et Guy de Dampierre.

c. SLOWE, *In his survey of London*, liv. III, p. 54.

d. Edit donné à Baville, le 4 avril 1392.

e. En France, les Juifs étaient serfs, main-mortables ; et les seigneurs leur succédaient. M. Brussel rapporte un accord de l'an 1206, entre le roi et Thibaut comte de Champagne, par lequel il était convenu que les Juifs de l'un, ne prêteraient point dans les terres de l'autre.

levaient sur les Juifs, et dont ils étaient frustrés lorsque
ceux-ci embrassaient le christianisme. Dans ces temps-là,
on regardait les hommes comme des terres. Et je remarquerai, en passant, combien on s'est joué de cette nation
d'un siècle à l'autre. On confisquait leurs biens lorsqu'ils
voulaient être chrétiens; et, bientôt après, on les fit
brûler lorsqu'ils ne voulurent pas l'être.

Cependant on vit le commerce sortir du sein de la
vexation et du désespoir. Les juifs, proscrits tour à tour
de chaque pays, trouvèrent le moyen de sauver leurs
effets. Par là ils rendirent pour jamais leurs retraites
fixes; car tel prince, qui voudrait bien se défaire d'eux,
ne serait pas pour cela d'humeur à se défaire de leur
argent.

Ils *f* inventèrent les lettres de change : et, par ce moyen,
le commerce put éluder la violence, et se maintenir
partout; le négociant le plus riche n'ayant que des biens
invisibles, qui pouvaient être envoyés partout, et ne
laissaient de trace nulle part.

Les théologiens furent obligés de restreindre leurs
principes; et le commerce, qu'on avait violemment lié
avec la mauvaise foi, rentra, pour ainsi dire, dans le sein
de la probité.

Ainsi nous devons, aux spéculations des scolastiques,
tous les malheurs *g* qui ont accompagné la destruction
du commerce; et, à l'avarice des princes, l'établissement
d'une chose qui le met en quelque façon hors de leur
pouvoir.

Il a fallu, depuis ce temps, que les princes se gouvernassent avec plus de sagesse qu'ils n'auraient eux-mêmes
pensé : car, par l'événement, les grands coups d'autorité
se sont trouvés si maladroits, que c'est une expérience
reconnue, qu'il n'y a plus que la bonté du gouvernement
qui donne de la prospérité.

On a commencé à se guérir du machiavélisme, et on
s'en guérira tous les jours. Il faut plus de modération

---

f. On sait que, sous Philippe Auguste, et sous Philippe le Long, les
Juifs, chassés de France, se réfugièrent en Lombardie; et que, là,
ils donnèrent aux négociants étrangers et aux voyageurs des lettres
secrètes sur ceux à qui ils avaient confié leurs effets en France, qui
furent acquittés.

g. Voyez, dans le corps du droit, la quatre-vingt-troisième novelle de Léon, qui révoque la loi de Basile son père. Cette loi de
Basile est dans Herménopule, sous le nom de Léon, liv. III, tit. 7,
§ 27.

dans les conseils. Ce qu'on appelait autrefois des coups d'Etat ne serait aujourd'hui, indépendamment de l'horreur, que des imprudences,

Et il est heureux pour les hommes d'être dans une situation, où, pendant que leurs passions leur inspirent la pensée d'être méchants, ils ont pourtant intérêt de ne pas l'être.

CHAPITRE XXI

Découverte de deux nouveaux mondes : état de l'Europe à cet égard.

La boussole ouvrit, pour ainsi dire, l'univers. On trouva l'Asie et l'Afrique, dont on ne connaissait que quelques bords; et l'Amérique, dont on ne connaissait rien du tout.

Les Portugais, naviguant sur l'océan Atlantique, découvrirent la pointe la plus méridionale de l'Afrique : ils virent une vaste mer; elle les porta aux Indes orientales. Leurs périls sur cette mer, et la découverte de Mozambique, de Mélinde et de Calicut, ont été chantés par le Camoëns, dont le poème fait sentir quelque chose des charmes de l'Odyssée et de la magnificence de l'Enéide.

Les Vénitiens avaient fait jusque-là le commerce des Indes par les pays des Turcs, et l'avaient poursuivi au milieu des avanies et des outrages. Par la découverte du cap de Bonne-Espérance, et celles qu'on fit quelques temps après, l'Italie ne fut plus au centre du monde commerçant; elle fut, pour ainsi dire, dans un coin de l'univers, et elle y est encore. Le commerce même du Levant dépendant aujourd'hui de celui que les grandes nations font aux deux Indes, l'Italie ne le fait plus qu'accessoirement.

Les Portugais trafiquèrent aux Indes en conquérants : les lois gênantes [a] que les Hollandais imposent aujourd'hui aux petits princes indiens sur le commerce, les Portugais les avaient établies avant eux.

La fortune de la maison d'Autriche fut prodigieuse.

a. Voyez la relation de François Pyrard, deuxième partie, chap. XV.

Charles Quint recueillit la succession de Bourgogne, de Castille et d'Aragon; il parvint à l'empire; et, pour lui procurer un nouveau genre de grandeur, l'univers s'étendit, et l'on vit paraître un monde nouveau sous son obéissance.

Christophe Colomb découvrit l'Amérique; et, quoique l'Espagne n'y envoyât point de forces qu'un petit prince de l'Europe n'eût pu y envoyer tout de même, elle soumit deux grands empires et d'autres grands Etats.

Pendant que les Espagnols découvraient et conquéraient du côté de l'Occident, les Portugais poussaient leurs conquêtes et leurs découvertes du côté de l'Orient : ces deux nations se rencontrèrent; elles eurent recours au pape Alexandre VI, qui fit la célèbre ligne de démarcation, et jugea un grand procès.

Mais les autres nations de l'Europe ne les laissèrent pas jouir tranquillement de leur partage : les Hollandais chassèrent les Portugais de presque toutes les Indes orientales, et diverses nations firent en Amérique des établissements.

Les Espagnols regardèrent d'abord les terres découvertes comme des objets de conquête : des peuples plus raffinés qu'eux trouvèrent qu'elles étaient des objets de commerce, et c'est là-dessus qu'ils dirigèrent leurs vues. Plusieurs peuples se sont conduits avec tant de sagesse, qu'ils ont donné l'empire à des compagnies de négociants qui, gouvernant ces Etats éloignés uniquement pour le négoce, ont fait une grande puissance accessoire, sans embarrasser l'Etat principal.

Les colonies qu'on y a formées sont sous un genre de dépendance dont on ne trouve que peu d'exemples dans les colonies anciennes, soit que celles d'aujourd'hui relèvent de l'Etat même, ou de quelque compagnie commerçante établie dans cet Etat.

L'objet de ces colonies est de faire le commerce à de meilleures conditions qu'on ne le fait avec les peuples voisins, avec lesquels tous les avantages sont réciproques. On a établi que la métropole seule pourrait négocier dans la colonie; et cela avec grande raison, parce que le but de l'établissement a été l'extension du commerce, non la fondation d'une ville ou d'un nouvel empire.

Ainsi c'est encore une loi fondamentale de l'Europe, que tout commerce avec une colonie étrangère est regardé comme un pur monopole punissable par les lois du pays : et il ne faut pas juger de cela par les lois et les exemples des anciens [b] peuples qui n'y sont guère applicables.

Il est encore reçu que le commerce établi entre les métropoles n'entraîne point une permission pour les colonies, qui restent toujours en état de prohibition.

Le désavantage des colonies, qui perdent la liberté du commerce, est visiblement compensé par la protection de la métropole [c], qui la défend par ses armes, ou la maintient par ses lois.

De là suit une troisième loi de l'Europe, que, quand le commerce étranger est défendu avec la colonie, on ne peut naviguer dans ses mers, que dans les cas établis par les traités.

Les nations, qui sont à l'égard de tout l'univers ce que les particuliers sont dans un Etat, se gouvernent, comme eux, par le droit naturel et par les lois qu'elles se sont faites. Un peuple peut céder à un autre la mer, comme il peut céder la terre. Les Carthaginois exigèrent [d] des Romains qu'ils ne navigueraient pas au-delà de certaines limites, comme les Grecs avaient exigé du roi de Perse qu'il se tiendrait toujours éloigné des côtes de la mer [e] de la carrière d'un cheval.

L'extrême éloignement de nos colonies n'est point un inconvénient pour leur sûreté : car, si la métropole est éloignée pour les défendre, les nations rivales de la métropole ne sont pas moins éloignées pour les conquérir.

De plus : cet éloignement fait que ceux qui vont s'y établir ne peuvent prendre la manière de vivre d'un climat si différent; ils sont obligés de tirer toutes les commodités de la vie du pays d'où ils sont venus. Les Carthaginois [f], pour rendre les Sardes et les Corses plus dépendants, leur avaient défendu, sous peine de la vie, de planter, de semer, et de faire rien de semblable; ils leur envoyaient d'Afrique des vivres. Nous sommes parvenus au même point, sans faire des lois si dures. Nos colonies des îles Antilles sont admirables; elles ont des

----

[b]. Excepté les Carthaginois, comme on voit par le traité qui termina la première guerre punique.

[c]. *Métropole* est, dans le langage des anciens, l'Etat qui a fondé la colonie.

[d]. Polybe, liv. III.

[e]. Le roi de Perse s'obligea, par un traité, de ne naviguer avec aucun vaisseau de guerre au-delà des roches Scyanées, et des îles Chélidoniennes. PLUTARQUE, *Vie de Cimon*.

[f]. ARISTOTE, *Des choses merveilleuses*. Tite-Live, liv. VII de la seconde décade.

objets de commerce que nous n'avons ni ne pouvons
avoir ; elles manquent de ce qui fait l'objet du nôtre.

L'effet de la découverte de l'Amérique fut de lier à
l'Europe l'Asie et l'Afrique. L'Amérique fournit à
l'Europe la matière de son commerce avec cette vaste
partie de l'Asie, qu'on appela les Indes orientales. L'argent, ce métal si utile au commerce, comme signe, fut
encore la base du plus grand commerce de l'univers,
comme marchandise. Enfin, la navigation d'Afrique
devint nécessaire ; elle fournissait des hommes pour le
travail des mines et des terres d'Amérique.

L'Europe est parvenue à un si haut degré de puissance,
que l'histoire n'a rien à comparer là-dessus ; si l'on considère l'immensité des dépenses, la grandeur des engagements, le nombre des troupes, et la continuité de leur
entretien, même lorsqu'elles sont le plus inutiles, et qu'on
ne les a que pour l'ostentation.

Le Père du Halde *g* dit que le commerce intérieur de
la Chine est plus grand que celui de toute l'Europe. Cela
pourrait être, si notre commerce extérieur n'augmentait
pas l'intérieur. L'Europe fait le commerce et la navigation des trois autres parties du monde ; comme la France,
l'Angleterre et la Hollande font, à peu près, la navigation
et le commerce de l'Europe.

g. T. II, p. 170.

Chapitre XXII

Des richesses que l'Espagne tira de l'Amérique.

Si l'Europe *a* a trouvé tant d'avantages dans le commerce de l'Amérique, il serait naturel de croire que l'Espagne en aurait reçu de plus grands. Elle tira du monde
nouvellement découvert une quantité d'or et d'argent si
prodigieuse, que ce que l'on en avait eu jusqu'alors ne
pouvait y être comparé.

Mais (ce qu'on n'aurait jamais soupçonné) la misère la
fit échouer presque partout. Philippe II, qui succéda à

a. Ceci parut, il y a plus de vingt ans, dans un petit ouvrage
manuscrit de l'auteur, qui a été presque tout fondu dans celui-ci.

Charles Quint, fut obligé de faire la célèbre banqueroute
' 'e tout le monde sait; et il n'y a guère jamais eu de
prince qui ait plus souffert que lui des murmures, de
l'insolence et de la révolte de ses troupes toujours mal
payées.

Depuis ce temps, la monarchie d'Espagne déclina sans
cesse. C'est qu'il y avait un vice intérieur et physique
dans la nature de ces richesses, qui les rendait vaines;
et ce vice augmenta tous les jours.

L'or et l'argent sont une richesse de fiction ou de
signe. Ces signes sont très durables et se détruisent peu,
comme il convient à leur nature. Plus ils se multiplient,
plus ils perdent de leur prix, parce qu'ils représentent
moins de choses.

Lors de la conquête du Mexique et du Pérou, les
Espagnols abandonnèrent les richesses naturelles, pour
avoir des richesses de signe qui s'avilissaient par elles-
mêmes. L'or et l'argent étaient très rares en Europe;
et l'Espagne, maîtresse tout à coup d'une très grande
quantité de ces métaux, conçut des espérances qu'elle
n'avait jamais eues. Les richesses que l'on trouva
dans les pays conquis, n'étaient pourtant pas proportionnées à celles de leurs mines. Les Indiens en
cachèrent une partie : et, de plus, ces peuples, qui ne
faisaient servir l'or et l'argent qu'à la magnificence des
temples des dieux et des palais des rois, ne les cherchaient
pas avec la même avarice que nous : enfin ils n'avaient
pas le secret de tirer les métaux de toutes les mines; mais
seulement de celles dans lesquelles la séparation se fait
par le feu, ne connaissant pas la manière d'employer le
mercure, ni peut-être le mercure même.

Cependant l'argent ne laissa pas de doubler bientôt
en Europe; ce qui parut en ce que le prix de tout ce qui
s'acheta fut environ du double.

Les Espagnols fouillèrent les mines, creusèrent les
montagnes, inventèrent des machines pour tirer les eaux,
briser le minerai et le séparer; et, comme ils se jouaient
de la vie des Indiens, ils les firent travailler sans ménagement. L'argent doubla bientôt en Europe, et le profit
diminua toujours de moitié pour l'Espagne, qui n'avait,
chaque année, que la même quantité d'un métal qui était
devenu la moitié moins précieux.

Dans le double du temps, l'argent doubla encore; et le
profit diminua encore de la moitié.

Il diminua même de plus de la moitié : voici comment.

Pour tirer l'or des mines, pour lui donner les préparations requises, et le transporter en Europe, il fallait une dépense quelconque. Je suppose qu'elle fut comme 1 est à 64 : quand l'argent fut doublé une fois, et par conséquent la moitié moins précieux, la dépense fut comme 2 sont à 64. Ainsi les flottes qui portèrent en Espagne la même quantité d'or, portèrent une chose qui réellement valait la moitié moins, et coûtait la moitié plus.

Si l'on suit la chose de doublement en doublement, on trouvera la progression de la cause de l'impuissance des richesses de l'Espagne.

Il y a environ deux cents ans que l'on travaille les mines des Indes. Je suppose que la quantité d'argent qui est à présent dans le monde qui commerce, soit, à celle qui était avant la découverte, comme 32 est à 1, c'est-à-dire qu'elle ait doublé cinq fois : dans deux cents ans encore, la même quantité sera, à celle qui était avant la découverte, comme 64 est à 1, c'est-à-dire qu'elle doublera encore. Or, à présent, cinquante [b] quintaux de minerai pour l'or, donnent quatre, cinq et six onces d'or; et, quand il n'y en a que deux, le mineur ne retire que ses frais. Dans deux cents ans, lorsqu'il n'y en aura que quatre, le mineur ne tirera aussi que ses frais. Il y aura donc peu de profit à tirer sur l'or. Même raisonnement sur l'argent, excepté que le travail des mines d'argent est un peu plus avantageux que celui des mines d'or.

Que si l'on découvre des mines si abondantes qu'elles donnent plus de profit; plus elles seront abondantes, plutôt le profit finira.

Les Portugais ont trouvé tant d'or dans le Brésil [c], qu'il faudra nécessairement que le profit des Espagnols diminue bientôt considérablement, et le leur aussi.

J'ai ouï plusieurs fois déplorer l'aveuglement du conseil de François Ier, qui rebuta Christophe Colomb qui lui proposait les Indes. En vérité, on fit, peut-être par imprudence, une chose bien sage. L'Espagne a fait comme ce roi insensé qui demanda que tout ce qu'il tou-

b. Voyez les voyages de Frézier.
c. Suivant milord Anson, l'Europe reçoit du Brésil, tous les ans, pour deux millions sterlings en or, que l'on trouve dans le sable au pied des montagnes, ou dans le lit des rivières. Lorsque je fis le petit ouvrage dont j'ai parlé dans la première note de ce chapitre, il s'en fallait bien que les retours du Brésil fussent un objet aussi important qu'il l'est aujourd'hui.

cherait se convertît en or, et qui fut obligé de revenir aux
dieux pour les prier de finir sa misère.

Les compagnies et les banques, que plusieurs nations
établirent, achevèrent d'avilir l'or et l'argent dans leur
qualité de signe : car, par de nouvelles fictions, ils multiplièrent tellement les signes des denrées, que l'or et
l'argent ne firent plus cet office qu'en partie, et en
devinrent moins précieux.

Ainsi le crédit public leur tint lieu de mines, et diminua
encore le profit que les Espagnols tiraient des leurs.

Il est vrai que, par le commerce que les Hollandais
firent dans les Indes orientales, ils donnèrent quelque
prix à la marchandise des Espagnols : car, comme ils
portèrent de l'argent pour troquer contre les marchandises de l'orient, ils soulagèrent en Europe les Espagnols
d'une partie de leurs denrées qui y abondaient trop.

Et ce commerce, qui ne semble regarder qu'indirectement l'Espagne, lui est avantageux comme aux nations
mêmes qui le font.

Par tout ce qui vient d'être dit, on peut juger des ordonnances du conseil d'Espagne, qui défendent d'employer
l'or et l'argent en dorures et autres superfluités : décret
pareil à celui que feraient les Etats de Hollande, s'ils
défendaient la consommation de la canelle.

Mon raisonnement ne porte pas sur toutes les mines :
celles d'Allemagne et de Hongrie, d'où l'on ne retire que
peu de chose au-delà des frais, sont très utiles. Elles se
trouvent dans l'Etat principal; elles y occupent plusieurs
milliers d'hommes, qui y consomment les denrées sura-
bondantes; elles sont proprement une manufacture du
pays.

Les mines d'Allemagne et de Hongrie font valoir la
culture des terres; et le travail de celles du Mexique et
du Pérou la détruit.

Les Indes et l'Espagne sont deux puissances sous un
même maître : mais les Indes sont le principal, l'Espagne
n'est que l'accessoire. C'est en vain que la politique veut
ramener le principal à l'accessoire; les Indes attirent toujours l'Espagne à elles.

D'environ cinquante millions de marchandises qui vont
toutes les années aux Indes, l'Espagne ne fournit que
deux millions et demi : les Indes font donc un commerce
de cinquante millions, et l'Espagne de deux millions et
demi.

C'est une mauvaise espèce de richesse qu'un tribut

d'accident et qui ne dépend pas de l'industrie de la nation, du nombre de ses habitants, ni de la culture de ses terres. Le roi d'Espagne, qui reçoit de grandes sommes de sa douane de Cadix, n'est, à cet égard, qu'un particulier très riche dans un Etat très pauvre. Tout se passe des étrangers à lui, sans que ses sujets y prennent presque de part : ce commerce est indépendant de la bonne et de la mauvaise fortune de son royaume.

Si quelques provinces dans la Castille lui donnaient une somme pareille à celle de la douane de Cadix, sa puissance serait bien plus grande : Ses richesses ne pourraient être que l'effet de celles du pays; ces provinces animeraient toutes les autres; et elles seraient toutes ensemble plus en état de soutenir les charges respectives; au lieu d'un grand trésor, on aurait un grand peuple.

CHAPITRE XXIII

Problème.

Ce n'est point à moi à prononcer sur la question, si l'Espagne ne pouvant faire le commerce des Indes par elle-même, il ne vaudrait pas mieux qu'elle le rendît libre aux étrangers. Je dirai seulement qu'il lui convient de mettre à ce commerce le moins d'obstacles que sa politique pourra lui permettre. Quand les marchandises que les diverses nations portent aux Indes y sont chères, les Indes donnent beaucoup de leur marchandise, qui est l'or et l'argent, pour peu de marchandises étrangères : le contraire arrive lorsque celles-ci sont à vil prix. Il serait peut-être utile que ces nations se nuisissent les unes les autres, afin que les marchandises qu'elles portent aux Indes y fussent toujours à bon marché. Voilà des principes qu'il faut examiner, sans les séparer pourtant des autres considérations; la sûreté des Indes; l'utilité d'une douane unique; les dangers d'un grand changement; les inconvénients qu'on prévoit, et qui souvent sont moins dangereux que ceux qu'on ne peut pas prévoir.

LIVRE XXII

*DES LOIS, DANS LE RAPPORT QU'ELLES ONT
AVEC L'USAGE DE LA MONNAIE*

CHAPITRE PREMIER

Raison de l'usage de la monnaie.

Les peuples qui ont peu de marchandises pour le commerce, comme les sauvages, et les peuples policés qui n'en ont que de deux ou trois espèces, négocient par échange. Ainsi les caravanes de Maures qui vont à Tombouctou, dans le fond de l'Afrique, troquer du sel contre de l'or, n'ont pas besoin de monnaie. Le Maure met son sel dans un monceau ; le Nègre, sa poudre dans un autre : s'il n'y a pas assez d'or, le Maure retranche de son sel, ou le Nègre ajoute de son or, jusqu'à ce que les parties conviennent.

Mais, lorsqu'un peuple trafique sur un très grand nombre de marchandises, il faut nécessairement une monnaie ; parce qu'un métal facile à transporter épargne bien des frais, que l'on serait obligé de faire, si l'on procédait toujours par échange.

Toutes les nations ayant des besoins réciproques, il arrive souvent que l'une veut avoir un très grand nombre de marchandises de l'autre, et celle-ci très peu des siennes ; tandis qu'à l'égard d'une autre nation, elle est dans un cas contraire. Mais, lorsque les nations ont une monnaie, et qu'elles procèdent par vente et par achat, celles qui prennent plus de marchandises se soldent, ou payent l'excédent, avec de l'argent : et il y a cette différence, que, dans le cas de l'achat, le commerce se fait à proportion des besoins de la nation qui demande le plus ; et que, dans l'échange, le commerce se fait seulement dans l'étendue des besoins de la nation qui demande le moins ; sans quoi, cette dernière serait dans l'impossibilité de solder son compte.

Chapitre II

De la nature de la monnaie.

La monnaie est un signe qui représente la valeur de toutes les marchandises. On prend quelque métal, pour que le signe soit durable [a] ; qu'il se consomme peu par l'usage ; et que, sans se détruire, il soit capable de beaucoup de divisions. On choisit un métal précieux, pour que le signe puisse aisément se transporter. Un métal est très propre à être une mesure commune, parce qu'on peut aisément le réduire au même titre. Chaque Etat y met son empreinte, afin que la forme réponde du titre et du poids, et que l'on connaisse l'un et l'autre par la seule inspection.

Les Athéniens n'ayant point l'usage des métaux, se servirent de bœufs [b], et les Romains de brebis : mais un bœuf n'est pas la même chose qu'un autre bœuf, comme une pièce de métal peut être la même qu'une autre.

Comme l'argent est le signe des valeurs des marchandises, le papier est un signe de la valeur de l'argent ; et, lorsqu'il est bon, il le représente tellement, que, quant à l'effet, il n'y a point de différence.

De même que l'argent est un signe d'une chose, et la représente ; chaque chose est un signe de l'argent, et le représente : et l'État est dans la prospérité, selon que, d'un côté, l'argent représente bien toutes choses ; et que, d'un autre, toutes choses représentent bien l'argent, et qu'ils sont signes les uns des autres ; c'est-à-dire, que, dans leur valeur relative, on peut avoir l'un sitôt que l'on a l'autre. Cela n'arrive jamais que dans un gouvernement modéré, mais n'arrive pas toujours dans un gouvernement modéré : par exemple, si les lois favorisent un débiteur injuste, les choses qui lui appartiennent ne représentent

---

a. Le sel, dont on se sert en Abyssinie, a ce défaut, qu'il se consomme continuellement.

b. Hérodote, *in Clio*, nous dit que les Lydiens trouvèrent l'art de battre la monnaie ; les Grecs le prirent d'eux : les monnaies d'Athènes eurent, pour empreinte, leur ancien bœuf. J'ai vu une de ces monnaies dans le cabinet du comte de Pembrocke.

point l'argent, et n'en sont point un signe. A l'égard du
gouvernement despotique, ce serait un prodige si les
choses y représentaient leur signe : la tyrannie et la
méfiance font que tout le monde y enterre son argent [c] :
les choses n'y représentent donc point l'argent.

Quelquefois les législateurs ont employé un tel art, que
non seulement les choses représentaient l'argent par leur
nature, mais qu'elles devenaient monnaie comme l'argent
même. César [d], dictateur, permit aux débiteurs de donner
en payement, à leurs créanciers, des fonds de terre au prix
qu'ils valaient avant la guerre civile. Tibère [e] ordonna
que ceux qui voudraient de l'argent, en auraient du trésor
public, en obligeant des fonds pour le double. Sous César,
les fonds de terre furent la monnaie qui paya toutes les
dettes; sous Tibère, dix mille sesterces en fond devinrent
une monnaie commune, comme cinq mille sesterces en
argent.

La grande charte d'Angleterre défend de saisir les
terres ou les revenus d'un débiteur, lorsque ses biens
mobiliers ou personnels suffisent pour le paiement,
et qu'il offre de les donner : pour lors, tous les biens d'un
Anglais représentaient de l'argent.

Les lois des Germains apprécièrent en argent les satisfactions pour les torts que l'on avait faits, et pour les
peines des crimes. Mais, comme il y avait très peu d'argent dans le pays, elles réapprécièrent l'argent en denrées
ou en bétail. Ceci se trouve fixé dans la loi des Saxons,
avec de certaines différences, suivant l'aisance et la commodité des divers peuples. D'abord [f] la loi déclare la
valeur du sou en bétail : le sou de deux trémisses se rapportait à un bœuf de douze mois, ou à une brebis avec
son agneau; celui de trois trémisses valait un bœuf de
seize mois. Chez ces peuples, la monnaie devenait bétail,
marchandise, ou denrée; et ces choses devenaient monnaie.

Non seulement l'argent est un signe des choses; il est
encore un signe de l'argent, et représente l'argent, comme
nous le verrons au chapitre du change.

---

c. C'est un ancien usage à Alger, que chaque père de famille ait
un trésor enterré. LOGIER DE TASSIS, *Histoire du royaume d'Alger.*
d. Voyez CÉSAR, *De la guerre civile,* liv. III.
e. Tacite, liv. VI.
f. Loi des Saxons, chap. XVIII.

Chapitre III

Des monnaies idéales.

Il y a des monnaies réelles et des monnaies idéales. Les peuples policés, qui se servent presque tous de monnaies idéales, ne le font que parce qu'ils ont converti leurs monnaies réelles en idéales. D'abord, leurs monnaies réelles sont un certain poids et un certain titre de quelque métal. Mais bientôt la mauvaise foi ou le besoin font qu'on retranche une partie du métal de chaque pièce de monnaie, à laquelle on laisse le même nom : par exemple, d'une pièce du poids d'une livre d'argent, on retranche la moitié de l'argent, et on continue de l'appeler livre; la pièce, qui était une vingtième partie de la livre d'argent, on continue de l'appeler sou, quoiqu'elle ne soit plus la vingtième partie de cette livre. Pour lors, la livre est une livre idéale, et le sou un sou idéal; ainsi des autres subdivisions : et cela peut aller au point que ce qu'on appellera livre, ne sera plus qu'une très petite portion de la livre; ce qui la rendra encore plus idéale. Il peut même arriver que l'on ne fera plus de pièce de monnaie qui vaille précisément une livre, et qu'on ne fera pas non plus de pièce qui vaille un sou : pour lors, la livre et le sou seront des monnaies purement idéales. On donnera, à chaque pièce de monnaie, la dénomination d'autant de livres et d'autant de sous que l'on voudra; la variation pourra être continuelle, parce qu'il est aussi aisé de donner un autre nom à une chose, qu'il est difficile de changer la chose même.

Pour ôter la source des abus, ce sera une très bonne loi, dans tous les pays où l'on voudra faire fleurir le commerce, que celle qui ordonnera qu'on emploiera des monnaies réelles, et que l'on ne fera point d'opération qui puisse les rendre idéales.

Rien ne doit être si exempt de variation, que ce qui est la mesure commune de tout.

Le négoce, par lui-même, est très incertain; et c'est un grand mal d'ajouter une nouvelle incertitude à celle qui est fondée sur la nature de la chose.

Chapitre IV

De la quantité de l'or et de l'argent.

Lorsque les nations policées sont les maîtresses du monde, l'or et l'argent augmentent tous les jours, soit qu'elles le tirent de chez elles, soit qu'elles l'aillent chercher là où il est. Il diminue, au contraire, lorsque les nations barbares prennent le dessus. On sait quelle fut la rareté de ces métaux, lorsque les Goths et les Vandales d'un côté, les Sarrasins et les Tartares de l'autre, eurent tout envahi.

Chapitre V

Continuation du même sujet.

L'argent tiré des mines de l'Amérique, transporté en Europe, de là encore envoyé en Orient, a favorisé la navigation de l'Europe; c'est une marchandise de plus que l'Europe reçoit en troc de l'Amérique, et qu'elle envoie en troc aux Indes. Une plus grande quantité d'or et d'argent est donc favorable, lorsqu'on regarde ces métaux comme marchandise : elle ne l'est point, lorsqu'on les regarde comme signe; parce que leur abondance choque leur qualité de signe, qui est beaucoup fondée sur la rareté.

Avant la première guerre punique, le cuivre était à l'argent, comme 960 est à 1 [a]; il est aujourd'hui, à peu près, comme 73 ½ est à 1 [b]. Quand la proportion serait comme elle était autrefois, l'argent n'en ferait que mieux sa fonction de signe.

a. Voyez ci-dessous le chap. XII.
b. En supposant l'argent à 49 livres le marc, et le cuivre à vingt sols la livre.

Chapitre VI

Par quelle raison le prix de l'usure diminua de la moitié,
lors de la découverte des Indes.

L'Inca Garcilasso [a] dit qu'en Espagne, après la
conquête des Indes, les rentes, qui étaient au denier dix,
tombèrent au denier vingt. Cela devait être ainsi. Une
grande quantité d'argent fut tout à coup portée en
Europe : bientôt moins de personnes eurent besoin d'argent; le prix de toutes choses augmenta, et celui de l'argent diminua : la proportion fut donc rompue, toutes les
anciennes dettes furent éteintes. On peut se rappeler le
temps du système [b], où toutes les choses avaient une
grande valeur, excepté l'argent. Après la conquête des
Indes, ceux qui avaient de l'argent furent obligés de diminuer le prix ou le louage de leur marchandise, c'est-à-dire,
l'intérêt.

Depuis ce temps, le prêt n'a pu revenir à l'ancien taux,
parce que la quantité de l'argent a augmenté, toutes les
années, en Europe. D'ailleurs, les fonds publics de
quelques Etats, fondés sur les richesses que le commerce
leur a procurées, donnant un intérêt très modique, il a
fallu que les contrats des particuliers se réglassent là-
dessus. Enfin, le change ayant donné aux hommes une
facilité singulière de transporter l'argent d'un pays à un
autre, l'argent n'a pu être rare dans un lieu, qu'il n'en
vînt de tous côtés de ceux où il était commun.

Chapitre VII

Comment le prix des choses se fixe
dans la variation des richesses de signe.

L'argent est le prix des marchandises ou denrées. Mais,
comment se fixera ce prix ? c'est-à-dire, par quelle portion d'argent chaque chose sera-t-elle représentée ?

a. *Histoire des guerres civiles des Espagnols dans les Indes.*
b. On appelait ainsi le projet de M. Law en France.

Si l'on compare la masse de l'or et de l'argent qui est dans le monde, avec la somme des marchandises qui y sont, il est certain que chaque denrée ou marchandise, en particulier, pourra être comparée à une certaine portion de la masse entière de l'or et de l'argent. Comme le total de l'une est au total de l'autre, la partie de l'une sera à la partie de l'autre. Supposons qu'il n'y ait qu'une seule denrée ou marchandise dans le monde, ou qu'il n'y en ait qu'une seule qui s'achète, et qu'elle se divise comme l'argent; cette partie de cette marchandise répondra à une partie de la masse de l'argent; la moitié du total de l'une, à la moitié du total de l'autre; la dixième, la centième, la millième de l'une, à la dixième, à la centième, à la millième de l'autre. Mais, comme ce qui forme la propriété parmi les hommes, n'est pas tout à la fois dans le commerce; et que les métaux ou les monnaies, qui en sont les signes, n'y sont pas aussi dans le même temps; les prix se fixeront en raison composée du total des choses avec le total des signes; et de celle du total des choses qui sont dans le commerce, avec le total des signes qui y sont aussi : et, comme les choses qui ne sont pas dans le commerce aujourd'hui peuvent y être demain, et que les signes qui n'y sont point aujourd'hui peuvent y rentrer tout de même, l'établissement du prix des choses dépend toujours fondamentalement de la raison du total des choses au total des signes.

Ainsi le prince ou le magistrat ne peuvent pas plus taxer la valeur des marchandises, qu'établir, par une ordonnance, que le rapport d'un à dix est égal à celui d'un à vingt. Julien, ayant baissé les denrées à Antioche, y causa une affreuse famine [a].

Chapitre VIII

Continuation du même sujet.

Les noirs de la côte d'Afrique ont un signe des valeurs, sans monnaie; c'est un signe purement idéal, fondé sur le degré d'estime qu'ils mettent dans leur esprit à chaque marchandise, à proportion du besoin qu'ils en ont. Une

a. Histoire de l'Eglise, par Socrate, liv. II.

certaine denrée ou marchandise vaut trois macutes; une autre, six macutes; une autre, dix macutes : c'est comme s'ils disaient simplement trois, six, dix. Le prix se forme par la comparaison qu'ils font de toutes les marchandises entre elles : pour lors, il n'y a point de monnaie particulière, mais chaque portion de marchandise est monnaie de l'autre.

Transportons, pour un moment, parmi nous, cette manière d'évaluer les choses; et joignons-la avec la nôtre : Toutes les marchandises et denrées du monde, ou bien toutes les marchandises ou denrées d'un Etat en particulier considéré comme séparé de tous les autres, vaudront un certain nombre de macutes; et, divisant l'argent de cet Etat en autant de parties qu'il y a de macutes, une partie divisée de cet argent sera le signe d'une macute.

Si l'on suppose que la quantité de l'argent d'un Etat double, il faudra, pour une macute, le double de l'argent : mais si, en doublant l'argent, vous doublez aussi les macutes, la proportion restera telle qu'elle était avant l'un et l'autre doublement.

Si, depuis la découverte des Indes, l'or et l'argent ont augmenté en Europe à raison d'un à vingt, le prix des denrées et marchandises aurait dû monter en raison d'un à vingt : mais si, d'un autre côté, le nombre des marchandises a augmenté comme un à deux, il faudra que le prix de ces marchandises et denrées ait haussé, d'un côté, à raison d'un à vingt, et qu'il ait baissé en raison d'un à deux; et qu'il ne soit, par conséquent, qu'en raison d'un à dix.

La quantité des marchandises et denrées croît par une augmentation de commerce; l'augmentation de commerce, par une augmentation d'argent qui arrive successivement; et par de nouvelles communications avec de nouvelles terres et de nouvelles mers, qui nous donnent de nouvelles denrées et de nouvelles marchandises.

Chapitre IX

De la rareté relative de l'or et de l'argent.

Outre l'abondance et la rareté positive de l'or et de l'argent, il y a encore une abondance et une rareté relative d'un de ces métaux à l'autre.

L'avarice garde l'or et l'argent; parce que, comme elle ne veut point consommer, elle aime des signes qui ne se détruisent point. Elle aime mieux garder l'or que l'argent; parce qu'elle craint toujours de perdre, et qu'elle peut mieux cacher ce qui est en plus petit volume. L'or disparaît donc quand l'argent est commun, parce que chacun en a pour le cacher; il reparaît quand l'argent est rare, parce qu'on est obligé de le retirer de ses retraites.

C'est donc une règle : l'or est commun quand l'argent est rare, et l'or est rare quand l'argent est commun. Cela fait sentir la différence de l'abondance et de la rareté relative, d'avec l'abondance et la rareté réelle; chose dont je vais beaucoup parler.

Chapitre X

Du change.

C'est l'abondance et la rareté relative des monnaies des divers pays, qui forment ce qu'on appelle le change.

Le change est une fixation de la valeur actuelle et momentanée des monnaies.

L'argent, comme métal, a une valeur, comme toutes les autres marchandises; et il a encore une valeur qui vient de ce qu'il est capable de devenir le signe des autres marchandises : et, s'il n'était qu'une simple marchandise, il ne faut pas douter qu'il ne perdît beaucoup de son prix.

L'argent, comme monnaie, a une valeur que le prince peut fixer dans quelques rapports, et qu'il ne saurait fixer dans d'autres.

Le prince établit une proportion entre une quantité d'argent comme métal, et la même quantité comme monnaie : 2º Il fixe celle qui est entre divers métaux employés à la monnaie : 3º Il établit le poids et le titre de chaque pièce de monnaie : Enfin, il donne à chaque pièce cette valeur idéale dont j'ai parlé. J'appellerai la valeur de la monnaie, dans ces quatre rapports, *valeur positive*, parce qu'elle peut être fixée par une loi.

Les monnaies de chaque Etat ont, de plus, une *valeur relative*, dans le sens qu'on les compare avec les monnaies des autres pays : c'est cette valeur relative que le change établit : Elle dépend beaucoup de la valeur positive : Elle est fixée par l'estime la plus générale des négociants, et ne peut l'être par l'ordonnance du prince; parce qu'elle varie sans cesse, et dépend de mille circonstances.

Pour fixer la valeur relative, les diverses nations se régleront beaucoup sur celle qui a le plus d'argent. Si elle a autant d'argent que toutes les autres ensemble, il faudra bien que chacune aille se mesurer avec elle; ce qui fera qu'elles se régleront, à peu près, entre elles comme elles se sont mesurées avec la nation principale.

Dans l'état actuel de l'univers, c'est la Hollande [a] qui est cette nation dont nous parlons. Examinons le change par rapport à elle.

Il y a, en Hollande, une monnaie qu'on appelle un florin : le florin vaut vingt sous, ou quarante demi-sous, ou gros. Pour simplifier les idées, imaginons qu'il n'y ait point de florins en Hollande, et qu'il n'y ait que des gros : un homme qui aura mille florins aura quarante mille gros, ainsi du reste : Or le change avec la Hollande consiste à savoir combien vaudra de gros chaque pièce de monnaie des autres pays; et, comme l'on compte ordinairement en France par écus de trois livres, le change demandera combien un écu de trois livres vaudra de gros. Si le change est à cinquante-quatre, l'écu de trois livres vaudra cinquante-quatre gros; s'il est à soixante, il vaudra soixante gros; si l'argent est rare en France, l'écu de trois livres vaudra plus de gros; s'il est en abondance, il vaudra moins de gros.

Cette rareté ou cette abondance, d'où résulte la mutation du change, n'est pas la rareté ou l'abondance réelle; c'est une rareté ou une abondance relative : par exemple, quand la France a plus besoin d'avoir des fonds en Hollande, que les Hollandais n'ont besoin d'en avoir en France, l'argent est appelé commun en France, et rare en Hollande; et *vice versa*.

Supposons que le change avec la Hollande soit à cinquante-quatre. Si la France et la Hollande ne composaient qu'une ville, on ferait comme l'on fait quand on donne la monnaie d'un écu : le Français tirerait de sa poche trois livres, et le Hollandais tirerait de la sienne cinquante-quatre gros. Mais, comme il y a de la distance entre Paris et Amsterdam, il faut que celui qui me donne,

---

a. Les Hollandais règlent le change de presque toute l'Europe, par une espèce de délibération entre eux, selon qu'il convient à leurs intérêts.

pour mon écu de trois livres, cinquante-quatre gros qu'il a en Hollande, me donne une lettre de change de cinquante-quatre gros sur la Hollande. Il n'est plus ici question de cinquante-quatre gros, mais d'une lettre de cinquante-quatre gros. Ainsi, pour juger [b] de la rareté ou de l'abondance de l'argent, il faut savoir s'il y a en France plus de lettres de cinquante-quatre gros destinées pour la France, qu'il n'y a d'écus destinés pour la Hollande. S'il y a beaucoup de lettres offertes par les Hollandais, et peu d'écus offerts par les Français, l'argent est rare en France, et commun en Hollande; et il faut que le change hausse, et que, pour mon écu, on me donne plus de cinquante-quatre gros; autrement je ne le donnerais pas; et *vice versa*.

On voit que les diverses opérations du change forment un compte de recette et de dépense qu'il faut toujours solder; et qu'un Etat qui doit ne s'acquitte pas plus avec les autres par le change, qu'un particulier ne paye une dette en changeant de l'argent.

Je suppose qu'il n'y ait que trois Etats dans le monde, la France, l'Espagne et la Hollande; que divers particuliers d'Espagne dussent en France la valeur de cent mille marcs d'argent, et que divers particuliers de France dussent en Espagne cent dix mille marcs; et que quelque circonstance fît que chacun, en Espagne et en France, voulût tout à coup retirer son argent : que feraient les opérations du change ? Elles acquitteraient réciproquement ces deux nations de la somme de cent mille marcs : mais la France devrait toujours dix mille marcs en Espagne, et les Espagnols auraient toujours des lettres sur la France pour dix mille marcs; et la France n'en aurait point du tout sur l'Espagne.

Que si la Hollande était dans un cas contraire avec la France, et que, pour solde, elle lui dût dix mille marcs, la France pourrait payer l'Espagne de deux manières, ou en donnant à ses créanciers en Espagne des lettres sur ses débiteurs de Hollande pour dix mille marcs, ou bien en envoyant dix mille marcs d'argent en espèces en Espagne.

Il suit de là que, quand un Etat a besoin de remettre une somme d'argent dans un autre pays, il est indifférent, par la nature de la chose, que l'on y voiture de l'argent,

---

b. Il y a beaucoup d'argent dans une place, lorsqu'il y a plus d'argent que de papier; il y en a peu, lorsqu'il y a plus de papier que d'argent.

ou que l'on prenne des lettres de change. L'avantage
de ces deux manières de payer dépend uniquement des
circonstances actuelles : il faudra voir ce qui, dans ce
moment, donnera plus de gros en Hollande, ou l'argent
porté en espèces ^{c}, ou une lettre sur la Hollande de
pareille somme.

Lorsque même titre et même poids d'argent en France
me rendent même poids et même titre d'argent en Hollande, on dit que le change est au pair. Dans l'état actuel
des monnaies ^{d}, le pair est, à peu près, à cinquante-
quatre gros par écu : lorsque le change sera au-dessus de
cinquante-quatre gros, on dira qu'il est haut; lorsqu'il
sera au-dessous, on dira qu'il est bas.

Pour savoir si, dans une certaine situation du change,
l'Etat gagne ou perd, il faut le considérer comme débiteur, comme créancier, comme vendeur, comme acheteur. Lorsque le change est plus bas que le pair, il perd
comme débiteur, il gagne comme créancier; il perd
comme acheteur, il gagne comme vendeur. On sent bien
qu'il perd comme débiteur : par exemple, la France
devant à la Hollande un certain nombre de gros, moins
son écu vaudra de gros, plus il lui faudra d'écus pour
payer : au contraire, si la France est créancière d'un
certain nombre de gros, moins chaque écu vaudra de
gros, plus elle recevra d'écus. L'Etat perd encore comme
acheteur; car il faut toujours le même nombre de gros
pour acheter la même quantité de marchandises; et,
lorsque le change baisse, chaque écu de France donne
moins de gros. Par la même raison, l'Etat gagne comme
vendeur : je vends ma marchandise en Hollande le
même nombre de gros que je la vendais; j'aurai donc
plus d'écus en France, lorsque avec cinquante gros je me
procurerai un écu, que lorsqu'il m'en faudra cinquante-
quatre pour avoir ce même écu : le contraire de tout ceci
arrivera à l'autre Etat. Si la Hollande doit un certain
nombre d'écus, elle gagnera; et, si on lui doit, elle perdra :
si elle vend, elle perdra; si elle achète, elle gagnera.

Il faut pourtant suivre ceci : lorsque le change est
au-dessous du pair; par exemple, s'il est à cinquante au
lieu d'être à cinquante-quatre, il devrait arriver que la
France, envoyant par le change cinquante-quatre mille
écus en Hollande, n'achèterait de marchandises que pour

c. Les frais de la voiture et de l'assurance déduits.
d. En 1744.

cinquante mille; et que, d'un autre côté, la Hollande, envoyant la valeur de cinquante mille écus en France, en achèterait pour cinquante-quatre mille : ce qui ferait une différence de huit cinquante-quatrièmes, c'est-à-dire, de plus d'un septième de perte pour la France; de sorte qu'il faudrait envoyer en Hollande un septième de plus en argent ou en marchandises, qu'on ne faisait lorsque le change était au pair : et le mal augmentant toujours, parce qu'une pareille dette ferait encore diminuer le change, la France serait, à la fin, ruinée. Il semble, dis-je, que cela devrait être; et cela n'est pas, à cause du principe que j'ai déjà établi ailleurs [e], qui est que les Etats tendent toujours à se mettre dans la balance, et à se procurer leur libération; ainsi ils n'empruntent qu'à proportion de ce qu'ils peuvent payer, et n'achètent qu'à mesure qu'ils vendent. Et, en prenant l'exemple ci-dessus, si le change tombe en France de cinquante-quatre à cinquante; le Hollandais, qui achetait des marchandises de France pour mille écus, et qui les payait cinquante-quatre mille gros, ne les paierait plus que cinquante mille, si le Français y voulait consentir : mais la marchandise de France haussera insensiblement, le profit se partagera entre le Français et le Hollandais; car, lorsqu'un négociant peut gagner, il partage aisément son profit : il se fera donc une communication de profit entre le Français et le Hollandais. De la même manière, le Français, qui achetait des marchandises de Hollande pour cinquante-quatre mille gros, et qui les payait avec mille écus lorsque le change était à cinquante-quatre, serait obligé d'ajouter quatre cinquante-quatrièmes de plus en écus de France, pour acheter les mêmes marchandises : mais le marchand français, qui sentira la perte qu'il ferait, voudra donner moins de la marchandise de Hollande; il se fera donc une communication de perte entre le marchand français et de marchand hollandais, l'Etat se mettra insensiblement dans la balance, et l'abaissement du change n'aura pas tous les inconvénients qu'on devait craindre.

Lorsque le change est plus bas que le pair, un négociant peut, sans diminuer sa fortune, remettre ses fonds dans les pays étrangers; parce qu'en les faisant revenir, il regagne ce qu'il a perdu : mais un prince, qui n'envoie, dans les pays étrangers, qu'un argent qui ne doit jamais revenir, perd toujours.

e. Voyez le liv. XX, chap. XXIII.

Lorsque les négociants font beaucoup d'affaires dans un pays, le change y hausse infailliblement. Cela vient de ce qu'on y prend beaucoup d'engagements; et qu'on y achète beaucoup de marchandises; et l'on tire sur le pays étranger pour les payer.

Si un prince fait de grands amas d'argent dans son Etat, l'argent y pourra être rare réellement, et commun relativement : par exemple, si, dans le même temps, cet Etat avait à payer beaucoup de marchandises dans le pays étranger, le change baisserait, quoique l'argent fût rare.

Le change de toutes les places tend toujours à se mettre à une certaine proportion; et cela est dans la nature de la chose même. Si le change de l'Irlande à l'Angleterre est plus bas que le pair, et que celui de l'Angleterre à la Hollande soit aussi plus bas que le pair, celui de l'Irlande à la Hollande sera encore plus bas; c'est-à-dire, en raison composée de celui d'Irlande à l'Angleterre, et de celui de l'Angleterre à la Hollande : car un Hollandais, qui peut faire venir ses fonds indirectement d'Irlande par l'Angleterre, ne voudra pas payer plus cher pour les faire venir directement. Je dis que cela devrait être ainsi : mais cela n'est pourtant pas exactement ainsi; il y a toujours des circonstances qui font varier ces choses; et la différence du profit qu'il y a à tirer par une place, ou à tirer par une autre, fait l'art ou l'habileté particulière des banquiers, dont il n'est point question ici.

Lorsqu'un Etat hausse sa monnaie; par exemple, lorsqu'il appelle six livres ou deux écus qu'il n'appelait que trois livres ou un écu, cette dénomination nouvelle, qui n'ajoute rien de réel à l'écu, ne doit pas procurer un seul gros de plus par le change. On ne devrait avoir, pour les deux écus nouveaux, que la même quantité de gros que l'on recevait pour l'ancien; et, si cela n'est pas, ce n'est point l'effet de la fixation en elle-même, mais de celui qu'elle produit comme nouvelle, et de celui qu'elle a comme subite. Le change tient à des affaires commencées, et ne se met en règle qu'après un certain temps.

Lorsqu'un Etat, au lieu de hausser simplement sa monnaie par une loi, fait une nouvelle refonte, afin de faire, d'une monnaie forte, une monnaie plus faible; il arrive que, pendant le temps de l'opération, il y a deux sortes de monnaies; la forte, qui est la vieille; et la faible, qui est la nouvelle : et, comme la forte est décriée, et ne se reçoit qu'à la monnaie, et que, par conséquent, les lettres de change doivent se payer en espèces nouvelles, il semble que le change devrait se régler sur l'espèce nouvelle. Si, par exemple, l'affaiblissement, en France, était de moitié, et que l'ancien écu de trois livres donnât soixante gros en Hollande, le nouvel écu ne devrait donner que trente gros. D'un autre côté, il semble que le change devrait se régler sur la valeur de l'espèce vieille; parce que le banquier, qui a de l'argent et qui prend des lettres, est obligé d'aller porter, à la monnaie, des espèces vieilles, pour en avoir de nouvelles sur lesquelles il perd. Le change se mettra donc entre la valeur de l'espèce nouvelle et celle de l'espèce vieille. La valeur de l'espèce vieille tombe, pour ainsi dire; et parce qu'il y a déjà, dans le commerce, de l'espèce nouvelle; et parce que le banquier ne peut pas tenir rigueur, ayant intérêt de faire sortir promptement l'argent vieux de sa caisse pour le faire travailler, et y étant même forcé pour faire ses paiements : D'un autre côté, la valeur de l'espèce nouvelle s'élève, pour ainsi dire, parce que le banquier, avec de l'espèce nouvelle, se trouve dans une circonstance où nous allons faire voir qu'il peut, avec un grand avantage, s'en procurer de la vieille. Le change se mettra donc, comme j'ai dit, entre l'espèce nouvelle et l'espèce vieille. Pour lors, les banquiers ont du profit à faire sortir l'espèce vieille de l'Etat; parce qu'ils se procurent, par là, le même avantage que donnerait un change réglé sur l'espèce vieille, c'est-à-dire, beaucoup de gros en Hollande; et qu'ils ont un retour en change, réglé entre l'espèce nouvelle et l'espèce vieille, c'est-à-dire, plus bas : ce qui procure beaucoup d'écus en France.

Je suppose que trois livres d'espèce vieille rendent, par le change actuel, quarante-cinq gros; et qu'en transportant ce même écu en Hollande, on en ait soixante : mais, avec une lettre de quarante-cinq gros, on se procurera un écu de trois livres en France, lequel, transporté en espèces vieilles en Hollande, donnera encore soixante gros : toute l'espèce vieille sortira donc de l'Etat qui fait la refonte, et le profit en sera pour les banquiers.

Pour remédier à cela, on sera forcé de faire une opération nouvelle. L'Etat, qui fait la refonte, enverra lui-même une grande quantité d'espèce vieille chez la nation qui règle le change; et, s'y procurant un crédit, il fera monter le change au point, qu'on aura, à peu de chose près, autant de gros, par le change, d'un écu de trois livres, qu'on en aurait en faisant sortir un écu de trois livres en espèces vieilles hors du pays. Je dis *à peu de chose près*, parce que, lorsque le profit sera modique, on ne sera point tenté de faire sortir l'espèce, à cause des frais de la voiture, et des risques de la confiscation.

Il est bon de donner une idée bien claire de ceci. Le sieur Bernard, ou tout autre banquier que l'Etat voudra employer, propose ses lettres sur la Hollande, et les donne à un, deux, trois gros plus haut que le change actuel; il a fait une provision, dans les pays étrangers, par le moyen des espèces vieilles qu'il a fait continuellement voiturer; il a donc fait hausser le change au point que nous venons de dire : cependant, à force de donner de ses lettres, il se saisit de toutes les espèces nouvelles, et force les autres banquiers, qui ont des paiements à faire, à porter leurs espèces vieilles à la monnaie : et de plus, comme il a eu, insensiblement, tout l'argent, il contraint, à leur tour, les autres banquiers à lui donner des lettres à un change très-haut : le profit de la fin l'indemnise, en grande partie, de la perte du commencement.

On sent que, pendant toute cette opération, l'Etat doit souffrir une violente crise. L'argent y deviendra très rare, 1º parce qu'il faut en décrier la plus grande partie; 2º parce qu'il en faudra transporter une partie dans les pays étrangers; 3º parce que tout le monde se resserrera, personne ne voulant laisser au prince un profit qu'on espère avoir soi-même. Il est dangereux de la faire avec lenteur : il est dangereux de la faire avec promptitude. Si le gain qu'on suppose est immodéré, les inconvénients augmentent à mesure.

On a vu, ci-dessus, que, quand le change était plus bas que l'espèce, il y avait du profit à faire sortir l'argent : par la même raison, lorsqu'il est plus haut que l'espèce, il y a du profit à le faire revenir.

Mais il y a un cas où on trouve du profit à faire sortir l'espèce, quoique le change soit au pair : c'est lorsqu'on l'envoie dans les pays étrangers, pour la faire remarquer ou refondre. Quand elle est revenue, on fait, soit qu'on l'emploie dans le pays, soit qu'on prenne des lettres pour l'étranger, le profit de la monnaie.

S'il arrivait que, dans un Etat, on fît une compagnie qui eût un nombre très considérable d'actions; et qu'on eût fait, dans quelques mois de temps, hausser ces actions vingt ou vingt-cinq fois au-delà de la valeur du premier achat; et que ce même Etat eût établi une banque dont les billets dussent faire la fonction de monnaie; et que la

valeur numéraire de ces billets fût prodigieuse, pour
répondre à la prodigieuse valeur numéraire des actions
(c'est le système de M. Law) : il suivrait de la nature de la
chose, que ces actions et billets s'anéantiraient de la même
manière qu'ils seraient établis. On n'aurait pu faire monter
tout à coup les actions vingt ou vingt-cinq fois plus haut
que leur première valeur, sans donner à beaucoup de gens
le moyen de ses procurer d'immenses richesses en papier :
chacun chercherait à assurer sa fortune ; et, comme le
change donne la voie la plus facile pour la dénaturer, ou
pour la transporter où l'on veut, on remettrait, sans cesse.
une partie de ses effets chez la nation qui règle le change.
Un projet continuel de remettre dans les pays étrangers,
ferait baisser le change. Supposons que, du temps du
système, dans le rapport du titre et du poids de la monnaie
d'argent, le taux du change fût de quarante gros par écu ;
lorsqu'un papier innombrable fut devenu monnaie, on
n'aura plus voulu donner que trente-neuf gros par écu ;
ensuite que trente-huit, trente-sept, etc. Cela alla si loin
que l'on ne donna plus que huit gros ; et qu'enfin il n'y
eut plus de change.

C'était le change qui devait, en ce cas, régler, en France,
la proportion de l'argent avec le papier. Je suppose que,
par le poids et le titre de l'argent, l'écu de trois livres
d'argent valût quarante gros ; et que, le change se faisant
en papier, l'écu de trois livres, en papier, ne valût que
huit gros ; la différence était de quatre cinquièmes. L'écu
de trois livres, en papier, valait donc quatre cinquièmes
de moins que l'écu de trois livres en argent.

CHAPITRE XI

Des opérations que les Romains firent sur les monnaies.

Quelques coups d'autorité que l'on ait faits, de nos
jours, en France, sur les monnaies, dans deux ministères
consécutifs, les Romains en firent de plus grands ; non
pas dans le temps de cette république corrompue, ni
dans celui de cette république qui n'était qu'une anarchie ;
mais lorsque, dans la force de son institution, par sa
sagesse, comme par son courage, après avoir vaincu les
villes d'Italie, elle disputait l'empire aux Carthaginois.

Et je suis bien aise d'approfondir un peu cette matière, afin qu'on ne fasse pas un exemple de ce qui n'en est point un.

Dans la première guerre punique [a], l'as, qui devait être de douze onces de cuivre, n'en pesa plus que deux; et, dans la seconde, il ne fut plus que d'une. Ce retranchement répond à ce que nous appelons aujourd'hui augmentation des monnaies : ôter d'un écu de six livres la moitié de l'argent, pour en faire deux, ou le faire valoir douze livres, c'est précisément la même chose.

Il ne nous reste point de monument de la manière dont les Romains firent leur opération dans la première guerre punique : mais ce qu'ils firent dans la seconde nous marque une sagesse admirable. La république ne se trouvait point en état d'acquitter ses dettes : l'as pesait deux onces de cuivre; et le denier, valant dix as, valait vingt onces de cuivre. La république fit des as d'une once de cuivre [b]; elle gagna la moitié sur ses créanciers; elle paya un denier avec ces dix onces de cuivre. Cette opération donna une grande secousse à l'Etat, il fallait la donner la moindre qu'il était possible; elle contenait une injustice, il fallait qu'elle fût la moindre qu'il était possible; elle avait pour objet la libération de la république envers ses citoyens, il ne fallait donc pas qu'elle eût celui de la libération des citoyens entre eux : cela fit faire une seconde opération; et l'on ordonna que le denier, qui n'avait été jusque-là que de dix as, en contiendrait seize. Il résulta, de cette double opération, que, pendant que les créanciers de la république perdaient la moitié [c], ceux des particuliers ne perdaient qu'un cinquième [d] : les marchandises n'augmentaient que d'un cinquième; le changement réel dans la monnaie n'était que d'un cinquième : on voit les autres conséquences.

Les Romains se conduisirent donc mieux que nous, qui, dans nos opérations, avons enveloppé et les fortunes publiques et les fortunes particulières. Ce n'est pas tout : on va voir qu'ils les firent dans des circonstances plus favorables que nous.

---

a. PLINE, *Histoire naturelle*, liv. XXXIII, art. 13.
b. *Ibid.*
c. Ils recevaient dix onces de cuivre pour vingt.
d. Ils recevaient seize onces de cuivre pour vingt.

Chapitre XII

*Circonstances dans lesquelles les Romains
firent leurs opérations sur la monnaie.*

Il y avait anciennement très peu d'or et d'argent en
Italie; ce pays a peu ou point de mines d'or et d'argent :
lorsque Rome fut prise par les Gaulois, il ne s'y trouva
que mille livres d'or [a]. Cependant les Romains avaient
saccagé plusieurs villes puissantes, et ils en avaient transporté les richesses chez eux. Ils ne se servirent longtemps
que de monnaie de cuivre : ce ne fut qu'après la paix de
Pyrrhus, qu'ils eurent assez d'argent pour en faire de la
monnaie [b] : ils firent des deniers de ce métal, qui valaient
dix as [c], ou dix livres de cuivre. Pour lors, la proportion
de l'argent au cuivre était comme 1 à 960 : car le denier
romain valant dix as ou dix livres de cuivre, il valait cent
vingt onces de cuivre; et le même denier valant un huitième d'once d'argent [d], cela faisait la proportion que
nous venons de dire.

Rome devenue maîtresse de cette partie de l'Italie la
plus voisine de la Grèce et de la Sicile, se trouva, peu à
peu, entre deux peuples riches, les Grecs et les Carthaginois; l'argent augmenta chez elle; et la proportion de
1 à 960 entre l'argent et le cuivre ne pouvant plus se
soutenir, elle fit diverses opérations sur les monnaies,
que nous ne connaissons pas. Nous savons seulement
qu'au commencement de la seconde guerre punique, le
denier romain ne valait plus que vingt onces de cuivre [e];
et qu'ainsi, la proportion entre l'argent et le cuivre n'était
plus que comme 1 est à 160. La réduction était bien
considérable, puisque la république gagna cinq sixièmes
sur toute la monnaie de cuivre : mais on ne fit que ce que
demandait la nature des choses, et rétablir la proportion
entre les métaux qui servaient de monnaie.

La paix, qui termina la première guerre punique, avait

a. Pline, liv. XXXIII, art. 5.
b. Freinshemius, liv. V. de la seconde décade.
c. *Ibid. loco citato. Ils frappèrent aussi*, dit le même auteur, *des
demi appelés quinaires, et des quarts appelés sesterces.*
d. Un huitième, selon Budée; un septième, selon d'autres auteurs.
e. Pline, *Histoire naturelle*, liv. XXXIII, art. 13.

laissé les Romains maîtres de la Sicile. Bientôt ils entrèrent en Sardaigne, ils commencèrent à connaître l'Espagne : la masse de l'argent augmenta encore à Rome; on y fit l'opération qui réduisit le denier d'argent de vingt onces à seize [f]; et elle eut cet effet, qu'elle remit en proportion l'argent et le cuivre : cette proportion était comme 1 est à 160, elle fut comme 1 est à 128.

Examinez les Romains; vous ne les trouverez jamais si supérieurs, que dans le choix des circonstances dans lesquelles ils firent les biens et les maux.

f. PLINE, *Histoire naturelle*, liv. XXXIII, art. 13.

CHAPITRE XIII

Opérations sur les monnaies, du temps des empereurs.

Dans les opérations que l'on fit sur les monnaies du temps de la république, on procéda par voie de retranchement : l'Etat confiait au peuple ses besoins, et ne prétendait pas le séduire. Sous les empereurs, on procéda par voie d'alliage : ces princes, réduits au désespoir par leurs libéralités mêmes, se virent obligés d'altérer les monnaies; voie indirecte, qui diminuait le mal, et semblait ne le pas toucher : on retirait une partie du don, et on cachait la main; et, sans parler de diminution de la paie ou des largesses, elles se trouvaient diminuées.

On voit encore, dans les cabinets [a], des médailles qu'on appelle fourrées, qui n'ont qu'une lame d'argent qui couvre le cuivre, il est parlé de cette monnaie dans un fragment du livre LXXVII de Dion [b].

Didius Julien commença l'affaiblissement. On trouve que la monnaie de Caracalla [c] avait plus de la moitié d'alliage, celle d'Alexandre Sévère [d] les deux tiers : l'affaiblissement continua; et, sous Galien [e], on ne voyait plus que du cuivre argenté.

a. Voyez *la Science des médailles*, du Père Joubert, édit. de Paris, 1739, p. 59.
b. *Extrait des vertus et des vices.*
c. Voyez Savotte, part. 2, chap. XII; et le *Journal des savants* du 28 juillet 1681, sur une découverte de 50 000 médailles.
d. Id., *Ibid.*
e. Id. *Ibid.*

On sent que ces opérations violentes ne sauraient avoir lieu dans ces temps-ci ; un prince se tromperait lui-même, et ne tromperait personne. Le change a appris au banquier à comparer toutes les monnaies du monde, et à les mettre à leur juste valeur ; le titre des monnaies ne peut plus être un secret. Si un prince commence le billon, tout le monde continue, et le fait pour lui ; les espèces fortes sortent d'abord, et on les lui renvoie faibles. Si, comme les empereurs romains, il affaiblissait l'argent, sans affaiblir l'or, il verrait, tout à coup, disparaître l'or, et il serait réduit à son mauvais argent. Le change, comme j'ai dit au livre précédent [1], a ôté les grands coups d'autorité, du moins les succès des grands coups d'autorité.

CHAPITRE XIV

Comment le change gêne les Etats despotiques.

La Moscovie voudrait descendre de son despotisme, et ne le peut. L'établissement du commerce demande celui du change ; et les opérations du change contredisent toutes ses lois.

En 1745, la czarine fit une ordonnance pour chasser les Juifs, parce qu'ils avaient remis dans les pays étrangers l'argent de ceux qui étaient relégués en Sibérie, et celui des étrangers qui étaient au service. Tous les sujets de l'empire, comme des esclaves, n'en peuvent sortir, ni faire sortir leurs biens, sans permission. Le change, qui donne le moyen de transporter l'argent d'un pays à un autre, est donc contradictoire aux lois de Moscovie.

Le commerce même contredit ses lois. Le peuple n'est composé que d'esclaves attachés aux terres, et d'esclaves qu'on appelle ecclésiastiques ou gentilshommes, parce qu'ils sont les seigneurs de ces esclaves : il ne reste donc guère personne pour le tiers état, qui doit former les ouvriers et les marchands.

Chap. XVI.

Chapitre XV

Usage de quelques pays d'Italie.

Dans quelques pays d'Italie, on a fait des lois pour empêcher les sujets de vendre des fonds de terre, pour transporter leur argent dans les pays étrangers. Ces lois pouvaient être bonnes, lorsque les richesses de chaque Etat étaient tellement à lui, qu'il y avait beaucoup de difficulté à les faire passer à un autre. Mais depuis que, par l'usage du change, les richesses ne sont, en quelque façon, à aucun Etat en particulier, et qu'il y a tant de facilité à les transporter d'un pays à un autre, c'est une mauvaise loi que celle qui ne permet pas de disposer, pour ses affaires, de ses fonds de terre, lorsqu'on peut disposer de son argent. Cette loi est mauvaise, parce qu'elle donne de l'avantage aux effets mobiliers sur les fonds de terre, parce qu'elle dégoûte les étrangers de venir s'établir dans le pays, et enfin parce qu'on peut l'éluder.

Chapitre XVI

Du secours que l'Etat peut tirer des banquiers.

Les banquiers sont faits pour changer de l'argent, et non pas pour en prêter. Si le prince ne s'en sert que pour changer son argent, comme il ne fait que de grosses affaires, le moindre profit qu'il leur donne pour leurs remises devient un objet considérable; et, si on lui demande de gros profits, il peut être sûr que c'est un défaut de l'administration. Quand, au contraire, ils sont employés à faire des avances, leur art consiste à se procurer de gros profits de leur argent, sans qu'on puisse les accuser d'usure.

Chapitre XVII
Des dettes publiques.

Quelques gens ont cru qu'il était bon qu'un Etat dût à lui-même : ils ont pensé que cela multipliait les richesses, en augmentant la circulation.

Je crois qu'on a confondu un papier circulant qui représente la monnaie, ou un papier circulant qui est le signe des profits qu'une compagnie a faits ou fera sur le commerce, avec un papier qui représente une dette. Les deux premiers sont très avantageux à l'Etat : le dernier ne peut l'être; et tout ce qu'on peut en attendre, c'est qu'il soit un bon gage, pour les particuliers, de la dette de la nation, c'est-à-dire, qu'il en procure le paiement. Mais voici les inconvénients qui en résultent.

1° Si les étrangers possèdent beaucoup de papiers qui représentent une dette, ils tirent, tous les ans, de la nation, une somme considérable pour les intérêts.

2° Dans une nation ainsi perpétuellement débitrice, le change doit être très bas.

3° L'impôt levé pour le paiement des intérêts de la dette, fait tort aux manufactures, en rendant la main de l'ouvrier plus chère.

4° On ôte les revenus véritables de l'Etat à ceux qui ont de l'activité et de l'industrie, pour les transporter aux gens oisifs; c'est-à-dire, qu'on donne des commodités pour travailler à ceux qui ne travaillent point, et des difficultés pour travailler à ceux qui travaillent.

Voilà les inconvénients; je n'en connais point les avantages. Dix personnes ont chacune mille écus de revenu en fonds de terre ou en industrie; cela fait, pour la nation, à cinq pour cent, un capital de deux cent mille écus. Si ces dix personnes emploient la moitié de leur revenu, c'est-à-dire cinq mille écus, pour payer les intérêts de cent mille écus qu'elles ont empruntés à d'autres, cela ne fait encore, pour l'Etat, que deux cent mille écus : c'est, dans le langage des algébristes, 200 000 écus — 100 000 écus + 100 000 écus = 200 000 écus.

Ce qui peut jeter dans l'erreur, c'est qu'un papier qui représente la dette d'une nation est un signe de richesse; car il n'y a qu'un Etat riche qui puisse soutenir un tel papier, sans tomber dans la décadence : que s'il n'y tombe pas, il faut que l'Etat ait de grandes richesses d'ailleurs. On dit qu'il n'y a point de mal, parce qu'il y a des ressources contre ce mal; et on dit que le mal est un bien, parce que les ressources surpassent le mal.

Chapitre XVIII

Du paiement des dettes publiques.

Il faut qu'il y ait une proportion entre l'Etat créancier et l'Etat débiteur. L'Etat peut être créancier à l'infini, mais il ne peut être débiteur qu'à un certain degré; et quand on est parvenu à passer ce degré, le titre de créancier s'évanouit.

Si cet Etat a encore un crédit qui n'ait point reçu d'atteinte, il pourra faire ce qu'on a pratiqué si heureusement dans un Etat d'Europe [a]; c'est de se procurer une grande quantité d'espèces, et d'offrir à tous les particuliers leur remboursement, à moins qu'ils ne veuillent réduire l'intérêt. En effet, comme, lorsque l'Etat emprunte, ce sont les particuliers qui fixent le taux de l'intérêt; lorsque l'Etat veut payer, c'est à lui à le fixer.

Il ne suffit pas de réduire l'intérêt : il faut que le bénéfice de la réduction forme un fonds d'amortissement, pour payer, chaque année, une partie des capitaux; opération d'autant plus heureuse, que le succès en augmente tous les jours.

Lorsque le crédit de l'Etat n'est pas entier, c'est une nouvelle raison pour chercher à former un fonds d'amortissement; parce que ce fonds, une fois établi, rend bientôt la confiance.

Si l'Etat est une république, dont le gouvernement comporte, par sa nature, que l'on y fasse des projets pour longtemps, le capital du fonds d'amortissement peut être peu considérable : il faut, dans une monarchie, que ce capital soit plus grand.

2º Les règlements doivent être tels, que tous les citoyens de l'Etat portent le poids de l'établissement de ce fonds, parce qu'ils ont tous le poids ce l'établissement

a. L'Angleterre.

de la dette; le créancier de l'Etat, par les sommes qu'il contribue, payant lui-même à lui-même.

3° Il y a quatre classes de gens qui payent les dettes de l'Etat : les propriétaires des fonds de terre, ceux qui exercent leur industrie par le négoce, les laboureurs et artisans, enfin les rentiers de l'Etat ou des particuliers. De ces quatre classes, la dernière, dans un cas de nécessité, semblerait devoir être la moins ménagée; parce que c'est une classe entièrement passive dans l'Etat, tandis que ce même Etat est soutenu par la force active des trois autres. Mais, comme on ne peut la charger plus, sans détruire la confiance publique, dont l'Etat en général, et ces trois classes en particulier, ont un souverain besoin; comme la foi publique ne peut manquer à un certain nombre de citoyens, sans paraître manquer à tous; comme la classe des créanciers est toujours la plus exposée aux projets des ministres, et qu'elle est toujours sous les yeux et sous la main; il faut que l'Etat lui accorde une singulière protection, et que la partie débitrice n'ait jamais le moindre avantage sur celle qui est créancière.

Chapitre XIX

Des prêts à intérêt.

L'argent est le signe des valeurs. Il est clair que celui qui a besoin de ce signe doit le louer, comme il fait toutes les choses dont il peut avoir besoin. Toute la différence est que les autres choses peuvent, ou se louer, ou s'acheter; au lieu que l'argent, qui est le prix des choses, se loue et ne s'achète pas [a].

C'est bien une action très bonne de prêter à un autre son argent sans intérêt : mais on sent que ce ne peut être qu'un conseil de religion, et non une loi civile.

Pour que le commerce puisse se bien faire, il faut que l'argent ait un prix, mais que ce prix soit peu considérable. S'il est trop haut, le négociant, qui voit qu'il lui en coûterait plus en intérêts qu'il ne pourrait gagner dans son commerce, n'entreprend rien; si l'argent n'a point

---

a. On ne parle point des cas où l'or et l'argent sont considérés comme marchandises.

de prix, personne n'en prête, et le négociant n'entreprend rien non plus.

Je me trompe, quand je dis que personne n'en prête. Il faut toujours que les affaires de la société aillent; l'usure s'établit, mais avec les désordres que l'on a éprouvés dans tous les temps.

La loi de Mahomet confond l'usure avec le prêt à intérêt. L'usure augmente, dans les pays mahométans, à proportion de la sévérité de la défense : le prêteur s'indemnise du péril de la contravention.

Dans ces pays d'Orient, la plupart des hommes n'ont rien d'assuré; il n'y a presque point de rapport entre la possession actuelle d'une somme, et l'espérance de la ravoir après l'avoir prêtée : l'usure y augmente donc à proportion du péril de l'insolvabilité.

CHAPITRE XX

Des usures maritimes.

La grandeur de l'usure maritime est fondée sur deux choses; le péril de la mer, qui fait qu'on ne s'expose à prêter son argent que pour en avoir beaucoup davantage; et la facilité que le commerce donne à l'emprunteur de faire promptement de grandes affaires, et en grand nombre : au lieu que les usures de terre, n'étant fondées sur aucune de ces deux raisons, sont ou proscrites par les législateurs, ou, ce qui est plus sensé, réduites à de justes bornes.

CHAPITRE XXI

Du prêt par contrat, et de l'usure, chez les Romains.

Outre le prêt fait pour le commerce, il y a encore une espèce de prêt fait par un contrat civil, d'où résulte un intérêt ou usure.

Le peuple, chez les Romains, augmentant tous les jours sa puissance, les magistrats cherchèrent à le flatter, et à lui faire faire les lois qui lui étaient les plus agréables. Il retrancha les capitaux ; il diminua les intérêts ; il défendit d'en prendre ; il ôta les contraintes par corps ; enfin, l'abolition des dettes fut mise en question toutes les fois qu'un tribun voulut se rendre populaire.

Ces continuels changements, soit par des lois, soit par des plébiscites, naturalisèrent à Rome l'usure ; car les créanciers, voyant le peuple leur débiteur, leur législateur et leur juge, n'eurent plus de confiance dans les contrats. Le peuple, comme un débiteur décrédité, ne tentait à lui prêter que par de gros profits : d'autant plus que, si les lois ne venaient que de temps en temps, les plaintes du peuple étaient continuelles, et intimidaient toujours les créanciers. Cela fit que tous les moyens honnêtes de prêter et d'emprunter furent abolis à Rome ; et qu'une usure affreuse, toujours foudroyée et toujours renaissante, s'y établit [a]. Le mal venait de ce que les choses n'avaient pas été ménagées. Les lois extrêmes dans le bien font naître le mal extrême. Il fallut payer pour le prêt de l'argent, et pour le danger des peines de la loi.

a. TACITE, *Annales*, liv. VI.

CHAPITRE XXII

Continuation du même sujet.

Les premiers Romains n'eurent point de lois pour régler le taux de l'usure [a]. Dans les démêlés qui se formèrent là-dessus entre les plébéiens et les patriciens, dans la sédition même du mont sacré [b], on n'allégua, d'un côté, que la foi ; et, de l'autre, que la dureté des contrats.

On suivait donc les conventions particulières ; et je crois que les plus ordinaires étaient de douze pour cent par an. Ma raison est que, dans le langage ancien chez les Romains, l'intérêt à six pour cent était appelé la moitié de l'usure, l'intérêt à trois pour cent le quart de l'usure [c] : l'usure totale était donc l'intérêt à douze pour cent.

a. Usure et intérêt signifiaient la même chose chez les Romains.
b. Voyez Denys d'Halicarnasse, qui l'a si bien décrite.
c. *Usuræ semisses, trientes, quadrantes.* Voyez, là-dessus, les divers traités du digeste et du code *de usuris ;* et surtout la loi XVII, avec sa note, ff. *de usuris.*

Que si l'on demande comment de si grosses usures avaient pu s'établir chez un peuple qui était presque sans commerce; je dirai que ce peuple, très souvent obligé d'aller sans solde à la guerre, avait très souvent besoin d'emprunter; et que, faisant sans cesse des expéditions heureuses, il avait très souvent la facilité de payer. Et cela se sent bien dans le récit des démêlés qui s'élevèrent à cet égard : on n'y disconvient point de l'avarice de ceux qui prêtaient; mais on dit que ceux qui se plaignaient auraient pu payer, s'ils avaient eu une conduite réglée [d].

On faisait donc des lois qui n'influaient que sur la situation actuelle : on ordonnait, par exemple, que ceux qui s'enrôleraient pour la guerre que l'on avait à soutenir ne seraient point poursuivis par leurs créanciers; que ceux qui étaient dans les fers seraient délivrés; que les plus indigents seraient menés dans les colonies : quelquefois on ouvrait le trésor public. Le peuple s'apaisait par le soulagement des maux présents; et, comme il ne demandait rien pour la suite, le sénat n'avait garde de le prévenir.

Dans le temps que le sénat défendait avec tant de constance la cause des usures, l'amour de la pauvreté, de la frugalité, de la médiocrité, était extrême chez les Romains : mais telle était la Constitution, que les principaux citoyens portaient toutes les charges de l'Etat, et que le bas peuple ne payait rien. Quel moyen de priver ceux-là du droit de poursuivre leurs débiteurs, et de leur demander d'acquitter leurs charges, et de subvenir aux besoins pressants de la république ?

Tacite [e] dit que la loi des douze tables fixa l'intérêt à un pour cent par an. Il est visible qu'il s'est trompé; et qu'il a pris, pour la loi des douze tables, une autre loi dont je vais parler. Si la loi des douze tables avait réglé cela, comment, dans les disputes qui s'élevèrent depuis entre les créanciers et les débiteurs, ne se serait-on pas servi de son autorité ? On ne trouve aucun vestige de cette loi sur le prêt à intérêt : et, pour peu qu'on soit versé dans l'histoire de Rome, on verra qu'une loi pareille ne devait point être l'ouvrage des décemvirs.

La loi Licinienne [f], faite quatre-vingt-cinq ans après la

d. Voyez les discours d'Appius là-dessus, dans Denys d'Halicarnasse.
e. *Annales*, liv. VI.
f. L'an de Rome 388. Tite-Live, liv. VI.

loi des douze tables, fut une de ces lois passagères dont nous avons parlé. Elle ordonna qu'on retrancherait, du capital, ce qui avait été payé pour les intérêts ; et que le reste serait acquitté en trois paiements égaux.

L'an 398 de Rome, les tribuns Duellius et Ménénius firent passer une loi qui réduisait les intérêts à un pour cent par an [g]. C'est cette loi que Tacite [h] confond avec la loi des douze tables ; et c'est la première qui ait été faite, chez les Romains, pour fixer le taux de l'intérêt. Dix ans après [i], cette usure fut réduite à la moitié [k] ; dans la suite, on l'ôta tout à fait [l] : et, si nous en croyons quelques auteurs qu'avait vus Tite-Live, ce fut sous le consulat de C. Martius Rutilius et de Q. Servilius [m], l'an 413 de Rome.

Il en fut, de cette loi, comme de toutes celles où le législateur a porté les choses à l'excès : on trouva un moyen de l'éluder. Il en fallut faire beaucoup d'autres pour la confirmer, corriger, tempérer. Tantôt on quitta les lois pour suivre les usages [n], tantôt on quitta les usages pour suivre les lois : mais, dans ce cas, l'usage devait aisément prévaloir. Quand un homme emprunte, il trouve un obstacle dans la loi même qui est faite en sa faveur : cette loi a contre elle, et celui qu'elle secourt, et celui qu'elle condamne. Le préteur Sempronius Asellus ayant permis aux débiteurs d'agir en conséquence des lois [o], fut tué par les créanciers [p], pour avoir voulu rappeler la mémoire d'une rigidité qu'on ne pouvait plus soutenir.

Je quitte la ville, pour jeter un peu les yeux sur les provinces.

J'ai dit ailleurs [q] que les provinces romaines étaient

---

g. *Unciaria usura.* Tite-Live, liv. VII. Voyez la défense de l'esprit des lois, art. *usure.*

h. *Annales*, liv. VI.

i. Sous le consulat de L. Manlius Torquatus et de C. Plautius, selon Tite-Live, liv. VII ; et c'est la loi dont parle Tacite, *Annales*, liv. VI.

k. *Semiunciaria usura.*

l. Comme le dit TACITE, *Annales*, liv. VI.

m. La loi fut faite à la poursuite de M. Génucius, tribun du peuple Tite-Live, liv. VII, à la fin.

n. *Veteri jam more fœnus receptum erat.* APPIEN, *De la guerre civile*, liv. I.

o. *Permisit eos legibus agere.* APPIEN, *De la guerre civile*, liv. I ; et l'*Epitome* de Tite-Live, liv. LXIV.

p. L'an de Rome 663.

q. Liv. XI, chap. XIX.

désolées par un gouvernement despotique et dur. Ce n'est pas tout : elles l'étaient encore par des usures affreuses.

Cicéron dit [r] que ceux de Salamine voulaient emprunter de l'argent à Rome, et qu'ils ne le pouvaient pas à cause de la loi Gabinienne. Il faut que je cherche ce que c'était que cette loi.

Lorsque les prêts à intérêt eurent été défendus à Rome, on imagina toutes sortes de moyens pour éluder la loi [s] : et, comme les alliés [t] et ceux de la nation latine n'étaient point assujettis aux lois civiles des Romains, on se servit d'un Latin, ou d'un allié, qui prêtait son nom, et paraissait être le créancier. La loi n'avait donc fait que soumettre les créanciers à une formalité, et le peuple n'était pas soulagé.

Le peuple se plaignit de cette fraude ; et Marcus Sempronius, tribun du peuple, par l'autorité du sénat, fit faire un plébiscite [u] qui portait, qu'en fait de prêts, les lois, qui défendaient les prêts à usure entre un citoyen romain et un autre citoyen romain, auraient également lieu entre un citoyen et un allié, ou un Latin.

Dans ces temps-là, on appelait alliés les peuples de l'Italie proprement dite, qui s'étendait jusqu'à l'Arno et le Rubicon, et qui n'était point gouvernée en provinces romaines.

Tacite [x] dit qu'on faisait toujours de nouvelles fraudes aux lois faites pour arrêter les usures. Quand on ne put plus prêter, ni emprunter, sous le nom d'un allié, il fut aisé de faire paraître un homme des provinces, qui prêtait son nom.

Il fallait une nouvelle loi contre cet abus : et Gabinius [y] faisant la loi fameuse qui avait pour objet d'arrêter la corruption dans les suffrages, dut naturellement penser que le meilleur moyen, pour y parvenir, était de décourager les emprunts : ces deux choses étaient naturellement liées ; car les usures augmentaient toujours au temps des élections [z], parce qu'on avait besoin d'argent pour gagner des voix. On voit bien que la loi Gabinienne avait étendu

r. *Lettres à Atticus*, liv. V, lett. 21.
s. Tite-Live.
t. *Ibid.*
u. L'an 561 de Rome, Voyez Tite-Live.
x. *Annales*, liv. VI.
y. L'an 615 de Rome.
z. Voyez les *Lettres de Cicéron à Atticus*, liv. IV, lett. 15 et 16.

le sénatus-consulte Sempronien aux provinciaux; puisque les Salaminiens ne pouvaient emprunter de l'argent à Rome, à cause de cette loi. Brutus, sous des noms empruntés, leur en prêta ᵃ à quatre pour cent par mois ᵇ; et obtint, pour cela, deux sénatus-consultes; dans le premier desquels il était dit que ce prêt ne serait pas regardé comme une fraude faite à la loi, et que le gouverneur de Silicie jugerait en conformité des conventions portées par le billet des Salaminiens ᶜ.

Le prêt à intérêt étant interdit, par la loi Gabinienne, entre les gens des provinces et les citoyens romains; et ceux-ci ayant, pour lors, tout l'argent de l'univers entre leurs mains; il fallut les tenter par de grosses usures, qui fissent disparaître, aux yeux de l'avarice, le danger de perdre la dette. Et, comme il y avait à Rome des gens puissants, qui intimidaient les magistrats, et faisaient taire les lois, ils furent plus hardis à prêter, et plus hardis à exiger de grosses usures. Cela fit que les provinces furent, tour à tour, ravagées par tous ceux qui avaient du crédit à Rome : et, comme chaque gouverneur faisait son édit, en entrant dans sa province ᵈ, dans lequel il mettait à l'usure le taux qu'il lui plaisait, l'avarice prêtait la main à la législation, et la législation à l'avarice.

Il faut que les affaires aillent; et un Etat est perdu, si tout y est dans l'inaction. Il y avait des occasions où il fallait que les villes, les corps, les sociétés des villes, les particuliers, empruntassent : et on n'avait que trop besoin d'emprunter, ne fût-ce que pour subvenir aux ravages des armées, aux rapines des magistrats, aux concussions des gens d'affaires, et aux mauvais usages qui s'établissaient tous les jours; car on ne fut jamais ni si riche, ni si pauvre. Le sénat, qui avait la puissance exécutrice, donnait, par nécessité, souvent par faveur, la permission d'emprunter des citoyens romains, et faisait là-dessus des sénatus-consultes. Mais ces sénatus-consultes mêmes

a. Cicéron à Atticus, liv. VI, lett. I.
b. Pompée, qui avait prêté au roi Ariobarsane six cents talents, se faisait payer trente-trois talents attiques tous les trente jours. Cicéron à Atticus, liv. III, lett. 21; liv. VI, lett. I.
c. Ut neque Salaminis, neque cui eis dedisset, fraudi esset. Ibid.
d. L'édit de Cicéron la fixait à un pour cent par mois, avec l'usure de l'usure au bout de l'an. Quant aux fermiers de la république, il les engageait à donner un délai à leurs débiteurs : Si ceux-ci ne payaient pas au temps fixé, il adjugeait l'usure portée par le billet. Cicéron à Atticus, liv. VI, lett. I.

étaient décrédités par la loi : ces sénatus-consultes *
pouvaient donner occasion au peuple de demander de
nouvelles tables ; ce qui, augmentant le danger de la perte
du capital, augmentait encore l'usure. Je le dirai toujours ;
c'est la modération qui gouverne les hommes, et non pas
les excès.

Celui-là paie moins, dit Ulpien *, qui paie plus tard.
C'est ce principe qui conduisit les législateurs, après la
destruction de la république romaine.

e. Voyez ce que dit Lucceius, lett. 21 à Atticus, liv. V. Il y eut
même un sénatus-consulte général, pour fixer l'usure à un pour cent
par mois. Voyez la même lettre.
f. Leg. XII, ff. De verbor. signif.

LIVRE XXIII

DES LOIS, DANS LE RAPPORT QU'ELLES ONT AVEC LE NOMBRE DES HABITANTS

CHAPITRE PREMIER

Des hommes et des animaux, par rapport à la multiplication de leur espèce.

O Vénus ! ô mère de l'Amour !
. . . .
Dès le premier beau jour que ton astre ramène,
Les zéphirs font sentir leur amoureuse haleine,
La terre orne son sein de brillantes couleurs,
Et l'air est parfumé du doux esprit des fleurs.
On entend les oiseaux, frappés de ta puissance,
Par mille sons lascifs célébrer ta présence :
Pour la belle génisse, on voit les fiers taureaux,
Ou bondir dans la plaine, ou traverser les eaux.
Enfin, les habitants des bois et des montagnes,
Des fleuves et des mers, et des vertes campagnes,
Brûlant, à ton aspect, d'amour et de désir,
S'engagent à peupler par l'attrait du plaisir :
Tant on aime à te suivre, et ce charmant empire
Que donne la beauté sur tout ce qui respire [a] *!*

Les femelles des animaux ont, à peu près, une fécondité constante. Mais, dans l'espèce humaine, la manière de penser, le caractère, les passions, les fantaisies, les caprices, l'idée de conserver sa beauté, l'embarras de la grossesse, celui d'une famille trop nombreuse, troublent la propagation de mille manières.

---

a. Traduction du commencement de *Lucrèce*, par le sieur d'Hesnaut.

CHAPITRE II

Des mariages.

L'obligation naturelle qu'a le père de nourrir ses enfants, a fait établir le mariage, qui déclare celui qui doit remplir cette obligation. Les peuples *a* dont parle Pomponius Mela *b* ne le fixaient que par la ressemblance.

Chez les peuples bien policés, le père est celui que les lois, par la cérémonie du mariage, ont déclaré devoir être tel *c*, parce qu'elles trouvent en lui la personne qu'elles cherchent.

Cette obligation, chez les animaux, est telle que la mère peut ordinairement y suffire. Elle a beaucoup plus d'étendue chez les hommes : leurs enfants ont de la raison ; mais elle ne leur vient que par degrés : il ne suffit pas de les nourrir, il faut encore les conduire : déjà ils pourraient vivre, et ils ne peuvent pas se gouverner.

Les conjonctions illicites contribuent peu à la propagation de l'espèce. Le père, qui a l'obligation naturelle de nourrir et d'élever les enfants, n'y est point fixé ; et la mère, à qui l'obligation reste, trouve mille obstacles, par la honte, les remords, la gêne du sexe, la rigueur des lois : la plupart du temps elle manque de moyens.

Les femmes qui se sont soumises à une prostitution publique ne peuvent avoir la commodité d'élever leurs enfants. Les peines de cette éducation sont même incompatibles avec leur condition : et elles sont si corrompues, qu'elles ne sauraient avoir la confiance de la loi.

Il suit de tout ceci, que la continence publique est naturellement jointe à la propagation de l'espèce.

a. Les Garamantes.
b. Liv. I, chap. III.
c. *Pater est quem nuptiæ demonstrant.*

Chapitre III

De la condition des enfants.

C'est la raison qui dicte que, quand il y a un mariage, les enfants suivent la condition du père; et que, quand il n'y en a point, ils ne peuvent concerner que la mère [a].

a. C'est pour cela que, chez les nations qui ont des esclaves, l'enfant suit presque toujours la condition de la mère.

Chapitre IV

Des familles.

Il est presque reçu partout que la femme passe dans la famille du mari. Le contraire est, sans aucun inconvénient, établi à Formose [a], où le mari va former celle de la femme.

Cette loi, qui fixe la famille dans une suite de personnes du même sexe, contribue beaucoup, indépendamment des premiers motifs, à la propagation de l'espèce humaine. La famille est une sorte de propriété : un homme, qui a des enfants du sexe qui ne la perpétue pas, n'est jamais content qu'il n'en ait de celui qui la perpétue.

Les noms, qui donnent aux hommes l'idée d'une chose qui semble ne devoir pas périr, sont très propres à inspirer à chaque famille le désir d'étendre sa durée. Il y a des peuples chez lesquels les noms distinguent les familles : il y en a où ils ne distinguent que les personnes; ce qui n'est pas si bien.

a. Le Père du Halde, t. I, p. 156.

CHAPITRE V

De divers ordres de femmes légitimes.

Quelquefois les lois et la religion ont établi plusieurs sortes de conjonctions civiles; et cela est ainsi chez les Mahométans, où il y a divers ordres de femmes, dont les enfants se reconnaissent par la naissance dans la maison, ou par des contrats civils, ou même par l'esclavage de la mère, et la reconnaissance subséquente du père.

Il serait contre la raison que la loi flétrît, dans les enfants, ce qu'elle a approuvé dans le père : tous ces enfants y doivent donc succéder, à moins que quelque raison particulière ne s'y oppose, comme au Japon, où il n'y a que les enfants de la femme donnée par l'empereur qui succèdent. La politique y exige que les biens que l'empereur donne ne soient pas trop partagés, parce qu'ils sont soumis à un service, comme étaient autrefois nos fiefs.

Il y a des pays où une femme légitime jouit dans la maison, à peu près, des honneurs qu'a dans nos climats une femme unique : là, les enfants des concubines sont censés appartenir à la première femme : Cela est ainsi établi à la Chine. Le respect filial [a], la cérémonie d'un deuil rigoureux, ne sont point dus à la mère naturelle, mais à cette mère que donne la loi.

A l'aide d'une telle fiction [b], il n'y a plus d'enfants bâtards : et, dans les pays où cette fiction n'a pas lieu, on voit bien que la loi, qui légitime les enfants des concubines, est une loi forcée; car ce serait le gros de la nation qui serait flétri par la loi. Il n'est pas question non plus, dans ces pays, d'enfants adultérins. Les séparations des femmes, la clôture, les eunuques, les verrous, rendent la chose si difficile, que la loi la juge impossible : D'ailleurs, le même glaive exterminerait la mère et l'enfant.

---

a. Le Père du Halde, t. II, p. 124.
b. On distingue les femmes en grandes et petites, c'est-à-dire, en légitimes ou non; mais il n'y a point une pareille distinction entre les enfants. *C'est la grande doctrine de l'empire*, est-il dit dans un ouvrage chinois sur la morale, traduit par le même père, p. 140.

Chapitre VI

Des bâtards, dans les divers gouvernements.

On ne connaît donc guère les bâtards dans les pays où la polygamie est permise; on les connaît dans ceux où la loi d'une seule femme est établie. Il a fallu, dans ces pays, flétrir le concubinage; il a donc fallu flétrir les enfants qui en étaient nés.

Dans les républiques, où il est nécessaire que les mœurs soient pures, les bâtards doivent être encore plus odieux que dans les monarchies.

On fit peut-être, à Rome, des dispositions trop dures contre eux : mais les institutions anciennes mettant tous les citoyens dans la nécessité de se marier; les mariages étant, d'ailleurs, adoucis par la permission de répudier, ou de faire divorce; il n'y avait qu'une très grande corruption de mœurs qui pût porter au concubinage.

Il faut remarquer que la qualité de citoyen étant considérable dans les démocraties, où elle emportait avec elle la souveraine puissance, il s'y faisait souvent des lois sur l'état des bâtards, qui avaient moins de rapport à la chose même et à l'honnêteté du mariage, qu'à la constitution particulière de la république. Ainsi le peuple a quelquefois reçu pour citoyens les bâtards[a], afin d'augmenter sa puissance contre les grands. Ainsi à Athènes, le peuple retrancha les bâtards du nombre des citoyens, pour avoir une plus grande portion du blé que lui avait envoyé le roi d'Égypte. Enfin, Aristote[b] nous apprend que, dans plusieurs villes, lorsqu'il n'y avait point assez de citoyens, les bâtards succédaient; et que, quand il y en avait assez, ils ne succédaient pas.

a. Voyez ARISTOTE, *Politique*, liv. VI, chap. IV
b. *Ibid.*, liv. III, chap. III.

Chapitre VII

Du consentement des pères aux mariages.

Le consentement des pères est fondé sur leur puissance, c'est-à-dire, sur leur droit de propriété; il est encore fondé sur leur amour, sur leur raison, et sur l'incertitude de celle de leurs enfants, que l'âge tient dans l'état d'ignorance, et les passions dans l'état d'ivresse.

Dans les petites républiques ou institutions singulières dont nous avons parlé, il peut y avoir des lois qui donnent aux magistrats une inspection sur les mariages des enfants des citoyens, que la nature avait déjà donnée aux pères. L'amour du bien public y peut être tel, qu'il égale, ou surpasse tout autre amour. Ainsi Platon voulait que les magistrats réglassent les mariages : ainsi les magistrats lacédémoniens les dirigeaient-ils.

Mais, dans les institutions ordinaires, c'est aux pères à marier leurs enfants : leur prudence, à cet égard, sera toujours au-dessus de toute autre prudence. La nature donne aux pères un désir de procurer à leurs enfants des successeurs, qu'ils sentent à peine pour eux-mêmes : dans les divers degrés de progéniture, ils se voient avancer, insensiblement, vers l'avenir. Mais que serait-ce, si la vexation et l'avarice allaient au point d'usurper l'autorité des pères ? Ecoutons Thomas Gage [a] sur la conduite des Espagnols dans les Indes.

« Pour augmenter le nombre des gens qui paient le tribut, il faut que tous les Indiens qui ont quinze ans se marient; et même on a réglé le temps du mariage des Indiens à quatorze ans pour les mâles, et à treize pour les filles. On se fonde sur un canon qui dit que la malice peut suppléer à l'âge. » Il vit faire un de ces dénombrements : c'était, dit-il, une chose honteuse. Ainsi, dans l'action du monde qui doit être la plus libre, les Indiens sont encore esclaves.

a. *Relation de Thomas Gage*, p. 171.

Chapitre VIII

Continuation du même sujet.

En Angleterre, les filles abusent souvent de la loi, pour se marier à leur fantaisie, sans consulter leurs parents. Je ne sais pas si cet usage ne pourrait pas y être plus toléré qu'ailleurs, par la raison que les lois n'y ayant point établi un célibat monastique, les filles n'y ont d'état à prendre que celui du mariage, et ne peuvent s'y refuser. En France, au contraire, où le monachisme est établi, les filles ont toujours la ressource du célibat; et la loi qui leur ordonne d'attendre le consentement des pères, y pourrait être plus convenable. Dans cette idée, l'usage d'Italie et d'Espagne serait le moins raisonnable : le monachisme y est établi, et l'on peut s'y marier sans le consentement des pères.

Chapitre IX

Des filles.

Les filles, que l'on ne conduit que par le mariage aux plaisir et à la liberté; qui ont un esprit qui n'ose penser, un cœur qui n'ose sentir, des yeux qui n'osent voir, des oreilles qui n'osent entendre; qui ne se présentent que pour se montrer stupides; condamnées sans relâche à des bagatelles et à des préceptes, sont assez portées au mariage : ce sont les garçons qu'il faut encourager.

Chapitre X

Ce qui détermine au mariage.

Partout où il se trouve une place où deux personnes peuvent vivre commodément, il se fait un mariage. La nature y porte assez, lorsqu'elle n'est point arrêtée par la difficulté de la subsistance.

Les peuples naissants se multiplient et croissent beaucoup. Ce serait, chez eux, une grande incommodité de vivre dans le célibat : ce n'en est point une d'avoir beaucoup d'enfants. Le contraire arrive lorsque la nation est formée.

CHAPITRE XI

De la dureté du gouvernement.

Les gens qui n'ont absolument rien, comme les mendiants, ont beaucoup d'enfants. C'est qu'ils sont dans le cas des peuples naissants : il n'en coûte rien au père pour donner son art à ses enfants, qui même sont, en naissant, des instruments de cet art. Ces gens, dans un pays riche ou superstitieux, se multiplient; parce qu'ils n'ont pas les charges de la société, mais sont eux-mêmes les charges de la société. Mais les gens qui ne sont pauvres que parce qu'ils vivent dans un gouvernement dur, qui regardent leur champ moins comme le fondement de leur subsistance que comme un prétexte à la vexation; ces gens-là, dis-je, font peu d'enfants. Ils n'ont pas même leur nourriture; comment pourraient-ils songer à la partager ? ils ne peuvent se soigner dans leurs maladies; comment pourraient-ils élever des créatures qui sont dans une maladie continuelle, qui est l'enfance ?

C'est la facilité de parler, et l'impuissance d'examiner, qui ont fait dire que, plus les sujets étaient pauvres, plus les familles étaient nombreuses; que, plus on était chargé d'impôts, plus on se mettait en état de les payer : deux sophismes qui ont toujours perdu, et qui perdront à jamais les monarchies.

La dureté du gouvernement peut aller jusqu'à détruire les sentiments naturels, par les sentiments naturels même: Les femmes de l'Amérique ne se faisaient-elles pas avorter, pour que leurs enfants n'eussent pas des maîtres aussi cruels [a] ?

a. Relation de Thomas Gage, p. 58.

CHAPITRE XII

Du nombre des filles et des garçons,
dans différents pays.

J'ai déjà dit[a] qu'en Europe il naît un peu plus de garçons que de filles : On a remarqué qu'au Japon[b] il naissait un peu plus de filles que de garçons. Toutes choses égales, il y aura plus de femmes fécondes au Japon qu'en Europe, et par conséquent plus de peuple.

Des relations[c] disent qu'à Bantam il y a dix filles pour un garçon : une disproportion pareille, qui ferait que le nombre des familles y serait, au nombre de celles des autres climats, comme un est à cinq et demi, serait excessive. Les familles y pourraient être plus grandes à la vérité; mais il y a peu de gens assez aisés pour pouvoir entretenir une si grande famille.

a. Au liv. XVI, chap. IV.
b. Voyez Kempfer, qui rapporte un dénombrement de Méaco.
c. *Recueil des voyages qui ont servi à l'établissement de la compagnie des Indes*, t. I, p. 347.

CHAPITRE XIII

Des ports de mer.

Dans les ports de mer, où les hommes s'exposent à mille dangers, et vont mourir ou vivre dans des climats reculés, il y a moins d'hommes que de femmes; cependant on y voit plus d'enfants qu'ailleurs : cela vient de la facilité de la subsistance. Peut-être même que les parties huileuses du poisson sont plus propres à fournir cette matière qui sert à la génération. Ce serait une des causes de ce nombre infini de peuple qui est au Japon[a] et à la Chine[b], où l'on ne vit presque que de poisson[c]. Si cela

a. Le Japon est composé d'îles, il y a beaucoup de rivages, et la mer y est très poissonneuse.
b. La Chine est pleine de ruisseaux.
c. Voyez le Père du Halde, t. II, p. 139, 142 et suiv.

était, de certaines règles monastiques, qui obligent de
vivre de poisson, seraient contraires à l'esprit du législateur même.

Chapitre XIV

Des productions de la terre,
qui demandent plus ou moins d'hommes.

Les pays de pâturages sont peu peuplés, parce que
peu de gens y trouvent de l'occupation; les terres à blé
occupent plus d'hommes, et les vignobles infiniment
davantage.

En Angleterre, on s'est souvent plaint que l'augmentation des pâturages diminuait les habitants [a]; et on
observe, en France, que la grande quantité de vignobles
y est une des grandes causes de la multitude des hommes.

Les pays où des mines de charbon fournissent des
matières propres à brûler, ont cet avantage sur les autres,
qu'il n'y faut point de forêts, et que toutes les terres
peuvent être cultivées.

Dans les lieux où croît le riz, il faut de grands travaux
pour ménager les eaux : beaucoup de gens y peuvent
donc être occupés. Il y a plus : il y faut moins de terre
pour fournir à la subsistance d'une famille, que dans ceux
qui produisent d'autres grains : enfin, la terre, qui est
employée ailleurs à la nourriture des animaux, y sert
immédiatement à la subsistance des hommes; le travail
que font ailleurs les animaux est fait, là, par les hommes;
et la culture des terres devient, pour les hommes, une
immense manufacture.

---

a. La plupart des propriétaires des fonds de terre, dit Burnet,
trouvant plus de profit en la vente de leur laine, que de leur blé,
enfermèrent leurs possessions; les communes, qui mouraient de faim,
se soulevèrent : on proposa une loi agraire; le jeune roi écrivit même
là-dessus : on fit des proclamations contre ceux qui avaient renfermé
leurs terres. *Abrégé de l'histoire de la réforme*, p. 44 et 83.

Chapitre XV

Du nombre des habitants, par rapport aux arts.

Lorsqu'il y a une loi agraire, et que les terres sont également partagées, le pays peut être très peuplé, quoiqu'il
y ait peu d'arts; parce que chaque citoyen trouve, dans
le travail de sa terre, précisément de quoi se nourrir; et
que tous les citoyens, ensemble, consomment tous les
fruits du pays : cela était ainsi dans quelques anciennes
républiques.

Mais, dans nos Etats d'aujourd'hui, les fonds de terre
sont inégalement distribués; ils produisent plus de fruits
que ceux qui les cultivent n'en peuvent consommer; et,
si l'on y néglige les arts, et qu'on ne s'attache qu'à l'agriculture, le pays ne peut être peuplé. Ceux qui cultivent
ou font cultiver ayant des fruits de reste, rien ne les
engage à travailler l'année d'ensuite : les fruits ne seraient
point consommés par les gens oisifs, car les gens oisifs
n'auraient pas de quoi les acheter. Il faut donc que les
arts s'établissent, pour que les fruits soient consommés
par les laboureurs et les artisans. En un mot, ces Etats
ont besoin que beaucoup de gens cultivent au-delà de ce
qui leur est nécessaire : pour cela, il faut leur donner
envie d'avoir le superflu; mais il n'y a que les artisans qui
le donnent.

Ces machines, dont l'objet est d'abréger l'art, ne sont
pas toujours utiles. Si un ouvrage est à un prix médiocre,
et qui convienne également à celui qui l'achète, et à
l'ouvrier qui l'a fait; les machines qui en simplifieraient
la manufacture, c'est-à-dire qui diminueraient le nombre
des ouvriers, seraient pernicieuses : et, si les moulins à
eau n'étaient pas partout établis, je ne les croirais pas
aussi utiles qu'on le dit; parce qu'ils ont fait reposer une
infinité de bras, qu'ils ont privé bien des gens de l'usage
des eaux, et ont fait perdre la fécondité à beaucoup de
terres.

CHAPITRE XVI

Des vues du législateur sur la propagation de l'espèce.

Les règlements sur le nombre des citoyens dépendent beaucoup des circonstances. Il y a des pays où la nature a tout fait; le législateur n'y a donc rien à faire. A quoi bon engager, par des lois, à la propagation, lorsque la fécondité du climat donne assez de peuple ? Quelquefois le climat est plus favorable que le terrain; le peuple s'y multiplie, et les famines le détruisent : c'est le cas où se trouve la Chine; aussi un père y vend-il ses filles, et expose ses enfants. Les mêmes causes opèrent au Tonkin les mêmes effets [a]; et il ne faut pas, comme les voyageurs arabes dont Renaudot nous a donné la relation [b], aller chercher l'opinion de la métempsycose pour cela.

Les mêmes raisons font que, dans l'île Formose [c], la religion ne permet pas aux femmes de mettre des enfants au monde qu'elles n'aient trente-cinq ans : avant cet âge, la prêtresse leur foule le ventre, et les fait avorter.

a. *Voyages* de Dampierre, t. II, p. 41.
b. P. 167.
c. Voyez le *Recueil des voyages qui ont servi à l'établissement de la compagnie des Indes*, t. V, part. I, p. 182 et 188.

CHAPITRE XVII

De la Grèce, et du nombre de ses habitants.

Cet effet, qui tient à des causes physiques dans de certains pays d'Orient, la nature du gouvernement le produisit dans la Grèce. Les Grecs étaient une grande nation, composée de villes qui avaient chacune leur gouvernement et leurs lois. Elles n'étaient pas plus conquérantes que celles de Suisse, de Hollande et d'Allemagne ne le sont aujourd'hui : Dans chaque république, le législateur avait eu pour objet le bonheur des citoyens au-dedans, et une puissance au-dehors qui ne fût pas inférieure à celle des villes voisines [a]. Avec un petit territoire et une grande félicité, il était facile que le nombre des citoyens augmentât, et leur devînt à charge : aussi firent-il, sans cesse, des colonies [b] ; ils se vendirent pour la guerre, comme les Suisses font aujourd'hui : rien ne fut négligé de ce qui pouvait empêcher la trop grande multiplication des enfants.

Il y avait, chez eux, des républiques dont la Constitution était singulière. Des peuples soumis étaient obligés de fournir la subsistance aux citoyens : les Lacédémoniens étaient nourris par les Ilotes ; les Crétois, par les Périéciens ; les Thessaliens, par les Pénestes. Il ne devait y avoir qu'un certain nombre d'hommes libres, pour que les esclaves fussent en état de leur fournir la subsistance. Nous disons aujourd'hui qu'il faut borner le nombre des troupes réglées : Or Lacédémone était une armée entretenue par des paysans ; il fallait donc borner cette armée : sans cela, les hommes libres, qui avaient tous les avantages de la société, se seraient multipliés sans nombre, et les laboureurs auraient été accablés.

Les politiques grecs s'attachèrent donc particulièrement à régler le nombre des citoyens. Platon [c] le fixe à cinq mille quarante ; et il veut que l'on arrête, ou que l'on encourage la propagation, selon le besoin, par les honneurs, par la honte, et par les avertissements des vieillards ; il veut même que l'on règle le nombre des mariages [d], de manière que le peuple se répare, sans que la république soit surchargée.

« Si la loi du pays, dit Aristote [e], défend d'exposer les enfants, il faudra borner le nombre de ceux que chacun doit engendrer. » Si l'on a des enfants au-delà du nombre défini par la loi, il conseille [f] de faire avorter la femme, avant que le fœtus ait vie.

Le moyen infâme qu'employaient les Crétois, pour prévenir le trop grand nombre d'enfants, est rapporté par Aristote ; et j'ai senti la pudeur effrayée, quand j'ai voulu le rapporter.

Il y a des lieux, dit encore Aristote [g], où la loi fait

---

a. Par la valeur, la discipline, et les exercices militaires.
b. Les Gaulois, qui étaient dans le même cas, firent de même.
c. Dans ses *Lois*, liv. V.
d. *République*, liv. V.
e. *Politique*, liv. VII, chap. XVI.
f. *Ibid.*
g. *Ibid.*, liv. III, chap. III.

citoyens les étrangers, ou les bâtards, ou ceux qui sont seulement nés d'une mère citoyenne : mais, dès qu'ils ont assez de peuple, ils ne le font plus. Les sauvages du Canada font brûler leurs prisonniers : mais, lorsqu'ils ont des cabanes vides à leur donner, ils les reconnaissent de leur nation.

Le chevalier Petty a supposé, dans ses calculs, qu'un homme, en Angleterre, vaut ce qu'on le vendrait à Alger [h]. Cela ne peut être bon que pour l'Angleterre : il y a des pays où un homme ne vaut rien ; il y en a où il vaut moins que rien.

h. Soixante livres sterlings.

Chapitre XVIII

De l'état des peuples avant les Romains.

L'Italie, la Sicile, l'Asie Mineure, l'Espagne, la Gaule, la Germanie, étaient, à peu près, comme la Grèce, pleines de petits peuples, et regorgeaient d'habitants : l'on n'y avait pas besoin de lois pour en augmenter le nombre.

Chapitre XIX

Dépopulation de l'univers.

Toutes ces petites républiques furent englouties dans une grande, et l'on vit insensiblement l'univers se dépeupler : il n'y a qu'à voir ce qu'étaient l'Italie et la Grèce, avant et après les victoires des Romains.

« On me demandera, dit Tite-Live [a], où les Volsques ont pu trouver assez de soldats pour faire la guerre, après avoir été si souvent vaincus. Il fallait qu'il y eût un peuple infini dans ces contrées, qui ne seraient aujourd'hui qu'un désert, sans quelques soldats et quelques esclaves romains. »

a. Liv. VI.

« Les oracles ont cessé, dit Plutarque [b], parce que les lieux où ils parlaient sont détruits; à peine trouverait-on aujourd'hui dans la Grèce trois mille hommes de guerre. »

« Je ne décrirai point, dit Strabon [c], l'Epire et les lieux circonvoisins, parce que ces pays sont entièrement déserts. Cette dépopulation, qui a commencé depuis longtemps, continue tous les jours; de sorte que les soldats romains ont leur camp dans les maisons abandonnées. » Il trouve la cause de ceci dans Polybe, qui dit que Paul Emile, après sa victoire, détruisit soixante-dix villes de l'Epire, et en emmena cent cinquante mille esclaves.

b. *Œuvres morales*, Des oracles qui ont cessé.
c. Liv. VII, p. 496.

CHAPITRE XX

Que les Romains furent dans la nécessité de faire des lois pour la propagation de l'espèce.

Les Romains, en détruisant tous les peuples, se détruisaient eux-mêmes : Sans cesse dans l'action, l'effort et la violence, ils s'usaient, comme une arme dont on se sert toujours.

Je ne parlerai point ici de l'attention qu'ils eurent à se donner des citoyens à mesure qu'ils en perdaient [a]; des associations qu'ils firent; des droits de cité qu'ils donnèrent; et de cette pépinière immense de citoyens qu'ils trouvèrent dans leurs esclaves. Je dirai ce qu'ils firent, non pas pour réparer la perte des citoyens, mais celle des hommes : et, comme ce fut le peuple du monde qui sut le mieux accorder ses lois avec ses projets, il n'est point indifférent d'examiner ce qu'il fit à cet égard.

a. J'ai traité ceci dans les *Considérations sur les causes de la grandeur des Romains*, etc.

Chapitre XXI

Des lois des Romains sur la propagation de l'espèce.

Les anciennes lois de Rome cherchèrent beaucoup à déterminer les citoyens au mariage. Le sénat et le peuple firent souvent des règlements là-dessus, comme le dit Auguste, dans sa harangue rapportée par Dion [a].

Denys d'Halicarnasse [b] ne peut croire, qu'après la mort des trois cent cinq Fabiens exterminés par les Véiens, il ne fût resté de cette race qu'un seul enfant; parce que la loi ancienne, qui ordonnait à chaque citoyen de se marier, et d'élever tous ses enfants, était encore dans sa vigueur [c].

Indépendamment des lois, les censeurs eurent l'œil sur les mariages; et, selon les besoins de la république, ils y engagèrent, et par la honte [d], et par les peines.

Les mœurs, qui commencèrent à se corrompre, contribuèrent beaucoup à dégoûter les citoyens du mariage, qui n'a que des peines pour ceux qui n'ont plus de sens pour les plaisirs de l'innocence. C'est l'esprit de cette harangue [e] que Métellus Numidicus fit au peuple dans sa censure. « S'il était possible de n'avoir point de femme, nous nous délivrerions de ce mal : mais, comme la nature a établi que l'on ne peut guère vivre heureux avec elles, ni subsister sans elles, il faut avoir plus d'égards à notre conservation, qu'à des satisfactions passagères. »

La corruption des mœurs détruisit la censure, établie elle-même pour détruire la corruption des mœurs : mais, lorsque cette corruption devient générale, la censure n'a plus de force [f].

Les discordes civiles, les triumvirats, les proscriptions, affaiblirent plus Rome, qu'aucune guerre qu'elle eût

---

a. Liv. LVI.
b. Liv. II.
c. L'an de Rome 277.
d. Voyez, sur ce qu'ils firent à cet égard, Tite-Live, liv. XLV; l'*Epitome* de Tite-Live, liv. LIX; Aulu-Gelle, liv. I, chap. VI; Valère Maxime, liv. II, chap. XIX.
e. Elle est dans Aulu-Gelle, liv. I, chap. VI.
f. Voyez ce que j'ai dit au liv. V, chap. XIX.

encore faite : il restait peu de citoyens *g*, et la plupart n'étaient pas mariés. Pour remédier à ce dernier mal, César et Auguste rétablirent la censure, et voulurent même être censeurs *h*. Ils firent divers règlements : César donna des récompenses à ceux qui avaient beaucoup d'enfants *i*; il défendit aux femmes qui avaient moins de quarante-cinq ans, et qui n'avaient ni maris ni enfants, de porter des pierreries, et de se servir de litières *k* : méthode excellente d'attaquer le célibat par la vanité. Les lois d'Auguste furent plus pressantes *l* : il imposa *m* des peines nouvelles à ceux qui n'étaient point mariés, et augmenta les récompenses de ceux qui l'étaient, et de ceux qui avaient des enfants. Tacite appelle ces lois Juliennes *n*; il y a apparence qu'on y avait fondu les anciens règlements faits par le sénat, le peuple et les censeurs.

La loi d'Auguste trouva mille obstacles; et trente-quatre ans *o* après qu'elle eut été faite, les chevaliers romains lui en demandèrent la révocation. Il fit mettre d'un côté ceux qui étaient mariés, et de l'autre ceux qui ne l'étaient pas : ces derniers parurent en plus grand nombre; ce qui étonna les citoyens, et les confondit. Auguste, avec la gravité des anciens censeurs, leur parla ainsi *p*.

« Pendant que les maladies et les guerres nous enlèvent tant de citoyens, que deviendra la ville, si on ne contracte plus de mariages ? La cité ne consiste point dans les maisons, les portiques, les places publiques : ce sont les hommes qui font la cité. Vous ne verrez point, comme dans les fables, sortir des hommes de dessous la terre, pour prendre soin de vos affaires. Ce n'est point pour vivre seuls que vous restez dans le célibat : chacun de vous a des compagnes de sa table et de son lit, et vous ne

---

g. César, après la guerre civile, ayant fait faire le cens, il ne s'y trouva que cent cinquante mille chefs de famille. *Epitome* de Florus sur Tite-Live, douzième décade.

h. Voyez Dion, liv. XLIII; et XIPHIL., *in August.*

i. Dion, liv. XLIII; SUÉTONE, *Vie de César*, chap. XX; APPIEN, liv. II, *De la guerre civile.*

k. Eusèbe, dans sa *Chronique.*

l. Dion, liv. LIV.

m. L'an 736 de Rome.

n. Julias rogationes, Annales, liv. III.

o. L'an 762 de Rome, Dion, liv. LVI.

p. J'ai abrégé cette harangue, qui est d'une longueur accablante : elle est rapportée dans Dion, liv. LVI.

cherchez que la paix dans vos dérèglements. Citerez-vous ici l'exemple des vierges Vestales ? Donc si vous ne gardiez pas les lois de la pudicité, il faudrait vous punir comme elles. Vous êtes également mauvais citoyens, soit que tout le monde imite votre exemple, soit que personne ne le suive. Mon unique objet est la perpétuité de la république. J'ai augmenté les peines de ceux qui n'ont point obéi; et, à l'égard des récompenses, elles sont telles que je ne sache pas que la vertu en ait encore eu de plus grandes : il y en a de moindres qui portent mille gens à exposer leur vie; et celles-ci ne vous engageraient pas à prendre une femme, et à nourrir des enfants ? »

Il donna la loi qu'on nomma de son nom Julia, et Pappia Poppœa du nom des consuls *q* d'une partie de cette année-là. La grandeur du mal paraissait dans leur élection même : Dion *r* nous dit qu'ils n'étaient point mariés, et qu'ils n'avaient point d'enfants.

Cette loi d'Auguste fut proprement un code de lois, et un corps systématique de tous les règlements qu'on pouvait faire sur ce sujet. On y refondit les lois juliennes *s*, et on leur donna plus de force : elles ont tant de vues, elles influent sur tant de choses, qu'elles forment la plus belle partie des lois civiles des Romains.

On en trouve les morceaux dispersés dans les précieux fragments d'Ulpien *t*, dans les lois du digeste, tirées des auteurs qui ont écrit sur les lois pappiennes; dans les historiens et les autres auteurs qui les ont citées; dans le code théodosien qui les a abrogées; dans les pères qui les ont censurées, sans doute avec un zèle louable pour les choses de l'autre vie, mais avec très peu de connaissance des affaires de celle-ci.

Ces lois avaient plusieurs chefs, et l'on en connaît trente-cinq *u*. Mais, allant à mon sujet le plus directement qu'il me sera possible, je commencerai par le chef qu'Aulu-Gelle *x* nous dit être le septième, et qui regarde les honneurs et les récompenses accordés par cette loi.

Les Romains, sortis pour la plupart des villes latines,

---

q. *Marcus Pappius Mutilus,* et *Q. Poppœus Sabinus.* Dion, liv. LVI.

r. Dion, liv. LVI.

s. Le titre 14 des *Fragments* d'Ulpien distingue fort bien la loi julienne de la pappienne.

t. Jacques Godefroi en a fait une compilation.

u. Le trente-cinquième est cité dans la loi XIX, ff. *de ritu nuptiarum.*

x. Liv. II. chap. xv.

qui étaient des colonies lacédémoniennes ʸ, et qui avaient même tiré de ces villes une partie de leurs lois ᶻ, eurent, comme les Lacédémoniens, pour la vieillesse, ce respect qui donne tous les honneurs et toutes les préséances. Lorsque la république manqua de citoyens, on accorda au mariage et au nombre des enfants les prérogatives que l'on avait données à l'âge ᵃ : on en attacha quelques-unes au mariage seul, indépendamment des enfants qui en pourraient naître : cela s'appelait le droit des maris. On en donna d'autres à ceux qui avaient des enfants; de plus grandes à ceux qui avaient trois enfants. Il ne faut pas confondre ces trois choses : il y avait de ces privilèges dont les gens mariés jouissaient toujours; comme, par exemple, une place particulière au théâtre ᵇ; il y en avait dont ils ne jouissaient que lorsque des gens qui avaient des enfants, ou qui en avaient plus qu'eux, ne les leur ôtaient pas.

Ces privilèges étaient étendus : Les gens mariés, qui avaient le plus grand nombre d'enfants, étaient toujours préférés, soit dans la poursuite des honneurs, soit dans l'exercice de ces honneurs mêmes ᶜ. Le consul qui avait le plus d'enfants prenait le premier les faisceaux ᵈ, il avait le choix des provinces ᵉ; le sénateur qui avait le plus d'enfants était écrit le premier dans le catalogue des sénateurs; il disait, au sénat, son avis le premier ᶠ. L'on pouvait parvenir avant l'âge aux magistratures, parce que chaque enfant donnait dispense d'un an ᵍ. Si l'on avait trois enfants, à Rome, on était exempt de toutes charges personnelles ʰ. Les femmes ingénues qui avaient trois enfants et les affranchies qui en avaient quatre, sortaient ⁱ de cette perpétuelle tutelle, où les retenaient ᵏ les anciennes lois de Rome.

Que s'il y avait des récompenses, il y avait aussi des

y. Denys d'Halicarnasse.

z. Les députés de Rome, qui furent envoyés pour chercher des lois grecques, allèrent à Athènes et dans les villes d'Italie.

a. Aulu-Gelle, liv. II, chap. xv.

b. SUÉTONE, *In Augulsto*, chap. XLIV.

c. TACITE, liv. II. *Ut numerus liberorum in canditatis præpolleret, quod lex jubebat.*

d. Aulu-Gelle, liv. II, chap. xv.

e. TACITE, *Annales*, liv. xv.

f. Voyez la loi VI, § ff. 5, *de decurion.*

g. Voyez la loi II, ff. *de minorib.*

h. Loi I, § 3; et II, § I, ff. *de vacatione*, et *excusat. muner.*

i. *Fragments* d'Ulpien, tit. 29, § 3.

k. PLUTARQUE, *Vie de Numa.*

peines [1]. Ceux qui n'étaient point mariés ne pouvaient rien recevoir par le testament des étrangers [m]; et ceux qui, étant mariés, n'avaient point d'enfants, n'en recevaient que la moitié [n]. Les Romains, dit Plutarque [o], se mariaient pour être héritiers, et non pour avoir des héritiers.

Les avantages qu'un mari et une femme pouvaient se faire par testament, étaient limités par la loi. Ils pouvaient se donner le tout [p], s'ils avaient des enfants l'un de l'autre; s'ils n'en avaient point, ils pouvaient recevoir la dixième partie de la succession, à cause du mariage; et, s'ils avaient des enfants d'un autre mariage, ils pouvaient se donner autant de dixièmes qu'ils avaient d'enfants.

Si un mari s'absentait d'auprès de sa femme [q] pour autre cause que pour les affaires de la république, il ne pouvait en être l'héritier.

La loi donnait à un mari, ou à une femme, qui survivait, deux ans pour se remarier [r]; et un an et demi, dans le cas du divorce. Les pères qui ne voulaient pas marier leurs enfants, ou donner de dot à leurs filles, y étaient contraints par les magistrats [s].

On ne pouvait faire de fiançailles, lorsque le mariage devait être différé de plus de deux ans [t]; et, comme on ne pouvait épouser une fille qu'à douze ans, on ne pouvait la fiancer qu'à dix. La loi ne voulait pas que l'on pût jouir inutilement [u], et sous prétexte de fiançailles, des privilèges des gens mariés.

l. Voyez les fragments d'Ulpien, aux titres 14, 15, 16, 17 et 18, qui sont un des beaux morceaux de l'ancienne jurisprudence romaine.

m. Sozom., liv. I, chap. IX. On recevoit de ses parents; fragment d'Ulpien, tit. 16, § 1.

n. Sozom., liv. I, chap. IX, et leg. unic. cod. Theod. de infirm. pœnis cælib. et orbitat.

o. Œuvres morales, de l'amour des pères envers leurs enfants.

p. Voyez un plus long détail de ceci dans les Fragments d'Ulpien, tit. 15 et 16.

q. Fragm. d'Ulpien, tit. 16, § 1.

r. Fragments d'Ulpien, tit. 14. Il paraît que les premières lois juliennes donnèrent trois ans. Harangue d'Auguste dans Dion, liv. LVI; Suétone, Vie d'Auguste, chap. XXXIV. D'autres lois juliennes n'accordèrent qu'un an; enfin, la loi pappienne en donna deux. Fragment d'Ulpien, tit. 14. Ces lois n'étaient point agréables au peuple; et Auguste les tempérait, ou les raidissait, selon qu'on était plus ou moins disposé à les souffrir.

s. C'était le trente-cinquième chef de la loi pappienne, leg. 19, ff. de ritu nuptiarum.

t. Voyez Dion, liv. LIV, anno. 736; Suétone, in Octavio, chap. XXXIV.

u. Voyez Dion, liv. LIV; et dans le même Dion, la harangue d'Auguste, liv. LVI.

Il était défendu à un homme qui avait soixante ans d'épouser une femme qui en avait cinquante [x]. Comme on avait donné de grands privilèges aux gens mariés, la loi ne voulait point qu'il y eût des mariages inutiles. Par la même raison, le sénatus-consulte Calvisien déclarait inégal le mariage d'une femme qui avait plus de cinquante ans avec un homme qui en avait moins de soixante [y]; de sorte qu'une femme qui avait cinquante ans ne pouvait se marier sans encourir les peines de ces lois. Tibère ajouta à la rigueur de la loi Pappienne [z], et défendit à un homme de soixante ans d'épouser une femme qui en avait moins de cinquante; de sorte qu'un homme de soixante ans ne pouvait se marier, dans aucun cas, sans encourir la peine : mais Claude abrogea ce qui avait été fait sous Tibère à cet égard [a].

Toutes ces dispositions étaient plus conformes au climat d'Italie qu'à celui du nord, où un homme de soixante ans a encore de la force, et où les femmes de cinquante ans ne sont pas généralement stériles.

Pour que l'on ne fût pas, inutilement, borné dans le choix qu'on pouvait faire, Auguste permit à tous les ingénus qui n'étaient pas sénateurs [b] d'épouser des affranchies [c]. La loi Pappienne interdisait aux sénateurs le mariage avec les femmes qui avaient été affranchies, ou qui s'étaient produites sur le théâtre [d]; et du temps d'Ulpien, il était défendu aux ingénus d'épouser des femmes qui avaient mené une mauvaise vie, qui étaient montées sur le théâtre, ou qui avaient été condamnées par un jugement public [e]. Il fallait que ce fût quelque sénatus-consulte qui eût établi cela. Du temps de la république, on n'avait guère fait de ces sortes de lois; parce que les censeurs corrigeaient, à cet égard, les désordres qui naissaient, ou les empêchaient de naître.

Constantin, ayant fait une loi [f], par laquelle il comprenait, dans la défense de la loi Pappienne, non seulement

x. Fragm. d'Ulpien, tit. 16; et la loi XXVII, cod. de nuptiis.
y. Fragm. d'Ulpien, tit. 16, § 3.
z. Voyez SUÉTONE, In Claudio, chap. XXIII,
a. Voyez SUÉTONE, Vie de Claude, chap. XXIII; et les fragm. d'Ulpien, tit. 16, § 3.
b. Dion, liv. LIV; Fragm. d'Ulpien, tit. 13.
c. Harangue d'Auguste, dans Dion, liv. LVI.
d. Fragm. d'Ulpien, chap. XIII; et la loi XLIV, ff. de ritu nuptiarum, à la fin.
e. Voyez les Fragm. d'Ulpien, tit. 13 et 16.
f. Voyez la loi I, au cod. de nat. lib.

les sénateurs, mais encore ceux qui avaient un rang considérable dans l'Etat, sans parler de ceux qui étaient d'une
condition inférieure ; cela forma le droit de ce temps-là :
il n'y eut plus que les ingénus, compris dans la loi de
Constantin, à qui de tels mariages fussent défendus.
Justinien abrogea encore la loi de Constantin *g*, et permit
à toutes sortes de personnes de contracter ces mariages :
c'est par là que nous avons acquis une liberté si triste.

Il est clair que les peines portées contre ceux qui se
mariaient contre la défense de la loi, étaient les mêmes que
celles portées contre ceux qui ne se mariaient point du
tout. Ces mariages ne leur donnaient aucun avantage
civil *h* : la dot *i* était caduque après la mort de la femme *k*.

Auguste ayant adjugé au trésor public les successions
et les legs de ceux que ces lois en déclaraient incapables *l*,
ces lois parurent plutôt fiscales, que politiques et civiles.
Le dégoût que l'on avait déjà pour une chose qui paraissait accablante, fut augmenté par celui de se voir continuellement en proie à l'avidité du fisc. Cela fit que, sous
Tibère, on fut obligé de modifier ces lois *m* ; que Néron
diminua les récompenses des délateurs au fisc *n* ; que
Trajan arrêta leurs brigandages *o* ; que Sévère modifia ces
lois *p* ; et que les jurisconsultes les regardèrent comme
odieuses ; et, dans leurs décisions, en abandonnèrent la
rigueur.

D'ailleurs, les empereurs énervèrent ces lois, par les
privilèges qu'ils donnèrent des droits de maris, d'enfants,
et de trois enfants *q*. Ils firent plus : ils dispensèrent les
particuliers des peines de ces lois *r*. Mais des règles éta-

---

g. Novel, 117.
h. Loi XXXVII, ff. *de operib. libertorum*, § 7 ; *Fragm.* d'Ulpien,
tit. 16, § 2.
i. *Fragm. ibid.*
k. Voyez ci-dessous le chap. XIII du liv. XXVI.
l. Excepté dans de certains cas. Voyez les *Fragm.* d'Ulpien, tit. 18 ;
et la loi unique, au cod. *de caduc. tollend.*
m. *Relatum de moderanda Pappia Popæa.* TACITE, *Annales*, liv. III,
p. 117.
n. Il les réduisit à la quatrième partie. SUÉTONE, *in Nerone*, chap. X.
o. Voyez le *Panégyrique* de Pline.
p. Sévère recula jusqu'à vingt-cinq ans pour les mâles, et vingt
pour les filles, le temps des dispositions de la loi Pappienne, comme
on le voit en conférant le fragm. d'Ulpien, tit. 16, avec ce que dit
Tertullien, *Apologét.*, chap. IV.
q. P. Scipion, censeur, dans sa harangue au peuple sur les mœurs,
se plaint de l'abus qui déjà s'était introduit, que le fils adoptif donnait le même privilège que le fils naturel. Aulu-G., liv. V, chap. XIX.
r. Voyez la loi XXXI, ff. *de ritu nupt.*

blies pour l'utilité publique semblaient ne devoir point admettre de dispense.

Il avait été raisonnable d'accorder le droit d'enfants aux vestales, que la religion retenait dans une virginité nécessaire [s] : on donna de même le privilège des maris aux soldats [t], parce qu'ils ne pouvaient pas se marier. C'était la coutume d'exempter les empereurs de la gêne de certaines lois civiles : Ainsi Auguste fut exempté de la gêne de la loi qui limitait la faculté d'affranchir [u], et de celle qui bornait la faculté de léguer [x]. Tout cela n'était que des cas particuliers : mais, dans la suite, les dispenses furent données sans ménagement, et la règle ne fut plus qu'une exception.

Des sectes de philosophie avaient déjà introduit dans l'empire un esprit d'éloignement pour les affaires, qui n'aurait pu gagner à ce point dans le temps de la république, où tout le monde était occupé des arts de la guerre et de la paix [y]. De là une idée de perfection attachée à tout ce qui mène à une vie spéculative : de là l'éloignement pour les soins et les embarras d'une famille. La religion chrétienne, venant après la philosophie, fixa, pour ainsi dire, des idées que celle-ci n'avait fait que préparer.

Le christianisme donna son caractère à la jurisprudence; car l'empire a toujours du rapport avec le sacerdoce. On peut voir le code Théodosien, qui n'est qu'une compilation des ordonnances des empereurs chrétiens.

Un panégyriste de Constantin dit à cet empereur : « Vos lois n'ont été faites que pour corriger les vices, et régler les mœurs : vous avez ôté l'artifice des anciennes lois, qui semblaient n'avoir d'autres vues que de tendre des pièges à la simplicité [z]. »

Il est certain que les changements de Constantin furent faits, ou sur des idées qui se rapportaient à l'établissement du christianisme, ou sur des idées prises de sa perfection. De ce premier objet, vinrent ces lois qui donnèrent une telle autorité aux évêques, qu'elles ont été le fondement

---

s. Auguste, par la loi pappienne, leur donna le même privilège qu'aux mères; voyez Dion, liv. LVI. Numa leur avait donné l'ancien privilège des femmes qui avaient trois enfants, qui est de n'avoir point de curateur; PLUTARQUE, dans *La Vie de Numa*.

t. Claude le leur accorda, Dion, liv. LX.

u. *Leg. apud eum*, ff. *de manumissionib.*, § 1.

x. Dion, liv. LV.

y. Voyez, dans les *Offices* de Cicéron, ses idées sur cet esprit de spéculation.

z. NAZAIRE, *in panegyrico Constantini*, anno. 321.

de la juridiction ecclésiastique : de là ces lois qui affaiblirent l'autorité paternelle, en ôtant au père la propriété
des biens de ses enfants [a]. Pour étendre une religion
nouvelle, il faut ôter l'extrême dépendance des enfants,
qui tiennent toujours moins à ce qui est établi.

Les lois faites dans l'objet de la perfection chrétienne
furent surtout celles par lesquelles il ôta les peines des
lois Pappiennes [b]; et en exempta, tant ceux qui n'étaient
point mariés, que ceux qui, étant mariés, n'avaient pas
d'enfants.

« Ces lois avaient été établies, dit un historien ecclésiastique [c], comme si la multiplication de l'espèce humaine
pouvait être un effet de nos soins; au lieu de voir que ce
nombre croît et décroît selon l'ordre de la providence. »

Les principes de la religion ont extrêmement influé
sur la propagation de l'espèce humaine : Tantôt ils l'ont
encouragée, comme chez les Juifs, les Mahométans, les
Guèbres, les Chinois : tantôt ils l'ont choquée, comme
ils firent chez les Romains devenus chrétiens.

On ne cessa de prêcher partout la continence, c'est-
à-dire, cette vertu qui est plus parfaite, parce que, par sa
nature, elle doit être pratiquée par très peu de gens.

Constantin n'avait point ôté les lois décimaires, qui
donnaient une plus grande extension aux dons que le mari
et la femme pouvaient se faire à proportion du nombre
de leurs enfants : Théodose le jeune abrogea encore ces
lois [d].

Justinien déclara valables tous les mariages que les lois
Pappiennes avaient défendus [e]. Ces lois voulaient qu'on
se remariât : Justinien accorda des avantages à ceux qui
ne se remarieraient pas [f].

Par les lois anciennes, la faculté naturelle que chacun a
de se marier, et d'avoir des enfants, ne pouvait être ôtée :
Ainsi, quand on recevait un legs à condition de ne point
se marier [g]; lorsqu'un patron faisait jurer son affranchi
qu'il ne se marierait point, et qu'il n'aurait point d'en-

---

a. Voyez la loi I, II et III, au cod. *de bonis maternis, maternique
generis, etc.;* et la loi unique, au même code, *de bonis quæ filiis famil.
acquirumur.*
b. Leg. unic. cod. Theod, *de infirm, pœn cælib. et orbit.*
c. Sozom, p. 27.
d. Leg. II et III, cod. Theod. *de jur. lib.*
e. Leg. *Sancimus,* cod. *de nuptiis.*
f. Nov. 127, chap. III; Nov. 118, chap. V.
g. Leg. LIV, ff. *de condit. et demonst.*

fants *h*; la loi Pappienne annulait et cette condition et ce serment *i*. Les clauses, *en gardant viduité*, établies parmi nous, contredisent donc le droit ancien, et descendent des constitutions des empereurs, faites sur les idées de la perfection.

Il n'y a point de loi qui contienne une abrogation expresse des privilèges et des honneurs que les Romains païens avaient accordés aux mariages et au nombre des enfants : mais, là où le célibat avait la prééminence, il ne pouvait plus y avoir d'honneur pour le mariage; et, puisque l'on put obliger les traitants à renoncer à tant de profits par l'abolition des peines, on sent qu'il fut encore plus aisé d'ôter les récompenses.

La même raison de spiritualité, qui avait fait permettre le célibat, imposa bientôt la nécessité du célibat même. A Dieu ne plaise que je parle ici contre le célibat qu'a adopté la religion : mais qui pourrait se taire contre celui qu'a formé le libertinage; celui où les deux sexes, se corrompant par les sentiments naturels même, fuient une union qui doit les rendre meilleurs, pour vivre dans celle qui les rend toujours pires ?

C'est une règle tirée de la nature, que, plus on diminue le nombre des mariages qui pourraient se faire, plus on corrompt ceux qui sont faits : moins il y a de gens mariés, moins il y a de fidélité dans les mariages; comme, lorsqu'il y a plus de voleurs, il y a plus de vols.

h. Leg. V, § 4, *de jure patronat*
i. PAUL, dans ses *Sentences*, liv. III, tit. 12, § 15.

Chapitre XXII

De l'exposition des enfants.

Les premiers Romains eurent une assez bonne police sur l'exposition des enfants. Romulus, dit Denys d'Halicarnasse, imposa à tous les citoyens la nécessité d'élever tous les enfants mâles, et les aînées des filles *a*. Si les enfants étaient difformes et monstrueux, il permettait de les exposer, après les avoir montrés à cinq des plus proches voisins.

a. *Antiquités romaines*, liv. II.

Romulus ne permit de tuer aucun enfant qui eût moins de trois ans [b] : par là il conciliait la loi qui donnait aux pères le droit de vie et de mort sur leurs enfants, et celle qui défendait de les exposer.

On trouve encore, dans Denys d'Halicarnasse, que la loi qui ordonnait aux citoyens de se marier, et d'élever tous leurs enfants, était en vigueur l'an 227 de Rome [c] : on voit que l'usage avait restreint la loi de Romulus, qui permettait d'exposer les filles cadettes.

Nous n'avons de connaissance de ce que la loi des douze tables, donnée l'an de Rome 301, statua sur l'exposition des enfants, que par un passage de Cicéron [d], qui, parlant du tribunat du peuple, dit que d'abord après sa naissance, tel que l'enfant monstrueux de la loi des douze tables, il fut étouffé : les enfants qui n'étaient pas monstrueux étaient donc conservés, et la loi des douze tables ne changea rien aux institutions précédentes.

« Les Germains, dit Tacite [e], n'exposent point leurs enfants ; et, chez eux, les bonnes mœurs ont plus de force que n'ont ailleurs les bonnes lois. » Il y avait donc, chez les Romains, des lois contre cet usage, et on ne les suivait plus. On ne trouve aucune loi romaine qui permette d'exposer les enfants [f] : ce fut, sans doute, un abus introduit dans les derniers temps, lorsque le luxe ôta l'aisance, lorsque les richesses partagées furent appelées pauvreté, lorsque le père crut avoir perdu ce qu'il donna à sa famille, et qu'il distingua cette famille de sa propriété.

b. *Antiquités romaines*, liv. II.
c. Liv. IX.
d. Liv. III, *de legib*.
e. *De morib. Germ*.
f. Il n'y a point de titre là-dessus dans le digeste : le titre du code n'en dit rien, non plus que les novelles.

Chapitre XXIII

De l'état de l'univers,
après la destruction des Romains.

Les règlements que firent les Romains pour augmenter le nombre de leurs citoyens, eurent leur effet, pendant que leur république, dans la force de son institution, n'eut à réparer que les pertes qu'elle faisait par son courage, par son audace, par sa fermeté, par son amour pour la gloire, et par sa vertu même. Mais, bientôt les lois les plus sages ne purent rétablir ce qu'une république mourante, ce qu'une anarchie générale, ce qu'un gouvernement militaire, ce qu'un empire dur, ce qu'un despotisme superbe, ce qu'une monarchie faible, ce qu'une cour stupide, idiote et superstitieuse, avaient successivement abattu : on eût dit qu'ils n'avaient conquis le monde que pour l'affaiblir, et le livrer sans défense aux barbares. Les nations gothes, géthiques, sarrazines et tartares, les accablèrent tour à tour; bientôt les peuples barbares n'eurent à détruire que des peuples barbares. Ainsi, dans le temps des fables, après les inondations et les déluges, il sortit de la terre des hommes armés, qui s'exterminèrent.

Chapitre XXIV

Changements arrivés en Europe, par rapport au nombre des habitants.

Dans l'état où était l'Europe, on n'aurait pas cru qu'elle pût se rétablir; surtout, lorsque sous Charlemagne, elle ne forma plus qu'un vaste empire. Mais, par la nature du gouvernement d'alors, elle se partagea en une infinité de petites souverainetés. Et, comme un seigneur résidait dans son village ou dans sa ville; qu'il n'était grand, riche, puissant; que dis-je ? qu'il n'était en sûreté que par le nombre de ses habitants; chacun s'attacha, avec une attention singulière, à faire fleurir son petit pays : ce qui réussit tellement, que, malgré les irrégularités du gouvernement, le défaut des connaissances qu'on a acquises depuis sur le commerce, le grand nombre de guerres et de querelles qui s'élevèrent sans cesse, il y eut, dans la plupart des contrées d'Europe, plus de peuple qu'il n'y en a aujourd'hui.

Je n'ai pas le temps de traiter à fond cette matière; mais je citerai les prodigieuses armées des croisés, composées de gens de toute espèce. M. Pufendorf dit que, sous Charles IX, il y avait vingt millions d'hommes en France [a].

a. *Histoire de l'Univers*, chap. v, de la France.

Ce sont les perpétuelles réunions de plusieurs petits
Etats, qui ont produit cette diminution. Autrefois chaque
village de France était une capitale; il n'y en a aujour-
d'hui qu'une grande : chaque partie de l'Etat était un
centre de puissance; aujourd'hui tout se rapporte à un
centre; et ce centre est, pour ainsi dire, l'Etat même.

CHAPITRE XXV

Continuation du même sujet.

Il est vrai que l'Europe a, depuis deux siècles, beaucoup augmenté sa navigation : cela lui a procuré des
habitants, et lui en a fait perdre. La Hollande envoie,
tous les ans, aux Indes un grand nombre de matelots,
dont il ne revient que les deux tiers; le reste périt, ou
s'établit aux Indes : même chose doit, à peu près, arriver
à toutes les autres nations qui font ce commerce.

Il ne faut point juger de l'Europe comme d'un Etat
particulier qui y ferait seul une grande navigation. Cet
Etat augmenterait de peuple, parce que toutes les nations
voisines viendraient prendre part à cette navigation; il y
arriverait des matelots de tous côtés. L'Europe, séparée
du reste du monde par la religion [a], par de vastes mers,
et par des déserts, ne se répare pas ainsi.

CHAPITRE XXVI

Conséquences.

De tout ceci il faut conclure que l'Europe est, encore
aujourd'hui, dans le cas d'avoir besoin de lois qui favorisent la propagation de l'espèce humaine : aussi, comme
les politiques grecs nous parlent toujours de ce grand
nombre de citoyens qui travaillent la république, les
politiques d'aujourd'hui ne nous parlent que des moyens
propres à l'augmenter.

_a._ Les pays Mahométans l'entourent presque partout.

CHAPITRE XXVII

De la loi faite en France,
pour encourager la propagation de l'espèce.

Louis XIV ordonna de certaines pensions pour ceux qui auraient dix enfants, et de plus fortes pour ceux qui en auraient douze [a] : mais il n'était pas question de récompenser des prodiges. Pour donner un certain esprit général, qui portât à la propagation de l'espèce, il fallait établir, comme les Romains, des récompenses générales, ou des peines générales.

CHAPITRE XXVIII

Comment on peut remédier à la dépopulation.

Lorsqu'un Etat se trouve dépeuplé par des accidents particuliers, des guerres, des pestes, des famines, il y a des ressources. Les hommes qui restent peuvent conserver l'esprit de travail et d'industrie; ils peuvent chercher à réparer leurs malheurs, et devenir plus industrieux par leur calamité même. Le mal presque incurable est lorsque la dépopulation vient de longue main, par un vice intérieur et un mauvais gouvernement. Les hommes y ont péri par une maladie insensible et habituelle : nés dans la langueur et dans la misère, dans la violence ou les préjugés du gouvernement, ils se sont vus détruire, souvent sans sentir les causes de leur destruction. Les pays désolés par le despotisme, ou par les avantages excessifs du clergé sur les laïcs, en sont deux grands exemples.

Pour rétablir un Etat ainsi dépeuplé, on attendrait en vain des secours des enfants qui pourraient naître. Il n'est plus temps; les hommes, dans leurs déserts, sont sans courage et sans industrie. Avec des terres pour nourrir un peuple, on a à peine de quoi nourrir une famille. Le bas peuple, dans ces pays, n'a pas même de part à leur misère, c'est-à-dire, aux friches dont ils sont remplis.

---

a. Edit de 1666, en faveur des mariages.

Le clergé, le prince, les villes, les grands, quelques
citoyens principaux, sont devenus insensiblement propriétaires de toute la contrée : elle est inculte; mais les
familles détruites leur en ont laissé les pâturages, et
l'homme de travail n'a rien.

Dans cette situation, il faudrait faire, dans toute
l'étendue de l'empire, ce que les Romains faisaient dans
une partie du leur : pratiquer, dans la disette des habitants, ce qu'ils observaient dans l'abondance; distribuer
des terres à toutes les familles qui n'ont rien; leur procurer les moyens de les défricher et de les cultiver.
Cette distribution devrait se faire à mesure qu'il y aurait
un homme pour la recevoir; de sorte qu'il n'y eût point
de moment perdu pour le travail.

Chapitre XXIX

Des hôpitaux.

Un homme n'est pas pauvre parce qu'il n'a rien, mais
parce qu'il ne travaille pas. Celui qui n'a aucun bien et
qui travaille, est aussi à son aise que celui qui a cent écus
de revenu sans travailler. Celui qui n'a rien, et qui a un
métier, n'est pas plus pauvre que celui qui a dix arpents
de terre en propre, et qui doit les travailler pour subsister.
L'ouvrier qui a donné à ses enfants son art pour héritage,
leur a laissé un bien qui s'est multiplié à proportion
de leur nombre. Il n'en est pas de même de celui qui
a dix arpents de fonds pour vivre, et qui les partage à ses
enfants.

Dans les pays de commerce, où beaucoup de gens n'ont
que leur art, l'État est souvent obligé de pourvoir aux
besoins des vieillards, des malades et des orphelins. Un
État bien policé tire cette subsistance du fonds des arts
même; il donne aux uns les travaux dont ils sont capables;
il enseigne les autres à travailler, ce qui fait déjà un
travail.

Quelques aumônes que l'on fait à un homme nu, dans
les rues, ne remplissent point les obligations de l'État,
qui doit à tous les citoyens une subsistance assurée, la
nourriture, un vêtement convenable, et un genre de vie
qui ne soit point contraire à la santé.

Aureng-Zèbe, à qui on demandait pourquoi il ne bâtissait point d'hôpitaux, dit [a] : « Je rendrai mon empire si riche, qu'il n'aura pas besoin d'hôpitaux. » Il aurait fallu dire : Je commencerai par rendre mon empire riche, et je bâtirai des hôpitaux.

Les richesses d'un Etat supposent beaucoup d'industrie. Il n'est pas possible que, dans un si grand nombre de branches de commerce, il n'y en ait toujours quelqu'une qui souffre, et dont, par conséquent, les ouvriers ne soient dans une nécessité momentanée.

C'est pour lors que l'Etat a besoin d'apporter un prompt secours, soit pour empêcher le peuple de souffrir, soit pour éviter qu'il ne se révolte : c'est dans ce cas qu'il faut des hôpitaux, ou quelque règlement équivalent, qui puisse prévenir cette misère.

Mais, quand la nation est pauvre, la pauvreté particulière dérive de la misère générale; et elle est, pour ainsi dire, la misère générale. Tous les hôpitaux du monde ne sauraient guérir cette pauvreté particulière : au contraire, l'esprit de paresse qu'ils inspirent augmente la pauvreté générale, et par conséquent la particulière.

Henri VIII voulant réformer l'Eglise d'Angleterre, détruisit les moines [b], nation paresseuse elle-même, et qui entretenait la paresse; parce que, pratiquant l'hospitalité, une infinité de gens oisifs, gentilshommes et bourgeois, passaient leur vie à courir de couvent en couvent. Il ôta encore les hôpitaux où le bas peuple trouvait sa subsistance, comme les gentilshommes trouvaient la leur dans les monastères. Depuis ce changement, l'esprit de commerce et l'industrie s'établit en Angleterre.

A Rome, les hôpitaux font que tout le monde est à son aise, excepté ceux qui travaillent, excepté ceux qui ont de l'industrie, excepté ceux qui cultivent les arts, excepté ceux qui ont des terres, excepté ceux qui font le commerce.

J'ai dit que les nations riches avaient besoin d'hôpitaux, parce que la fortune y était sujette à mille accidents : mais on sent que des secours passagers vaudraient bien mieux que des établissement perpétuels. Le mal est momentané : il faut donc des secours de même nature, et qu'ils soient applicables à l'accident particulier.

---

a. Voyez CHARDIN, *Voyage de Perse*, t. VIII.
b. Voyez l'*Histoire de la réforme d'Angleterre*, par M. Burnet.

CINQUIÈME PARTIE

LIVRE XXIV

DES LOIS, DANS LE RAPPORT QU'ELLES ONT AVEC
LA RELIGION ÉTABLIE DANS CHAQUE PAYS, CONSI-
DÉRÉE DANS SES PRATIQUES, ET EN ELLE-MÊME

CHAPITRE PREMIER

Des religions en général.

Comme on peut juger parmi les ténèbres celles qui
sont les moins épaisses, et parmi les abîmes ceux qui
sont les moins profonds; ainsi l'on peut chercher, entre
les religions fausses, celles qui sont les plus conformes
au bien de la société; celles qui, quoiqu'elles n'aient pas
l'effet de mener les hommes aux félicités de l'autre vie,
peuvent le plus contribuer à leur bonheur dans celle-ci.

Je n'examinerai donc les diverses religions du monde,
que par rapport au bien que l'on en tire dans l'état civil;
soit que je parle de celle qui a sa racine dans le ciel, ou
bien de celles qui ont la leur sur la terre.

Comme, dans cet ouvrage, je ne suis point théologien,
mais écrivain politique, il pourrait y avoir des choses qui
ne seraient entièrement vraies que dans une façon de
penser humaine, n'ayant point été considérées dans le
rapport avec des vérités plus sublimes.

À l'égard de la vraie religion, il ne faudra que très peu
d'équité pour voir que je n'ai jamais prétendu faire céder
ses intérêts aux intérêts politiques, mais les unir : or,
pour les unir, il faut les connaître.

La religion chrétienne, qui ordonne aux hommes de
s'aimer, veut sans doute que chaque peuple ait les meilleures lois politiques et les meilleures lois civiles; parce
qu'elles sont, après elle, le plus grand bien que les
hommes puissent donner et recevoir.

Chapitre II

Paradoxe de Bayle.

M. Bayle a prétendu prouver qu'il valait mieux être athée qu'idolâtre[a] ; c'est-à-dire, en d'autres termes, qu'il est moins dangereux de n'avoir point du tout de religion, que d'en avoir une mauvaise. « J'aimerais mieux, dit-il, que l'on dît de moi que je n'existe pas, que si l'on disait que je suis un méchant homme. » Ce n'est qu'un sophisme, fondé sur ce qu'il n'est d'aucune utilité au genre humain que l'on croie qu'un certain homme existe ; au lieu qu'il est très utile que l'on croie que Dieu est. De l'idée qu'il n'est pas, suit l'idée de notre indépendance ; ou, si nous ne pouvons pas avoir cette idée, celle de notre révolte. Dire que la religion n'est pas un motif réprimant, parce qu'elle ne réprime pas toujours, c'est dire que les lois civiles ne sont pas un motif réprimant non plus. C'est mal raisonner contre la religion, de rassembler, dans un grand ouvrage, une longue énumération des maux qu'elle a produits, si l'on ne fait de même celle des biens qu'elle a faits. Si je voulais raconter tous les maux qu'ont produits dans le monde les lois civiles, la monarchie, le gouvernement républicain, je dirais des choses effroyables. Quand il   rait inutile que les sujets eussent une religion, il ne le serait pas que les princes en eussent, et qu'ils blanchissent d'écume le seul frein que ceux qui ne craignent point les lois humaines puissent avoir.

Un prince qui aime la religion, et qui la craint, est un lion qui cède à la main qui le flatte, ou à la voix qui l'apaise : celui qui craint la religion, et qui la hait, est comme les bêtes sauvages qui mordent la chaîne qui les empêche de se jeter sur ceux qui passent : celui qui n'a point du tout de religion, est cet animal terrible qui ne sent sa liberté que lorsqu'il déchire et qu'il dévore.

La question n'est pas de savoir s'il vaudrait mieux qu'un certain homme ou qu'un certain peuple n'eût point de religion, que d'abuser de celle qu'il a ; mais de savoir quel est le moindre mal, que l'on abuse quelque-

---

a. *Pensées sur la comète,* etc.

fois de la religion, ou qu'il n'y en ait point du tout parmi les hommes.

Pour diminuer l'horreur de l'athéisme, on charge trop l'idolâtrie. Il n'est pas vrai que, quand les anciens élevaient des autels à quelque vice, cela signifiât qu'ils aimassent ce vice : cela signifiait, au contraire, qu'ils le haïssaient. Quand les Lacédémoniens érigèrent une chapelle à la Peur, cela ne signifiait pas que cette nation belliqueuse lui demandât de s'emparer, dans les combats, des cœurs des Lacédémoniens. Il y avait des divinités à qui on demandait de ne pas inspirer le crime, et d'autres à qui on demandait de le détourner.

CHAPITRE III

Que le gouvernement modéré convient mieux à la religion chrétienne, et le gouvernement despotique à la mahométane.

La religion chrétienne est éloignée du pur despotisme : c'est que la douceur étant si recommandée dans l'évangile, elle s'oppose à la colère despotique avec laquelle le prince se ferait justice, et exercerait ses cruautés.

Cette religion défendant le pluralité des femmes, les princes y sont moins renfermés, moins séparés de leurs sujets, et par conséquent plus hommes; ils sont plus disposés à se faire des lois, et plus capables de sentir qu'ils ne peuvent pas tout.

Pendant que les princes mahométans donnent sans cesse la mort, ou la reçoivent; la religion, chez les chrétiens, rend les princes moins timides, et par conséquent moins cruels. Le prince compte sur ses sujets, et les sujets sur le prince. Chose admirable! la religion chrétienne, qui ne semble avoir d'objet que la félicité de l'autre vie, fait encore notre bonheur dans celle-ci.

C'est la religion chrétienne, qui, malgré la grandeur de l'empire et le vice du climat, a empêché le despotisme de s'établir en Ethiopie, et a porté au milieu de l'Afrique les mœurs de l'Europe et ses lois.

Le prince héritier d'Ethiopie jouit d'une principauté, et donne aux autres sujets l'exemple de l'amour et de l'obéissance. Tout près de là, on voit le mahométisme faire enfermer les enfants du roi de Sennar : à sa mort, le conseil les envoie égorger, en faveur de celui qui monte sur le trône [a].

Que, d'un côté, l'on se mette devant les yeux les massacres continuels des rois et des chefs grecs et romains ; et, de l'autre, la destruction des peuples et des villes, par ces mêmes chefs ; Thimur et Gengis khan, qui ont dévasté l'Asie ; et nous verrons que nous devons au christianisme, et dans le gouvernement un certain droit politique, et dans la guerre un certain droit des gens, que la nature humaine ne saurait assez reconnaître.

C'est ce droit des gens qui fait que, parmi nous, la victoire laisse aux peuples vaincus ces grandes choses, la vie, la liberté, les lois, les biens, et toujours la religion, lorsqu'on ne s'aveugle pas soi-même.

On peut dire que les peuples de l'Europe ne sont pas aujourd'hui plus désunis que ne l'étaient, dans l'empire romain devenu despotique et militaire, les peuples et les armées, ou que ne l'étaient les armées entre elles : d'un côté, les armées se faisaient la guerre ; et, de l'autre, on leur donnait le pillage des villes, et le partage ou la confiscation des terres.

CHAPITRE IV

Conséquences du caractère de la religion chrétienne, et de celui de la religion mahométane.

Sur le caractère de la religion chrétienne et celui de la mahométane, on doit, sans autre examen, embrasser l'une et rejeter l'autre : car il nous est bien plus évident qu'une religion doit adoucir les mœurs des hommes, qu'il ne l'est qu'une religion soit vraie.

C'est un malheur pour la nature humaine, lorsque la religion est donnée par un conquérant. La religion mahométane, qui ne parle que de glaive, agit encore sur les hommes avec cet esprit destructeur qui l'a fondée.

---

a. *Relation d'Ethiopie,* par le sieur Ponce, médecin, au quatrième recueil des *Lettres édifiantes.*

L'histoire de Sabbacon[a], un des rois pasteurs, est admirable. Le dieu de Thèbes lui apparut en songe, et lui ordonna de faire mourir tous les prêtres d'Egypte. Il jugea que les dieux n'avaient plus pour agréable qu'il régnât, puisqu'ils lui ordonnaient des choses si contraires à leur volonté ordinaire; et il se retira en Ethiopie.

CHAPITRE V

Que la religion catholique convient mieux à une monarchie, et que la protestante s'accommode mieux d'une république.

Lorsqu'une religion naît et se forme dans un Etat, elle suit ordinairement le plan du gouvernement où elle est établie : car les hommes qui la reçoivent, et ceux qui la font recevoir, n'ont guère d'autres idées de police que celle de l'Etat dans lequel ils sont nés.

Quand la religion chrétienne souffrit, il y a deux siècles, ce malheureux partage qui la divisa en catholique et en protestante, les peuples du nord embrassèrent la protestante, et ceux du midi gardèrent la catholique.

C'est que les peuples du nord ont et auront toujours un esprit d'indépendance et de liberté, que n'ont pas les peuples du midi; et qu'une religion qui n'a point de chef visible, convient mieux à l'indépendance du climat, que celle qui en a un.

Dans les pays mêmes où la religion protestante s'établit, les révolutions se firent snr le plan de l'Etat politique. Luther ayant pour lui de grands princes, n'aurait guère pu leur faire goûter une autorité ecclésiastique qui n'aurait point eu de prééminence extérieure; et Calvin ayant pour lui des peuples qui vivaient dans des républiques, ou des bourgeois obscurcis dans des monarchies, pouvait fort bien ne pas établir des prééminences et des dignités.

Chacune de ces deux religions pouvait se croire la plus parfaite; la calviniste se jugeant plus conforme à ce que Jésus-Christ avait dit, et la luthérienne à ce que les apôtres avaient fait.

a. Voyez *Diodore*, liv. II.

CHAPITRE VI

Autre paradoxe de Bayle.

M. Bayle, après avoir insulté toutes les religions, flétrit la religion chrétienne : il ose avancer que de véritables chrétiens ne formeraient pas un Etat qui pût subsister. Pourquoi non ? Ce seraient des citoyens infiniment éclairés sur leurs devoirs, et qui auraient un très grand zèle pour les remplir; ils sentiraient très bien les droits de la défense naturelle; plus ils croiraient devoir à la religion, plus ils penseraient devoir à la patrie. Les principes du christianisme, bien gravés dans le cœur, seraient infiniment plus forts que ce faux honneur des monarchies, ces vertus humaines des républiques, et cette crainte servile des Etats despotiques.

Il est étonnant qu'on puisse imputer à ce grand homme d'avoir méconnu l'esprit de sa propre religion; qu'il n'ait pas su distinguer les ordres pour l'établissement du christianisme d'avec le christianisme même, ni les préceptes de l'évangile d'avec ses conseils. Lorsque le législateur, au lieu de donner des lois, a donné des conseils, c'est qu'il a vu que ses conseils, s'ils étaient ordonnés comme des lois, seraient contraires à l'esprit de ses lois.

CHAPITRE VII

Des lois de perfection dans la religion.

Les lois humaines, faites pour parler à l'esprit, doivent donner des préceptes, et point de conseils : la religion, faite pour parler au cœur, doit beaucoup donner de conseils, et peu de préceptes.

Quand, par exemple, elle donne des règles, non pas pour le bien, mais pour le meilleur; non pas pour ce qui est bon, mais pour ce qui est parfait; il est convenable que ce soient des conseils, et non pas des lois : car la perfection ne regarde pas l'universalité des hommes ni des choses. De plus, si ce sont des lois, il en faudra une infinité d'autres pour faire observer les premières. Le célibat fut un conseil du christianisme : lorsqu'on en fit une loi pour un certain ordre de gens, il en fallut chaque jour de nouvelles pour réduire les hommes à l'observation de celle-ci [a]. Le législateur se fatigua, il fatigua la société, pour faire exécuter aux hommes par précepte, ce que ceux qui aiment la perfection auraient exécuté comme conseil.

a. Voyez la *Bibliothèque des auteurs ecclésiastiques du VIe siècle*, t. V, par M. Dupin.

CHAPITRE VIII

De l'accord des lois de la morale avec celles de la religion.

Dans un pays où l'on a le malheur d'avoir une religion que Dieu n'a pas donnée, il est toujours nécessaire qu'elle s'accorde avec la morale; parce que la religion, même fausse, est le meilleur garant que les hommes puissent avoir de la probité des hommes.

Les points principaux de la religion de ceux de Pégu, sont de ne point tuer, de ne point voler, d'éviter l'impudicité, de ne faire aucun déplaisir à son prochain, de lui faire au contraire tout le bien qu'on peut [a]. Avec cela ils croient qu'on se sauvera, dans quelque religion que ce soit : ce qui fait que ces peuples, quoique fiers et pauvres, ont de la douceur et de la compassion pour les malheureux.

a. *Recueil des voyages qui ont servi à l'établissement de la compagnie des Indes*, t. III, part. 1, p. 63.

CHAPITRE IX

Des Esséens.

Les Esséens [a] faisaient vœu d'observer la justice envers les hommes, de ne faire de mal à personne, même pour

a. *Histoire des Juifs*, par Prideaux.

obéir, de haïr les injustes, de garder la foi à tout le
monde, de commander avec modestie, de prendre toujours le parti de la vérité, de fuir tout gain illicite.

Chapitre X

De la secte stoïque.

Les diverses sectes de philosophie, chez les anciens,
pouvaient être considérées comme des espèces de religion. Il n'y en a jamais eu dont les principes fussent plus
dignes de l'homme, et plus propres à former des gens de
bien, que celle des stoïciens; et, si je pouvais un moment
cesser de penser que je suis chrétien, je ne pourrais m'empêcher de mettre la destruction de la secte de Zénon au
nombre des malheurs du genre humain.

Elle n'outrait que les choses dans lesquelles il y a de
la grandeur, le mépris des plaisirs et de la douleur.

Elle seule savait faire les citoyens; elle seule faisait les
grands hommes; elle seule faisait les grands empereurs.

Faites, pour un moment, abstraction des vérités
révélées; cherchez dans toute la nature, et vous n'y
trouverez pas de plus grand objet que les Antonins.
Julien même, Julien (un suffrage ainsi arraché ne me
rendra point complice de son apostasie); non, il n'y a
point eu après lui de prince plus digne de gouverner les
hommes.

Pendant que les stoïciens regardaient comme une chose
vaine les richesses, les grandeurs humaines, la douleur,
les chagrins, les plaisirs, ils n'étaient occupés qu'à travailler au bonheur des hommes, à exercer les devoirs de
la société : il semblait qu'ils regardassent cet esprit sacré,
qu'ils croyaient être en eux-mêmes, comme une espèce
de providence favorable qui veillait sur le genre humain.

Nés pour la société, ils croyaient tous que leur destin
était de travailler pour elle : d'autant moins à charge, que
leurs récompenses étaient toutes dans eux-mêmes; qu'heureux par leur philosophie seule, il semblait que le seul
bonheur des autres pût augmenter le leur.

CHAPITRE XI

De la contemplation.

Les hommes étant faits pour se conserver, pour se nourrir, pour se vêtir, et faire toutes les actions de la société, la religion ne doit pas leur donner une vie trop contemplative *a*.

Les mahométans deviennent spéculatifs par habitude; ils prient cinq fois le jour, et chaque fois il faut qu'ils fassent un acte, par lequel ils jettent derrière leur dos tout ce qui appartient à ce monde : cela les forme à la spéculation. Ajoutez à cela cette indifférence pour toutes choses, que donne le dogme d'un destin rigide.

Si, d'ailleurs, d'autres causes concourent à leur inspirer le détachement; comme si la dureté du gouvernement, si les lois concernant la propriété des terres, donnent un esprit précaire; tout est perdu.

La religion des Guèbres rendit autrefois le royaume de Perse florissant; elle corrigea les mauvais effets du despotisme : la religion mahométane détruit aujourd'hui ce même empire.

CHAPITRE XII

Des pénitences.

Il est bon que les pénitences soient jointes avec l'idée de travail, non avec l'idée d'oisiveté; avec l'idée du bien, non avec l'idée de l'extraordinaire; avec l'idée de frugalité, non avec l'idée d'avarice.

a. C'est l'inconvénient de la doctrine de Foë et de Laockium.

CHAPITRE XIII

Des crimes inexpiables.

Il paraît, par un passage des livres des pontifes, rapporté par Cicéron [a], qu'il y avait, chez les Romains, des crimes inexpiables [b]; et c'est là-dessus que Zozyme fonde le récit si propre à envenimer les motifs de la conversion de Constantin; et Julien, cette raillerie amère qu'il fait de cette même conversion dans ses Césars.

La religion païenne, qui ne défendait que quelques crimes grossiers, qui arrêtait la main et abandonnait le cœur, pouvait avoir des crimes inexpiables : mais une religion qui enveloppe toutes les passions; qui n'est pas plus jalouse des actions que des désirs et des pensées; qui ne nous tient point attachés par quelques chaînes, mais par un nombre innombrable de fils; qui laisse derrière elle la justice humaine, et commence une autre justice; qui est faite pour mener sans cesse du repentir à l'amour, et de l'amour au repentir; qui met entre le juge et le criminel un grand médiateur, entre le juste et le médiateur un grand juge; une telle religion ne doit point avoir de crimes inexpiables. Mais, quoiqu'elle donne des craintes et des espérances à tous, elle fait assez sentir que, s'il n'y a point de crime qui, par sa nature, soit inexpiable, toute une vie peut l'être; qu'il serait très dangereux de tourmenter sans cesse la miséricorde par de nouveaux crimes et de nouvelles expiations; qu'inquiets sur les anciennes dettes, jamais quittes envers le seigneur, nous devons craindre d'en contracter de nouvelles, de combler la mesure, d'aller jusqu'au terme où la bonté paternelle finit.

a. Livre II, *Des lois.*
b. *Sacrum commissum, quod neque expiari poterit, impie commissum est; quod expiari poterit, publici sacerdotes expianto.*

Chapitre XIV

*Comment la force de la religion s'applique
à celle des lois civiles.*

Comme la religion et les lois civiles doivent tendre
principalement à rendre les hommes bons citoyens, on
voit que, lorsqu'une des deux s'écartera de ce but, l'autre
y doit tendre davantage : moins la religion sera réprimante, plus les lois civiles doivent réprimer.

Ainsi, au Japon, la religion dominante n'ayant presque
point de dogmes, et ne proposant point de paradis ni
d'enfer, les lois, pour y suppléer, ont été faites avec une
sévérité, et exécutées avec une ponctualité extraordinaires.

Lorsque la religion établit le dogme de la nécessité des
actions humaines, les peines des lois doivent être plus
sévères, et la police plus vigilante; pour que les hommes,
qui, sans cela, s'abandonneraient eux-mêmes, soient
déterminés par ces motifs : Mais, si la religion établit le
dogme de la liberté, c'est autre chose.

De la paresse de l'âme naît le dogme de la prédestination mahométane; et du dogme de cette prédestination
naît la paresse de l'âme. On a dit : Cela est dans les décrets
de Dieu, il faut donc rester en repos. Dans un cas pareil,
on doit exciter, par les lois, les hommes endormis dans la
religion.

Lorsque la religion condamne des choses que les lois
civiles doivent permettre, il est dangereux que les lois
civiles ne permettent, de leur côté, ce que la religion doit
condamner; une de ces choses marquant toujours un
défaut d'harmonie et de justesse dans les idées, qui se
répand sur l'autre.

Ainsi les Tartares de Gengis khan, chez lesquels c'était
un péché, et même un crime capital, de mettre le couteau dans le feu, de s'appuyer contre un fouet, de battre
un cheval avec sa bride, de rompre un os avec un autre,
ne croyaient pas qu'il y eût de péché à violer la foi, à
ravir le bien d'autrui, à faire injure à un homme, à le
tuer[a]. En un mot, les lois qui font regarder comme

_____

a. Voyez la relation de frère Jean Duplan Carpin, envoyé en
Tartarie par le pape Innocent IV, en l'année 1246.

nécessaire ce qui est indifférent, ont cet inconvénient, qu'elles font considérer comme indifférent ce qui est nécessaire.

Ceux de Formose croient une espèce d'enfer [b]; mais c'est pour punir ceux qui ont manqué d'aller nus en certaines saisons, qui ont mis des vêtements de toile et non pas de soie, qui ont été chercher des huîtres, qui ont agi sans consulter le chant des oiseaux : aussi ne regardent-ils point comme péché l'ivrognerie et le dérèglement avec les femmes; ils croient même que les débauches de leurs enfants sont agréables à leurs dieux.

Lorsque la religion justifie pour une chose d'accident, elle perd inutilement le plus grand ressort qui soit parmi les hommes. On croit, chez les Indiens, que les eaux du Gange ont une vertu sanctifiante [c]; ceux qui meurent sur ses bords sont réputés exempts des peines de l'autre vie, et devoir habiter une région pleine de délices : on envoie, des lieux les plus reculés, des urnes pleines des cendres des morts, pour les jeter dans le Gange. Qu'importe qu'on vive vertueusement, ou non ? on se fera jeter dans le Gange.

L'idée d'un lieu de récompense emporte nécessairement l'idée d'un séjour de peines; et, quand on espère l'un sans craindre l'autre, les lois civiles n'ont plus de force. Des hommes qui croient des récompenses sûres dans l'autre vie échapperont au législateur : ils auront trop de mépris pour la mort. Quel moyen de contenir, par les lois, un homme qui croit être sûr que la plus grande peine que les magistrats lui pourront infliger, ne finira, dans un moment, que pour commencer son bonheur ?

CHAPITRE XV

Comment les lois civiles corrigent quelquefois les fausses religions.

Le respect pour les choses anciennes, la simplicité ou la superstition, ont quelquefois établi des mystères ou

---

b. *Recueil des voyages qui ont servi à l'établissement de la compagnie des Indes*, t. V, part. I, p. 192.
c. *Lettres édifiantes*, quinzième recueil.

des cérémonies qui pouvaient choquer la pudeur; et de cela les exemples n'ont pas été rares dans le monde. Aristote dit que, dans ce cas, la loi permet que les pères de famille aillent au temple célébrer ces mystères pour leurs femmes et pour leurs enfants [a]. Loi civile admirable, qui conserve les mœurs contre la religion!

Auguste défendit aux jeunes gens de l'un et de l'autre sexe d'assister à aucune cérémonie nocturne, s'ils n'étaient accompagnés d'un parent plus âgé [b]; et, lorsqu'il rétablit les fêtes lupercales, il ne voulut pas que les jeunes gens courussent nus [c].

a. *Politique*, liv. VII, chap. XVII.
b. SUÉTONE, *in Augusto*, chap. XXXI.
c. *Ibid.*

CHAPITRE XVI

Comment les lois de la religion corrigent les inconvénients de la constitution politique.

D'un autre côté, la religion peut soutenir l'Etat politique, lorsque les lois se trouvent dans l'impuissance.

Ainsi, lorsque l'Etat est souvent agité par des guerres civiles, la religion fera beaucoup, si elle établit que quelque partie de cet Etat reste toujours en paix. Chez les Grecs, les Eléens, comme prêtres d'Apollon, jouissaient d'une paix éternelle. Au Japon, on laisse toujours en paix la ville de Méaco, qui est une ville sainte [a] : la religion maintient ce règlement; et cet empire, qui semble être seul sur la terre, qui n'a et qui ne veut avoir aucune ressource de la part des étrangers, a toujours dans son sein un commerce que la guerre ne ruine pas.

Dans les Etats où les guerres ne se font pas par une délibération commune, et où les lois ne se sont laissé aucun moyen de les terminer ou de les prévenir, la religion établit des temps de paix ou de trêves, pour que le peuple puisse faire les choses sans lesquelles l'Etat ne pourrait subsister, comme les semailles et les travaux pareils.

a. *Recueil des voyages qui ont servi à l'établissement de la compagnie des Indes*, t. IV, part. I, p. 127.

Chaque année, pendant quatre mois, toute hostilité cessait entre les tribus arabes [b] : le moindre trouble eût été une impiété. Quand chaque seigneur faisait, en France, la guerre ou la paix, la religion donna des trêves, qui devaient avoir lieu dans de certaines saisons.

b. Voyez Prideaux, *Vie de Mahomet*, p. 64.

Chapitre XVII

Continuation du même sujet.

Lorsqu'il y a beaucoup de sujets de haine dans un Etat, il faut que la religion donne beaucoup de moyens de réconciliation. Les Arabes, peuple brigand, se faisaient souvent des injures et des injustices. Mahomet fit cette loi [a] : « Si quelqu'un pardonne le sang de son frère [b], il pourra poursuivre le malfaiteur pour des dommages et intérêts : mais celui qui fera tort au méchant, après avoir reçu satisfaction de lui, souffrira au jour du jugement des tourments douloureux. »

Chez les Germains, on héritait des haines et des inimitiés de ses proches : mais elles n'étaient pas éternelles. On expiait l'homicide en donnant une certaine quantité de bétail, et toute la famille recevait la satisfaction : chose très utile, dit Tacite [c], parce que les inimitiés sont très dangereuses chez un peuple libre. Je crois bien que les ministres de la religion, qui avaient tant de crédit parmi eux, entraient dans ces réconciliations.

Chez les Malais, où la réconciliation n'est pas établie, celui qui a tué quelqu'un, sûr d'être assassiné par les parents ou les amis du mort, s'abandonne à sa fureur, blesse et tue tout ce qu'il rencontre [d].

a. Dans l'alcoran, liv. I, chap. *De la vache.*
b. En renonçant à la loi du talion.
c. *De morib. Germ.*
d. *Recueil des voyages qui ont servi à l'établissement de la compagnie des Indes*, t. VII, p. 303. Voyez aussi les *Mémoires du comte de Forbin*, et ce qu'il dit sur les Macassars.

Chapitre XVIII

Comment les lois de la religion ont l'effet des lois civiles.

Les premiers Grecs étaient des petits peuples souvent dispersés, pirates sur la mer, injustes sur la terre, sans police et sans lois. Les belles actions d'Hercule et de Thésée font voir l'état où se trouvait ce peuple naissant. Que pouvait faire la religion, que ce qu'elle fit, pour donner de l'horreur du meurtre ? Elle établit qu'un homme tué par violence était d'abord en colère contre le meurtrier, qu'il lui inspirait du trouble et de la terreur, et voulait qu'il lui cédât les lieux qu'il avait fréquentés [a]; on ne pouvait toucher le criminel, ni converser avec lui, sans être fouillé ou intestable [b]; la présence du meurtrier devait être épargnée à la ville, et il fallait l'expier [c].

a. PLATON, *Des lois*, liv. IX.
b. Voyez la tragédie d'*Œdipe à Colonne*.
c. PLATON, *Des lois*, liv. IX.

Chapitre XIX

Que c'est moins la vérité ou la fausseté d'un dogme, qui le rend utile ou pernicieux aux hommes dans l'état civil, que l'usage ou l'abus que l'on en fait.

Les dogmes les plus vrais et les plus saints peuvent avoir de très mauvaises conséquences, lorsqu'on ne les lie pas avec les principes de la société; et, au contraire, les dogmes les plus faux en peuvent avoir d'admirables, lorsqu'on sait qu'ils se rapportent aux mêmes principes.
La religion de Confucius nie l'immortalité de l'âme [a];

a. Un philosophe chinois argumente ainsi contre la doctrine de Foë : *Il est dit, dans un livre de cette secte, que notre corps est notre domicile, et l'âme l'hôtesse immortelle qui y loge : mais, si le corps de nos parents n'est qu'un logement, il est naturel de le regarder avec le même mépris qu'on a pour un amas de boue et de terre. N'est-ce pas vouloir arracher du cœur la vertu de l'amour des parents ? Cela porte de même à négliger le soin du corps, et à lui refuser la compassion et l'affection si nécessaires pour sa conservation : ainsi les disciples de Foë se tuent à milliers.* Ouvrage d'un philosophe chinois, dans le recueil du Père du Halde, t. III, p. 52.

et la secte de Zénon ne la croyait pas. Qui le dirait ? ces deux sectes ont tiré de leurs mauvais principes des conséquences, non pas justes, mais admirables pour la société. La religion des Tao et des Foë croit l'immortalité de l'âme : mais, de ce dogme si saint, ils ont tiré des conséquences affreuses.

Presque par tout le monde, et dans tous les temps, l'opinion de l'immortalité de l'âme, mal prise, a engagé les femmes, les esclaves, les sujets, les amis, à se tuer, pour aller servir dans l'autre monde l'objet de leur respect ou de leur amour. Cela était ainsi dans les Indes occidentales; cela était ainsi chez les Danois [b]; et cela est encore aujourd'hui au Japon [c], à Macassar [d], et dans plusieurs autres endroits de la terre.

Ces coutumes émanent moins directement du dogme de l'immortalité de l'âme, que de celui de la résurrection des corps; d'où l'on a tiré cette conséquence, qu'après la mort, un même individu aurait les mêmes besoins, les mêmes sentiments, les mêmes passions. Dans ce point de vue, le dogme de l'immortalité de l'âme affecte prodigieusement les hommes; parce que l'idée d'un simple changement de demeure est plus à la portée de notre esprit, et flatte plus notre cœur, que l'idée d'une modification nouvelle.

Ce n'est pas assez, pour une religion, d'établir un dogme; il faut encore qu'elle le dirige. C'est ce qu'a fait admirablement bien la religion chrétienne à l'égard des dogmes dont nous parlons : elle nous fait espérer un état que nous croyons, non pas un état que nous sentions, ou que nous connaissions : tout, jusqu'à la résurrection des corps, nous mène à des idées spirituelles.

CHAPITRE XX

Continuation du même sujet.

Les livres sacrés des anciens Perses disaient : « Si vous voulez être saint, instruisez vos enfants, parce que toutes

---

b. Voyez Thomas BARTHOLIN, *Antiquités danoises.*
c. Relation du Japon, dans le *Recueil des voyages qui ont servi à l'établissement de la compagnie des Indes.*
d. *Mémoires* de Forbin.

les bonnes actions qu'ils feront vous seront imputées [a]. »
Ils conseillaient de se marier de bonne heure ; parce que
les enfants seraient comme un pont au jour du jugement,
et que ceux qui n'auraient point d'enfants ne pourraient
pas passer. Ces dogmes étaient faux, mais ils étaient très
utiles.

Chapitre XXI

De la métempsycose.

Le dogme de l'immortalité de l'âme se divise en
trois branches, celui de l'immortalité pure, celui du
simple changement de demeure, celui de la métempsycose ; c'est-à-dire, le système des chrétiens, le système
des Scythes, le système des Indiens. Je viens de parler
des deux premiers ; et je dirai du troisième que, comme il a
été bien et mal dirigé, il a aux Indes de bons et de mauvais effets : comme il donne aux hommes une certaine
horreur pour verser le sang, il y a aux Indes très peu de
meurtres ; et, quoiqu'on n'y punisse guère de mort, tout
le monde y est tranquille.

D'un autre côté, les femmes s'y brûlent à la mort de
leurs maris : il n'y a que les innocents qui y souffrent une
mort violente.

Chapitre XXII

Combien il est dangereux que la religion inspire de l'horreur pour des choses indifférentes.

Un certain honneur, que des préjugés de religion établissent aux Indes, fait que les diverses castes ont horreur
les unes des autres. Cet honneur est uniquement fondé
sur la religion ; ces distinctions de famille ne forment pas
des distinctions civiles : il y a tel Indien qui se croirait
déshonoré, s'il mangeait avec son roi.

a. M. Hyde.

Ces sortes de distinctions sont liées à une certaine aversion pour les autres hommes, bien différente des sentiments que doivent faire naître les différences des rangs, qui parmi nous contiennent l'amour pour les inférieurs.

Les lois de la religion éviteront d'inspirer d'autre mépris que celui du vice, et surtout d'éloigner les hommes de l'amour et de la pitié pour les hommes.

La religion mahométane et la religion indienne ont, dans leur sein, un nombre infini de peuples : les Indiens haïssent les Mahométans, parce qu'ils mangent de la vache; les Mahométans détestent les Indiens, parce qu'ils mangent du cochon.

Chapitre XXIII

Des fêtes.

Quand une religion ordonne la cessation du travail, elle doit avoir égard aux besoins des hommes, plus qu'à la grandeur de l'être qu'elle honore.

C'était, à Athènes [a], un grand inconvénient que le trop grand nombre de fêtes. Chez ce peuple dominateur, devant qui toutes les villes de la Grèce venaient porter leurs différends, on ne pouvait suffire aux affaires.

Lorsque Constantin établit que l'on chômerait le dimanche, il fit cette ordonnance pour les villes [b], et non pour les peuples de la campagne : il sentait que dans les villes étaient les travaux utiles, et dans les campagnes les travaux nécessaires.

Par la même raison, dans les pays qui se maintiennent par le commerce, le nombre des fêtes doit être relatif à ce commerce même. Les pays protestants et les pays catholiques sont situés de manière que l'on a plus besoin de travail dans les premiers, que dans les seconds [c] : la suppression des fêtes convenait donc plus aux pays protestants, qu'aux pays catholiques.

a. Xénophon, De la république d'Athènes.
b. Leg. 3, cod. de feriis. Cette loi n'était faite, sans doute, que pour les païens.
c. Les catholiques sont plus vers le midi, et les protestants vers le nord.

Dampierre [d] remarque que les divertissements des peuples varient beaucoup selon les climats. Comme les climats chauds produisent quantité de fruits délicats, les barbares, qui trouvent d'abord le nécessaire, emploient plus de temps à se divertir : les Indiens des pays froids n'ont pas tant de loisir ; il faut qu'ils pêchent et chassent continuellement ; il y a donc chez eux moins de danses, de musique et de festins ; et une religion qui s'établirait chez ces peuples, devrait avoir égard à cela dans l'institution des fêtes.

d. Nouveaux voyages autour du monde, t. II.

CHAPITRE XXIV
Des lois de religion locales.

Il y a beaucoup de lois locales dans les diverses religions. Et quand Montésuma s'obstinait tant à dire que la religion des Espagnols était bonne pour leur pays, et celle du Mexique pour le sien, il ne disait pas une absurdité ; parce qu'en effet les législateurs n'ont pu s'empêcher d'avoir égard à ce que la nature avait établi avant eux.

L'opinion de la métempsycose est faite pour le climat des Indes. L'excessive chaleur brûle [a] toutes les campagnes ; on n'y peut nourrir que très peu de bétail ; on est toujours en danger d'en manquer pour le labourage ; les bœufs ne s'y multiplient [b] que médiocrement, ils sont sujets à beaucoup de maladies : une loi de religion qui les conserve est donc très convenable à la police du pays.

Pendant que les prairies sont brûlées, le riz et les légumes y croissent heureusement, par les eaux qu'on y peut employer : une loi de religion qui ne permet que cette nourriture est donc très utile aux hommes dans ces climats.

La chair [c] des bestiaux n'y a pas de goût ; et le lait et le beurre, qu'ils en tirent, fait une partie de leur subsistance : la loi qui défend de manger et de tuer des vaches n'est donc pas déraisonnable aux Indes.

a. Voyage de Bernier, t. II, p. 137.
b. Lettres édifiantes, douzième recueil, p. 95.
c. Voyage de Bernier, t. II, p. 137.

Athènes avait dans son sein une multitude innombrable de peuple; son territoire était stérile : ce fut une maxime religieuse, que ceux qui offraient aux dieux de certains petits présents, les honoraient [d] plus que ceux qui immolaient des bœufs.

d. Euripide, dans Athénée, liv. II, p. 40.

Chapitre XXV

Inconvénient du transport d'une religion d'un pays à un autre.

Il suit de là, qu'il y a très souvent beaucoup d'inconvénients à transporter une religion d'un pays dans un autre [a].

« Le cochon, dit M. de Boulainvilliers [b], doit être très rare en Arabie, où il n'y a presque point de bois, et presque rien de propre à la nourriture de ces animaux; d'ailleurs, la salure des eaux et des aliments rend le peuple très susceptible des maladies de la peau. » La loi locale qui le défend ne saurait être bonne pour d'autres pays [c], où le cochon est une nourriture presque universelle, et en quelque façon nécessaire.

Je ferai ici une réflexion. Sanctorius a observé que la chair de cochon que l'on mange, se transpire peu; et que même cette nourriture empêche beaucoup la transpiration des autres aliments; il a trouvé que la diminution allait à un tiers [d]; on sait d'ailleurs que le défaut de transpiration forme ou aigrit les maladies de la peau : la nourriture du cochon doit donc être défendue dans les climats où l'on est sujet à ces maladies, comme celui de la Palestine, de l'Arabie, de l'Egypte et de la Libye.

a. On ne parle point ici de la religion chrétienne; parce que, comme on a dit au livre XXIV, chapitre premier, à la fin, la religion chrétienne est le premier bien.
b. Vie de Mahomet.
c. Comme à la Chine.
d. Médecine statique, sect. 3, aphorisme 23.

Chapitre XXVI

Continuation du même sujet.

M. Chardin [a] dit qu'il n'y a point de fleuve navigable en Perse, si ce n'est le fleuve Kur, qui est aux extrémités de l'empire. L'ancienne loi des Guèbres, qui défendait de naviguer sur les fleuves, n'avait donc aucun inconvénient dans leur pays : mais elle aurait ruiné le commerce dans un autre.

Les continuelles lotions sont très en usage dans les climats chauds. Cela fait que la loi mahométane et la religion indienne les ordonnent. C'est un acte très méritoire aux Indes de prier Dieu dans l'eau courante [b] : mais comment exécuter ces choses dans d'autres climats ?

Lorsque la religion fondée sur le climat a trop choqué le climat d'un autre pays, elle n'a pu s'y établir ; et, quand on l'y a introduite, elle en a été chassée. Il semble, humainement parlant, que ce soit le climat qui a prescrit des bornes à la religion chrétienne et à la religion mahométane.

Il suit de là qu'il est presque toujours convenable qu'une religion ait des dogmes particuliers et un culte général. Dans les lois qui concernent les pratiques de culte, il faut peu de détails ; par exemple, des mortifications, et non pas une certaine mortification. Le christianisme est plein de bon sens : l'abstinence est de droit divin ; mais une abstinence particulière est de droit de police, et on peut la changer.

a. *Voyage de Perse*, t. II.
b. *Voyage* de Bernier, t. II.

LIVRE XXV

DES LOIS, DANS LE RAPPORT QU'ELLES ONT AVEC L'ÉTABLISSEMENT DE LA RELIGION DE CHAQUE PAYS, ET SA POLICE EXTÉRIEURE

CHAPITRE PREMIER

Du sentiment pour la religion.

L'homme pieux et l'athée parlent toujours de religion; l'un parle de ce qu'il aime, et l'autre de ce qu'il craint.

CHAPITRE II

Du motif d'attachement pour les diverses religions.

Les diverses religions du monde ne donnent pas à ceux qui les professent des motifs égaux d'attachement pour elles : cela dépend beaucoup de la manière dont elles se concilient avec la façon de penser et de sentir des hommes.

Nous sommes extrêmement portés à l'idolâtrie, et cependant nous ne sommes pas fort attachés aux religions idolâtres; nous ne sommes guère portés aux idées spirituelles, et cependant nous sommes très attachés aux religions qui nous font adorer un être spirituel. C'est un sentiment heureux, qui vient, en partie, de la satisfaction que nous trouvons en nous-mêmes d'avoir été assez intelligents pour avoir choisi une religion qui tire la divinité de l'humiliation où les autres l'avaient mise. Nous regardons l'idolâtrie comme la religion des peuples grossiers; et la religion qui a pour objet un être spirituel, comme celle des peuples éclairés.

Quand, avec l'idée d'un être spirituel suprême, qui forme le dogme, nous pouvons joindre encore des idées sensibles qui entrent dans le culte, cela nous donne un grand attachement pour la religion; parce que les motifs dont nous venons de parler se trouvent joints à notre penchant naturel pour les choses sensibles. Aussi les catholiques, qui ont plus de cette sorte de culte que les protestants, sont-ils plus invinciblement attachés à leur religion, que les protestants ne le sont à la leur, et plus zélés pour sa propagation.

Lorsque le peuple d'Ephèse eut appris que les pères du concile avaient décidé qu'on pouvait appeler la Vierge *mère de Dieu*, il fut transporté de joie; il baisait les mains des évêques, il embrassait leurs genoux; tout retentissait d'acclamations [a].

Quand une religion intellectuelle nous donne encore l'idée d'un choix fait par la divinité, et d'une distinction de ceux qui la professent d'avec ceux qui ne la professent pas, cela nous attache beaucoup à cette religion. Les mahométans ne seraient pas si bons musulmans, si, d'un côté, il n'y avait pas de peuples idolâtres, qui leur font penser qu'ils sont les vengeurs de l'unité de Dieu; et, de l'autre, des chrétiens, pour leur faire croire qu'ils sont l'objet de ses préférences.

Une religion chargée de beaucoup de pratiques [b] attache plus à elle qu'une autre qui l'est moins; on tient beaucoup aux choses dont on est continuellement occupé : témoin l'obstination tenace des mahométans et des juifs; et la facilité qu'ont de changer de religion les peuples barbares et sauvages, qui, uniquement occupés de la chasse ou de la guerre, ne se chargent guère de pratiques religieuses [c].

Les hommes sont extrêmement portés à espérer et à craindre; et une religion qui n'aurait ni enfer, ni paradis, ne saurait guère leur plaire. Cela se prouve par la facilité qu'ont eue les religions étrangères à s'établir au Japon, et le zèle et l'amour avec lesquels on les y a reçues [d].

Pour qu'une religion attache, il faut qu'elle ait une

---

a. Lettre de saint Cyrille.

b. Ceci n'est point contradictoire avec ce que j'ai dit au chapitre pénultième du livre précédent : ici, je parle des motifs d'attachement pour une religion; et là, des moyens de la rendre plus générale.

c. Cela se remarque par toute la terre. Voyez, sur les Turcs, les missions du levant, le *Recueil des voyages qui ont servi à l'établissement de la compagnie des Indes*, t. III, part. I, p. 201, sur les Maures de Batavia; et le Père Labat, sur les nègres mahométans, etc.

d. La religion chrétienne, et les religions des Indes; celles-ci ont un enfer et un paradis, au lieu que la religion des Sintos n'en a point.

morale pure. Les hommes, fripons en détail, sont en gros
de très honnêtes gens; ils aiment la morale; et, si je ne
traitais pas un sujet si grave, je dirais que cela se voit
admirablement bien sur les théâtres : on est sûr de plaire
au peuple par les sentiments que la morale avoue, et on
est sûr de le choquer par ceux qu'elle réprouve.

Lorsque le culte extérieur a une grande magnificence,
cela nous flatte et nous donne beaucoup d'attachement
pour la religion. Les richesses des temples et celles du
clergé nous affectent beaucoup. Ainsi la misère même
des peuples est un motif qui les attache à cette religion
qui a servi de prétexte à ceux qui ont causé leur misère.

CHAPITRE III

Des temples.

Presque tous les peuples policés habitent dans des maisons. De là est venue naturellement l'idée de bâtir à Dieu
une maison, où ils puissent l'adorer, et l'aller chercher
dans leurs craintes ou leurs espérances.

En effet, rien n'est plus consolant pour les hommes,
qu'un lieu où ils trouvent la divinité plus présente, et où,
tous ensemble, ils font parler leur faiblesse et leur misère.

Mais cette idée si naturelle ne vient qu'aux peuples qui
cultivent les terres; et on ne verra pas bâtir de temple
chez ceux qui n'ont pas de maisons eux-mêmes.

C'est ce qui fit que Gengis khan marqua un si grand
mépris pour les mosquées [a]. Ce prince [b] interrogea les
mahométans; il approuva tous leurs dogmes, excepté
celui qui porte la nécessité d'aller à La Mecque; il ne
pouvait comprendre qu'on ne pût pas adorer Dieu partout. Les Tartares n'habitant point de maisons, ne
connaissaient point de temples.

Les peuples qui n'ont point de temples ont peu d'attachement pour leur religion : voilà pourquoi les Tartares
ont été de tout temps si tolérants [c]; pourquoi les peuples

---

a. Entrant dans la mosquée de Buchara, il enleva l'alcoran, et le
jeta sous les pieds de ses chevaux : *Hist. des Tattars*, part. III, p. 273.
b. *Ibid.*, p. 342.
c. Cette disposition d'esprit a passé jusqu'aux Japonais, qui tirent
leur origine des Tartares, comme il est aisé de le prouver.

barbares, qui conquirent l'empire romain, ne balancèrent pas un moment à embrasser le christianisme; pourquoi les sauvages de l'Amérique sont si peu attachés à leur propre religion; et pourquoi, depuis que nos missionnaires leur ont fait bâtir au Paraguay des églises, ils sont si fort zélés pour la nôtre.

Comme la divinité est le refuge des malheureux, et qu'il n'y a pas de gens plus malheureux que les criminels, on a été naturellement porté à penser que les temples étaient un asile pour eux; et cette idée parut encore plus naturelle chez les Grecs, où les meurtriers, chassés de leur ville et de la présence des hommes, semblaient n'avoir plus de maisons que les temples, ni d'autres protecteurs que les dieux.

Ceci ne regarda d'abord que les homicides involontaires : mais, lorsqu'on y comprit les grands criminels, on tomba dans une contradiction grossière : s'ils avaient offensé les hommes, ils avaient, à plus forte raison, offensé les dieux.

Ces asiles se multiplièrent dans la Grèce : les temples, dit Tacite [d], étaient remplis de débiteurs insolvables et d'esclaves méchants; les magistrats avaient de la peine à exercer la police; le peuple protégeait les crimes des hommes, comme les cérémonies des dieux; le sénat fut obligé d'en retrancher un grand nombre.

Les lois de Moïse furent très sages. Les homicides involontaires étaient innocents, mais ils devaient être ôtés de devant les yeux des parents du mort : il établit donc un asile pour eux [e]. Les grands criminels ne méritent point d'asile, ils n'en eurent pas [f]. Les Juifs n'avaient qu'un tabernacle portatif, et qui changeait continuellement de lieu; cela excluait l'idée d'asile. Il est vrai qu'ils devaient avoir un temple : mais les criminels, qui y seraient venus de toutes parts, auraient pu troubler le service divin. Si les homicides avaient été chassés hors du pays, comme ils le furent chez les Grecs, il eût été à craindre qu'ils n'adorassent des dieux étrangers. Toutes ces considérations firent établir des villes d'asile, où l'on devait rester jusqu'à la mort du souverain pontife.

d. *Annales*, liv. II.
e. *Nomb.*, chap. XXXV.
f. *Ibid.*

CHAPITRE IV

Des ministres de la religion.

Les premiers hommes, dit Porphyre, ne sacrifiaient que de l'herbe. Pour un culte si simple, chacun pouvait être pontife dans sa famille.

Le désir naturel de plaire à la divinité multiplia les cérémonies : ce qui fit que les hommes, occupés à l'agriculture, devinrent incapables de les exécuter toutes, et d'en remplir les détails.

On consacra aux dieux des lieux particuliers; il fallut qu'il y eût des ministres pour en prendre soin, comme chaque citoyen prend soin de sa maison et de ses affaires domestiques. Aussi les peuples qui n'ont point de prêtres sont-ils ordinairement barbares. Tels étaient autrefois les Pédaliens [a], tels sont encore les Wolgusky [b].

Des gens consacrés à la divinité devaient être honorés, surtout chez les peuples qui s'étaient formé une certaine idée d'une pureté corporelle, nécessaire pour approcher des lieux les plus agréables aux dieux, et dépendante de certaines pratiques.

Le culte des dieux demandant une attention continuelle, la plupart des peuples furent portés à faire du clergé un corps séparé. Ainsi, chez les Egyptiens, les Juifs et les Perses [c], on consacra à la divinité de certaines familles, qui se perpétuaient, et faisaient le service. Il y eut même des religions où l'on ne pensa pas seulement à éloigner les ecclésiastiques des affaires, mais encore à leur ôter l'embarras d'une famille; et c'est la pratique de la principale branche de la loi chrétienne.

Je ne parlerai point ici des conséquences de la loi du célibat : on sent qu'elle pourrait devenir nuisible, à proportion que le corps du clergé serait trop étendu, et que, par conséquent, celui des laïcs ne le serait pas assez.

Par la nature de l'entendement humain, nous aimons, en fait de religion, tout ce qui suppose un effort; comme, en matière de morale, nous aimons spéculativement tout

---

a. Lilius Giraldus, p. 726.
b. Peuples de la Sibérie. Voyez la relation de M. EVERARD ISBRANDS-IDES, dans le *Recueil des voyages du nord*, t. VIII.
c. Voyez M. Hyde.

ce qui porte le caractère de la sévérité. Le célibat a été plus agréable aux peuples à qui il semblait convenir le moins, et pour lesquels il pouvait avoir de plus fâcheuses suites. Dans les pays du midi de l'Europe, où, par la nature du climat, la loi du célibat est plus difficile à observer, elle a été retenue; danc ceux du nord, où les passions sont moins vives, elle a été proscrite. Il y a plus : dans les pays où il y a peu d'habitants, elle a été admise; dans ceux où il y en a beaucoup, on l'a rejetée. On sent que toutes ces réflexions ne portent que sur la trop grande extension du célibat, et non sur le célibat même.

CHAPITRE V

Des bornes que les lois doivent mettre aux richesses du clergé.

Les familles particulières peuvent périr : ainsi les biens n'y ont point une destination perpétuelle. Le clergé est une famille qui ne peut pas périr : les biens y sont donc attachés pour toujours, et n'en peuvent pas sortir.

Les familles particulières peuvent s'augmenter : il faut donc que leurs biens puissent croître aussi. Le clergé est une famille qui ne doit point s'augmenter : les biens doivent donc y être bornés.

Nous avons retenu les dispositions du Lévitique sur les biens du clergé, excepté celles qui regardent les bornes de ces biens : effectivement, on ignorera toujours, parmi nous, quel est le terme après lequel il n'est plus permis à une communauté religieuse d'acquérir.

Ces acquisitions sans fin paraissent aux peuples si déraisonnables, que celui qui voudrait parler pour elles serait regardé comme imbécile.

Les lois civiles trouvent quelquefois des obstacles à changer des abus établis, parce qu'ils sont liés à des choses qu'elles doivent respecter : dans ce cas, une disposition indirecte marque plus le bon esprit du législateur, qu'une autre qui frapperait sur la chose même. Au lieu de défendre les acquisitions du clergé, il faut chercher à l'en dégoûter lui-même; laisser le droit, et ôter le fait.

Dans quelques pays de l'Europe, la considération des droits des seigneurs a fait établir, en leur faveur, un droit d'indemnité sur les immeubles acquis par les gens de mainmorte. L'intérêt du prince lui a fait exiger un droit d'amortissement dans le même cas. En Castille, où il n'y a point de droit pareil, le clergé a tout envahi ; en Aragon, où il y a quelque droit d'amortissement, il a acquis moins : en France, où ce droit et celui d'indemnité sont établis, il a moins acquis encore ; et l'on peut dire que la prospérité de cet Etat est due en partie à l'exercice de ces deux droits. Augmentez-les ces droits, et arrêtez la mainmorte, s'il est possible.

Rendez sacré et inviolable l'ancien et nécessaire domaine du clergé ; qu'il soit fixe et éternel comme lui : mais laissez sortir de ses mains les nouveaux domaines.

Permettez de violer la règle, lorsque la règle est devenue un abus ; souffrez l'abus, lorsqu'il rentre dans la règle.

On se souvient toujours, à Rome, d'un mémoire qui y fut envoyé à l'occasion de quelques démêlés avec le clergé. On y avait mis cette maxime : « Le clergé doit contribuer aux charges de l'Etat, quoi qu'en dise l'Ancien Testament ». On en conclut que l'auteur du mémoire entendait mieux le langage de la maltôte, que celui de la religion.

CHAPITRE VI
Des monastères.

Le moindre bon sens fait voir que ces corps, qui se perpétuent sans fin, ne doivent pas vendre leurs fonds à vie, ni faire des emprunts à vie, à moins qu'on ne veuille qu'ils se rendent héritiers de tous ceux qui n'ont point de parents, et de tous ceux qui n'en veulent point avoir : ces gens jouent contre le peuple, mais ils tiennent la banque contre lui.

CHAPITRE VII

Du luxe de la superstition.

« Ceux-là sont impies envers les dieux, dit Platon [a], qui nient leur existence; ou qui l'accordent, mais soutiennent qu'ils ne se mêlent point des choses d'ici-bas; ou enfin qui pensent qu'on les apaise aisément par des sacrifices : trois opinions également pernicieuses. » Platon dit là tout ce que la lumière naturelle a jamais dit de plus sensé en matière de religion.

La magnificence du culte extérieur a beaucoup de rapport à la constitution de l'Etat. Dans les bonnes républiques, on n'a pas seulement réprimé le luxe de la vanité, mais encore celui de la superstition : on a fait, dans la religion, des lois d'épargne. De ce nombre, sont plusieurs lois de Solon; plusieurs lois de Platon sur les funérailles, que Cicéron a adoptées; enfin quelques lois de Numa [b] sur les sacrifices.

« Des oiseaux, dit Cicéron, et des peintures faites en un jour, sont des dons très divins. Nous offrons des choses communes, disait un Spartiate, afin que nous ayons tous les jours le moyen d'honorer les dieux. »

Le soin que les hommes doivent avoir de rendre un culte à la divinité, est bien différent de la magnificence de ce culte. Ne lui offrons point nos trésors, si nous ne voulons lui faire voir l'estime que nous faisons des choses qu'elle veut que nous méprisions.

« Que doivent penser les dieux des dons des impies, dit admirablement Platon, puisqu'un homme de bien rougirait de recevoir des présents d'un malhonnête homme ? »

Il ne faut pas que la religion, sous prétexte de dons, exige des peuples ce que les nécessités de l'Etat leur ont laissé; et, comme dit Platon [c], des hommes chastes et pieux doivent offrir des dons qui leur ressemblent.

Il ne faudrait pas non plus que la religion encourageât les dépenses des funérailles. Qu'y a-t-il de plus naturel,

a. *Des lois,* liv. X.
b. *Regum vino ne respergito.* Loi des douze tables.
c. *Des lois,* liv. III.

que d'ôter la différence des fortunes, dans une chose et dans les moments qui égalisent toutes les fortunes ?

CHAPITRE VIII
Du pontificat.

Lorsque la religion a beaucoup de ministres, il est naturel qu'ils aient un chef, et que le pontificat y soit établi. Dans la monarchie, où l'on ne saurait trop séparer les ordres de l'Etat, et où l'on ne doit point assembler sur une même tête toutes les puissances, il est bon que le pontificat soit séparé de l'empire. La même nécessité ne se rencontre pas dans le gouvernement despotique, dont la nature est de réunir sur une même tête tous les pouvoirs. Mais, dans ce cas, il pourrait arriver que le prince regarderait la religion comme ses lois mêmes, et comme des effets de sa volonté. Pour prévenir cet inconvénient, il faut qu'il y ait des monuments de la religion; par exemple, des livres sacrés qui la fixent et qui l'établissent. Le roi de Perse est le chef de la religion; mais l'alcoran règle la religion : l'empereur de la Chine est le souverain pontife; mais il y a des livres qui sont entre les mains de tout le monde, auxquels il doit lui-même se conformer. En vain un empereur voulut-il les abolir, ils triomphèrent de la tyrannie.

CHAPITRE IX
De la tolérance en fait de religion.

Nous sommes ici politiques, et non pas théologiens : et, pour les théologiens mêmes, il y a bien de la différence entre tolérer une religion et l'approuver.

Lorsque les lois d'un Etat ont cru devoir souffrir plusieurs religions, il faut qu'elles les obligent aussi à se tolérer entre elles. C'est un principe, que toute religion, qui est réprimée, devient elle-même réprimante : car, sitôt que, par quelque hasard, elle peut sortir de l'oppression, elle attaque la religion qui l'a réprimée, non pas comme une religion, mais comme une tyrannie.

Il est donc utile que les lois exigent de ces diverses religions, non seulement qu'elles ne troublent pas l'Etat, mais aussi qu'elles ne se troublent pas entre elles. Un citoyen ne satisfait point aux lois, en se contentant de ne pas agiter le corps de l'Etat; il faut encore qu'il ne trouble pas quelque citoyen que ce soit.

CHAPITRE X

Continuation du même sujet.

Comme il n'y a guère que les religions intolérantes qui aient un grand zèle pour s'établir ailleurs, parce qu'une religion qui peut tolérer les autres ne songe guère à sa propagation; ce sera une très bonne loi civile, lorsque l'Etat est satisfait de la religion déjà établie, de ne point souffrir l'établissement d'une autre *a*.

Voici donc le principe fondamental des lois politiques en fait de religion. Quand on est maître de recevoir, dans un Etat, une nouvelle religion, ou de ne la pas recevoir, il ne faut pas l'y établir; quand elle y est établie, il faut la tolérer.

CHAPITRE XI

Du changement de religion.

Un prince qui entreprend, dans son Etat, de détruire ou de changer la religion dominante, s'expose beaucoup. Si son gouvernement est despotique, il court plus de risque de voir une révolution, que par quelque tyrannie que ce soit, qui n'est jamais, dans ces sortes d'Etats, une chose nouvelle. La révolution vient de ce qu'un Etat ne

---

a. Je ne parle point, dans tout ce chapitre, de la religion chrétienne; parce que, comme j'ai dit ailleurs, la religion chrétienne est le premier bien. Voyez la fin du chap. I du livre précédent, et la *Défense de l'esprit des lois,* seconde partie.

change pas de religion, de mœurs et de manières dans un instant, et aussi vite que le prince publie l'ordonnance qui établit une religion nouvelle.

De plus : la religion ancienne est liée avec la constitution de l'Etat, et la nouvelle n'y tient point : celle-là s'accorde avec le climat, et souvent la nouvelle s'y refuse. Il y a plus : les citoyens se dégoûtent de leurs lois; ils prennent du mépris pour le gouvernement déjà établi; on substitue des soupçons contre les deux religions, à une ferme croyance pour une; en un mot, on donne à l'Etat, au moins pour quelque temps, et de mauvais citoyens, et de mauvais fidèles.

CHAPITRE XII

Des lois pénales.

Il faut éviter les lois pénales en fait de religion. Elles impriment de la crainte, il est vrai : mais, comme la religion a ses lois pénales aussi qui inspirent de la crainte, l'une est effacée par l'autre. Entre ces deux craintes différentes, les âmes deviennent atroces.

La religion a de si grandes menaces, elle a de si grandes promesses, que, lorsqu'elles sont présentes à notre esprit, quelque chose que le magistrat puisse faire pour nous contraindre à la quitter, il semble qu'on ne nous laisse rien quand on nous l'ôte, et qu'on ne nous ôte rien lorsqu'on nous la laisse.

Ce n'est donc pas en remplissant l'âme de ce grand objet, en l'approchant du moment où il lui doit être d'une plus grande importance, que l'on parvient à l'en détacher : il est plus sûr d'attaquer une religion par la faveur, par les commodités de la vie, par l'espérance de la fortune; non pas par ce qui avertit, mais par ce qui fait qu'on l'oublie; non pas par ce qui indigne, mais par ce qui jette dans la tiédeur, lorsque d'autres passions agissent sur nos âmes, et que celles que la religion inspire sont dans le silence. Règle générale : en fait de changement de religion, les invitations sont plus fortes que les peines.

Le caractère de l'esprit humain a paru dans l'ordre même des peines qu'on a employées. Que l'on se rappelle les persécutions du Japon [a]; on se révolta plus contre les supplices cruels que contre les peines longues, qui lassent plus qu'elles n'effarouchent, qui sont plus difficiles à surmonter, parce qu'elles paraissent moins difficiles.

En un mot, l'histoire nous apprend assez que les lois pénales n'ont jamais eu d'effet que comme destruction.

CHAPITRE XIII

Très humble remontrance aux inquisiteurs d'Espagne et de Portugal.

Une Juive de dix-huit ans, brûlée à Lisbonne au dernier autodafé, donna occasion à ce petit ouvrage; et je crois que c'est le plus inutile qui ait jamais été écrit. Quand il s'agit de prouver des choses si claires, on est sûr de ne pas convaincre.

L'auteur déclare que, quoiqu'il soit Juif, il respecte la religion chrétienne, et qu'il l'aime assez, pour ôter aux princes, qui ne seront pas chrétiens, un prétexte plausible pour la persécuter.

« Vous vous plaignez, dit-il aux inquisiteurs, de ce que l'empereur du Japon fait brûler à petit feu tous les chrétiens qui sont dans ses Etats; mais il vous répondra : Nous vous traitons, vous qui ne croyez pas comme nous, comme vous traitez vous-mêmes ceux qui ne croient pas comme vous : vous ne pouvez vous plaindre que de votre faiblesse, qui vous empêche de nous exterminer, et qui fait que nous vous exterminons.

« Mais il faut avouer que vous êtes bien plus cruels que cet empereur. Vous nous faites mourir, nous qui ne croyons que ce que vous croyez, parce que nous ne croyons pas tout ce que vous croyez. Nous suivons une religion que vous savez vous-mêmes avoir été autrefois chérie de Dieu : nous pensons que Dieu l'aime encore, et vous pensez qu'il ne l'aime plus : et parce que vous jugez ainsi, vous faites passer par le fer et par le feu ceux qui

_____

a. Voyez le *Recueil des voyages qui ont servi à l'établissement de la compagnie des Indes*, t. V, part. I, p. 192.

sont dans cette erreur si pardonnable, de croire que Dieu aime encore ce qu'il a aimé [a].

« Si vous êtes cruels à notre égard, vous l'êtes bien plus à l'égard de nos enfants; vous les faites brûler, parce qu'ils suivent les inspirations que leur ont données ceux que la loi naturelle et les lois de tous les peuples leur apprennent à respecter comme des dieux.

« Vous vous privez de l'avantage que vous a donné sur les mahométans la manière dont leur religion s'est établie. Quand ils se vantent du nombre de leurs fidèles, vous leur dites que la force les leur a acquis, et qu'ils ont étendu leur religion par le fer : pourquoi donc établissez-vous la vôtre par le feu ?

« Quand vous voulez nous faire venir à vous, nous vous objectons une source dont vous vous faites gloire de descendre. Vous nous répondez que votre religion est nouvelle, mais qu'elle est divine; et vous le prouvez parce qu'elle s'est accrue par la persécution des païens et par le sang de vos martyrs : mais aujourd'hui vous prenez le rôle des Dioclétiens, et vous nous faites prendre le vôtre.

« Nous vous conjurons, non pas par le Dieu puissant que nous servons vous et nous, mais par le Christ que vous nous dites avoir pris la condition humaine pour vous proposer des exemples que vous puissiez suivre; nous vous conjurons d'agir avec nous comme il agirait lui-même, s'il était encore sur la terre. Vous voulez que nous soyons chrétiens, et vous ne voulez pas l'être.

« Mais, si vous ne voulez pas être chrétiens, soyez au moins des hommes : traitez-nous comme vous feriez, si, n'ayant que ces faibles lueurs de justice que la nature nous donne, vous n'aviez point une religion pour vous conduire, et une révélation pour vous éclairer.

« Si le ciel vous a assez aimés pour vous faire voir la vérité, il vous a fait une grande grâce : mais est-ce aux enfants qui ont l'héritage de leur père, de haïr ceux qui ne l'ont pas eu ?

« Que si vous avez cette vérité, ne nous la cachez pas par la manière dont vous nous la proposez. Le caractère de la vérité, c'est son triomphe sur les cœurs et les esprits, et non pas cette impuissance que vous avouez, lorsque vous voulez la faire recevoir par des supplices.

a. C'est la source de l'aveuglement des Juifs, de ne pas sentir que l'économie de l'évangile est dans l'ordre des desseins de Dieu; et qu'ainsi elle est une suite de son immutabilité même.

« Si vous êtes raisonnables, vous ne devez pas nous faire mourir, parce que nous ne voulons pas vous tromper. Si votre Christ est le fils de Dieu, nous espérons qu'il nous récompensera de n'avoir pas voulu profaner ses mystères : et nous croyons que le Dieu que nous servons vous et nous, ne nous punira pas de ce que nous avons souffert la mort pour une religion qu'il nous a autrefois donnée, parce que nous croyons qu'il nous l'a encore donnée.

« Vous vivez dans un siècle où la lumière naturelle est plus vive qu'elle n'a jamais été, où la philosophie a éclairé les esprits, où la morale de votre évangile a été plus connue, où les droits respectifs des hommes les uns sur les autres, l'empire qu'une conscience a sur une autre conscience, sont mieux établis. Si donc vous ne revenez pas de vos anciens préjugés, qui, si vous n'y prenez garde, sont vos passions, il faut avouer que vous êtes incorrigibles, incapables de toute lumière et de toute instruction ; et une nation est bien malheureuse, qui donne de l'autorité à des hommes tels que vous.

« Voulez-vous que nous vous disions naïvement notre pensée ? Vous nous regardez plutôt comme vos ennemis, que comme les ennemis de votre religion : car, si vous aimiez votre religion, vous ne la laisseriez pas corrompre par une ignorance grossière.

« Il faut que nous vous avertissions d'une chose ; c'est que, si quelqu'un dans la postérité ose jamais dire que, dans le siècle où nous vivons, les peuples d'Europe étaient policés, on vous citera pour prouver qu'ils étaient barbares ; et l'idée que l'on aura de vous sera telle, qu'elle flétrira votre siècle, et portera la haine sur tous vos contemporains. »

CHAPITRE XIV

Pourquoi la religion chrétienne est si odieuse au Japon.

J'ai parlé [a] du caractère atroce des âmes japonaises. Les magistrats regardèrent la fermeté qu'inspire le christianisme, lorsqu'il s'agit de renoncer à la foi, comme très dangereuse : on crut voir augmenter l'audace. La

a. Liv. VI, chap. xxiv.

loi du Japon punit sévèrement la moindre désobéissance :
on ordonna de renoncer à la religion chrétienne : n'y
pas renoncer, c'était désobéir; on châtia ce crime; et la
continuation de la désobéissance parut mériter un autre
châtiment.

Les punitions, chez les Japonais, sont regardées
comme la vengeance d'une insulte faite au prince. Les
chants d'allégresse de nos martyrs parurent être un
attentat contre lui : le titre de martyr intimida les magistrats; dans leur esprit, il signifiait rebelle; ils firent tout
pour empêcher qu'on ne l'obtînt. Ce fut alors que les
âmes s'effarouchèrent, et que l'on vit un combat horrible
entre les tribunaux qui condamnèrent, et les accusés qui
souffrirent; entre les lois civiles, et celles de la religion.

CHAPITRE XV

De la propagation de la religion.

Tous les peuples d'Orient, excepté les mahométans,
croient toutes les religions en elles-mêmes indifférentes.
Ce n'est que comme changement dans le gouvernement,
qu'ils craignent l'établissement d'une autre religion.
Chez les Japonais, où il y a plusieurs sectes, et où l'État
a eu si longtemps un chef ecclésiastique, on ne dispute
jamais sur la religion [a]. Il en est de même chez les Sia-
mois [b]. Les Calmouks font plus; ils se font une affaire de
conscience de souffrir toutes sortes de religions [c] :
A Calicuth, c'est une maxime d'Etat, que toute religion
est bonne [d].

Mais il n'en résulte pas qu'une religion apportée d'un
pays très éloigné, et totalemant différent de climat, de
lois, de mœurs et de manières, ait tout le succès que sa
sainteté devrait lui promettre. Cela est surtout vrai dans
les grands empires despotiques : on tolère d'abord les
étrangers, parce qu'on ne fait point d'attention à ce qui
ne paraît pas blesser la puissance du prince; on y est
dans une ignorance extrême de tout. Un Européen peut

a. Voyez Kempfer.
b. *Mémoires* du comte de Forbin.
c. *Histoire des Tattars*, part. V.
d. *Voyage* de François Pyrard, chap. XXVII.

se rendre agréable par de certaines connaissances qu'il procure : cela est bon pour les commencements. Mais, sitôt que l'on a quelque succès, que quelque dispute s'élève, que les gens qui peuvent avoir quelque intérêt sont avertis; comme cet État, par sa nature, demande surtout la tranquillité, et que le moindre trouble peut le renverser, on proscrit d'abord la religion nouvelle et ceux qui l'annoncent : les disputes entre ceux qui prêchent venant à éclater, on commence à se dégoûter d'une religion, dont ceux qui la proposent ne conviennent pas.

LIVRE XXVI

DES LOIS, DANS LE RAPPORT QU'ELLES DOIVENT AVOIR AVEC L'ORDRE DES CHOSES SUR LESQUELLES ELLES STATUENT

CHAPITRE PREMIER

Idée de ce livre.

Les hommes sont gouvernés par diverses sortes de lois; par le droit naturel; par le droit divin, qui est celui de la religion; par le droit ecclésiastique, autrement appelé canonique, qui est celui de la police de la religion; par le droit des gens, qu'on peut considérer comme le droit civil de l'univers, dans le sens que chaque peuple en est un citoyen; par le droit politique général, qui a pour objet cette sagesse humaine qui a fondé toutes les sociétés; par le droit politique particulier, qui concerne chaque société; par le droit de conquête, fondé sur ce qu'un peuple a voulu, a pu, ou a dû faire violence à un autre; par le droit civil de chaque société, par lequel un citoyen peut défendre ses biens et sa vie contre tout autre citoyen; enfin, par le droit domestique, qui vient de ce qu'une société est divisée en diverses familles, qui ont besoin d'un gouvernement particulier.

Il y a donc différents ordres de lois; et la sublimité de la raison humaine consiste à savoir bien auquel de ces ordres se rapportent principalement les choses sur lesquelles on doit statuer, et à ne point mettre de confusion dans les principes qui doivent gouverner les hommes.

Chapitre II

Des lois divines, et des lois humaines.

On ne doit point statuer par les lois divines ce qui doit l'être par les lois humaines; ni régler par les lois humaines ce qui doit l'être par les lois divines.

Ces deux sortes de lois diffèrent par leur origine, par leur objet, et par leur nature.

Tout le monde convient bien que les lois humaines sont d'une autre nature que les lois de la religion, et c'est un grand principe : mais ce principe lui-même est soumis à d'autres, qu'il faut chercher.

1º La nature des lois humaines est d'être soumises à tous les accidents qui arrivent, et de varier, à mesure que les volontés des hommes changent : au contraire, la nature des lois de la religion est de ne varier jamais. Les lois humaines statuent sur le bien; la religion sur le meilleur. Le bien peut avoir un autre objet, parce qu'il y a plusieurs biens; mais le meilleur n'est qu'un, il ne peut donc pas changer. On peut bien changer les lois, parce qu'elles ne sont censées qu'être bonnes : mais les institutions de la religion sont toujours supposées être les meilleures.

2º Il y a des Etats où les lois ne sont rien, ou ne sont qu'une volonté capricieuse et transitoire du souverain. Si, dans ces Etats, les lois de la religion étaient de la nature des lois humaines, les lois de la religion ne seraient rien non plus : il est pourtant nécessaire à la société qu'il y ait quelque chose de fixe; et c'est cette religion qui est quelque chose de fixe.

3º La force principale de la religion vient de ce qu'on la croit; la force des lois humaines vient de ce qu'on les craint. L'antiquité convient à la religion, parce que souvent nous croyons plus les choses à mesure qu'elles sont plus reculées : car nous n'avons pas dans la tête des idées accessoires tirées de ces temps-là, qui puissent les contredire. Les lois humaines, au contraire, tirent avantage de leur nouveauté, qui annonce une attention particulière et actuelle du législateur, pour les faire observer.

Chapitre III

Des lois civiles qui sont contraires à la loi naturelle.

Si un esclave, dit Platon, se défend, et tue un homme libre, il doit être traité comme un parricide [a]. Voilà une loi civile qui punit la défense naturelle.

La loi qui, sous Henri VIII, condamnait un homme sans que les témoins lui eussent été confrontés, était contraire à la défense naturelle : en effet, pour qu'on puisse condamner, il faut bien que les témoins sachent que l'homme contre qui ils déposent est celui que l'on accuse, et que celui-ci puisse dire : Ce n'est pas moi dont vous parlez.

La loi passée sous le même règne, qui condamnait toute fille qui, ayant eu un mauvais commerce avec quelqu'un, ne le déclarerait point au roi, avant de l'épouser, violait la défense de la pudeur naturelle : il est aussi déraisonnable d'exiger d'une fille qu'elle fasse cette déclaration, que de demander d'un homme qu'il ne cherche pas à défendre sa vie.

La loi d'Henri II, qui condamne à mort une fille dont l'enfant a péri, en cas qu'elle n'ait point déclaré au magistrat sa grossesse, n'est pas moins contraire à la défense naturelle. Il suffisait de l'obliger d'en instruire une de ses plus proches parentes, qui veillât à la conservation de l'enfant.

Quel autre aveu pourrait-elle faire, dans ce supplice de la pudeur naturelle ? L'éducation a augmenté en elle l'idée de la conservation de cette pudeur; et à peine, dans ces moments, est-il resté en elle une idée de la perte de la vie.

On a beaucoup parlé d'une loi d'Angleterre qui permettait à une fille de sept ans de se choisir un mari [b]. Cette loi était révoltante de deux manières : elle n'avait aucun égard au temps de la maturité que la nature a donné à l'esprit, ni au temps de la maturité qu'elle a donné au corps.

---

a. Liv. IX, *Des lois.*
b. M. Bayle, dans sa critique de l'histoire du calvinisme, parle de cette loi, p. 293.

Un père pouvait, chez les Romains, obliger la fille à répudier son mari, quoiqu'il eût lui-même consenti au mariage [c]. Mais il est contre la nature que le divorce soit mis entre les mains d'un tiers.

Si le divorce est conforme à la nature, il ne l'est que lorsque les deux parties, ou, au moins, une d'elles, y consentent; et, lorsque ni l'une ni l'autre n'y consentent, c'est un monstre que le divorce. Enfin, la faculté du divorce ne peut être donnée qu'à ceux qui ont les incommodités du mariage, et qui sentent le moment où ils ont intérêt de les faire cesser.

c. Voyez la loi V, au cod. *de repudiis et judicio de moribus sublato*.

CHAPITRE IV

Continuation du même sujet.

Gondebaud, roi de Bourgogne, voulait que, si la femme, ou le fils de celui qui avait volé, ne révélait pas le crime, ils fussent réduits en esclavage [a]. Cette loi était contre la nature. Comment une femme pouvait-elle être accusatrice de son mari ? Comment un fils pouvait-il être accusateur de son père ? Pour venger une action criminelle, il en ordonnait une plus criminelle encore.

La loi de Recessuinde permettait aux enfants de la femme adultère, ou à ceux de son mari, de l'accuser, et de mettre à la question les esclaves de la maison [b]. Loi inique, qui, pour conserver les mœurs, renversait la nature, d'où tirent leur origine les mœurs.

Nous voyons, avec plaisir, sur nos théâtres, un jeune héros montrer autant d'horreur pour découvrir le crime de sa belle-mère, qu'il en avait eu pour le crime même : il ose à peine, dans sa surprise, accusé, jugé, condamné, proscrit, et couvert d'infamie, faire quelques réflexions sur le sang abominable dont Phèdre est sortie : il abandonne ce qu'il a de plus cher, et l'objet le plus tendre, tout ce qui parle à son cœur, tout ce qui peut l'indigner, pour aller se livrer à la vengeance des dieux qu'il n'a

a. Loi des Bourguignons, tit. 41.
b. Dans le code des Wisigoths, liv. III, tit. 4, § 13.

point méritée. Ce sont les accents de la nature qui causent
ce plaisir ; c'est la plus douce de toutes les voix.

CHAPITRE V

*Cas où l'on peut juger par les principes du droit civil,
en modifiant les principes du droit naturel.*

Une loi d'Athènes obligeait les enfants de nourrir
leurs pères tombés dans l'indigence [a] ; elle exceptait ceux
qui étaient nés d'une courtisane, ceux dont le père avait
exposé la pudicité par un trafic infâme [b], ceux à qui il
n'avait point donné de métier pour gagner leur vie [c].

La loi considérait que, dans le premier cas, le père se
trouvant incertain, il avait rendu précaire son obligation
naturelle : que, dans le second, il avait flétri la vie qu'il
avait donnée ; et que le plus grand mal qu'il pût faire à ses
enfants, il l'avait fait, en les privant de leur caractère :
que, dans le troisième, il leur avait rendu insupportable
une vie qu'ils trouvaient tant de difficulté à soutenir. La
loi n'envisageait plus le père et le fils que comme deux
citoyens, ne statuait plus que sur des vues politiques et
civiles ; elle considérait que, dans une bonne république, il
faut surtout des mœurs. Je crois bien que la loi de Solon
était bonne dans les deux premiers cas, soit celui où la
nature laisse ignorer au fils quel est son père, soit celui
où elle semble même lui ordonner de le méconnaître :
mais on ne saurait l'approuver dans le troisième, où le
père n'avait violé qu'un règlement civil.

CHAPITRE VI

*Que l'ordre des successions dépend des principes du droit
politique ou civil, et non pas des principes du droit naturel.*

La loi Voconienne ne permettait point d'instituer une
femme héritière, pas même sa fille unique. Il n'y eut

a. Sous peine d'infâmie ; une autre, sous peine de prison.
b. PLUTARQUE, *Vie de Solon.*
c. PLUTARQUE, *Vie de Solon;* et GALLIEN, *In exhort. ad Art.*, cap. VIII.

jamais, dit saint Augustin [a], une loi plus injuste. Une formule de [b] Marculfe traite d'impie la coutume qui prive les filles de la succession de leurs pères. Justinien [c] appelle barbare le droit de succéder des mâles, au préjudice des filles. Ces idées sont venues de ce que l'on a regardé le droit que les enfants ont de succéder à leurs pères comme une conséquence de la loi naturelle; ce qui n'est pas.

La loi naturelle ordonne aux pères de nourrir leurs enfants; mais elle n'oblige pas de les faire héritiers. Le partage des biens, les lois sur ce partage, les successions après la mort de celui qui a eu ce partage; tout cela ne peut avoir été réglé que par la société, et par conséquent par des lois politiques ou civiles.

Il est vrai que l'ordre politique ou civil demande souvent que les enfants succèdent aux pères; mais il ne l'exige pas toujours.

Les lois de nos fiefs ont pu avoir des raisons pour que l'aîné des mâles, ou les plus proches parents par mâles, eussent tout, et que les filles n'eussent rien : et les lois des Lombards [d] ont pu en avoir pour que les sœurs, les enfants naturels, les autres parents, et à leur défaut le fisc, concourussent avec les filles.

Il fut réglé, dans quelques dynasties de la Chine, que les frères de l'empereur lui succéderaient, et que ses enfants ne lui succéderaient pas. Si l'on voulait que le prince eût une certaine expérience, si l'on craignait les minorités, s'il fallait prévenir que des eunuques ne plaçassent successivement des enfants sur le trône, on put très bien établir un pareil ordre de succession : et, quand quelques [e] écrivains ont traité ces frères d'usurpateurs, ils ont jugé sur des idées prises des lois de ces pays-ci.

Selon la coutume de Numidie [f] Delface, frère de Géla, succéda au royaume, non pas Massinisse son fils. Et encore aujourd'hui [g], chez les Arabes de Barbarie, où chaque village a un chef, on choisit, selon cette ancienne coutume, l'oncle, ou quelque autre parent, pour succéder.

Il y a des monarchies purement électives; et, dès qu'il

a. De civitate dei, liv. III.
b. Liv. II, chap. XII.
c. Novelle 21.
d. Liv. II, tit. 14, § 6, 7 et 8.
e. Le Père du Halde, sur la 2ᵉ dynastie.
f. Tite-Live, décade 3, liv. IX.
g. Voyez les voyages de M. Schaw, t. I, p. 402.

est clair que l'ordre des successions doit dériver des lois politiques ou civiles, c'est à elles à décider dans quels cas la raison veut que cette succession soit déférée aux enfants, et dans quels cas il faut la donner à d'autres.

Dans les pays où la polygamie est établie, le prince a beaucoup d'enfants; le nombre en est plus grand dans des pays que dans d'autres. Il y a des ʰ Etats où l'entretien des enfants du roi serait impossible au peuple; on a pu y établir que les enfants du roi ne lui succéderaient pas, mais ceux de sa sœur.

Un nombre prodigieux d'enfants exposerait l'Etat à d'affreuses guerres civiles. L'ordre de succession qui donne la couronne aux enfants de la sœur, dont le nombre n'est pas plus grand que ne serait celui des enfants d'un prince qui n'aurait qu'une seule femme, prévient ces inconvénients.

Il y a des nations chez lesquelles des raisons d'Etat ou quelque maxime de religion ont demandé qu'une certaine famille fût toujours régnante : telle est aux Indes ⁱ la jalousie de sa caste, et la crainte de n'en point descendre : on y a pensé que, pour avoir toujours des princes du sang royal, il fallait prendre les enfants de la sœur aînée du roi.

Maxime générale : nourrir ses enfants, est une obligation du droit naturel; leur donner sa succession, est une obligation du droit civil ou politique. De là dérivent les différentes dispositions sur les bâtards dans les différents pays du monde : elles suivent les lois civiles ou politiques de chaque pays.

CHAPITRE VII

Qu'il ne faut point décider par les préceptes de la religion, lorsqu'il s'agit de ceux de la loi naturelle.

Les Abyssins ont un carême de cinquante jours très rude, et qui les affaiblit tellement que de longtemps ils

h. Voyez le *Recueil des voyages qui ont servi à l'établissement de la compagnie des Indes*, t. IV, part. 1, p. 114; et M. SMITH, *Voyage de Guinée*, part. 2, p. 150, sur le royaume de Juida.

i. Voyez les *Lettres édifiantes*, quatorzième recueil; et les *Voyages qui ont servi à l'établissement de la compagnie des Indes*, t. III, part. 2, p. 644.

ne peuvent agir : les Turcs ne manquent pas de les attaquer après leur carême [a]. La religion devrait, en faveur
de la défense naturelle, mettre des bornes à ces pratiques.

Le sabbat fut ordonné aux Juifs : mais ce fut une
stupidité à cette nation de ne point se défendre [b], lorsque
ses ennemis choisirent ce jour pour l'attaquer.

Cambyse assiégeant Peluze, mit au premier rang un
grand nombre d'animaux que les Egyptiens tenaient pour
sacrés : les soldats de la garnison n'osèrent tirer. Qui ne
voit que la défense naturelle d'un ordre supérieur à tous
les préceptes ?

a. *Recueil des voyages qui ont servi à l'établissement de la compagnie
des Indes*, t. IV, part. I, p. 35 et 103.
b. Comme ils firent, lorsque Pompée assiégea le temple. Voyez
Dion, liv. XXXVII

Chapitre VIII

*Qu'il ne faut pas régler par les principes du droit qu'on
appelle canonique, les choses réglées par les principes du
droit civil.*

Par le droit civil des Romains [a], celui qui enlève d'un
lieu sacré une chose privée n'est puni que du crime de
vol : par le droit canonique [b], il est puni du crime de
sacrilège. Le droit canonique fait attention au lieu, le droit
civil à la chose. Mais n'avoir attention qu'au lieu, c'est
ne réfléchir, ni sur la nature et la définition du vol, ni
sur la nature et la définition du sacrilège.

Comme le mari peut demander la séparation à cause
de l'infidélité de sa femme, la femme la demandait autrefois à cause de l'infidélité du mari [c]. Cet usage, contraire
à la disposition des lois romaines [d], s'était introduit dans
les cours d'églises [e], où l'on ne voyait que les maximes du
droit canonique : et effectivement, à ne regarder le mariage

a. *Leg. V, ff. ad leg. Juliam peculatus.*
b. *Cap. Quifquis* XVII, quæstione 4; *Cujas*, observat, liv. XIII,
chap. XIX, t. III.
c. Beaumanoir, *Ancienne coutume de Beauvaisis*, ch. XVIII.
d. *Leg I, cod. ad leg. Jul. de adult.*
e. Aujourd'hui, en France, elles ne connaissent point de ces choses.

que dans des idées purement spirituelles et dans le rapport aux choses de l'autre vie, la violation est la même. Mais les lois politiques et civiles de presque tous les peuples, ont avec raison distingué ces deux choses. Elles ont demandé des femmes un degré de retenue et de continence, qu'elles n'exigent point des hommes ; parce que la violation de la pudeur suppose, dans les femmes, un renoncement à toutes les vertus ; parce que la femme, en violant les lois du mariage, sort de l'état de la dépendance naturelle ; parce que la nature a marqué l'infidélité des femmes par des signes certains : outre que les enfants adultérins de la femme sont nécessairement au mari et à la charge du mari ; au lieu que les enfants adultérins du mari ne sont pas à la femme, ni à la charge de la femme.

CHAPITRE IX

Que les choses qui doivent être réglées par les principes du droit civil, peuvent rarement l'être par les principes des lois de la religion.

Les lois religieuses ont plus de sublimité, les lois civiles ont plus d'étendue.

Les lois de perfection tirées de la religion ont plus pour objet la bonté de l'homme qui les observe, que celle de la société dans laquelle elles sont observées : les lois civiles, au contraire, ont plus pour objet la bonté morale des hommes en général, que celle des individus.

Ainsi, quelque respectables que soient les idées qui naissent immédiatement de la religion, elles ne doivent pas toujours servir de principe aux lois civiles ; parce que celles-ci en ont un autre, qui est le bien général de la société.

Les Romains firent des règlements pour conserver, dans la république, les mœurs des femmes ; c'étaient des institutions politiques. Lorsque la monarchie s'établit ils firent là-dessus des lois civiles ; et ils les firent sur les principes du gouvernement civil. Lorsque la religion chrétienne eut pris naissance, les lois nouvelles que l'on fit eurent moins de rapport à la bonté générale des mœurs, qu'à la sainteté du mariage ; on considéra moins l'union des deux sexes dans l'état civil, que dans un état spirituel.

D'abord, par la loi romaine *a*, un mari qui ramenait sa femme dans sa maison, après la condamnation d'adultère, fut puni comme complice de ses débauches. Justinien *b*, dans un autre esprit, ordonna qu'il pourrait, pendant deux ans, l'aller reprendre dans le monastère.

Lorsqu'une femme, qui avait son mari à la guerre, n'entendait plus parler de lui, elle pouvait, dans les premiers temps, aisément se remarier, parce qu'elle avait entre les mains le pouvoir de faire divorce. La loi de Constantin *c* voulut qu'elle attendît quatre ans, après quoi elle pouvait envoyer le libellé de divorce au chef; et, si son mari revenait, il ne pouvait plus l'accuser d'adultère. Mais Justinien *d* établit que, quelque temps qui se fût écoulé depuis le départ du mari, elle ne pouvait se remarier, à moins que, par la déposition et le serment du chef, elle ne prouvât la mort de son mari. Justinien avait en vue l'indissolubilité du mariage; mais on peut dire qu'il l'avait trop en vue. Il demandait une preuve positive, lorsqu'une preuve négative suffisait; il exigeait une chose très difficile, de rendre compte de la destinée d'un homme éloigné et exposé à tant d'accidents; il présumait un crime, c'est-à-dire, la désertion du mari, lorsqu'il était si naturel de présumer sa mort. Il choquait le bien public, en laissant une femme sans mariage; il choquait l'intérêt particulier, en l'exposant à mille dangers.

La loi de Justinien *e* qui mit parmi les causes de divorce le consentement du mari et de la femme d'entrer dans le monastère, s'éloignait entièrement des principes des lois civiles. Il est naturel que des causes de divorce tirent leur origine de certains empêchements qu'on ne devait pas prévoir avant le mariage : mais ce désir de garder la chasteté pouvait être prévu, puisqu'il est en nous. Cette loi favorise l'inconstance, dans un état qui, de sa nature, est perpétuel; elle choque le principe fondamental du divorce, qui ne souffre la dissolution d'un mariage que dans l'espérance d'un autre; enfin, à suivre même les idées religieuses, elle ne fait que donner des victimes à Dieu sans sacrifice.

---

a. Leg. XI, § ult. ff. *ad leg. Jul. de adult.*
b. Nov. 134, chap. **x.**
c. Leg. VII, cod. *de repudiis et judicio de moribus sublato.*
d. Auth. *Hodie quantiscumque,* cod. *de repud.*
e. Auth., *Quod hodie,* cod. *de repud.*

CHAPITRE X

Dans quel cas il faut suivre la loi civile qui permet,
et non pas la loi de la religion qui défend.

Lorsqu'une religion qui défend la polygamie s'introduit dans un pays où elle est permise, on ne croit pas, à
ne parler que politiquement, que la loi du pays doive
souffrir qu'un homme qui a plusieurs femmes embrasse
cette religion; à moins que le magistrat ou le mari ne les
dédommagent, en leur rendant, de quelque manière,
leur état civil. Sans cela, leur condition serait déplorable;
elles n'auraient fait qu'obéir aux lois, et elles se trouveraient privées des plus grands avantages de la société.

CHAPITRE XI

Qu'il ne faut point régler les tribunaux humains
par les maximes des tribunaux qui regardent l'autre vie.

Le tribunal de l'inquisition, formé par les moines
chrétiens sur l'idée du tribunal de la pénitence, est
contraire à toute bonne police. Il a trouvé partout un
soulèvement général; et il aurait cédé aux contradictions,
si ceux qui voulaient l'établir n'avaient tiré avantage de
ces contradictions mêmes.

Ce tribunal est insupportable dans tous les gouvernements. Dans la monarchie, il ne peut faire que des délateurs et des traîtres; dans les républiques, il ne peut
former que des malhonnêtes gens; dans l'État despotique,
il est destructeur comme lui.

CHAPITRE XII

Continuation du même sujet.

C'est un des abus de ce tribunal, que, de deux personnes qui y sont accusées du même crime, celle qui nie

est condamnée à la mort, et celle qui avoue évite le supplice. Ceci est tiré des idées monastiques, où celui qui nie paraît être dans l'impénitence et damné, et qui celui avoue semble être dans le repentir et sauvé. Mais une pareille distinction ne peut concerner les tribunaux humains : la justice humaine, qui ne voit que les actions, n'a qu'un pacte avec les hommes, qui est celui de l'innocence ; la justice divine, qui voit les pensées, en a deux, celui de l'innocence et celui du repentir.

Chapitre XIII

Dans quel cas il faut suivre, à l'égard des mariages, les lois de la religion ; et dans quel cas il faut suivre les lois civiles.

Il est arrivé, dans tous les pays et dans tous les temps, que la religion s'est mêlée des mariages. Dès que de certaines choses ont été regardées comme impures ou illicites, et que cependant elles étaient nécessaires, il a bien fallu y appeler la religion, pour les légitimer dans un cas, et les réprouver dans les autres.

D'un autre côté, les mariages étant, de toutes les actions humaines, celle qui intéresse le plus la société, il a bien fallu qu'ils fussent réglés par les lois civiles.

Tout ce qui regarde le caractère du mariage, sa forme, la manière de le contracter, la fécondité qu'il procure, qui a fait comprendre à tous les peuples qu'il était l'objet d'une bénédiction particulière, qui, n'y étant pas toujours attachée, dépendait de certaines grâces supérieures ; tout cela est du ressort de la religion.

Les conséquences de cette union par rapport aux biens, les avantages réciproques, tout ce qui a du rapport à la famille nouvelle, à celle dont elle est sortie, à celle qui doit naître ; tout cela regarde les lois civiles.

Comme un des grands objets du mariage est d'ôter toutes les incertitudes des conjonctions illégitimes, la religion y imprime son caractère ; et les lois civiles y joignent le leur, afin qu'il ait toute l'authenticité possible. Ainsi, outre les conditions que demande la religion pour que le mariage soit valide, les lois civiles en peuvent encore exiger d'autres.

Ce qui fait que les lois civiles ont ce pouvoir, c'est que ce sont des caractères ajoutés, et non pas des caractères contradictoires. La loi de la religion veut de certaines cérémonies, et les lois civiles veulent le consentement des pères; elles demandent en cela quelque chose de plus, mais elles ne demandent rien qui soit contraire.

Il suit de là que c'est à la loi de la religion à décider si le lien sera indissoluble, ou non : car, si les lois de la religion avaient établi le lien indissoluble, et que les lois civiles eussent réglé qu'il se peut rompre, ce seraient deux choses contradictoires.

Quelquefois les caractères imprimés au mariage par les lois civiles ne sont pas d'une absolue nécessité; tels sont ceux qui sont établis par les lois qui, au lieu de casser le mariage, se sont contentées de punir ceux qui le contractaient.

Chez les Romains, les lois Pappiennes déclarèrent injustes les mariages qu'elles prohibaient, et les soumirent seulement à des peines[a]; et le sénatus-consulte rendu sur le discours de l'empereur Marc Antonin les déclara nuls; il n'y eut plus de mariage, de femme, de dot, de mari[b]. La loi civile se détermine selon les circonstances : quelquefois elle est plus attentive à réparer le mal, quelquefois à le prévenir.

a. Voyez ce que j'ai dit ci-dessus, au chap. XXI du livre *Des lois, dans le rapport qu'elles ont avec le nombre des habitants.*
b. Voyez la loi XVI, ff. *de ritu nuptiarum;* et la loi III, § 1, aussi au digeste *de donationibus inter virum et uxorem.*

CHAPITRE XIV

Dans quels cas, dans les mariages entre parents, il faut se régler par les lois de la nature ; dans quels cas on doit se régler par les lois civiles.

En fait de prohibition de mariage entre parents, c'est une chose très délicate de bien poser le point auquel les lois de la nature s'arrêtent, et où les lois civiles commencent. Pour cela, il faut établir des principes.

Le mariage du fils avec la mère confond l'état des choses : le fils doit un respect sans bornes à sa mère, la

femme doit un respect sans bornes à son mari; le mariage
d'une mère avec son fils renverserait, dans l'un et dans
l'autre, leur état naturel.

Il y a plus : la nature a avancé, dans les femmes, le
temps où elles peuvent avoir des enfants; elle l'a reculé
dans les hommes; et, par la même raison, la femme cesse
plus tôt d'avoir cette faculté, et l'homme plus tard. Si le
mariage entre la mère et le fils était permis, il arriverait
presque toujours que, lorsque le mari serait capable d'entrer dans les vues de la nature, la femme n'y serait plus.

Le mariage entre le père et la fille répugne à la nature,
comme le précédent; mais il répugne moins, parce qu'il
n'a point ces deux obstacles. Aussi les Tartares, qui
peuvent épouser leurs filles [a], n'épousent-ils jamais leurs
mères, comme nous le voyons dans les relations [b].

Il a toujours été naturel aux pères de veiller sur la
pudeur de leurs enfants. Chargés du soin de les établir,
ils ont dû leur conserver et le corps le plus parfait, et
l'âme la moins corrompue, tout ce qui peut mieux inspirer
des désirs, et tout ce qui est le plus propre à donner de la
tendresse. Des pères toujours occupés à conserver les
mœurs de leurs enfants, ont dû avoir un éloignement
naturel pour tout ce qui pourrait les corrompre. Le
mariage n'est point une corruption, dira-t-on : mais,
avant le mariage, il faut parler, il faut se faire aimer, il
faut séduire; c'est cette séduction qui a dû faire horreur.

Il a donc fallu une barrière insurmontable entre ceux
qui devaient donner l'éducation, et ceux qui devaient la
recevoir, et éviter toute sorte de corruption, même pour
cause légitime. Pourquoi les pères privent-ils si soigneu-
sement ceux qui doivent épouser leurs filles de leur compagnie et de leur familiarité ?

L'horreur pour l'inceste du frère avec la sœur a dû
partir de la même source. Il suffit que les pères et les
mères aient voulu conserver les mœurs de leurs enfants,
et leurs maisons pures, pour avoir inspiré à leurs enfants
de l'horreur pour tout ce qui pouvait les porter à l'union
des deux sexes.

La prohibition du mariage entre cousins germains a la
même origine. Dans les premiers temps, c'est-à-dire dans
les temps saints, dans les âges où le luxe n'était point

---

a. Cette loi est bien ancienne parmi eux. Attila, dit Priscus dans
son ambassade, s'arrêta dans un certain lieu pour épouser Esca, sa
fille; *chose permise,* dit-il, *par les lois des Scythes,* p. 22.

b. Histoire des Tattars, part. 3, p. 256.

connu, tous les enfants restaient dans la maison [c], et s'y établissaient : c'est qu'il ne fallait qu'une maison très petite pour une grande famille. Les enfants des deux frères, ou les cousins germains, étaient regardés, et se regardaient entre eux comme frères [d]. L'éloignement qui était entre les frères et les sœurs pour le mariage, était donc aussi entre les cousins germains [e].

Ces causes sont si fortes et si naturelles, qu'elles ont agi presque par toute la terre, indépendamment d'aucune communication. Ce ne sont point les Romains qui ont appris aux habitants de Formose [f] que le mariage avec leurs parents au quatrième degré était incestueux; ce ne sont point les Romains qui l'ont dit aux Arabes [g]; ils ne l'ont point enseigné aux Maldives [h].

Que si quelques peuples n'ont point rejeté les mariages entre les pères et les enfants, les sœurs et les frères, on a vu, dans le livre premier, que les êtres intelligents ne suivent pas toujours leurs lois. Qui le dirait! des idées religieuses ont souvent fait tomber les hommes dans ces égarements. Si les Assyriens, si les Perses ont épousé leurs mères, les premiers l'ont fait par un respect religieux pour Sémiramis; et les seconds, parce que la religion de Zoroastre donnait la préférence à ces mariages [i]. Si les Egyptiens ont épousé leurs sœurs, ce fut encore un délire de la religion égyptienne, qui consacra ces mariages en l'honneur d'Isis. Comme l'esprit de la religion est de nous porter à faire avec effort des choses grandes et difficiles, il ne faut pas juger qu'une chose soit naturelle, parce qu'une religion fausse l'a consacrée.

Le principe que les mariages entre les pères et les enfants, les frères et les sœurs, sont défendus pour la conservation de la pudeur naturelle dans la maison, servira à nous faire découvrir quels sont les mariages défen-

c. Cela fut ainsi chez les premiers Romains.

d. En effet, chez les Romains, ils avaient le même nom; les cousins germains étaient nommés frères.

e. Ils le furent à Rome dans les premiers temps, jusqu'à ce que le peuple fît une loi pour les permettre; il voulait favoriser un homme extrêmement populaire, et qui s'était marié avec sa cousine germaine. PLUTARQUE, au traité *Des demandes des choses romaines.*

f. *Recueil des voyages des Indes,* t. V, part. I, relation de l'Etat de l'île de Formose.

g. L'Alcoran, chap. *des femmes.*

h. Voyez François Pyrard.

i. Ils étaient regardés comme plus honorables. Voyez PHILON, *de specialibus legibus quæ pertinent ad præcepta decalogi,* Paris, 1640, p. 778.

dus par la loi naturelle, et ceux qui ne peuvent l'être que par la loi civile.

Comme les enfants habitent, ou sont censés habiter dans la maison de leur père, et par conséquent le beau-fils avec la belle-mère, le beau-père avec la belle-fille, ou avec la fille de sa femme; le mariage entre eux est défendu par la loi de la nature. Dans ce cas, l'image a le même effet que la réalité, parce qu'elle a la même cause : la loi civile ne peut ni ne doit permettre ces mariages.

Il y a des peuples chez lesquels, comme j'ai dit, les cousins germains sont regardés comme frères, parce qu'ils habitent ordinairement dans la même maison; il y en a où on ne connaît guère cet usage. Chez ces peuples, le mariage entre cousins germains doit être regardé comme contraire à la nature; chez les autres, non.

Mais les lois de la nature ne peuvent être des lois locales. Ainsi, quand ces mariages sont défendus ou permis, ils sont, selon les circonstances, permis ou défendus par une loi civile.

Il n'est point d'un usage nécessaire que le beau-frère et la belle-sœur habitent dans la même maison. Le mariage n'est donc point défendu entre eux, pour conserver la pudicité dans la maison; et la loi qui le permet ou le défend n'est point la loi de la nature, mais une loi civile qui se règle sur les circonstances, et dépend des usages de chaque pays : ce sont des cas où les lois dépendent des mœurs et des manières.

Les lois civiles défendent les mariages, lorsque, par les usages reçus dans un certain pays, ils se trouvent être dans les mêmes circonstances que ceux qui sont défendus par les lois de la nature; et elles les permettent, lorsque les mariages ne se trouvent point dans ce cas. La défense des lois de la nature est invariable, parce qu'elle dépend d'une chose invariable; le père, la mère et les enfants habitant nécessairement dans la maison. Mais les défenses des lois civiles sont accidentelles, parce qu'elles dépendent d'une circonstance accidentelle; les cousins germains et autres habitant accidentellement dans la maison.

Cela explique comment les lois de Moïse, celles des Egyptiens, et de plusieurs autres peuples [k], permettent le mariage entre le beau-frère et la belle-sœur, pendant que ces mêmes mariages sont défendus chez d'autres nations.

---

k. Voyez la loi VIII, au cod. *de incestis et inutilibus nuptiis.*

Aux Indes, on a une raison bien naturelle d'admettre ces sortes de mariages. L'oncle y est regardé comme père, et il est obligé d'entretenir et d'établir ses neveux, comme si c'étaient ses propres enfants : ceci vient du caractère de ce peuple, qui est bon et plein d'humanité. Cette loi ou cet usage en a produit un autre : si un mari a perdu sa femme, il ne manque pas d'en épouser la sœur [1], et cela est très naturel; car la nouvelle épouse devient la mère des enfants de sa sœur, et il n'y a point d'injuste marâtre.

Chapitre XV

Qu'il ne faut point régler, par les principes du droit politique, les choses qui dépendent des principes du droit civil.

Comme les hommes ont renoncé à leur indépendance naturelle, pour vivre sous des lois politiques, ils ont renoncé à la communauté naturelle des biens, pour vivre sous des lois civiles.

Ces premières lois leur acquièrent la liberté; les secondes, la propriété. Il ne faut pas décider par les lois de la liberté, qui, comme nous avons dit, n'est que l'empire de la cité, ce qui ne doit être décidé que par les lois qui concernent la propriété. C'est un paralogisme de dire que le bien particulier doit céder au bien public : cela n'a lieu que dans les cas où il s'agit de l'empire de la cité, c'est-à-dire, de la liberté du citoyen : cela n'a pas lieu dans ceux où il est question de la propriété des biens, parce que le bien public est toujours que chacun conserve invariablement la propriété que lui donnent les lois civiles.

Cicéron soutenait que les lois agraires étaient funestes, parce que la cité n'était établie que pour que chacun conservât ses biens.

Posons donc pour maxime que, lorsqu'il s'agit du bien public, le bien public n'est jamais que l'on prive un particulier de son bien, ou même qu'on lui en retranche la moindre partie par une loi ou un règlement politique.

1. *Lettres édifiantes*, quatorzième recueil, p. 403.

Dans ce cas, il faut suivre à la rigueur la loi civile, qui est le palladium de la propriété.

Ainsi, lorsque le public a besoin du fonds d'un particulier, il ne faut jamais agir par la rigueur de la loi politique : mais c'est là que doit triompher la loi civile, qui, avec des yeux de mère, regarde chaque particulier comme toute la cité même.

Si le magistrat politique veut faire quelque édifice public, quelque nouveau chemin, il faut qu'il indemnise : le public est, à cet égard, comme un particulier qui traite avec un particulier. C'est bien assez qu'il puisse contraindre un citoyen de lui vendre son héritage, et qu'il lui ôte ce grand privilège qu'il tient de la loi civile, de ne pouvoir être forcé d'aliéner son bien.

Après que les peuples qui détruisirent les Romains eurent abusé de leurs conquêtes mêmes, l'esprit de liberté les rappela à celui d'équité; les droits les plus barbares, ils les exercèrent avec modération; et, si l'on en doutait, il n'y aurait qu'à lire l'admirable ouvrage de Beaumanoir, qui écrivait sur la jurisprudence dans le XIIᵉ siècle.

On raccommodait de son temps les grands chemins, comme on fait aujourd'hui. Il dit que, quand un grand chemin ne pouvait être rétabli, on en faisait un autre le plus près de l'ancien qu'il était possible; mais qu'on dédommageait les propriétaires, aux frais de ceux qui tiraient quelque avantage du chemin [a]. On se déterminait pour lors par la loi civile; on s'est déterminé de nos jours par la loi politique.

Chapitre XVI

Qu'il ne faut point décider par les règles du droit civil,
quand il s'agit de décider par celles du droit politique.

On verra le fond de toutes les questions, si l'on ne confond point les règles qui dérivent de la propriété de la cité, avec celles qui naissent de la liberté de la cité.

a. Le seigneur nommait des prud'hommes pour faire la levée sur le paysan; les gentilshommes étaient contraints à la contribution par le comte, l'homme d'église par l'évêque. Beaumanoir, chap. XXII.

Le domaine d'un Etat est-il aliénable ? ou ne l'est-il pas ? Cette question doit être décidée par la loi politique, et non pas par la loi civile. Elle ne doit pas être décidée par la loi civile, parce qu'il est aussi nécessaire qu'il y ait un domaine pour faire subsister l'Etat, qu'il est nécessaire qu'il y ait dans l'Etat des lois civiles qui règlent la disposition des biens.

Si donc on aliène le domaine, l'Etat sera forcé de faire un nouveau fonds pour un autre domaine. Mais cet expédient renverse encore le gouvernement politique; parce que, par la nature de la chose, à chaque domaine qu'on établira, le sujet payera toujours plus, et le souverain retirera toujours moins; en un mot, le domaine est nécessaire, et l'aliénation ne l'est pas.

L'ordre de succession est fondé, dans les monarchies, sur le bien de l'Etat, qui demande que cet ordre soit fixé, pour éviter les malheurs que j'ai dit devoir arriver dans le despotisme, où tout est incertain, parce que tout y est arbitraire.

Ce n'est pas pour la famille régnante que l'ordre de succession est établi, mais parce qu'il est de l'intérêt de l'Etat qu'il y ait une famille régnante. La loi qui règle la succession des particuliers est une loi civile, qui a pour objet l'intérêt des particuliers; celle qui règle la succession à la monarchie est une loi politique, qui a pour objet le bien et la conservation de l'Etat.

Il suit de là que, lorsque la loi politique a établi dans un Etat un ordre de succession, et que cet ordre vient à finir, il est absurde de réclamer la succession, en vertu de la loi civile de quelque peuple que ce soit. Une société particulière ne fait point de lois pour une autre société. Les lois civiles des Romains ne sont pas plus applicables que toutes autres lois civiles; ils ne les ont point employées eux-mêmes, lorsqu'ils ont jugé les rois : et les maximes par lesquelles ils ont jugé les rois, sont si abominables, qu'il ne faut point les faire revivre.

Il suit encore de là que, lorsque la loi politique a fait renoncer quelque famille à la succession, il est absurde de vouloir employer les restitutions tirées de la loi civile. Les restitutions sont dans la loi, et peuvent être bonnes contre ceux qui vivent dans la loi : mais elles ne sont pas bonnes pour ceux qui ont été établis pour la loi, et qui vivent pour la loi.

Il est ridicule de prétendre décider des droits des royaumes, des nations et de l'univers, par les mêmes maximes sur lesquelles on décide, entre particuliers, d'un droit pour une gouttière, pour me servir de l'expression de Cicéron [a].

a. Liv. I, *Des lois*.

Chapitre XVII

Continuation du même sujet.

L'ostracisme doit être examiné par les règles de la loi politique, et non par les règles de la loi civile; et, bien loin que cet usage puisse flétrir le gouvernement populaire, il est au contraire très propre à en prouver la douceur : et nous aurions senti cela, si l'exil, parmi nous, étant toujours une peine, nous avions pu séparer l'idée de l'ostracisme, d'avec celle de la punition.

Aristote nous dit [a], qu'il est convenu de tout le monde que cette pratique a quelque chose d'humain et de populaire. Si, dans les temps et dans les lieux où l'on exerçait ce jugement, on ne le trouvait point odieux, est-ce à nous, qui voyons les choses de si loin, de penser autrement que les accusateurs, les juges, et l'accusé même ?

Et, si l'on fait attention que ce jugement du peuple comblait de gloire celui contre qui il était rendu; que, lorsqu'on en eut abusé à Athènes contre un homme sans mérite [b], on cessa dans ce moment de l'employer [c]; on verra bien qu'on en a pris une fausse idée; et que c'était une loi admirable que celle qui prévenait les mauvais effets que pouvait produire la gloire d'un citoyen, en le comblant d'une nouvelle gloire.

a. *République*, liv. III, chap. XIII.
b. Hyperbolus. Voyez PLUTARQUE, *Vie d'Aristide.*
c. Il se trouva opposé à l'esprit du législateur.

Chapitre XVIII

*Qu'il faut examiner si les lois qui paraissent
se contredire sont du même ordre.*

A Rome, il fut permis au mari de prêter sa femme à un autre. Plutarque nous le dit formellement [a] : on sait que Caton prêta sa femme à Hortensius [b], et Caton n'était point homme à violer les lois de son pays.

D'un autre côté, un mari qui souffrait les débauches de sa femme, qui ne la mettait pas en jugement, ou qui la reprenait après la condamnation, était puni [c]. Ces lois paraissent se contredire, et ne se contredisent point. La loi qui permettait à un Romain de prêter sa femme est visiblement une institution lacédémonienne, établie pour donner à la république des enfants d'une bonne espèce, si j'ose me servir de ce terme : l'autre avait pour objet de conserver les mœurs. La première était une loi politique, la seconde une loi civile.

a. Plutarque, dans sa *Comparaison de Lycurgue et de Numa*.
b. Plutarque, *Vie de Caton*. Cela se passa de notre temps, dit Strabon, liv. XI.
c. *Leg.* XI, § ult. ff. *ad leg. Jul. de adult.*

Chapitre XIX

*Qu'il ne faut pas décider par les lois civiles
les choses qui doivent l'être par les lois domestiques.*

La loi des Wisigoths voulait que les esclaves fussent obligés de lier l'homme et la femme qu'ils surprenaient en adultère [a], et de les présenter au mari et au juge : loi terrible, qui mettait entre les mains de ces personnes viles le soin de la vengeance publique, domestique et particulière !

Cette loi ne serait bonne que dans les sérails d'Orient, où l'esclave, qui est chargé de la clôture, a prévariqué

a. Loi des Wisigoths, liv. III, tit. 4, § 6.

sitôt qu'on prévarique. Il arrête les criminels, moins pour
les faire juger, que pour se faire juger lui-même; et obtenir que l'on cherche, dans les circonstances de l'action,
si l'on peut perdre le soupçon de sa négligence.

Mais, dans les pays où les femmes ne sont point
gardées, il est insensé que la loi civile les soumette, elles
qui gouvernent la maison, à l'inquisition de leurs esclaves.

Cette inquisition pourrait être, tout au plus, dans de
certains cas, une loi particulière domestique, et jamais
une loi civile.

Chapitre XX

*Qu'il ne faut pas décider par les principes des lois civiles
les choses qui appartiennent au droit des gens.*

La liberté consiste, principalement, à ne pouvoir être
forcé à faire une chose que la loi n'ordonne pas; et on
n'est dans cet état, que parce qu'on est gouverné par des
lois civiles : nous sommes donc libres, parce que nous
vivons sous des lois civiles.

Il suit de là que les princes, qui ne vivent point entre
eux sous des lois civiles, ne sont point libres; ils sont gouvernés par la force; ils peuvent continuellement forcer
ou être forcés. De là il suit que les traités qu'ils ont faits
par force sont aussi obligatoires que ceux qu'ils auraient
faits de bon gré. Quand nous, qui vivons sous des lois
civiles, sommes contraints à faire quelque contrat que la
loi n'exige pas, nous pouvons, à la faveur de la loi, revenir
contre la violence : mais un prince, qui est toujours dans
cet Etat dans lequel il force ou il est forcé, ne peut pas se
plaindre d'un traité qu'on lui a fait faire par violence.
C'est comme s'il se plaignait de son état naturel : c'est
comme s'il voulait être prince à l'égard des autres princes,
et que les autres princes fussent citoyens à son égard,
c'est-à-dire, choquer la nature des choses.

Chapitre XXI

Qu'il ne faut pas décider par les lois politiques
les choses qui appartiennent au droit des gens.

Les lois politiques demandent que tout homme soit
soumis aux tribunaux criminels et civils du pays où il est,
et à l'animadversion du souverain.

Le droit des gens a voulu que les princes s'envoyassent
des ambassadeurs; et la raison, tirée de la nature de la
chose, n'a pas permis que ces ambassadeurs dépendissent
du souverain chez qui ils sont envoyés, ni de ses tribunaux. Ils sont la parole du prince qui les envoie, et
cette parole doit être libre. Aucun obstacle ne doit les
empêcher d'agir. Ils peuvent souvent déplaire, parce
qu'ils parlent pour un homme indépendant. On pourrait
leur imputer des crimes, s'ils pouvaient être punis pour
des crimes; on pourrait leur supposer des dettes, s'ils
pouvaient être arrêtés pour des dettes. Un prince, qui a
une fierté naturelle, parlerait par la bouche d'un homme
qui aurait tout à craindre. Il faut donc suivre, à l'égard
des ambassadeurs, les raisons tirées du droit des gens,
et non pas celles qui dérivent du droit politique. Que
s'ils abusent de leur être représentatif, on le fait cesser,
en les renvoyant chez eux : on peut même les accuser
devant leur maître, qui devient par là leur juge ou leur
complice.

Chapitre XXII

Malheureux sort de l'inca ATHUALPA.

Les principes que nous venons d'établir furent cruel-
lement violés par les Espagnols. L'inca Athualpa ne pouvait être jugé que par le droit des gens [a]; ils le jugèrent
par des lois politiques et civiles. Ils l'accusèrent d'avoir
fait mourir quelques-uns de ses sujets, d'avoir eu plu-

---

a. Voyez l'inca Garcilasso de la Vega, p. 108.

sieurs femmes, etc. Et le comble de la stupidité fut qu'ils
ne le condamnèrent pas par les lois politiques et civiles
de son pays, mais par les lois politiques et civiles du leur.

CHAPITRE XXIII

*Que lorsque, par quelque circonstance, la loi politique
détruit l'Etat, il faut décider par la loi politique qui le
conserve, qui devient quelquefois un droit des gens.*

Quand la loi politique, qui a établi dans l'Etat un
certain ordre de succession, devient destructrice du corps
politique pour lequel elle a été faite, il ne faut pas douter
qu'une autre loi politique ne puisse changer cet ordre ;
et, bien loin que cette même loi soit opposée à la première,
elle y sera dans le fond entièrement conforme, puisqu'elles dépendront toutes deux de ce principe : LE
SALUT DU PEUPLE EST LA SUPRÊME LOI.

J'ai dit qu'un grand Etat [a], devenu accessoire d'un
autre, s'affaiblissait, et même affaiblissait le principal. On
sait que l'Etat a intérêt d'avoir son chef chez lui, que les
revenus soient bien administrés, que sa monnaie ne sorte
point pour enrichir un autre pays. Il est important que
celui qui doit gouverner ne soit point imbu de maximes
étrangères ; elles conviennent moins que celles qui sont
déjà établies : d'ailleurs, les hommes tiennent prodigieusement à leurs lois et à leurs coutumes ; elles font la félicité
de chaque nation ; il est rare qu'on les change, sans de
grandes secousses et une grande effusion de sang, comme
les histoires de tous les pays le font voir.

Il suit de là que, si un grand Etat a pour héritier le
possesseur d'un grand Etat, le premier peut fort bien
l'exclure, parce qu'il est utile à tous les deux Etats que
l'ordre de la succession soit changé. Ainsi la loi de Russie,
faite au commencement du règne d'Elisabeth, exclut-elle
très prudemment tout héritier qui posséderait une autre
monarchie ; ainsi la loi de Portugal rejette-t-elle tout
étranger qui serait appelé à la couronne par le droit du
sang.

---

a. Voyez ci-dessus, liv. V, chap. xiv ; liv. VIII, chap. xvi, xvii,
xviii, xix et xx ; liv. IX, chap. iv, v, vi et vii ; et liv. X, chap. ix et x.

Que si une nation peut exclure, elle a, à plus forte raison, le droit de faire renoncer. Si elle craint qu'un certain mariage n'ait des suites qui puissent lui faire perdre son indépendance, ou la jeter dans un partage, elle pourra fort bien faire renoncer les contractants, et ceux qui naîtront d'eux, à tous les droits qu'ils auraient sur elle : et celui qui renonce, et ceux contre qui on renonce, pourront d'autant moins se plaindre, que l'Etat aurait pu faire une loi pour les exclure.

Chapitre XXIV

Que les règlements de police sont d'un autre ordre
que les autres lois civiles.

Il y a des criminels que le magistrat punit, il y en a d'autres qu'il corrige; les premiers sont soumis à la puissance de la loi, les autres à son autorité; ceux-là sont retranchés de la société, on oblige ceux-ci de vivre selon les règles de la société.

Dans l'exercice de la police, c'est plutôt le magistrat qui punit, que la loi; dans les jugements des crimes, c'est plutôt la loi qui punit, que le magistrat. Les matières de police sont des choses de chaque instant, et où il ne s'agit ordinairement que de peu : il ne faut donc guère de formalités. Les actions de la police sont promptes, et elle s'exerce sur des choses qui reviennent tous les jours : les grandes punitions n'y sont donc pas propres. Elle s'occupe perpétuellement de détails : les grands exemples ne sont donc point faits pour elle. Elle a plutôt des règlements que des lois. Les gens qui relèvent d'elles sont sans cesse sous les yeux du magistrat; c'est donc la faute du magistrat, s'ils tombent dans des excès. Ainsi il ne faut pas confondre les grandes violations des lois avec la violation de la simple police : ces choses sont d'un ordre différent.

De là il suit qu'on ne s'est point conformé à la nature des choses dans cette république d'Italie[a] où le port des armes à feu est puni comme un crime capital, et où il n'est

a. Venise.

pas plus fatal d'en faire un mauvais usage que de les
porter.

Il suit encore que l'action tant louée de cet empereur,
qui fit empaler un boulanger qu'il avait surpris en fraude,
est une action de sultan, qui ne sait être juste qu'en
outrant la justice même.

Chapitre XXV

*Qu'il ne faut pas suivre les dispositions générales du droit
civil, lorsqu'il s'agit de choses qui doivent être soumises à
des règles particulières, tirées de leur propre nature.*

Est-ce une bonne loi, que toutes les obligations civiles
passées dans le cours d'un voyage entre les matelots dans
un navire, soient nulles ? François Pyrard nous dit [a] que,
de son temps, elle n'était point observée par les Portugais,
mais qu'elle l'était par les Français. Des gens qui ne sont
ensemble que pour peu de temps; qui n'ont aucuns
besoins, puisque le prince y pourvoit; qui ne peuvent
avoir qu'un objet, qui est celui de leur voyage; qui ne
sont plus dans la société, mais citoyens du navire, ne
doivent point contracter de ces obligations, qui n'ont
été introduites que pour soutenir les charges de la société
civile.

C'est dans ce même esprit que la loi des Rhodiens,
faite pour un temps où l'on suivait toujours les côtes,
voulait que ceux qui, pendant la tempête, restaient dans
le vaisseau, eussent le navire et la charge; et que ceux qui
l'avaient quitté, n'eussent rien.

_____

a. Chapitre XIV, part. 12.

SIXIÈME PARTIE

LIVRE XXVII

Chapitre unique

De l'origine et des révolutions des lois des Romains sur les successions.

Cette matière tient à des établissements d'une Antiquité très reculée; et, pour la pénétrer à fond, qu'il me soit permis de chercher, dans les premières lois des Romains, ce que je ne sache pas que l'on y ait vu jusqu'ici.

On sait que Romulus partagea les terres de son petit Etat à ses citoyens[a]; il me semble que c'est de là que dérivent les lois de Rome sur les successions.

La loi de la division des terres demanda que les biens d'une famille ne passassent pas dans une autre : de là il suivit qu'il n'y eut que deux ordres d'héritiers établis par la loi[b], les enfants et tous les descendants qui vivaient sous la puissance du père, qu'on appelait héritiers-siens; et, à leur défaut, les plus proches parents par mâles, qu'on appela agnats.

Il suivit encore que les parents par femmes, qu'on appela cognats, ne devaient point succéder; ils auraient transporté les biens dans une autre famille; et cela fut ainsi établi.

Il suivit encore de là que les enfants ne devaient point succéder à leur mère, ni la mère à ses enfants; cela aurait porté les biens d'une famille dans une autre. Aussi les

a. Denys d'Halicarnasse, liv. II, chap. III. PLUTARQUE, dans sa *Comparaison de Numa et de Lycurgue.*
b. *Ast si intestatus maritur, cui faus hæres nec extabit, agnatus proximus familiam habeto.* Fragment de la loi des douze tables, dans Ulpien, titre dernier.

voit-on exclus dans la loi des douzes tables *; elle n'appelait à la succession que les agnats, et le fils et la mère ne
l'étaient pas entre eux.

Mais il était indifférent que l'héritier-sien, ou, à son
défaut, le plus proche agnat, fût mâle lui-même ou
femelle; parce que les parents du côté maternel ne succé-
dant point, quoiqu'une femme héritière se mariât, les
biens rentraient toujours dans la famille dont ils étaient
sortis. C'est pour cela que l'on ne distinguait point, dans la
loi des douze tables, si la personne qui succédait était
mâle ou femelle *.

Cela fit que, quoique les petits-enfants par le fils
succédassent au grand-père, les petits-enfants par la fille
ne lui succédèrent point : car, pour que les biens ne
passassent pas dans une autre famille, les agnats leur
étaient préférés. Ainsi la fille succéda à son père, et non
pas ses enfants *.

Ainsi, chez les premiers Romains, les femmes succédaient, lorsque cela s'accordaient avec la loi de la division
des terres; et elles ne succédaient point, lorsque cela
pouvait la choquer.

Telles furent les lois des successions chez les premiers
Romains : et, comme elles étaient une dépendance naturelle de la constitution, et qu'elles dérivaient du partage
des terres, on voit bien qu'elles n'eurent pas une origine
étrangère, et ne furent point du nombre de celles que
rapportèrent les députés que l'on envoya dans les villes
grecques.

Denys d'Halicarnasse * nous dit que Servius Tullius
trouvant les lois de Romulus et de Numa sur le partage
des terres abolies, il les rétablit, et en fit de nouvelles,
pour donner aux anciennes un nouveau poids. Ainsi on
ne peut douter que les lois dont nous venons de parler,
faites en conséquence de ce partage, ne soient l'ouvrage
de ces trois législateurs de Rome.

L'ordre de succession ayant été établi en conséquence
d'une loi politique, un citoyen ne devait pas le troubler
par une volonté particulière; c'est-à-dire que, dans les
premiers temps de Rome, il ne devait pas être permis de
faire un testament. Cependant il eût été dur qu'on eût

---

c. Voyez les fragments d'Ulpien, § 8, tit. 26, inst. tit. 3, *in præmio
ad sen. cons. Tertullianum.*
d. Paul, livre IV, *de sent.*, tit. 8, § 3.
e. *Inst.*, liv. III, tit. I, § 15.
f. Liv. IV, p. 276.

été privé, dans ses derniers moments, du commerce des bienfaits.

On trouva un moyen de concilier, à cet égard, les lois avec la volonté des particuliers. Il fut permis de disposer de ses biens dans une assemblée du peuple; et chaque testament fut, en quelque façon, un acte de la puissance législative.

La loi des douze tables permit à celui qui faisait son testament de choisir pour son héritier le citoyen qu'il voulait. La raison qui fit que les lois romaines restreignirent si fort le nombre de ceux qui pouvaient succéder *ab intestat*, fut la loi du partage des terres : et la raison pourquoi elles étendirent si fort la faculté de tester, fut que le père pouvant vendre ses enfants *g*, il pouvait, à plus forte raison, les priver de ses biens. C'étaient donc des effets différents, puisqu'ils coulaient de principes divers; et c'est l'esprit des lois romaines à cet égard.

Les anciennes lois d'Athènes ne permirent point au citoyen de faire de testament. Solon le permit *h*, excepté à ceux qui avaient des enfants : et les législateurs de Rome, pénétrés de l'idée de la puissance paternelle, permirent de tester au préjudice même des enfants. Il faut avouer que les anciennes lois d'Athènes furent plus conséquentes que les lois de Rome. La permission indéfinie de tester, accordée chez les Romains, ruina peu à peu la disposition politique sur le partage des terres; elle introduisit, plus que toute autre chose, la funeste différence entre les richesses et la pauvreté; plusieurs partages furent assemblés sur une même tête; des citoyens eurent trop, une infinité d'autres n'eurent rien. Aussi le peuple, continuellement privé de son partage, demanda-t-il sans cesse une nouvelle distribution des terres. Il la demanda dans le temps où la frugalité, la parcimonie et la pauvreté faisaient le caractère distinctif des Romains, comme dans les temps où leur luxe fut porté à l'excès.

Les testaments étant proprement une loi faite dans l'assemblée du peuple, ceux qui étaient à l'armée se trouvaient privés de la faculté de tester. Le peuple donna aux soldats le pouvoir de faire *i*, devant quelques-uns

---

g. Denys d'Halicarnasse prouve, par une loi de Numa, que la loi qui permettait au père de vendre son fils trois fois était une loi de Romulus, non pas des décemvirs, liv. II.

h. Voyez PLUTARQUE, *Vie de Solon.*

i. Ce testament, appelé *in procinctu*, était différent de celui que l'on appela militaire, qui ne fut établi que par les constitutions des

de leurs compagnons, les dispositions qu'ils auraient faits devant lui [k].

Les grandes assemblées du peuple ne se faisaient que deux fois l'an; d'ailleurs, le peuple s'était augmenté, et les affaires aussi : on jugea qu'il convenait de permettre à tous les citoyens de faire leur testament devant quelques citoyens romains pubères [l], qui représentassent le corps du peuple; on prit cinq citoyens [m], devant lesquel l'héritier achetait du testateur sa famille, c'est-à-dire, son hérédité [n]; un autre citoyen portait une balance pour en peser le prix, car les Romains n'avaient point encore de monnaie [o].

Il y a apparence que ces cinq citoyens représentaient les cinq classes du peuple; et qu'on ne comptait pas la sixième, composée de gens qui n'avaient rien.

Il ne faut pas dire, avec Justinien, que ces ventes étaient imaginaires : elles le devinrent; mais, au commencement, elles ne l'étaient pas. La plupart des lois qui réglèrent dans la suite les testaments tirent leur origine de la réalité de ces ventes; on en trouve bien la preuve dans les fragments d'Ulpien [p]. Le sourd, le muet, le prodigue, ne pouvaient faire de testament; le sourd, parce qu'il ne pouvait pas entendre les paroles de l'acheteur de la famille; le muet, parce qu'il ne pouvait pas prononcer les termes de la nomination; le prodigue, parce que toute gestion d'affaires lui étant interdite, il ne pouvait pas vendre sa famille. Je passe les autres exemples.

Les testaments se faisant dans l'assemblée du peuple, ils étaient plutôt des actes du droit politique, que du droit civil; du droit public, plutôt que du droit privé : de là il suivit que le père ne pouvait permettre à son fils, qui était en sa puissance, de faire un testament.

Chez la plupart des peuples, les testaments ne sont pas soumis à de plus grandes formalités que les contrats

empereurs, leg. 1, ff. *de militari testamento* : ce fut une de leurs cajoleries envers les soldats.

k. Ce testament n'était point écrit, et était sans formalités, *sine libra et tabulis*, comme dit Cicéron, liv. I *de l'Orateur*.

l. Inst., liv. II, tit. 10, § 1; Aulu-Gelle, liv. XV, chap. XXVII. On appela cette sorte de testament, *per as et libram*.

m. Ulpien, tit. 10, § 2.

n. Théophile, *inst.* liv. II, tit. 10.

o. Ils n'en eurent qu'au temps de la guerre de Pyrrhus. Tite-Live, parlant du siège de Veïes, dit : *Nundùm argentum signatum erat*, liv. IV.

p. Tit. 20, § 13.

ordinaires ; parce que les uns et les autres ne sont que des expressions de la volonté de celui qui contracte, qui appartiennent également au droit privé. Mais, chez les Romains, où les testaments dérivaient du droit public, ils eurent de plus grandes formalités que les autres actes *q* ; et cela subsiste encore aujourd'hui dans les pays de France qui se régissent par le droit romain.

Les testaments étant, comme je l'ai dit, une loi du peuple, ils devaient être faits avec la force du commandement, et par des paroles que l'on appela *directes* et *impératives*. De là il se forma une règle, que l'on ne pourrait donner ni transmettre son hérédité, que par des paroles de commandement *r* : d'où il suivit que l'on pouvait bien, dans de certains cas, faire une substitution *s*, et ordonner que l'hérédité passât à un autre héritier ; mais qu'on ne pouvait jamais faire de fidéicommis *t*, c'est-à-dire, charger quelqu'un, en forme de prière, de remettre à un autre l'hérédité, ou une partie de l'hérédité.

Lorsque le père n'instituait ni exhérédait son fils, le testament était rompu ; mais il était valable, quoiqu'il n'exhérédât ni instituât sa fille. J'en vois la raison. Quand il n'instituait ni exhérédait son fils, il faisait tort à son petit-fils, qui aurait succédé *ab intestat* à son père ; mais, en n'instituant ni exhérédant sa fille, il ne faisait aucun tort aux enfants de sa fille, qui n'auraient point succédé *ab intestat* à leur mère *u*, parce qu'ils n'étaient héritiers-siens ni agnats.

Les lois des premiers Romains sur les successions n'ayant pensé qu'à suivre l'esprit du partage des terres, elles ne restreignirent pas assez les richesses des femmes, et elles laissèrent par là une porte ouverte au luxe, qui est toujours inséparable de ces richesses. Entre la seconde et la troisième guerre punique, on commença à sentir le mal ; on fit la loi Voconienne *x*. Et comme de très grandes considérations la firent faire, qu'il ne nous en reste que

q. *Inst.* liv. II, tit. 10, § 1.
r. *Titius, sois mon héritier.*
s. La vulgaire, la pupillaire, l'exemplaire.
t. Auguste, par des raisons particulières, commença à autoriser les fidéicommis, *Instit.* liv. II, tit. 23, § 1.
u. *Ad liberos matris intestatæ hæreditas*, leg. XII tab., *non pertinebat, quia fœminæ suos hæredes non habent*, Ulpien, fragm., tit. 26, § 7.
x. *Quintus Voconius*, tribun du peuple, la proposa. Voyez CICÉRON, *Seconde harangue contre Verrès.* Dans l'*Epitome* de Tite-Live, liv. XLI, il faut lire Voconius, au lieu de Volumnius.

peu de monuments, et qu'on n'en a jusqu'ici parlé que d'une manière très confuse, je vais l'éclaircir.

Cicéron nous en a conservé un fragment, qui défend d'instituer une femme héritière, soit qu'elle fût mariée, soit qu'elle ne le fût pas [y].

L'épitome de Tite-Live, où il est parlé de cette loi, n'en dit pas davantage [z]. Il paraît, par Cicéron [a], et par saint Augustin [b], que la fille, et même la fille unique, étaient comprises dans la prohibition.

Caton l'ancien contribua de tout son pouvoir à faire recevoir cette loi [c]. Aulu-Gelle cite un fragment de la harangue qu'il fit dans cette occasion [d]. En empêchant les femmes de succéder, il voulut prévenir les causes du luxe; comme, en prenant la défense de la loi Oppienne, il voulut arrêter le luxe même.

Dans les institutes de Justinien [e] et de Théophile [f], on parle d'un chapitre de la loi Voconienne, qui restreignait la faculté de léguer. En lisant ces auteurs, il n'y a personne qui ne pense que ce chapitre fut fait pour éviter que la succession ne fût tellement épuisée par des legs, que l'héritier refusât de l'accepter. Mais ce n'était point là l'esprit de la loi Voconienne. Nous venons de voir qu'elle avait pour objet d'empêcher les femmes de recevoir aucune succession. Le chapitre de cette loi qui mettait des bornes à la faculté de léguer, entrait dans cet objet; car, si on avait pu léguer autant que l'on aurait voulu, les femmes auraient pu recevoir, comme legs, ce qu'elles ne pouvaient obtenir comme succession.

La loi Voconienne fut faite pour prévenir les trop grandes richesses des femmes. Ce fut donc des successions considérables dont il fallut les priver, et non pas de celles qui ne pouvaient entretenir le luxe. La loi fixait une certaine somme, qui devait être donnée aux femmes qu'elle privait de la succession. Cicéron [g], qui nous apprend ce fait, ne nous dit point quelle était cette somme;

----

y. *Sanxit... ne quis hæredem virginem neve mulierem faceret.* Cicéron, *Seconde harangue contre Verrès.*

z. *Legem tulit, ne quis hæredem mulierem instituteret,* liv. XLI.

a. *Seconde harangue contre Verrès.*

b. Liv. III de la cité de Dieu.

c. *Epitome* de Tite-Live, liv. XLI.

d. Liv. XVII, chap. VI.

e. *Instit.,* liv. II, tit. 22.

f. Liv. II, tit. 22.

g. *Nemo censuit plus Fadiæ dandum, quam posset ad eam lege Voconia pervenire.* De finibus bon. et mal., liv. II.

mais Dion dit qu'elle était de cent mille sesterces [h].

La loi Voconienne était faite pour régler les richesses, et non pas pour régler la pauvreté; aussi Cicéron nous dit-il [i] qu'elle ne statuait que sur ceux qui étaient inscrits dans le cens.

Ceci fournit un prétexte pour éluder la loi. On sait que les Romains étaient extrêmement formalistes; et nous avons dit, ci-dessus, que l'esprit de la république était de suivre la lettre de la loi. Il y eut des pères qui ne se firent point inscrire dans le cens, pour pouvoir laisser leur succession à leur fille : et les préteurs jugèrent qu'on ne violait point la loi Voconienne, puisqu'on n'en violait point la lettre.

Un certain Anius Asellus avait institué sa fille, unique héritière. Il le pouvait, dit Cicéron; la loi Voconienne ne l'en empêchait pas, parce qu'il n'était point dans le cens [k]. Verrès, étant préteur, avait privé la fille de la succession : Cicéron soutient que Verrès avait été corrompu, parce que, sans cela, il n'aurait point interverti un ordre que les autres préteurs avaient suivi.

Qu'étaient donc ces citoyens qui n'étaient point dans le cens qui comprenait tous les citoyens ? Mais, selon l'institution de Servius Tullius, rapportée par Denys d'Halicarnasse [l], tout citoyen qui ne se faisait point inscrire dans le cens était fait esclave : Cicéron lui-même dit qu'un tel homme perdait la liberté [m] : Zonare dit la même chose. Il fallait donc qu'il y eût de la différence entre n'être point dans le cens selon l'esprit de la loi Voconienne, et n'être point dans le cens selon l'esprit des institutions de Servius Tullius.

Ceux qui ne s'étaient point fait inscrire dans les cinq premières classes, où l'on était placé selon la proportion de ses biens [n], n'étaient point dans le cens selon l'esprit de la loi Voconienne : ceux qui n'étaient point inscrits dans le nombre des six classes, ou qui n'étaient point mis par les censeurs au nombre de ceux que l'on appelait *ærarii*, n'étaient point dans le cens suivant les institutions de

h. *Cum lege Voconia mulieribus prohiberetur ne qua majorem centum millibus nummum hæreditatem posset adire*, liv. LVI.

i. *Qui census esset.* Harangue seconde contre Verrès.

k. *Census non erat. Ibid.*

l. Liv. IV.

m. *In oratione pro Cæcinna.*

n. Ces cinq premières classes étaient si considérables, que quelquefois les auteurs n'en rapportent que cinq.

Servius Tullius. Telle était la force de la nature, que des pères, pour éluder la loi Voconienne, consentaient à souffrir la honte d'être confondus dans la sixième classe avec les prolétaires et ceux qui étaient taxés pour leur tête, ou peut-être même à être renvoyés dans les tables des Cérites[o].

Nous avons dit que la jurisprudence des Romains n'admettait point les fidéicommis. L'espérance d'éluder la loi Voconienne les introduisit : on instituait un héritier capable de recevoir par la loi, et on le priait de remettre la succession à une personne que la loi en avait exclue. Cette nouvelle manière de disposer eut des effets bien différents. Les uns rendirent l'hérédité; et l'action de Sextus Peduceus fut remarquable[p]. On lui donna une grande succession; il n'y avait personne dans le monde que lui qui sût qu'il était prié de la remettre : il alla trouver la veuve du testateur, et lui donna tout le bien de son mari.

Les autres gardèrent pour eux la succession; et l'exemple de P. Sextilius Rufus fut célèbre encore, parce que Cicéron l'emploie dans ses disputes contre les Epicuriens[q]. « Dans ma jeunesse, dit-il, je fus prié par Sextilius de l'accompagner chez ses amis, pour savoir d'eux s'il devait remettre l'hérédité de Quintus Fadius Gallus à Fadia sa fille. Il avait assemblé plusieurs jeunes gens, avec de très graves personnages; et aucun ne fut d'avis qu'il donnât plus à Fadia que ce qu'elle devait avoir par la loi Voconienne. Sextilius eut là une grande succession, dont il n'aurait pas retenu un sesterce, s'il avait préféré ce qui était juste et honnête à ce qui était utile. Je puis croire, ajoute-t-il, que vous auriez rendu l'hérédité; je puis croire même qu'Epicure l'aurait rendue : mais vous n'auriez pas suivi vos principes. » Je ferai ici quelques réflexions.

C'est un malheur de la condition humaine, que les législateurs soient obligés de faire des lois qui combattent les sentiments naturels mêmes : telle fut la loi Voconienne. C'est que les législateurs statuent plus sur la société que sur le citoyen, et sur le citoyen que sur l'homme. La loi sacrifiait et le citoyen et l'homme, et ne pensait qu'à la république. Un homme priait son ami de remettre sa

o. *In Cæritum tabulas referri; ærarius fiori.*
p. CICÉRON, *De finibus boni et mali,* liv. II.
q. *Id., ibid.*

succession à sa fille : la loi méprisait, dans le testateur, les sentiments de la nature; elle méprisait, dans la fille, la piété filiale; elle n'avait aucun égard pour celui qui était chargé de remettre l'hérédité, qui se trouvait dans de terribles circonstances. La remettait-il ? il était un mauvais citoyen : la gardait-il ? il était un malhonnête homme. Il n'y avait que les gens d'un bon naturel qui pensassent à éluder la loi; il n'y avait que les honnêtes gens qu'on pût choisir pour l'éluder : car c'est toujours un triomphe à remporter sur l'avarice et les voluptés, et il n'y a que les honnêtes gens qui obtiennent ces sortes de triomphes. Peut-être même y aurait-il de la rigueur à les regarder en cela comme de mauvais citoyens. Il n'est pas impossible que le législateur eût obtenu une grande partie de son objet, lorsque sa loi était telle, qu'elle ne forçait que les honnêtes gens à l'éluder.

Dans le temps que l'on fit la loi Voconienne, les mœurs avaient conservé quelque chose de leur ancienne pureté. On intéressa quelquefois la conscience publique en faveur de la loi, et l'on fit jurer qu'on l'observerait [r]; de sorte que la probité faisait, pour ainsi dire, la guerre à la probité. Mais, dans les derniers temps, les mœurs se corrompirent au point que les fidéicommis durent avoir moins de force pour éluder la loi Voconienne, que cette loi n'en avait pour se faire suivre.

Les guerres civiles firent périr un nombre infini de citoyens. Rome, sous Auguste, se trouva presque déserte; il fallait la repeupler. On fit les lois Pappiennes, où l'on n'omit rien de ce qui pouvait encourager les citoyens à se marier et à avoir des enfants [s]. Un des principaux moyens fut d'augmenter, pour ceux qui se prêtaient aux vues de la loi, les espérances de succéder, et de les diminuer pour ceux qui s'y refusaient; et, comme la loi Voconienne avait rendu les femmes incapables de succéder, la loi Pappienne fit, dans de certains cas, cesser cette prohibition.

Les femmes [t], surtout celles qui avaient des enfants, furent rendues capables de recevoir en vertu du testament de leurs maris; elles purent, quand elles avaient des enfants, recevoir en vertu du testament des étrangers; tout cela contre la disposition de la loi Voconienne; et il est remar-

r. Sextilius disait qu'il avait juré de l'observer. CICÉRON, *De finibus boni et mali*, liv. II.

s. Voyez ce que j'en ai dit au liv. XXIII, chap. XXI.

t. Voyez, sur ceci, les *Fragments* d'Ulpien, tit. 15, § 16.

quable qu'on n'abandonna pas entièrement l'esprit de cette loi. Par exemple, la loi Pappienne [u] permettait à un homme qui avait un enfant [x] de recevoir toute l'hérédité par le testament d'un étranger; elle n'accordait la même grâce à la femme, que lorsqu'elle avait trois enfants [y].

Il faut remarquer que la loi Pappienne ne rendit les femmes qui avaient trois enfants capables de succéder, qu'en vertu du testament des étrangers; et qu'à l'égard de la succession des parents, elle laissa les anciennes lois et la loi Voconienne dans toute leur force [z]. Mais cela ne subsista pas.

Rome abîmée par les richesses de toutes les nations, avait changé de mœurs; il ne fut plus question d'arrêter le luxe des femmes. Aulu-Gelle [a], qui vivait sous Adrien, nous dit que, de son temps, la loi Voconienne était presque anéantie; elle fut couverte par l'opulence de la cité. Aussi trouvons-nous, dans les sentences de Paul [b], qui vivait sous Niger, et dans les fragments d'Ulpien [c], qui était du temps d'Alexandre Sévère, que les sœurs du côté du père pouvaient succéder, et qu'il n'y avait que les parents d'un degré plus éloigné qui fussent dans le cas de la prohibition de la loi Voconienne.

Les anciennes lois de Rome avaient commencé à paraître dures; et les préteurs ne furent plus touchés que des raisons d'équité, de modération et de bienséance.

Nous avons vu que, par les anciennes lois de Rome, les mères n'avaient point de part à la succession de leurs enfants. La loi Voconienne fut une nouvelle raison pour les en exclure. Mais l'empereur Claude donna à la mère la succession de ses enfants, comme une consolation de leur perte : le sénatus-consulte Tertullien, fait sous Adrien [d], la leur donna lorsqu'elles avaient trois enfants, si

u. La même différence se trouve dans plusieurs dispositions de la loi Pappienne. Voyez les fragments d'Ulpien, § 4 et 5, tit. dernier; et le même, au même tit., § 6.

x.   *Quod tibi filiolus, vel filia, nascitur ex me,*
                    Jura parentis habes; propter me scriberis hæres.
                                                    Juvenal, sat. IX.

y. Voyez la loi IX, code Théodosien, *de bonis proscriptorum;* et Dion, liv. LV; voyez les fragments d'Ulpien, titre dernier, § 6; et tit. 29, § 3.

z. *Fragments* d'Ulpien, tit. 16, § 1; Sozom, liv. I, chap. XIX.

a. Liv. XX, chap. I.

b. Liv. IV, tit. 8, § 3.

c. Tit. 26, § 6.

d. C'est-à-dire, l'empereur Pie, qui prit le nom d'Adrien par adoption.

elles étaient ingénues; ou quatre, si elles étaient affranchies. Il est clair que ce sénatus-consulte n'était qu'une extension de la loi Pappienne, qui, dans le même cas, avait accordé aux femmes les successions qui leur étaient déférées par les étrangers. Enfin Justinien[e] leur accorda la succession, indépendamment du nombre de leurs enfants.

Les mêmes causes qui firent restreindre la loi qui empêchait les femmes de succéder, firent renverser peu à peu celle qui avait gêné la succession des parents par femmes. Ces lois étaient très conformes à l'esprit d'une bonne république, où l'on doit faire en sorte que ce sexe ne puisse se prévaloir, pour le luxe, ni de ses richesses, ni de l'espérance de ses richesses. Au contraire, le luxe d'une monarchie rendant le mariage à charge et coûteux, il faut y être invité, et par les richesses que les femmes peuvent donner, et par l'espérance des successions qu'elles peuvent procurer. Ainsi, lorsque la monarchie s'établit à Rome, tout le système fut changé sur les successions. Les préteurs appelèrent les parents par femmes, au défaut des parents par mâles : au lieu que, par les anciennes lois, les parents par femmes n'étaient jamais appelés. Le sénatus-consulte Orphitien appela les enfants à la succession de leur mère; et les empereurs Valentinien, Théodose et Arcadius[f], appelèrent les petits-enfants par la fille à la succession du grand-père. Enfin l'empereur Justinien ôta jusqu'au moindre vestige du droit ancien sur les successions : il établit trois ordres d'héritiers, les descendants, les ascendants, les collatéraux, sans aucune distinction entre les mâles et les femelles, entre les parents par femmes et les parents par mâles; et abrogea toutes celles qui restaient à cet égard[g]. Il crut suivre la nature même, en s'écartant de ce qu'il appela les embarras de l'ancienne jurisprudence.

e. Leg. II, cod. *de jure liberorum*, inst., liv. III, tit. 3, § 4, *de senatus-consult. Tertulliano*.

f. Leg. IX, cod. *de suis et legitimis liberis*.

g. Leg. XII, cod. *ibid.;* et les novelles 118 et 127.

LIVRE XXVIII

DE L'ORIGINE ET DES RÉVOLUTIONS DES LOIS CIVILES CHEZ LES FRANÇAIS

> In nova sert animus mutatas dicere formas
> Corpora. . . .
>
> OVIDE, Metam.

CHAPITRE PREMIER

Du différent caractère des lois des peuples germains.

Les Francs étant sortis de leur pays, ils firent rédiger, par les sages de leur nation, les lois saliques [a]. La tribu des Francs Ripuaires s'étant jointe, sous Clovis [b], à celle des Francs Saliens, elle conserva ses usages; et Théodoric [c], roi d'Austrasie, les fit mettre par écrit. Il recueillit de même les usages des Bavarois et des Allemands [d] qui dépendaient de son royaume. Car la Germanie étant affaiblie par la sortie de tant de peuples, les Francs, après avoir conquis devant eux, avaient fait un pas en arrière, et porté leur domination dans les forêts de leurs pères. Il y a apparence que le code des Thuringiens fut donné par le même Théodoric [e], puisque les Thuringiens étaient aussi ses sujets. Les Frisons ayant été soumis par Charles Martel et Pépin, leur loi n'est pas antérieure à ces princes [f]. Charlemagne, qui le premier dompta les Saxons, leur donna la loi que nous avons. Il n'y a qu'à lire ces deux derniers codes, pour voir qu'ils sortent des mains des vainqueurs. Les Wisigoths, les Bourguignons et les Lombards ayant fondé des royaumes, firent écrire

---

a. Voyez le prologue de la loi salique. M. de Leibnitz dit, dans son traité *de l'Origine des Francs*, que cette loi fut faite avant le règne de Clovis : mais elle ne put l'être avant que les Francs fussent sortis de la Germanie : ils n'entendaient pas pour lors la langue latine.
b. Voyez Grégoire de Tours.
c. Voyez le prologue de la loi des Bavarois, et celui de la loi salique.
d. *Ibid.*
e. *Lex Angliorum Werinorum, hoc est, Thuringorum.*
f. Ils ne savaient point écrire.

leurs lois, non pas pour faire suivre leurs usages aux
peuples vaincus, mais pour les suivre eux-mêmes.

Il y a, dans les lois saliques et ripuaires, dans celles
des Allemands, des Bavarois, des Thuringiens et des Frisons, une simplicité admirable : on y trouve une rudesse
originale, et un esprit qui n'avait point été affaibli par
un autre esprit. Elles changèrent peu, parce que ces
peuples, si on excepte les Francs, restèrent dans la Germanie. Les Francs même y fondèrent une grande partie
de leur empire : ainsi leurs lois furent toutes germaines.
Il n'en fut pas de même des lois des Wisigoths, des Lombards et des Bourguignons; elles perdirent beaucoup de
leur caractère, parce que ces peuples, qui se fixèrent dans
leurs nouvelles demeures, perdirent beaucoup du leur.

Le royaume des Bourguignons ne subsista pas assez
longtemps, pour que les lois du peuple vainqueur pussent
recevoir de grands changements. Gondebaud et Sigis-
mond, qui recueillirent leurs usages, furent presque les
derniers de leurs rois. Les lois des Lombards reçurent
plutôt des additions que des changements. Celles de
Rotharis furent suivies de celles de Grimoald, de Luitprand, de Rachis, d'Aisiulphe; mais elles ne prirent point
de nouvelle forme. Il n'en fut pas de même des lois des
Wisigoths[g]; leurs rois les refondirent, et les firent
refondre par le clergé.

Les rois de la première race ôtèrent bien aux lois
saliques et ripuaires ce qui ne pouvait absolument s'accorder avec le christianisme : mais ils en laissèrent tout le
fonds[h]. C'est ce qu'on ne peut pas dire des lois des Wisigoths.

Les lois des Bourguignons, et surtout celles des Wisigoths, admirent les peines corporelles. Les lois saliques
et ripuaires ne les reçurent pas[i]; elles conservèrent
mieux leur caractère.

Les Bourguignons et les Wisigoths, dont les provinces
étaient très exposées, cherchèrent à se concilier les
anciens habitants, et à leur donner des lois civiles les plus

---

[g]. Euric les donna, Leuvigilde les corrigea. Voyez la chronique
d'Isidore, Chaindasuinde et Recessuinde les réformèrent. Egiga fit
faire le code que nous avons, et en donna la commission aux évêques :
on conserva pourtant les lois de Chaindasuinde et de Recessuinde,
comme il paraît par le seizième concile de Tolède.

[h]. Voyez le prologue de la loi des Bavarois.

[i]. On en trouve seulement quelques-unes dans le décret de Childebert.

impartiales [k] : mais les rois Francs, sûrs de leur puissance, n'eurent pas ces égards [l].

Les Saxons, qui vivaient sous l'empire des Francs, eurent une humeur indomptable, et s'obstinèrent à se révolter. On trouve, dans leurs lois [m], des duretés du vainqueur, qu'on ne voit point dans les autres codes des lois des barbares.

On y voit l'esprit des lois des Germains dans les peines pécuniaires, et celui du vainqueur dans les peines afflictives.

Les crimes qu'ils font dans leur pays sont punis corporellement; et on ne suit l'esprit des lois germaniques que dans la punition de ceux qu'ils commettent hors de leur territoire.

On y déclare que, pour leurs crimes, ils n'auront jamais de paix; et on leur refuse l'asile des églises mêmes.

Les évêques eurent une autorité immense à la cour des rois wisigoths; les affaires les plus importantes étaient décidées dans les conciles. Nous devons au code des Wisigoths toutes les maximes, tous les principes, et toutes les vues de l'inquisition d'aujourd'hui; et les moines n'ont fait que copier, contre les Juifs, des lois faites autrefois par les évêques.

Du reste, les lois de Gondebaud, pour les Bourguignons, paraissent assez judicieuses; celles de Rotharis et des autres princes lombards le sont encore plus. Mais les lois des Wisigoths, celles de Récessuinde, de Chaindasuinde et d'Egiga, sont puériles, gauches, idiotes; elles n'atteignent point le but; pleines de rhétorique, et vides de sens, frivoles dans le fond, et gigantesques dans le style.

k. Voyez le prologue du code des Bourguignons, et le code même; surtout le tit. 12, § 5, et le tit. 38. Voyez aussi Grégoire de Tours, liv. II, chap. XXXIII; et le code des Wisigoths.

l. Voyez, ci-dessous, le chap. III.

m. Voyez le chap. II, § 8 et 9; et le chap. IV, § 2 et 7.

CHAPITRE II

Que les lois des barbares furent toutes personnelles.

C'est un caractère particulier de ces lois des barbares, qu'elles ne furent point attachées à un certain territoire : le Franc était jugé par la loi des Francs; l'Allemand, par la loi des Allemands; le Bourguignon, par la loi des Bourguignons; le Romain, par la loi romaine : et, bien loin qu'on songeât, dans ces temps-là, à rendre uniformes les lois des peuples conquérants, on ne pensa pas même à se faire législateur du peuple vaincu.

Je trouve l'origine de cela dans les mœurs des peuples germains. Ces nations étaient partagées par des marais, des lacs et des forêts : on voit même, dans César [a], qu'elles aimaient à se séparer. La frayeur qu'elles eurent des Romains fit qu'elles se réunirent : chaque homme, dans ces nations mêlées, dut être jugé par les usages et les coutumes de sa propre nation. Tous ces peuples, dans leur particulier, étaient libres et indépendants; et, quand ils furent mêlés, l'indépendance resta encore : la patrie était commune, et la république particulière; le territoire était le même, et les nations diverses. L'esprit des lois personnelles était donc chez ces peuples avant qu'ils partissent de chez eux, et ils le portèrent dans leurs conquêtes.

On trouve cet usage établi dans les formules de Marculfe [b], dans les codes des lois des barbares, surtout dans la loi des Ripuaires [c], dans les décrets des rois de la première race [d], d'où dérivèrent les capitulaires que l'on fit là-dessus dans la seconde [e]. Les enfants suivaient la loi de leur père [f], les femmes celle de leur mari [g], les veuves revenaient à leur loi [h], les affranchis avaient celle de leur

a. *De bello Gallico*, liv. VI.
b. Liv. I, form. 8.
c. Chap. XXXI.
d. Celui de Clotaire de l'an 560, dans l'édition des *Capitulaires* de Baluze, t. I, art. 4; *ibid.*, *in fine*.
e. Capitulaires ajoutés à la loi des Lombards, liv. I, tit. 25, chap. LXXI; liv. II, tit. 41, chap. VII; et tit. 56, chap. I et II.
f. *Ibid.*, liv. II, tit. 5.
g. *Ibid.*, liv. II, tit. 7, chap. I.
h. *Ibid.*, chap. II.

patron *. Ce n'est pas tout : chacun pouvait prendre la loi qu'il voulait; la constitution de Lothaire Ier exigea que ce choix fût rendu public *.

i. *Ibid.*, liv. II, tit. 35, chap. II.
h. Dans la loi des Lombards, liv. II, tit. 57.

CHAPITRE III

*Différence capitale entre les lois saliques
et les lois des Wisigoths et des Bourguignons.*

J'ai dit *a* que la loi des Bourguignons et celle des Wisigoths étaient impartiales : mais la loi salique ne le fut pas; elle établit, entre les Francs et les Romains, les distinctions les plus affligeantes. Quand *b* on avait tué un Franc, un barbare, ou un homme qui vivait sous la loi salique, on payait à ses parents une composition de 200 sols; on n'en payait qu'une de 100, lorsqu'on avait tué un Romain possesseur *c*; et seulement une de 45, quand on avait tué un Romain tributaire : la composition pour le meurtre d'un Franc, vassal *d* du roi, était de 600 sols; et celle du meurtre d'un Romain, convive *e* du roi *f*, n'était que de 300. Elle mettait donc une cruelle différence entre le seigneur franc et le seigneur romain, et entre le Franc et le Romain qui étaient d'une condition médiocre.

Ce n'est pas tout : si l'on assemblait *g* du monde pour assaillir un Franc dans sa maison, et qu'on le tuât, la loi salique ordonnait une composition de 600 sols; mais, si on avait assailli un Romain ou un affranchi *h*, on ne payait que la moitié de la composition. Par la même loi *i*,

a. Au chap. I de ce livre.
b. Loi salique, tit. 44, § 1.
c. *Qui res in pago ubi remanet proprias habet.* Loi salique, tit. 44, § 15; voyez aussi le § 7.
d. *Qui in truste dominica est, ib.,* tit. 44, § 4.
e. *Si Romanus homo conviva regis fuerit, ibid.,* § 6.
f. Les principaux Romains s'attachaient à la cour, comme on le voit par la vie de plusieurs évêques qui y furent élevés. Il n'y avait guère que les Romains qui sussent écrire.
g. *Ibid.,* tit. 45.
h. Lidus, dont la condition était meilleure que celle du serf : loi des Allemands, chap. XCV.
i. Tit. 35, § 3, et 4.

si un Romain enchaînait un Franc, il devait 30 sols de composition; mais, si un Franc enchaînait un Romain, il n'en devait qu'une de quinze. Un Franc, dépouillé par un Romain, avait soixante-deux sols et demi de composition; et un Romain, dépouillé par un Franc, n'en recevait qu'une de trente. Tout cela devait être accablant pour les Romains.

Cependant un auteur célèbre[k] forme un système de l'*établissement des Francs dans les Gaules*, sur la présupposition qu'ils étaient les meilleurs amis des Romains. Les Francs étaient donc les meilleurs amis des Romains, eux qui leur firent, eux qui en reçurent des maux effroyables[l]? les Francs étaient amis des Romains, eux qui, après les avoir assujettis par les armes, les opprimèrent de sang-froid par leurs lois? Ils étaient amis des Romains, comme les Tartares, qui conquirent la Chine, étaient amis des Chinois.

Si quelques évêques catholiques ont voulu se servir des Francs pour détruire des rois Arriens, s'ensuit-il qu'ils aient désiré de vivre sous des peuples barbares? En peut-on conclure que les Francs eussent des égards particuliers pour les Romains? J'en tirerais bien d'autres conséquences: plus les Francs furent sûrs des Romains, moins ils les ménagèrent.

Mais l'abbé Dubos a puisé dans de mauvaises sources pour un historien, les poètes et les orateurs; ce n'est point sur des ouvrages d'ostentation qu'il faut fonder des systèmes.

Chapitre IV

Comment le droit romain se perdit dans le pays du domaine des Francs, et se conserva dans le pays du domaine des Goths et des Bourguignons.

Les choses que j'ai dites donneront du jour à d'autres, qui ont été jusqu'ici pleines d'obscurité.

Le pays qu'on appelle aujourd'hui la France fut gou-

k. L'abbé Dubos.
l. Témoin l'expédition d'Arbogaste, dans Grégoire de Tours, *hist.*, liv. II.

verné, dans la première race, par la loi romaine ou le code Théodosien, et par les diverses lois des barbares qui y habitaient [a].

Dans le pays du domaine des Francs, la loi salique était établie pour les Francs, et le code Théodosien [b] pour les Romains. Dans celui du domaine des Wisigoths, une compilation du code Théodosien, faite par l'ordre d'Alaric [c], régla les différends des Romains ; les coutumes de la nation, qu'Euric fit rédiger par écrit [d], décidèrent ceux des Wisigoths. Mais pourquoi les lois saliques acquirent-elles une autorité presque générale dans le pays des Francs ? Et pourquoi le droit romain s'y perdit-il peu à peu, pendant que, dans le domaine des Wisigoths, le droit romain s'étendit, et eut une autorité générale ?

Je dis que le droit romain perdit son usage chez les Francs, à cause des grands avantages qu'il y avait à être Franc [e], barbare, ou homme vivant sous la loi salique : tout le monde fut porté à quitter le droit romain, pour vivre sous la loi salique. Il fut seulement retenu par les ecclésiastiques [f], parce qu'ils n'eurent point d'intérêt à changer. Les différences des conditions et des rangs ne consistaient que dans la grandeur des compositions, comme je le ferai voir ailleurs. Or, les lois [g] particulières leur donnèrent des compositions aussi favorables que celles qu'avaient les Francs : ils gardèrent donc le droit romain. Ils n'en recevaient aucun préjudice ; et il leur convenait d'ailleurs, parce qu'il était l'ouvrage des empereurs chrétiens.

D'un autre côté, dans le patrimoine des Wisigoths, la

a. Les Francs, les Wisigoths et les Bourguignons.

b. Il fut fini l'an 438.

c. La vingtième année du règne de ce prince, et publiée deux ans après par Anian, comme il paraît par la préface de ce code.

d. L'an 504 de l'ère d'Espagne : chronique d'Isidore.

e. *Francum, aut barbarum, aus hominem qui salica lege vivit* : loi salique, tit. 445, § 1.

f. *Selon la loi romaine, sous laquelle l'église vit*, est-il dit dans la loi des Ripuaires, tit. 58, § 1. Voyez aussi les autorités sans nombre là-dessus, rapportées par M. Ducange, au mot *Lex Romana*.

g. Voyez les capitulaires ajoutés à la loi salique, dans Lindembroc, à la fin de cette loi, et les divers codes des lois des barbares sur les privilèges des ecclésiastiques à cet égard. Voyez aussi la lettre de Charlemagne à Pépin son fils, roi d'Italie, de l'an 807, dans l'édition de Balzac, t. I, p. 452, où il est dit qu'un ecclésiastique doit recevoir une composition triple ; et le recueil des capitulaires, liv. V, art. 302, t. I, édition de Baluze.

loi wisigothe [h] ne donnant aucun avantage civil aux Wisigoths sur les Romains, les Romains n'eurent aucune raison de cesser de vivre sous leur loi pour vivre sous une autre : ils gardèrent donc leurs lois, et ne prirent point celles des Wisigoths.

Ceci se confirme à mesure qu'on va plus avant. La loi de Gondebaud fut très impartiale, et ne fut pas plus favorable aux Bourguignons qu'aux Romains. Il paraît, par le prologue de cette loi, qu'elle fut faite pour les Bourguignons, et qu'elle fut faite encore pour régler les affaires qui pourraient naître entre les Romains et les Bourguignons ; et, dans ce dernier cas, le tribunal fut mi-parti. Cela était nécessaire pour des raisons particulières, tirées de l'arrangement politique de ces temps-là [i]. Le droit romain subsista dans la Bourgogne, pour régler les différends que les Romains pourraient avoir entre eux. Ceux-ci n'eurent point de raison pour quitter leur loi, comme ils en eurent dans le pays des Francs ; d'autant mieux que la loi salique n'était point établie en Bourgogne, comme il paraît par la fameuse lettre qu'Agobard écrivit à Louis le Débonnaire.

Agobard [k] demandait à ce prince d'établir la loi salique dans la Bourgogne : elle n'y était donc pas établie. Ainsi le droit romain subsista, et subsiste encore dans tant de provinces qui dépendaient autrefois de ce royaume.

Le droit romain et la loi gothe se maintinrent de même dans le pays de l'établissement des Goths : la loi salique n'y fut jamais reçue. Quand Pépin et Charles Martel en chassèrent les Sarrasins, les villes et les provinces qui se soumirent à ces princes [l] demandèrent à conserver leurs lois, et l'obtinrent : ce qui, malgré l'usage de ces temps-là où toutes les lois étaient personnelles, fit bientôt regarder le droit romain comme une loi réelle et territoriale dans ces pays.

Cela se prouve par l'édit de Charles le Chauve, donné

h. Voyez cette loi.

i. J'en parlerai ailleurs, liv. XXX, chap. VI, VII, VIII et IX.

k. Agob. *Opera*.

l. Voyez Gervais de TILBURI, dans le *Recueil de Duchesne*, t. III, p. 366. *Facta pactione cum Francis, quod illic Gothi patriis legibus, moribus paternis vivant; Et sic Narbonensis provincia Pippino subjicitur.* Et une chronique de l'an 759, rapportée par Catel, histoire du Languedoc. Et l'auteur incertain de la vie de Louis le débonnaire, sur la demande faite par les peuples de la Septimanie, dans l'assemblée *in Carisiaco*, dans le *Recueil de Duchesne*, t. II, p. 316.

à Pistes l'an 864, qui [m] distingue les pays dans lesquels on jugeait par le droit romain, d'avec ceux où l'on n'y jugeait pas.

L'édit de Pistes prouve deux choses ; l'une, qu'il y avait des pays où l'on jugeait selon la loi romaine, et qu'il y en avait où l'on ne jugeait point selon cette loi ; l'autre, que ces pays où l'on jugeait par la loi romaine étaient précisément ceux où on la suit encore aujourd'hui, comme il paraît par ce même édit [n] : ainsi la distinction des pays de la France coutumière, et de la France régie par le droit écrit, était déjà établie du temps de l'édit de Pistes.

J'ai dit que, dans les commencements de la monarchie, toutes les lois étaient personnelles : ainsi, quand l'édit de Pistes distingue les pays du droit romain, d'avec ceux qui ne l'étaient pas, cela signifie que, dans les pays qui n'étaient point pays du droit romain, tant de gens avaient choisi de vivre sous quelqu'une des lois des peuples barbares, qu'il n'y avait presque plus personne, dans ces contrées, qui choisît de vivre sous la loi romaine ; et que, dans les pays de la loi romaine, il y avait peu de gens qui eussent choisi de vivre sous les lois des peuples barbares.

Je sais bien que je dis ici des choses nouvelles ; mais, si elles sont vraies, elles sont très anciennes. Qu'importe, après tout, que ce soit moi, les Valois, ou les Bignons, qui les aient dites ?

CHAPITRE V

Continuation du même sujet.

La loi de Gondebaud subsista longtemps chez les Bourguignons, concurremment avec la loi romaine : elle y était encore en usage du temps de Louis le Débonnaire ; la lettre d'Agobard ne laisse aucun doute là-dessus. De même, quoique l'édit de Pistes appelle le pays qui avait

m. *In illa terra in qua judicia secundum legem Romanam terminantur, secundum ipsam legem judicetur ; et in illa terra in qua*, etc. art. 16 ; voyez aussi l'art. 20.

n. Voyez l'article 12 et 16 de l'édit de Pistes, *in Cavilono, in Narbona*, etc.

été occupé par les Wisigoths, le pays de la loi romaine, la loi des Wisigoths y subsistait toujours ; ce qui se prouve par le synode de Troyes, tenus sous Louis le Bègue, l'an 878, c'est-à-dire quatorze ans après l'édit de Pistes.

Dans la suite, les lois gothes et bourguignonnes périrent dans leur pays même, par les causes générales [a] qui firent partout disparaître les lois personnelles des peuples barbares.

a. Voyez ci-dessous les chapitres IX, X et XI.

Chapitre VI

Comment le droit romain se conserva dans le domaine des Lombards.

Tout se plie à mes principes. La loi des Lombards était impartiale, et les Romains n'eurent aucun intérêt à quitter la leur pour la prendre. Le motif qui engagea les Romains, sous les Francs, à choisir la loi salique, n'eut point de lieu en Italie ; le droit romain s'y maintint avec la loi des Lombards.

Il arriva même que celle-ci céda au droit romain ; elle cessa d'être la loi de la nation dominante ; et, quoiqu'elle continuât d'être celle de la principale noblesse, la plupart des villes s'érigèrent en républiques, et cette noblesse tomba, ou fut exterminée [a]. Les citoyens des nouvelles républiques ne furent point portés à prendre une loi qui établissait l'usage du combat judiciaire, et dont les institutions tenaient beaucoup aux coutumes et aux usages de la chevalerie. Le clergé, dès lors si puissant en Italie, vivant presque tout sous la loi romaine, le nombre de ceux qui suivaient la loi des Lombards dut toujours diminuer.

D'ailleurs, la loi des Lombards n'avait point cette majesté du droit romain, qui rappelait à l'Italie l'idée de la domination sur toute la terre ; elle n'en avait pas l'étendue. La loi des Lombards et la loi romaine ne pouvaient plus servir qu'à suppléer aux statuts des villes qui s'étaient

a. Voyez ce que dit Machiavel de la destruction de l'ancienne noblesse de Florence.

érigées en républiques : or, qui pouvait mieux y suppléer, ou la loi des Lombards qui ne statuait que sur quelques cas, ou la loi romaine qui les embrassait tous ?

CHAPITRE VII

Comment le droit romain se perdit en Espagne.

Les choses allèrent autrement en Espagne. La loi des Wisigoths triompha, et le droit romain s'y perdit. Chaindasuinde *a* et Récessuinde *b* proscrivirent les lois romaines, et ne permirent pas même de les citer dans les tribunaux. Récessuinde fut encore l'auteur de la loi qui ôtait la prohibition des mariages entre les Goths et les Romains *c*. Il est clair que ces deux lois avaient le même esprit : ce roi voulait enlever les principales causes de séparation qui étaient entre les Goths et les Romains. Or, on pensait que rien ne les séparait plus que la défense de contracter entre eux des mariages, et la permission de vivre sous des lois diverses.

Mais, quoique les rois des Wisigoths eussent proscrit le droit romain, il subsista toujours dans les domaines qu'ils possédaient dans la Gaule méridionale. Ces pays, éloignés du centre de la monarchie, vivaient dans une grande indépendance *d*. On voit, par l'histoire de Vamba, qui monta sur le trône en 672, que les naturels du pays avaient pris le dessus *e* : ainsi la loi romaine y avait plus d'autorité, et la loi gothe y en avait moins. Les lois espagnoles ne convenaient, ni à leurs manières, ni à leur situation actuelle. Peut-être même que le peuple s'obstina à la

a. Il commença à régner en 642.

b. *Nous ne voulons plus être tourmentés par les lois étrangères, ni par les romaines :* loi des Wisigoths, liv. II, tit. I, § 9 et 10.

c. *Ut tam Gotho Romanam, quam Romano Gotham, matrimonio liceat sociari :* loi des Wisigoths, liv. III, tit. I, chap. I.

d. Voyez, dans Cassiodore, les condescendances que Théodoric, roi des Ostrogoths, prince le plus accrédité de son temps, eut pour elles : liv. IV, let. 19 et 26.

e. La révolte de ces provinces fut une défection générale, comme il paraît par le jugement qui est à la suite de l'histoire. Paulus et ses adhérents étaient Romains; ils furent même favorisés par les évêques. Vamba n'osa pas faire mourir les séditieux qu'il avait vaincus. L'auteur de l'histoire appelle la Gaule Narbonnaise, la nourrice de la perfidie.

loi romaine, parce qu'il y attacha l'idée de sa liberté. Il y
a plus : les lois de Chaindasuinde et de Récessuinde
contenaient des dispositions effroyables contre les Juifs ;
mais ces Juifs étaient puissants dans la Gaule méridionale. L'auteur de l'histoire du roi Vamba appelle ces
provinces, le prostibule des Juifs. Lorsque les Sarrasins
vinrent dans ces provinces, ils y avaient été appelés : or,
qui put les y avoir appelés, que les Juifs ou les Romains ?
Les Goths furent les premiers opprimés, parce qu'ils
étaient la nation dominante. On voit, dans Procope [f],
que, dans leurs calamités, ils se retiraient de la Gaule
Narbonnaise en Espagne. Sans doute que, dans ce
malheur-ci, ils se réfugièrent dans les contrées de l'Espagne qui se défendaient encore ; et le nombre de ceux
qui, dans la Gaule méridionale, vivaient sous la loi des
Wisigoths, en fut beaucoup diminué.

f. *Gothi qui cladi supersuerant, ex Gallia cum uxoribus liberisque
egressi, in Hispaniam ad Teudim jam palam tyrannum se receperunt;*
de bello Gothorum, lib. I, cap. XIII.

Chapitre VIII

Faux capitulaire.

Ce malheureux compilateur Benoît Lévite, n'alla-t-il
pas transformer cette loi wisigothe, qui défendait l'usage
du droit romain, en un capitulaire [a], qu'on attribua
depuis à Charlemagne ? Il fit, de cette loi particulière,
une loi générale, comme s'il avait voulu exterminer le
droit romain par tout l'univers.

a. Capitul. édit. de Baluze, liv. VI, chap. CCCXXIII, p. 981, t. I.

CHAPITRE IX

*Comment les codes des lois des barbares
et les capitulaires se perdirent.*

Les lois saliques, ripuaires, bourguignonnes et wisigothes, cessèrent peu à peu d'être en usage chez les Français : voici comment.

Les fiefs étant devenus héréditaires, et les arrière-fiefs
s'étant étendus, il s'introduisit beaucoup d'usages, auxquels ces lois n'étaient plus applicables. On en retint bien
l'esprit, qui était de régler la plupart des affaires par des
amendes. Mais, les valeurs ayant sans doute changé, les
amendes changèrent aussi; et l'on voit beaucoup de
chartres *a* où les seigneurs fixaient les amendes qui
devaient être payées dans leurs petits tribunaux. Ainsi l'on
suivit l'esprit de la loi, sans suivre la loi même.

D'ailleurs, la France se trouvant divisée en une infinité
de petites seigneuries, qui reconnaissaient plutôt une
dépendance féodale, qu'une dépendance politique, il
était bien difficile qu'une seule loi pût être autorisée : en
effet, on n'aurait pas pu la faire observer. L'usage n'était
guère plus qu'on envoyât des officiers extraordinaires
dans les provinces *b*, qui eussent l'œil sur l'administration de la justice, et sur les affaires politiques : Il paraît
même, par les chartres, que, lorsque de nouveaux fiefs
s'établissaient, les rois se privaient du droit de les y
envoyer. Ainsi, lorsque tout à peu près fut devenu fief,
ces officiers ne purent plus être employés; il n'y eut plus
de loi commune, parce que personne ne pouvait faire
observer la loi commune.

Les lois saliques, bourguignonnes et wisigothes furent
donc extrêmement négligées à la fin de la seconde race;
et, au commencement de la troisième, on n'en entendit
presque plus parler.

Sous les deux premières races, on assembla souvent la
nation, c'est-à-dire, les seigneurs et les évêques : il n'était
point encore question des communes. On chercha, dans

a. M. de la Thaumassière en a recueilli plusieurs. Voyez, par
exemple, les chapitres LXI, LXVI, et autres.
b. Missi dominici.

ces assemblées, à régler le clergé, qui était un corps qui se formait, pour ainsi dire, sous les conquérants, et qui établissait ses prérogatives. Les lois faites dans ces assemblées sont ce que nous appelons les capitulaires. Il arriva quatre choses : les lois des fiefs s'établirent, et une grande partie des biens de l'Eglise fut gouvernée par les lois des fiefs; les ecclésiastiques se séparèrent davantage, et négligèrent des lois de réforme *c* où ils n'avaient pas été les seuls réformateurs; on recueillit les canons des conciles *d* et les décrétales des papes; et le clergé reçut ces lois, comme venant d'une source plus pure. Depuis l'érection des grands fiefs, les rois n'eurent plus, comme j'ai dit, des envoyés dans les provinces, pour faire observer des lois émanées d'eux : ainsi, sous la troisième race, on n'entendit plus parler de capitulaires.

CHAPITRE X

Continuation du même sujet.

On ajouta plusieurs capitulaires à la loi des Lombards, aux lois saliques, à la loi des Bavarois. On en a cherché la raison; il faut la prendre dans la chose même. Les capitulaires étaient de plusieurs espèces. Les uns avaient du rapport au gouvernement politique, d'autres au gouvernement économique, la plupart au gouvernement ecclésiastique, quelques-uns au gouvernement civil. Ceux de cette dernière espèce furent ajoutés à la loi civile, c'est-à-dire, aux lois personnelles de chaque nation : c'est pour cela qu'il est dit, dans les capitulaires, qu'on

c. Que les évêques, dit Charles le Chauve, dans le capitulaire de l'an 844, art. 8, _sous prétexte qu'ils ont l'autorité de faire des canons, ne s'opposent pas à cette constitution, ni ne la négligent._ Il semble qu'il en prévoyait déjà la chute.
_d._ On inséra, dans le recueil des canons, un nombre infini de décrétales des papes; il y en avait très peu dans l'ancienne collection. Denys le Petit en mit beaucoup dans la sienne : mais celle d'Isidore Mercator fut remplie de vraies et de fausses décrétales. L'ancienne collection fut en usage en France jusqu'à Charlemagne. Ce prince reçut, des mains du pape Adrien Ier, la collection de Denys le Petit, et la fit recevoir. La collection d'Isidore Mercator parut en France vers le règne de Charlemagne; on s'en entêta : ensuite vint ce qu'on appelle le _corps du droit canonique._

n'y a rien stipulé contre la loi romaine [a]. En effet, ceux qui regardaient le gouvernement économique, ecclésiastique ou politique, n'avaient point de rapport avec cette loi; et ceux qui regardaient le gouvernement civil n'en eurent qu'aux lois des peuples barbares, que l'on expliquait, corrigeait, augmentait et diminuait. Mais ces capitulaires, ajoutés aux lois personnelles, firent, je crois, négliger le corps même des capitulaires. Dans des temps d'ignorance, l'abrégé d'un ouvrage fait souvent tomber l'ouvrage même.

a. Voyez l'édit de Pistes, art. 20.

CHAPITRE XI

Autres causes de la chute des codes des lois des barbares,
du droit romain et des capitulaires.

Lorsque les nations germaines conquirent l'empire romain, elles y trouvèrent l'usage de l'écriture; et, à l'imitation des Romains, elles rédigèrent leurs usages par écrit [a], et en firent des codes. Les règnes malheureux qui suivirent celui de Charlemagne, les invasions des Normands, les guerres intestines, replongèrent les nations victorieuses dans les ténèbres dont elles étaient sorties; on ne sut plus lire ni écrire. Cela fit oublier, en France et en Allemagne, les lois barbares écrites, le droit romain et les capitulaires. L'usage de l'écriture se conserva mieux en Italie, où régnaient les papes et les empereurs grecs, et où il y avait des villes florissantes, et presque le seul commerce qui se fît pour lors. Ce voisinage de l'Italie fit que le droit romain se conserva mieux dans les contrées de la Gaule autrefois soumises aux Goths et aux Bourguignons; d'autant plus que ce droit y était une loi territoriale et une espèce de privilège. Il y a apparence que c'est l'ignorance de l'écriture qui fit tomber en Espagne les lois

a. Cela est marqué expressément dans quelques prologues de ces codes. On voit même, dans les lois des Saxons et des Frisons, des dispositions différentes, selon les divers districts. On ajouta à ces usages quelques dispositions particulières que les circonstances exigèrent : telles furent les lois dures contre les Saxons.

wisigothes. Et, par la chute de tant de lois, il se forma partout des coutumes.

Les lois personnelles tombèrent. Les compositions, et ce que l'on appelait *freda* [b], se réglèrent plus par la coutume, que par le texte de ces lois. Ainsi, comme, dans l'établissement de la monarchie, on avait passé des usages des Germains à des lois écrites, on revint, quelques siècles après, des lois écrites à des usages non écrits.

b. J'en parlerai ailleurs.

Chapitre XII

Des coutumes locales; révolution des lois des peuples barbares, et du droit romain.

On voit, par plusieurs monuments, qu'il y avait déjà des coutumes locales dans la première et la seconde race. On y parle de la *coutume du lieu* [a], de l'*usage ancien* [b], de la *coutume* [c], des *lois* et des *coutumes* [d]. Des auteurs ont cru que ce qu'on nommait des coutumes étaient les lois des peuples barbares, et que ce qu'on appelait la loi était le droit romain. Je prouve que cela ne peut être. Le roi Pépin ordonna que, partout où il n'y aurait point de loi, on suivrait la coutume; mais que la coutume ne serait pas préférée à la loi [e]. Or dire que le droit romain eût la préférence sur les codes des lois des barbares, c'est renverser tous les monuments anciens, et surtout ces codes des lois des barbares, qui disent perpétuellement le contraire.

Bien loin que les lois des peuples barbares fussent ces coutumes, ce furent ces lois mêmes, qui, comme lois personnelles, les introduisent. La loi salique, par exemple, était une loi personnelle : mais, dans des lieux généralement ou presque généralement habités par des Francs Saliens, la loi salique, toute personnelle qu'elle était, devenait, par rapport à ces Francs Saliens, une loi terri-

a. Préface des *formules* de Marculse.
b. Loi des Lombards, liv. II, tit. 58, § 3.
c. Loi des Lombards, liv. II, tit. 41, § 6.
d. Vie de S. Léger.
e. Loi des Lombards, liv. II, tit. 41, § 6.

toriale; et elle n'était personnelle que pour les Francs qui habitaient ailleurs. Or, si, dans un lieu où la loi salique était territoriale, il était arrivé que plusieurs Bourguignons, Allemands ou Romains même, eussent eu souvent des affaires, elles auraient été décidées par les lois de ces peuples; et un grand nombre de jugements, conformes à quelques-unes de ces lois, aurait dû introduire dans le pays de nouveaux usages. Et cela explique bien la constitution de Pépin. Il était naturel que ces usages pussent affecter les Francs même du lieu, dans les cas qui n'étaient point décidés par la loi salique; mais il ne l'était pas qu'ils pussent prévaloir sur la loi salique.

Ainsi il y avait, dans chaque lieu, une loi dominante, et des usages reçus qui servaient de supplément à la loi dominante, lorsqu'ils ne la choquaient pas.

Il pouvait même arriver qu'ils servissent de supplément à une loi qui n'était point territoriale : Et, pour suivre le même exemple, si, dans un lieu où la loi salique était territoriale, un Bourguignon était jugé par la loi des Bourguignons, et que le cas ne se trouvât pas dans le texte de cette loi, il ne faut pas douter que l'on ne jugeât suivant la coutume du lieu.

Du temps du roi Pépin, les coutumes qui s'étaient formées avaient moins de force que les lois; mais bientôt les coutumes détruisirent les lois : et, comme les nouveaux règlements sont toujours des remèdes qui indiquent un mal présent, on peut croire que, du temps de Pépin, on commençait déjà à préférer les coutumes aux lois.

Ce que j'ai dit explique comment le droit romain commença, dès les premiers temps, à devenir une loi territoriale, comme on le voit dans l'édit de Pistes; et comment la loi gothe ne laissa pas d'y être encore en usage, comme il paraît par le synode de Troyes dont j'ai parlé [f]. La loi romaine était devenue la loi personnelle générale, et la loi gothe la loi personnelle particulière; et par conséquent la loi romaine était la loi territoriale. Mais comment l'ignorance fit-elle tomber partout les lois personnelles des peuples barbares, tandis que le droit romain subsista, comme loi territoriale, dans les provinces wisigothes et bourguignonnes ? Je réponds que la loi romaine même eut à peu près le sort des autres lois personnelles : sans cela, nous aurions encore le code Théodosien, dans les provinces où la loi romaine était loi

f. Voyez, ci-dessus, le chap. v.

territoriale, au lieu que nous y avons les lois de Justinien.
Il ne resta presque à ces provinces que le nom de pays
de droit romain ou de droit écrit, que cet amour que les
peuples ont pour leur loi, surtout quand ils la regardent
comme un privilège, et quelques dispositions du droit
romain retenues pour lors dans la mémoire des hommes.
Mais c'en fut assez pour produire cet effet que, quand la
compilation de Justinien parut, elle fut reçue, dans les
provinces du domaine des Goths et des Bourguignons,
comme loi écrite, au lieu que, dans l'ancien domaine des
Francs, elle ne le fut que comme raison écrite.

Chapitre XIII

*Différence de la loi salique ou des Francs Saliens, d'avec
celle des Francs Ripuaires, et des autres peuples barbares.*

La loi salique n'admettait point l'usage des preuves
négatives; c'est-à-dire que, par la loi salique, celui qui
faisait une demande ou une accusation devait la prouver,
et qu'il ne suffisait pas à l'accusé de la nier : ce qui est
conforme aux lois de presque toutes les nations du monde.

La loi des Francs Ripuaires avait un tout autre esprit [a];
elle se contentait des preuves négatives ; et celui contre
qui on formait une demande ou une accusation pouvait,
dans la plupart des cas, se justifier, en jurant, avec certain
nombre de témoins, qu'il n'avait point fait ce qu'on lui
imputait. Le nombre des témoins qui devaient jurer [b]
augmentait selon l'importance de la chose; il allait
quelquefois à soixante-douze [c]. Les lois des Allemands,
des Bavarois, des Thuringiens, celles des Frisons, des
Saxons, des Lombards et des Bourguignons, furent faites
sur le même plan que celles des Ripuaires.

J'ai dit que l[a] loi salique n'admettait point les preuves
négatives. Il y avait pourtant un cas où elle les admettait [d];

---

a. Cela se rapporte à ce que dit Tacite, que les peuples germains
avaient des usages communs, et des usages particuliers.
b. Loi des Ripuaires, tit. 6, 7, 8, et autres.
c. *Ibid.*, tit. 11, 12 et 17.
d. C'est celui où un antrustion, c'est-à-dire un vassal du roi, en
qui on supposait une plus grande franchise, était accusé : voyez le
tit. 76 du *pactus legis salicæ.*

mais, dans ce cas, elle ne les admettait point seules, et
sans le concours des preuves positives. Le demandeur
faisait ouïr ses témoins, pour établir sa demande [e] ; le
défenseur faisait ouïr les siens, pour se justifier ; et le juge
cherchait la vérité dans les uns et dans les autres témoignages [f]. Cette pratique était bien différente de celle des
lois ripuaires et des autres lois barbares, où un accusé se
justifiait, en jurant qu'il n'était point coupable, et en
faisant jurer ses parents qu'il avait dit la vérité. Ces lois
ne pouvaient convenir qu'à un peuple qui avait de la
simplicité et une certaine candeur naturelle. Il fallut même
que les législateurs en prévinssent l'abus, comme on le
va voir tout à l'heure.

   e. Voyez le tit. 76 du *pactus legis salicæ.*
   f. Comme il se pratique encore aujourd'hui en Angleterre.

Chapitre XIV
Autre différence.

   La loi salique ne permettait point la preuve par le
combat singulier ; la loi des Ripuaires [a], et presque toutes
celles des peuples barbares, la recevaient [b]. Il me paraît
que la loi du combat était une suite naturelle, et le remède
de la loi qui établissait les preuves négatives. Quand on
faisait une demande, et qu'on voyait qu'elle allait être
injustement éludée par un serment, que restait-il à un
guerrier qui se voyait sur le point d'être confondu, qu'à
demander raison du tort qu'on lui faisait, et de l'offre
même du parjure [e] ? La loi salique, qui n'admettait point
l'usage des preuves négatives, n'avait pas besoin de la
preuve par le combat, et ne la recevait pas ; mais la loi des
Ripuaires [d], et celle des autres peuples barbares qui
admettaient l'usage des preuves négatives [e], furent
forcées d'établir la preuve par le combat.

   a. Tit. 32 ; tit. 57, § 2 ; tit. 59, § 4.
   b. Voyez la note suivante.
   c. Cet esprit paraît bien dans la loi des Ripuaires, tit. 59, § 4, et
tit. 67, § 5 ; et le capitulaire de Louis le Débonnaire, ajouté à la loi
des Ripuaires, de l'an 803, art. 22.
   d. Voyez cette loi.
   e. La loi des Frisons, des Lombards, des Bavarois, des Saxons,
des Thuringiens et des Bourguignons.

Je prie qu'on lise les deux fameuses dispositions de Gondebaud [f], roi de Bourgogne, sur cette matière; on verra qu'elles sont tirées de la nature de la chose. Il fallait, selon le langage des lois des barbares, ôter le serment des mains d'un homme qui en voulait abuser.

Chez les Lombards, la loi de Rotharis admit des cas où elle voulait que celui qui s'était défendu par un serment, ne pût plus être fatigué par un combat. Cet usage s'étendit [g] : nous verrons, dans la suite, quels maux il en résulta, et comment il fallut revenir à l'ancienne pratique.

CHAPITRE XV

Réflexion.

Je ne dis pas que, dans les changements qui furent faits au code des lois des barbares, dans les dispositions qui y furent ajoutées, et dans le corps des capitulaires, on ne puisse trouver quelque texte, où, dans le fait, la preuve du combat ne soit pas une suite de la preuve négative. Des circonstances particulières ont pu, dans le cours de plusieurs siècles, faire établir de certaines lois particulières. Je parle de l'esprit général des lois des Germains, de leur nature et de leur origine; je parle des anciens usages de ces peuples, indiqués ou établis par ces lois; et il n'est ici question que de cela.

f. Dans la loi des Bourguignons, tit. 8, § 1 et 2, sur les affaires criminelles; et le tit. 45, qui porte encore sur les affaires civiles. Voyez aussi la loi des Thuringiens, tit. 1, § 31; tit. 7, § 6; et tit. 8; et la loi des Allemands, tit. 89 : la loi des Bavarois, tit. 8, chap. II, § 6; et chap. III, § 1; et tit. 9, chap. IV, § 4 : la loi des Frisons, tit. 11, § 3; et tit. 14, § 4 : la loi des Lombards, liv. I, tit. 32, § 3; et tit. 35, § 1; et liv. II, tit. 35, § 2.

g. Voyez, ci-dessous, le chap. XVIII, à la fin.

Chapitre XVI

*De la preuve par l'eau bouillante,
établie par la loi salique.*

La loi salique admettait l'usage de la preuve par l'eau bouillante [a]; et, comme cette épreuve était fort cruelle, la loi prenait un tempérament pour en adoucir la rigueur [b]. Elle permettait à celui qui avait été ajourné pour venir faire la preuve par l'eau bouillante, de racheter sa main, du consentement de sa partie. L'accusateur, moyennant une certaine somme que la loi fixait, pouvait se contenter du serment de quelques témoins, qui déclaraient que l'accusé n'avait pas commis le crime : et c'était un cas particulier de la loi salique, dans lequel elle admettait la preuve négative.

Cette preuve était une chose de convention, que la loi souffrait, mais qu'elle n'ordonnait pas. La loi donnait un certain dédommagement à l'accusateur, qui voulait permettre que l'accusé se défendît par une preuve négative : il était libre à l'accusateur de s'en rapporter au serment de l'accusé, comme il lui était libre de remettre le tort ou l'injure.

La loi donnait un tempérament [c], pour qu'avant le jugement, les parties, l'une dans la crainte d'une épreuve terrible, l'autre à la vue d'un petit dédommagement présent, terminassent leurs différends, et finissent leurs haines. On sent bien que cette preuve négative une fois consommée, il n'en fallait plus d'autre; et qu'ainsi la pratique de combat ne pouvait être une suite de cette disposition particulière de la loi salique.

a. Et quelques autres lois des barbares aussi.
b. Tit. 56.
c. *Ibid.*, tit. 56.

Chapitre XVII

Manière de penser de nos pères.

On sera étonné de voir que nos pères fissent ainsi dépendre l'honneur, la fortune et la vie des citoyens, de choses qui étaient moins du ressort de la raison, que du hasard ; qu'ils employassent sans cesse des preuves qui ne prouvaient point, et qui n'étaient liées, ni avec l'innocence, ni avec le crime.

Les Germains qui n'avaient jamais été subjugués [a] jouissaient d'une indépendance extrême. Les familles se faisaient la guerre pour des meurtres, des vols, des injures [b]. On modifia cette coutume, en mettant ces guerres sous des règles ; elles se firent par ordre et sous les yeux du magistrat [c] : ce qui était préférable à une licence générale de se nuire.

Comment aujourd'hui les Turcs, dans leurs guerres civiles, regardent la première victoire comme un jugement de Dieu qui décide ; ainsi les peuples germains, dans leurs affaires particulières, prenaient l'événement du combat pour un arrêt de la providence, toujours attentive à punir le criminel ou l'usurpateur.

Tacite dit que, chez les Germains, lorsqu'une nation voulait entrer en guerre avec une autre, elle cherchait à faire quelque prisonnier qui pût combattre avec un des siens ; et qu'on jugeait, par l'événement de ce combat, du succès de la guerre. Des peuples qui croyaient que le combat singulier réglerait les affaires publiques, pouvaient bien penser qu'il pourrait encore régler les différends des particuliers.

Gondebaud [d], roi de Bourgogne, fut, de tous les rois, celui qui autorisa le plus l'usage du combat. Ce prince rend raison de sa loi dans sa loi même : « C'est, dit-il, afin que nos sujets ne fassent plus de serment sur des faits obscurs, et ne se parjurent point sur des faits certains. »

---

a. Cela paraît par ce que dit Tacite : *omnibus idem habitus.*
b. *Velleius Paterculus,* liv. II, chap. CXVIII, dit que les Germains décidaient toutes les affaires par le combat.
c. Voyez les codes des lois des barbares ; et, pour les temps plus modernes, BEAUMANOIR, Sur la cout. de Beauvoisis.
d. La loi des Bourguignons, chap. XLV.

Ainsi, tandis que les ecclésiastiques déclaraient impie la loi qui permettait le combat *, le roi des Bourguignons regardait comme sacrilège celle qui établissait le serment.

La preuve par le combat singulier avait quelque raison fondée sur l'expérience. Dans une nation uniquement guerrière, la poltronnerie suppose d'autres vices : elle prouve qu'on a résisté à l'éducation qu'on a reçue ; et que l'on n'a pas été sensible à l'honneur, ni conduit par les principes qui ont gouverné les autres hommes ; elle fait voir qu'on ne craint point leur mépris, et qu'on ne fait point de cas de leur estime : pour peu qu'on soit bien né, on n'y manquera pas ordinairement de l'adresse qui doit s'allier avec la force, ni de la force qui doit concourir avec le courage ; parce que, faisant cas de l'honneur, on se sera toute sa vie exercé à des choses sans lesquelles on ne peut l'obtenir. De plus, dans une nation guerrière, où la force, le courage et la prouesse sont en honneur, les crimes véritablement odieux sont ceux qui naissent de la fourberie, de la finesse et de la ruse, c'est-à-dire, de la poltronnerie.

Quant à la preuve par le feu, après que l'accusé avait mis la main sur un fer chaud, ou dans l'eau bouillante, on enveloppait la main dans un sac que l'on cachetait : si, trois jours après, il ne paraissait pas de marque de brûlure, on était déclaré innocent. Qui ne voit que, chez un peuple exercé à manier des armes, la peau rude et caleuse ne devait pas recevoir assez l'impression du fer chaud ou de l'eau bouillante, pour qu'il parût trois jours après ? Et, s'il y paraissait, c'était une marque que celui qui faisait l'épreuve était un efféminé. Nos paysans, avec leurs mains caleuses, manient le fer chaud comme ils veulent. Et, quant aux femmes, les mains de celles qui travaillaient pouvaient résister au fer chaud. Les dames ne manquaient point de champions pour les défendre ' ; et, dans une nation où il n'y avait point de luxe, il n'y avait guère d'état moyen.

Par la loi des Thuringiens *, une femme accusée d'adultère n'était condamnée à l'épreuve par l'eau bouillante, que lorsqu'il ne se présentait point de champion pour elle ; et la loi des Ripuaires n'admet cette épreuve,

_e._ Voyez les œuvres d'Agobard.
_f._ Voyez BEAUMANOIR, _Coutume de Beauvoisis_, chap. LXI. Voyez aussi la loi des Angles, chap. XIV, où la preuve par l'eau bouillante n'est que subsidiaire.
_g._ Tit. 14.

que lorsqu'on ne trouve pas de témoins pour se justifier [h]. Mais une femme qu'aucun de ses parents ne voulait défendre, un homme qui ne pouvait alléguer aucun témoignage de sa probité, étaient par cela même déjà convaincus.

Je dis donc que, dans les circonstances des temps où la preuve par le combat et la preuve par le fer chaud et l'eau bouillante furent en usage, il y eut un tel accord de ces lois avec les mœurs, que ces lois produisirent moins d'injustices qu'elles ne furent injustes; que les effets furent plus innocents que les causes; qu'elles choquèrent plus l'équité qu'elles n'en violèrent les droits; qu'elles furent plus déraisonnables que tyranniques.

h. Chap. XXXI, § 5.

CHAPITRE XVIII

Comment la preuve par le combat s'étendit.

On pourrait conclure, de la lettre d'Agobard à Louis le Débonnaire, que la preuve par le combat n'était point en usage chez les Francs, puisque après avoir remontré à ce prince les abus de la loi de Gondebaud, il demande qu'on juge en Bourgogne les affaires par la loi des Francs [a]. Mais, comme on sait d'ailleurs que, dans ce temps-là, le combat judiciaire était en usage en France, on a été dans l'embarras. Cela s'explique par ce que j'ai dit; la loi des Francs Saliens n'admettait point cette preuve, et celle des Francs Ripuaires la recevait [b].

Mais, malgré les clameurs des ecclésiastiques, l'usage du combat judiciaire s'étendit tous les jours en France; et je vais prouver tout à l'heure que ce furent eux-mêmes qui y donnèrent lieu, en grande partie.

C'est la loi des Lombards qui nous fournit cette preuve. « Il s'était introduit depuis longtemps une détestable coutume (est-il dit dans le préambule de la constitution d'Othon II); c'est que, si la chartre de quelque héritage était attaquée de faux, celui qui la présentait faisait

a. *Si placeret domino nostro ut eos transferret ad legem Francorum.*
b. Voyez cette loi, tit. 59, § 4; et tit. 67, § 5.

serment sur les évangiles qu'elle était vraie ; et, sans aucun
jugement préalable, il se rendait propriétaire de l'héritage : ainsi les parjures étaient sûrs d'acquérir [c]. »
Lorsque l'empereur Othon Ier se fit couronner à Rome [d],
le pape Jean XII tenant un concile, tous les seigneurs
d'Italie s'écrièrent qu'il fallait que l'empereur fît une loi
pour corriger cet indigne abus [e]. Le pape et l'empereur
jugèrent qu'il fallait renvoyer l'affaire au concile qui
devait se tenir peu de temps après à Ravenne [f]. Là, les
seigneurs firent les mêmes demandes, et redoublèrent
leurs cris ; mais, sous prétexte de l'absence de quelques
personnes, on renvoya encore une fois cette affaire. Lorsque Othon II, et Conrad [g] roi de Bourgogne, arrivèrent
en Italie, ils eurent, à Véronne [h], un colloque avec les
seigneurs d'Italie [i] : et, sur leurs instances réitérées,
l'empereur, du consentement de tous, fit une loi qui
portait que, quand il y aurait quelque contestation sur
des héritages, et qu'une des parties voudrait se servir
d'une chartre, et que l'autre soutiendrait qu'elle était
fausse, l'affaire se déciderait par le combat ; que la même
règle s'observerait, lorsqu'il s'agirait de matières de fiefs ;
que les églises seraient sujettes à la même loi, et qu'elles
combattraient par leurs champions. On voit que la
noblesse demanda la preuve par le combat, à cause de
l'inconvénient de la preuve introduite dans les églises ;
que, malgré les cris de cette noblesse, malgré l'abus qui
criait lui-même, et malgré l'autorité d'Othon, qui arriva
en Italie pour parler et agir en maître, le clergé tint ferme
dans deux conciles ; que le concours de la noblesse et des
princes ayant forcé les ecclésiastiques à céder, l'usage du
combat judiciaire dut être regardé comme un privilège
de la noblesse, comme un rempart contre l'injustice, et
une assurance de sa propriété ; et que, dès ce moment,
cette pratique dut s'étendre. Et cela se fit dans un temps

----

c. Loi des Lombards, liv. II, tit. 55, chap. xxxiv.

d. L'an 962.

e. *Ab Italiæ proceribus est proclamatum, ut imperator sanctus, muta-
talege, facinus indignum destrueret.* Loi des Lombards, liv. II, tit. 55,
chap. xxxiv.

f. Il fut tenu en l'an 967, en présence du pape Jean XIII, et de
l'empereur Othon Ier.

g. Oncle d'Othon II, fils de Rodolphe, et roi de la Bourgogne
Transjurane.

h. L'an 988.

i. *Cum in hoc ab omnibus imperiales aures pulsarentur.* Loi des Lombards, liv. II, tit. 55, chap. xxxiv.

où les empereurs étaient grands, et les papes petits ; dans un temps où les Othons vinrent rétablir en Italie la dignité de l'empire.

Je ferai une réflexion qui confirmera ce que j'ai dit ci-dessus, que l'établissement des preuves négatives entraînait après lui la jurisprudence du combat. L'abus dont on se plaignait devant les Othons, était qu'un homme à qui on objectait que sa chartre était fausse, se défendait par une preuve négative, en déclarant sur les évangiles qu'elle ne l'était pas. Que fit-on pour corriger l'abus d'une loi qui avait été tronquée ? on rétablit l'usage du combat.

Je me suis pressé de parler de la constitution d'Othon II, afin de donner une idée claire des démêlés de ces temps-là entre le clergé et les laïcs. Il y avait eu auparavant une constitution de Lothaire I[er][k], qui, sur les mêmes plaintes et les mêmes démêlés, voulant assurer la propriété des biens, avait ordonné que le notaire jurerait que la chartre n'était pas fausse ; et que, s'il était mort, on ferait jurer les témoins qui l'avaient signée ; mais le mal restait toujours, il fallait en venir au remède dont je viens de parler.

Je trouve qu'avant ce temps-là, dans des assemblées générales tenues par Charlemagne, la nation lui représenta que, dans l'état des choses, il était très difficile que l'accusateur ou l'accusé ne se parjurassent, et qu'il valait mieux rétablir le combat judiciaire[l] ; ce qu'il fit.

L'usage du combat judiciaire s'étendit chez les Bourguignons, et celui du serment y fut borné. Théodoric, roi d'Italie, abolit le combat singulier chez les Ostrogoths[m] : les lois de Chaindasuinde et de Récessuinde semblent en avoir voulu ôter jusqu'à l'idée. Mais ces lois furent si peu reçues dans la Narbonnaise, que le combat y était regardé comme une prérogative des Goths[n].

Les Lombards, qui conquirent l'Italie, après la destruction des Ostrogoths par les Grecs, y rapportèrent

---

k. Dans la loi des Lombards, liv. II, tit. 55, § 33. Dans l'exemplaire dont s'est servi M. Muratori, elle est attribuée à l'empereur Guy.

l. Dans la loi des Lombards, liv. II, tit. 55, § 23.

m. Voyez Cassiodore, liv. III, lettr. 23 et 24.

n. *In palatio quoque* Bera, *comes Barcinonensis, cum impeteretur a quodam vocato* Sunila, *et infidelitatis argueretur, cum eodem secundum legem propriam, ut pote quia uterque Gothus erat, equestri pralio congressus est et victus.* L'auteur incertain de la vie de Louis le Débonnaire.

l'usage du combat; mais leurs premières lois le restreignirent [o]. Charlemagne [p], Louis le Débonnaire, les Othons, firent diverses constitutions générales, qu'on trouve insérées dans les lois des Lombards, et ajoutées aux lois saliques, qui étendirent le duel, d'abord dans les affaires criminelles, et ensuite dans les civiles. On ne savait comment faire. La preuve négative par le serment avait des inconvénients; celle par le combat en avait aussi : on changeait, suivant qu'on était plus frappé des uns ou des autres.

D'un côté, les ecclésiastiques se plaisaient à voir que, dans toutes les affaires séculières, on recourût aux églises et aux autels [q]; et, de l'autre, une noblesse fière aimait à soutenir ses droits par son épée.

Je ne dis point que ce fût le clergé qui eût introduit l'usage dont la noblesse se plaignait. Cette coutume dérivait de l'esprit des lois des barbares, et de l'établissement des preuves négatives. Mais une pratique qui pouvait procurer l'impunité à tant de criminels, ayant fait penser qu'il fallait se servir de la sainteté des églises pour étonner les coupables, et faire pâlir les parjures, les ecclésiastiques soutinrent cet usage et la pratique à laquelle il était joint; car d'ailleurs ils étaient opposés aux preuves négatives. Nous voyons, dans Beaumanoir [r], que ces preuves ne furent jamais admises dans les tribunaux ecclésiastiques; ce qui contribua sans doute beaucoup à les faire tomber, et à affaiblir la disposition des codes des lois des barbares à cet égard.

Ceci fera encore bien sentir la liaison entre l'usage des preuves négatives, et celui du combat judiciaire dont j'ai tant parlé. Les tribunaux laïcs les admirent l'un et l'autre, et les tribunaux clercs les rejetèrent tous deux.

Dans le choix de la preuve par le combat, la nation suivait son génie guerrier; car, pendant qu'on établissait le combat comme un jugement de Dieu, on abolissait les

o. Voyez dans la loi des Lombards, le liv. I, tit. 4; et tit. 9, § 23; et liv. II, tit. 35, § 4 et 5; et tit. 55, § 1, 2 et 3 : les règlements de Rotharis; et au § 15, celui de Luitprand.

p. *Ibid.*, liv. II, tit. 55, § 23.

q. Le serment judiciaire se faisait pour lors dans les églises; et il y avait, dans la première race, dans le palais des rois, une chapelle exprès pour les affaires qui s'y jugeaient. Voyez les formules de Marculse, liv. I, chap. XXXVIII; les lois des Ripuaires, tit. 59, § 4; tit. 65, § 5; l'histoire de Grégoire de Tours; le capitulaire de l'an 803, ajouté à la loi salique.

r. Chap. XXXIX, p. 212.

preuves par la croix, l'eau froide et l'eau bouillante, qu'on avait regardées aussi comme des jugements de Dieu.

Charlemagne ordonna que, s'il survenait quelque différend entre ses enfants, il fût terminé par le jugement de la croix. Louis le Débonnaire borna ce jugement aux affaires ecclésiastiques [s] : son fils Lothaire l'abolit dans tous les cas ; il abolit de même la preuve par l'eau froide [t].

Je ne dis pas que, dans un temps où il y avait si peu d'usages universellement reçus, ces preuves n'aient été reproduites dans quelques églises, d'autant plus qu'une chartre de Philippe Auguste en fait mention [u] : mais je dis qu'elles furent de peu d'usage. Beaumanoir, qui vivait du temps de Saint Louis, et un peu après, faisant l'énumération des différents genres de preuves, parle de celle du combat judiciaire, et point du tout de celles-là [v].

Chapitre XIX

Nouvelle raison de l'oubli des lois saliques, des lois romaines, et des capitulaires.

J'ai déjà dit les raisons qui avaient fait perdre aux lois saliques, aux lois romaines, et aux capitulaires, leur autorité ; j'ajouterai que la grande extension de la preuve par le combat en fut la principale cause.

Les lois saliques, qui n'admettaient point cet usage, devinrent en quelque façon inutiles, et tombèrent : les lois romaines, qui ne l'admettaient pas non plus, périrent de même. On ne songea plus qu'à former la loi du combat judiciaire, et à en faire une bonne jurisprudence. Les dispositions des capitulaires ne devinrent pas moins inutiles. Ainsi tant de lois perdirent leur autorité, sans qu'on puisse citer le moment où elles l'ont perdue ; elles furent oubliées, sans qu'on en trouve d'autres qui aient pris leur place.

s. On trouve ses constitutions insérées dans la loi des Lombards, et à la suite des lois saliques.
t. Dans la constitution insérée dans la loi des Lombards, liv. II tit. 55, § 31.
u. De l'an 1200.
v. *Coutume de Beauvoisis*, chap. XXXIX.

Une nation pareille n'avait pas besoin de lois écrites, et ses lois écrites pouvaient bien aisément tomber dans l'oubli.

Y avait-il quelque discussion entre deux parties ? on ordonnait le combat. Pour cela, il ne fallait pas beaucoup de suffisance.

Toutes les actions civiles et criminelles se réduisent en faits. C'est sur ces faits que l'on combattait; et ce n'était pas seulement le fond de l'affaire qui se jugeait par le combat, mais encore les incidents et les interlocutoires, comme le dit Beaumanoir [a], qui en donne des exemples.

Je trouve qu'au commencement de la troisième race, la jurisprudence était toute en procédés; tout fut gouverné par le point d'honneur. Si l'on n'avait pas obéi au juge, il poursuivait son offense. A Bourges [b], si le prévôt avait mandé quelqu'un, et qu'il ne fût pas venu : « Je t'ai envoyé chercher, disait-il; tu as dédaigné de venir; fais-moi raison de ce mépris »; et l'on combattait. Louis le Gros réforma cette coutume [c].

Le combat judiciaire était en usage à Orléans dans toutes les demandes de dettes [d]. Louis le Jeune déclara que cette coutume n'aurait lieu que lorsque la demande excéderait cinq sols. Cette ordonnance était une loi locale; car, du temps de Saint Louis [e], il suffisait que la valeur fût de plus de douze deniers. Beaumanoir avait ouï dire à un seigneur de loi, qu'il y avait autrefois en France cette mauvaise coutume, qu'on pouvait louer, pendant un certain temps, un champion pour combattre dans ses affaires [f]. Il fallait que l'usage du combat judiciaire eût, pour lors, une prodigieuse extension.

a. Chap. LXI, p. 309 et 310.
b. Chartre de Louis le Gros, de l'an 1145, dans le recueil des ordonnances.
c. Ibid.
d. Chartre de Louis le Jeune, de l'an 1168, dans le recueil des ordonnances.
e. Voyez Beaumanoir, chap. LXIII, p. 325.
f. Voyez la coutume de Beauvoisis, chap. XXVIII, p. 203.

Chapitre XX

Origine du point d'honneur.

On trouve des énigmes dans les codes des lois des barbares. La loi des Frisons ne donne qu'un demi-sol de composition à celui qui a reçu des coups de bâton[a]; et il n'y a si petite blessure pour laquelle elle n'en donne davantage. Par la loi salique, si un ingénu donnait trois coups de bâton à un ingénu, il payait trois sols; s'il avait fait couler le sang, il était puni comme s'il avait blessé avec le fer, et il payait quinze sols : la peine se mesurait par la grandeur des blessures. La loi des Lombards établit différentes compositions pour un coup, pour deux, pour trois, pour quatre[b]. Aujourd'hui un coup en vaut cent mille.

La constitution de Charlemagne, insérée dans la loi des Lombards, veut que ceux à qui elle permet le duel combattent avec le bâton[c]. Peut-être que ce fut un ménagement pour le clergé; peut-être que, comme on étendait l'usage des combats, on voulut les rendre moins sanguinaires. Le capitulaire de Louis le Débonnaire[d] donne le choix de combattre avec le bâton ou avec les armes. Dans la suite, il n'y eut que les serfs qui combattissent avec le bâton[e].

Déjà je vois naître et se former les articles particuliers de notre point d'honneur. L'accusateur commençait par déclarer, devant le juge, qu'un tel avait commis une telle action; et celui-ci répondait qu'il en avait menti[f]; sur cela, le juge ordonnait le duel. La maxime s'établit que, lorsqu'on avait reçu un démenti, il fallait se battre.

Quand un homme avait déclaré qu'il combattrait, il ne pouvait plus s'en départir; et, s'il le faisait, il était condamné à une peine[g]. De là suivit cette règle que, quand un homme s'était engagé par sa parole, l'honneur ne lui permettait plus de la rétracter.

a. *Additio sapientium Wilemari*, tit. 5.
b. Liv. I, tit. 6, § 3.
c. Liv. II, tit. 5, § 23.
d. Ajouté à la loi salique, sur l'an 819.
e. Voyez Beaumanoir, chap. LXIV, p. 323.
f. *Ibid.*, p. 329.
g. Voyez Beaumanoir, chap. III, p. 25 et 329.

Les gentilshommes se battaient entre eux à cheval et avec leurs armes [h]; et les vilains se battaient à pied et avec le bâton [i]. De là il suivit que le bâton était l'instrument des outrages [k], parce qu'un homme qui en avait été battu avait été traité comme un vilain.

Il n'y avait que les vilains qui combattissent à visage découvert [l]; ainsi il n'y avait qu'eux qui pussent recevoir des coups sur la face. Un soufflet devint une injure qui devait être lavée par le sang, parce qu'un homme qui l'avait reçu avait été traité comme un vilain.

Les peuples germains n'étaient pas moins sensibles que nous au point d'honneur; ils l'étaient même plus. Ainsi les parents les plus éloignés prenaient une part très vive aux injures; et tous leurs codes sont fondés là-dessus. La loi des Lombards veut que celui qui, accompagné de ses gens, va battre un homme qui n'est point sur ses gardes, afin de le couvrir de honte et de ridicule, paye la moitié de la composition qu'il aurait due s'il l'avait tué [m]; et que, si, par le même motif, il le lie, il paie les trois quarts de la même composition [n].

Disons donc que nos pères étaient extrêmement sensibles aux affronts; mais que les affronts d'une espèce particulière, de recevoir des coups d'un certain instrument sur une certaine partie du corps, et donnés d'une certaine manière, ne leur étaient pas encore connus. Tout cela était compris dans l'affront d'être battu; et, dans ce cas, la grandeur des excès faisait la grandeur des outrages.

---

h. Voyez, sur les armes des combattants, Beaumanoir, chap. LXI, p. 308; et chap. LXIV, p. 328.

i. Ibid., chap. LXIV, p. 328 : voyez aussi les chartres de saint Aubin d'Anjou, rapportées par Galland, p. 263.

k. Chez les Romains, les coups de bâton n'étaient point infâmes. Lege Ictus fustium. De iis qui notantur infamia.

l. Ils n'avaient que l'écu et le bâton : Beaumanoir, chap. LXIV, p. 328.

m. Liv. I, tit. 6, § 1.

n. Ibid., 9, 2.

CHAPITRE XXI

Nouvelle réflexion sur le point d'honneur chez les Germains.

« C'était chez les Germains, dit Tacite [a], une grande infamie d'avoir abandonné son bouclier dans le combat; et plusieurs, après ce malheur, s'étaient donné la mort. » Aussi l'ancienne loi salique donne-t-elle quinze sols de composition à celui à qui on avait dit, par injure, qu'il avait abandonné son bouclier [b].

Charlemagne, corrigeant la loi salique [c], n'établit, dans ce cas, que trois sols de composition. On ne peut pas soupçonner ce prince d'avoir voulu affaiblir la discipline militaire : il est clair que ce changement vint de celui des armes; et c'est à ce changement des armes que l'on doit l'origine de bien des usages.

a. *De moribus Germanorum.*
b. Dans le *Pactus legis salicæ.*
c. Nous avons l'ancienne loi, et celle qui fut corrigée par ce prince.

CHAPITRE XXII

Des mœurs relatives aux combats.

Notre liaison avec les femmes est fondée sur le bonheur attaché aux plaisirs des sens, sur le charme d'aimer et d'être aimé, et encore sur le désir de leur plaire, parce que ce sont des juges très éclairés sur une partie des choses qui constituent le mérite personnel. Ce désir général de plaire produit la galanterie, qui n'est point l'amour, mais le délicat, mais le léger, mais le perpétuel mensonge de l'amour.

Selon les circonstances différentes dans chaque nation et dans chaque siècle, l'amour se porte plus vers une de ces trois choses, que vers les deux autres. Or je dis que, dans le temps de nos combats, ce fut l'esprit de galanterie qui dut prendre des forces.

Je trouve, dans la loi des Lombards [a], que, si un des deux champions avait sur lui des herbes propres aux

a. Liv. II, tit. 55, § 11.

enchantements, le juge les lui faisait ôter, et le faisait jurer qu'il n'en avait plus. Cette loi ne pouvait être fondée que sur l'opinion commune; c'est la peur, qu'on a dit avoir inventé tant de choses, qui fit imaginer ces sortes de prestiges. Comme, dans les combats particuliers, les champions étaient armés de toutes pièces; et qu'avec des armes pesantes, offensives et défensives, celles d'une certaine trempe et d'une certaine force donnaient des avantages infinis, l'opinion des armes enchantées de quelques combattants dut tourner la tête à bien des gens.

De là naquit le système merveilleux de la chevalerie. Tous les esprits s'ouvrirent à ces idées. On vit, dans les romans, des paladins, des négromans, des fées, des chevaux ailés ou intelligents, des hommes invisibles ou invulnérables, des magiciens qui s'intéressaient à la naissance ou à l'éducation des grands personnages, des palais enchantés et désenchantés; dans notre monde, un monde nouveau; et le cours ordinaire de la nature laissé seulement pour les hommes vulgaires.

Des paladins, toujours armés dans une partie du monde pleine de châteaux, de forteresses et de brigands, trouvaient de l'honneur à punir l'injustice, et à défendre la faiblesse. De là encore, dans nos romans, la galanterie fondée sur l'idée de l'amour, jointe à celle de force et de protection.

Ainsi naquit la galanterie, lorsqu'on imagina des hommes extraordinaires, qui, voyant la vertu jointe à la beauté et à la faiblesse, furent portés à s'exposer pour elle dans les dangers, et à lui plaire dans les actions ordinaires de la vie.

Nos romans de chevalerie flattèrent ce désir de plaire, et donnèrent, à une partie de l'Europe, cet esprit de galanterie que l'on peut dire avoir été peu connu par les anciens.

Le luxe prodigieux de cette immense ville de Rome flatta l'idée des plaisirs des sens. Une certaine idée de tranquillité dans les campagnes de la Grèce, fit décrire les sentiments de l'amour [b]. L'idée des paladins, protecteurs de la vertu et de la beauté des femmes, conduisit à celle de galanterie.

Cet esprit se perpétua par l'usage des tournois, qui, unissant ensemble les droits de la valeur et de l'amour, donnèrent encore à la galanterie une grande importance.

---

b. On peut voir les romans grecs du Moyen Age.

CHAPITRE XXIII

De la jurisprudence du combat judiciaire.

On aura peut-être de la curiosité à voir cet usage monstrueux du combat judiciaire réduit en principes, et à trouver le corps d'une jurisprudence si singulière. Les hommes, dans le fond raisonnables, mettent sous des règles leurs préjugés mêmes. Rien n'était plus contraire au bon sens que le combat judiciaire; mais, ce point une fois posé, l'exécution s'en fit avec une certaine prudence.

Pour se mettre bien au fait de la jurisprudence de ces temps-là, il faut lire avec attention les règlements de Saint Louis, qui fit de si grands changements dans l'ordre judiciaire. Défontaines était contemporain de ce prince; Beaumanoir écrivait après lui [a]; les autres ont vécu depuis lui. Il faut donc chercher l'ancienne pratique dans les corrections qu'on en a faites.

a. En l'an 1283.

CHAPITRE XXIV

Règles établies dans le combat judiciaire.

Lorsqu'il y avait plusieurs accusateurs [a], il fallait qu'ils s'accordassent, pour que l'affaire fût poursuivie par un seul; et s'ils ne pouvaient convenir, celui devant qui se faisait le plaid nommait un d'entre eux qui poursuivait la querelle.

Quand un gentilhomme appelait un vilain [b], il devait se présenter à pied, et avec l'écu et le bâton; et, s'il venait à cheval, et avec les armes d'un gentilhomme, on lui ôtait son cheval et ses armes; il restait en chemise, et était obligé de combattre en cet état contre le vilain.

Avant le combat, la justice faisait publier trois bans .

a. Beaumanoir, chap. VI, p. 40 et 41.
b. Ibid., chap. LXIV, p. 328.
c. Beaumanoir, ibid., p. 330.

Par l'un, il était ordonné aux parents des parties de se retirer; par l'autre, on avertissait le peuple de garder le silence; par le troisième, il était défendu de donner du secours à une des parties, sous de grosses peines; et même celle de mort, si, par ce secours, un des combattants avait été vaincu.

Les gens de justice gardaient le parc [d]; et, dans le cas où une des parties aurait parlé de paix, ils avaient grande attention à l'état actuel où elles se trouvaient toutes les deux dans ce moment, pour qu'elles fussent remises dans la même situation, si la paix ne se faisait pas [e].

Quand les gages étaient reçus pour crime ou pour faux jugement, la paix ne pouvait se faire sans le consentement du seigneur; et, quand une des parties avait été vaincue, il ne pouvait plus y avoir de paix que de l'aveu du comte [f]; ce qui avait du rapport à nos lettres de grâce.

Mais si le crime était capital, et que le seigneur, corrompu par des présents, consentît à la paix, il payait une amende de soixante livres; et le droit qu'il avait de faire punir le malfaiteur, était dévolu au comte [g].

Il y avait bien des gens qui n'étaient en état d'offrir le combat, ni de le recevoir. On permettait, en connaissance de cause, de prendre un champion; et, pour qu'il eût le plus grand intérêt à défendre sa partie, il avait le poing coupé, s'il était vaincu [h].

Quand on a fait, dans le siècle passé, des lois capitales contre les duels, peut-être aurait-il suffi d'ôter à un guerrier sa qualité de guerrier, par la perte de la main; n'y ayant rien ordinairement de plus triste pour les hommes, que de survivre à la perte de leur caractère.

Lorsque, dans un crime capital [i], le combat se faisait par champions, on mettait les parties dans un lieu d'où elles ne pouvaient voir la bataille : chacune d'elles était ceinte de la corde qui devait servir à son supplice, si son champion était vaincu.

Celui qui succombait dans le combat ne perdait pas

d. Beaumanoir, chap. LXIV, p. 330.
e. *Ibid.*
f. Les grands vassaux avaient des droits particuliers.
g. Beaumanoir, chap. LXIV, p. 330, dit : *Il perdrait sa justice.* Ces paroles, dans les auteurs de ces temps-là, n'ont pas une signification générale, mais restreinte à l'affaire dont il s'agit : Défontaines, chap. XXI, art. 29.
h. Cet usage, que l'on trouve dans les capitulaires, subsistait du temps de Beaumanoir : voyez le chap. LXI, p. 315.
i. Beaumanoir, chap. LXIV, p. 330.

toujours la chose contestée. Si, par exemple, l'on combattait sur un interlocutoire, l'on ne perdait que l'interlocutoire [k].

k. *Ibid.*, chap. LXI, p. 309.

Chapitre XXV

Des bornes que l'on mettait à l'usage du combat judiciaire.

Quand les gages de bataille avaient été reçus sur une
affaire civile de peu d'importance, le seigneur obligeait
les parties à les retirer.

Si un fait était notoire [a]; par exemple, si un homme
avait été assassiné en plein marché, on n'ordonnait ni la
preuve par témoins, ni la preuve par le combat; le juge
prononçait sur la publicité.

Quand, dans la cour du seigneur, on avait souvent jugé
de la même manière, et qu'ainsi l'usage était connu [b], le
seigneur refusait le combat aux parties, afin que les coutumes ne fussent pas changées par les divers événements
des combats.

On ne pouvait demander le combat que pour soi, ou
pour quelqu'un de son lignage, ou pour son seigneur-
lige [c].

Quand un accusé avait été absous [d], un autre parent
ne pouvait demander le combat : autrement les affaires
n'auraient point eu de fin.

Si celui dont les parents voulaient venger la mort
venait à reparaître, il n'était plus question du combat : il
en était de même, si, par une absence notoire, le fait se
trouvait impossible [e].

Si un homme qui avait été tué [f] avait, avant de mourir,
disculpé celui qui était accusé, et qu'il eût nommé un

a. Beaumanoir, chap. LXI, p. 308. *Ibid.*, chap. XLIII, p. 239.
b. *Ibid.*, chap. LXI, p. 314 : voyez aussi Défontaines, chap. XXII,
art. 24.
c. Beaumanoir, chap. LXIII, p. 322.
d. *Ibid.*
e. *Ibid.*
f. *Ibid.*, p. 323.

autre, on ne procédait point au combat; mais, s'il n'avait nommé personne, on ne regardait sa déclaration que comme un pardon de sa mort : on continuait les poursuites; et même, entre gentilshommes, on pouvait faire la guerre.

Quand il y avait une guerre, et qu'un des parents donnait ou recevait les gages de bataille, le droit de la guerre cessait; on pensait que les parties voulaient suivre le cours ordinaire de la justice; et celle qui aurait continué la guerre aurait été condamnée à réparer les dommages.

Ainsi la pratique du combat judiciaire avait cet avantage, qu'elle pouvait changer une querelle générale en une querelle particulière, rendre la force aux tribunaux, et remettre dans l'état civil ceux qui n'étaient plus gouvernés que par le droit des gens.

Comme il y a une infinité de choses sages qui sont menées d'une manière très folle, il y a aussi des folies qui sont conduites d'une manière très sage.

Quand un homme, appelé pour un crime [g], montrait visiblement que c'était l'appelant même qui l'avait commis, il n'y avait plus de gages de bataille : car il n'y a point de coupable qui n'eût préféré un combat douteux à une punition certaine.

Il n'y avait point de combat dans les affaires qui se décidaient par des arbitres, ou par les cours ecclésiastiques [h]; il n'y en avait pas non plus, lorsqu'il s'agissait du douaire des femmes.

Femme, dit Beaumanoir, *ne se peut combattre*. Si une femme appelait quelqu'un sans nommer son champion, on ne recevait point les gages de bataille. Il fallait encore qu'une femme fût autorisée par son baron [i], c'est-à-dire, son mari, pour appeler; mais, sans cette autorité, elle pouvait être appelée.

Si l'appelant ou l'appelé avaient moins de quinze ans [k], il n'y avait point de combat. On pouvait pourtant l'ordonner dans les affaires de pupilles, lorsque le tuteur, ou celui qui avait la baillie, voulait courir les risques de cette procédure.

Il me semble que voici les cas où il était permis au serf de combattre. Il combattait contre un autre serf; il com-

g. Beaumanoir, chap. LXIII, p. 324.
h. Ibid., p. 325.
i. Ibid.
k. Beaumanoir, p. 323. Voyez aussi ce que j'ai dit au liv. XVIII.

battait contre une personne franche, et même contre un gentilhomme, s'il était appelé; mais, s'il l'appelait [l], celui-ci pouvait refuser le combat; et même le seigneur du serf était en droit de le retirer de la cour. Le serf pouvait, par une chartre du seigneur [m], ou par usage, combattre contre toutes personnes franches; et l'Eglise prétendait ce même droit pour ses serfs [n], comme une marque de respect pour elle [o].

l. *Ibid.*, chap. XLIII, p. 322.
m. Défontaines, chap. XXII, art. 7.
n. *Habeant bellandi et testificandi licentiam :* chartre de Louis le Gros, de l'an 1118.
o. *Ibid.*

CHAPITRE XXVI

Du combat judiciaire entre une des parties et un des témoins.

Beaumanoir [a] dit qu'un homme qui voyait qu'un témoin allait déposer contre lui, pouvait éluder le second, en disant aux juges que sa partie produisait un témoin faux et calomniateur [b]; et, si le témoin voulait soutenir la querelle, il donnait les gages de bataille. Il n'était plus question de l'enquête; car, si le témoin était vaincu, il était décidé que la partie avait produit un faux témoin, et elle perdait son procès.

Il ne fallait pas laisser jurer le second témoin; car il aurait prononcé son témoignage, et l'affaire aurait été finie par la déposition de deux témoins. Mais, en arrêtant le second, la déposition du premier devenait inutile.

Le second témoin étant ainsi rejeté, la partie ne pouvait en faire ouïr d'autres, et elle perdait son procès : mais, dans le cas où il n'y avait point de gages de bataille [c], on pouvait produire d'autres témoins.

Beaumanoir dit que le témoin pouvait dire à sa partie avant de déposer : « Je ne me bée pas à combattre pour

a. Chap. LXI, p. 315.
b. *Leur doit-on demander, avant qu'ils fassent nul serment, pour qui ils veulent témoigner; car l'enques gist li point d'aus lever de faux témoignage.* Beaumanoir, chap. XXXIX, p. 218.
c. Beaumanoir, chap. LXI, p. 316.

votre querelle, ne à entrer en plet au mien; mais, se vous me voulez défendre, volontiers dirai ma vérité[d]. » La partie se trouvait obligée à combattre pour le témoin; et, si elle était vaincue, elle ne perdait point le corps[e], mais le témoin était rejeté.

Je crois que ceci était une modification de l'ancienne coutume; et ce qui me le fait penser, c'est que cet usage d'appeler les témoins se trouve établi dans la loi des Bavarois[f], et dans celle des Bourguignons[g], sans aucune restriction.

J'ai déjà parlé de la constitution de Gondebaud, contre laquelle Agobard[h] et saint Avit[i] se récrièrent tant. « Quand l'accusé, dit ce prince, présente des témoins pour jurer qu'il n'a pas commis le crime, l'accusateur pourra appeler au combat un des témoins; car il est juste que celui qui a offert de jurer, et qui a déclaré qu'il savait la vérité, ne fasse point de difficulté de combattre pour la soutenir. » Ce roi ne laissait aux témoins aucun subterfuge pour éviter le combat.

---

d. Chap. VI, p. 39 et 40.
e. Mais, si le combat se faisait par champions, le champion vaincu avait le poing coupé.
f. Tit. 16, § 2.
g. Tit. 45.
h. Lettre à Louis le Débonnaire.
i. Vie de saint Avit.

CHAPITRE XXVII

Du combat judiciaire entre une partie et un des pairs du seigneur. Appel de faux jugement.

La nature de la décision par le combat étant de terminer l'affaire pour toujours, et n'étant point compatible avec un nouveau jugement et de nouvelles poursuites[a]; l'appel, tel qu'il est établi par les lois romaines et par les lois canoniques, c'est-à-dire, à un tribunal supérieur, pour faire réformer le jugement d'un autre, était inconnu en France.

---

a. Car en la cour, où l'on va par la raison de l'appel pour les gages maintenir, se bataille est faite, la querelle est venue à fin, si que il n'y a métier de plus d'apiaux. Beaumanoir, chap. II, p. 22.

Une nation guerrière, uniquement gouvernée par le point d'honneur, ne connaissait pas cette forme de procéder; et, suivant toujours le même esprit, elle prenait, contre les juges, les voies qu'elle aurait pu employer contre les parties [b].

L'appel, chez cette nation, était un défi à un combat par armes, qui devait se terminer par le sang; et non pas cette invitation à une querelle de plume qu'on ne connut qu'après.

Aussi Saint Louis dit-il, dans ses établissements [c], que l'appel contient félonie et iniquité. Aussi Beaumanoir nous dit-il que, si un homme voulait se plaindre de quelque attentat commis contre lui par son seigneur [d], il devait lui dénoncer qu'il abandonnait son fief; après quoi, il l'appelait devant son seigneur suzerain, et offrait les gages de bataille. De même, le seigneur renonçait à l'hommage, s'il appelait son homme devant le comte.

Appeler son seigneur de faux jugement, c'était dire que son jugement avait été faussement et méchamment rendu : or, avancer de telles paroles contre son seigneur, c'était commettre une espèce de crime de félonie.

Ainsi, au lieu d'appeler pour faux jugement le seigneur qui établissait et réglait le tribunal, on appelait les pairs qui formaient le tribunal même : on évitait par là le crime de félonie; on n'insultait que ses pairs, à qui on pouvait toujours faire raison de l'insulte.

On s'exposait beaucoup, en faussant le jugement des pairs [e]. Si l'on attendait que le jugement fût fait et prononcé, on était obligé de les combattre tous, lorsqu'ils offraient de faire le jugement bon [f]. Si l'on appelait avant que tous les juges eussent donné leur avis, il fallait combattre tous ceux qui étaient convenus du même avis [g]. Pour éviter ce danger, on suppliait le seigneur d'ordonner que chaque pair dît tout haut son avis; et, lorsque le premier avait prononcé, et que le second allait en faire de même, on lui disait qu'il était faux, méchant et calomniateur; et ce n'était plus que contre lui qu'on devait se battre [h].

b. Beaumanoir, chap. LXI, p. 312; et chap. LXVII, p. 338.
c. Liv. II, chap. XV.
d. Beaumanoir, chap. LXI, p. 310 et 311; et chap. LXVII, p. 337.
e. Beaumanoir, chap. LXI, p. 313.
f. Ibid., p. 314.
g. Qui s'étaient accordés au jugement.
h. Beaumanoir, chap. LXI, p. 314.

Défontaines [i] voulait qu'avant de fausser [k], on laissât prononcer trois juges; et il ne dit point qu'il fallût les combattre tous trois, et encore moins qu'il y eût des cas où il fallût combattre tous ceux qui s'étaient déclarés pour leur avis. Ces différences viennent de ce que, dans ces temps-là, il n'y avait guère d'usages qui fussent précisément les mêmes. Beaumanoir rendait compte de ce qui se passait dans le comté de Clermont, Défontaines de ce qui se pratiquait en Vermandois.

Lorsqu'un des pairs, ou homme de fief, avait déclaré qu'il soutiendrait le jugement [l], le juge faisait donner les gages de bataille, et, de plus, prenait sûreté de l'appelant qu'il soutiendrait son appel. Mais le pair qui était appelé ne donnait point de sûretés, parce qu'il était homme du seigneur, et devait défendre l'appel, ou payer au seigneur une amende de soixante livres.

Si celui qui appelait ne prouvait pas que le jugement fût mauvais, il payait au seigneur une amende de soixante livres [m], la même amende au pair qu'il avait appelé [n], autant à chacun de ceux qui avaient ouvertement consenti au jugement.

Quand un homme violemment soupçonné d'un crime qui méritait la mort, avait été pris et condamné, il ne pouvait appeler de faux jugement [o] : car il aurait toujours appelé, ou pour prolonger sa vie, ou pour faire la paix.

Si quelqu'un disait que le jugement était faux et mauvais [p], et n'offrait pas de le faire tel, c'est-à-dire, de combattre, il était condamné à dix sols d'amende, s'il était gentilhomme; et à cinq sols, s'il était serf, pour les vilaines paroles qu'il avait dites.

Les juges ou pairs qui avaient été vaincus [q] ne devaient perdre ni la vie ni les membres; mais celui qui les appelait était puni de mort, lorsque l'affaire était capitale [r].

Cette manière d'appeler les hommes de fief pour faux

---

i. Chap. XXII, art. 1, 10 et 11. Il dit seulement qu'on leur payait à chacun une amende.

k. Appeler de faux jugements.

l. Beaumanoir, chap. LXI, p. 314.

m. Id., ibid. Défontaines, chap. XXII, art. 9.

n. Défontaines, ibid.

o. Beaumanoir, chap. LXI, p. 316; Défontaines, chap. XXII, art. 21.

p. Beaumanoir, chap. LXI, p. 314.

q. Défontaines, chap. XXII, art. 7.

r. Voyez Défontaines, chap. XXI, art. 11, 12, et suivants, qui distingue les cas où le fausseur perdait la vie, la chose contestée, ou seulement l'interlocutoire.

jugement, était pour éviter d'appeler le seigneur même. Mais, si le seigneur n'avait point de pairs [s], ou n'en avait pas assez, il pouvait, à ses frais, emprunter des pairs de son seigneur suzerain [t] : mais ces pairs n'étaient point obligés de juger, s'ils ne le voulaient; ils pouvaient déclarer qu'ils n'étaient venus que pour donner leur conseil : et, dans ce cas particulier [u], le seigneur jugeant et prononçant lui-même le jugement, si on appelait contre lui de faux jugement, c'était à lui à soutenir l'appel.

Si le seigneur était si pauvre [x], qu'il ne fût pas en état de prendre des pairs de son seigneur suzerain, ou qu'il négligeât de lui en demander, ou que celui-ci refusât de lui en donner, le seigneur ne pouvant pas juger seul, et personne n'étant obligé de plaider devant un tribunal où l'on ne peut faire jugement, l'affaire était portée à la cour du seigneur suzerain.

Je crois que ceci fut une des grandes causes de la séparation de la justice d'avec le fief, d'où s'est formée la règle des jurisconsultes français : *Autre chose est le fief, autre chose est la justice.* Car y ayant une infinité d'hommes de fief qui n'avaient point d'hommes sous eux, ils ne furent point en état de tenir leur cour; toutes les affaires furent portées à la cour de leur seigneur suzerain; ils perdirent le droit de justice, parce qu'ils n'eurent ni le pouvoir ni la volonté de le réclamer.

Tous les juges qui avaient été du jugement [y] devaient être présents quand on le rendait, afin qu'ils pussent ensuivre et dire *oïl* à celui qui, voulant fausser, leur demandait s'ils ensuivaient; car, dit Défontaines [z], « c'est une affaire de courtoisie et de loyauté, et il n'y a point là de fuite ni de remise ». Je crois que c'est de cette manière de penser qu'est venu l'usage que l'on suit encore aujourd'hui en Angleterre, que tous les jurés soient de même avis pour condamner à mort.

Il fallait donc se déclarer pour l'avis de la plus grande partie; et, s'il y avait partage, on prononçait, en cas de crime, pour l'accusé; en cas de dettes, pour le débiteur; en cas d'héritages, pour le défendeur.

s. Beaumanoir, chap. LXII, p. 322. Défontaines, chap. XXII, art. 3.
t. Le comte n'était pas obligé d'en prêter. Beaumanoir, chap. LXVII, p. 337.
u. *Nul ne peut faire jugement en sa cour*, dit Beaumanoir; chap. LXVII, p. 336 et 337.
x. *Ibid.*, chap. LXII, p. 322.
y. Défontaines, chap. XXI, articles 27 et 28.
z. *Ibid.*, art. 28.

Un pair, dit Défontaines [a], ne pouvait pas dire qu'il ne jugerait pas s'ils n'étaient que quatre [b], ou s'ils n'y étaient tous, ou si les plus sages n'y étaient; c'est comme s'il avait dit, dans la mêlée, qu'il ne secourrait pas son seigneur, parce qu'il n'avait auprès de lui qu'une partie de ses hommes. Mais c'était au seigneur à faire honneur à sa cour, et à prendre ses plus vaillants hommes et les plus sages. Je cite ceci, pour faire sentir le devoir des vassaux, combattre et juger; et ce devoir était même tel, que juger c'était combattre.

Un seigneur qui plaidait à sa cour contre son vassal [c], et qui y était condamné, pouvait appeler un de ses hommes de faux jugement. Mais, à cause du respect que celui-ci devait à son seigneur pour la foi donnée, et la bienveillance que le seigneur devait à son vassal pour la foi reçue, on faisait une distinction : ou le seigneur disait, en général, que le jugement était faux et mauvais [d]; ou il imputait à son homme des prévarications personnelles [e]. Dans le premier cas, il offensait sa propre cour, et en quelque façon lui-même, et il ne pouvait y avoir de gages de bataille : il y en avait dans le second, parce qu'il attaquait l'honneur de son vassal; et celui des deux qui était vaincu perdait la vie et les biens, pour maintenir la paix publique.

Cette distinction, nécessaire dans ce cas particulier, fut étendue. Beaumanoir dit que, lorsque celui qui appelait de faux jugement attaquait un des hommes par des imputations personnelles, il y avait bataille; mais que, s'il n'attaquait que le jugement, il était libre à celui des pairs qui était appelé de faire juger l'affaire par bataille ou par droit [f]. Mais, comme l'esprit qui régnait du temps de Beaumanoir était de restreindre l'usage du combat judiciaire; et que cette liberté donnée au pair appelé, de défendre par le combat le jugement, ou non, est également contraire aux idées de l'honneur établi dans ces temps-là, et à l'engagement où l'on était envers son seigneur de défendre sa cour, je crois que cette distinction

a. Chap. XXI, art. 37.
b. Il fallait ce nombre au moins : Défontaines, chap. XXI, art. 36.
c. Voyez Beaumanoir, chap. LXXVII, p. 337.
d. Ce jugement est faux et mauvais. Ibid., chap. LXVII, p. 337.
e. Vous avez fait ce jugement faux et mauvais, comme mauvais que vous êtes, ou par lovier, ou par promesse. Beaumanoir, chap. LXVII, p. 337.
f. Ibid., p. 337 et 338.

de Beaumanoir était une jurisprudence nouvelle chez les Français.

Je ne dis pas que tous les appels de faux jugement se décidassent par bataille; il en était de cet appel comme de tous les autres. On se souvient des exceptions dont j'ai parlé au chapitre xxv. Ici, c'était au tribunal suzerain à voir s'il fallait ôter, ou non, les gages de bataille.

On ne pouvait point fausser les jugements rendus dans la cour du roi; car le roi n'ayant personne qui lui fût égal, il n'y avait personne qui pût l'appeler; et le roi n'ayant point de supérieur, il n'y avait personne qui pût appeler de sa cour.

Cette loi fondamentale, nécessaire comme loi politique, diminuait encore, comme loi civile, les abus de la pratique judiciaire de ces temps-là. Quand un seigneur craignait qu'on ne faussât sa cour [g], ou voyait qu'on se présentait pour la fausser; s'il était du bien de la justice qu'on ne la faussât pas, il pouvait demander des hommes de la cour du roi, dont on ne pouvait fausser le jugement; et le roi Philippe, dit Défontaines [h], envoya tout son conseil pour juger une affaire dans la cour de l'abbé de Corbie.

Mais, si le seigneur ne pouvait avoir des juges du roi, il pouvait mettre sa cour dans celle du roi, s'il relevait nuement de lui; et, s'il y avait des seigneurs intermédiaires, il s'adressait à son seigneur suzerain, allant de seigneur en seigneur jusqu'au roi.

Ainsi, quoiqu'on n'eût pas, dans ces temps-là, la pratique ni l'idée même des appels d'aujourd'hui, on avait recours au roi, qui était toujours la source d'où tous les fleuves partaient, et la mer où ils revenaient.

Chapitre XXVIII
De l'appel de défaute de droit.

On appelait de défaute de droit, quand, dans la cour d'un seigneur, on différait, on évitait, ou l'on refusait de rendre la justice aux parties.

Dans la seconde race, quoique le comte eût plusieurs officiers sous lui, la personne de ceux-ci était subor-

g. Défontaines, chap. xxii, art. 14.
h. Ibid.

donnée, mais la juridiction ne l'était pas. Ces officiers, dans leurs plaids, assises ou placites, jugeaient en dernier ressort comme le comte même. Toute la différence était dans le partage de la juridiction : par exemple, le comte pouvait condamner à mort, juger de la liberté, et de la restitution des biens [a]; et le centenier ne le pouvait pas.

Par la même raison, il y avait des causes majeures qui étaient réservées au roi [b]; c'étaient celles qui intéressaient directement l'ordre politique. Telles étaient les discussions qui étaient entre les évêques, les abbés, les comtes et autres grands, que les rois jugeaient avec les grands vassaux [c].

Ce qu'ont dit quelques auteurs, qu'on appelait du comte à l'envoyé du roi, ou *missus dominicus*, n'est pas fondé. Le comte et le *missus* avaient une juridiction égale, et indépendante l'une de l'autre [d] : toute la différence était que le *missus* tenait ses placites quatre mois de l'année, et le comte les huit autres [e].

Si quelqu'un [f], condamné dans une assise [g], y demandait qu'on le rejugeât, et succombait encore, il payait une amende de quinze sols, ou recevait quinze coups de la main des juges qui avaient décidé l'affaire.

Lorsque les comtes ou les envoyés du roi ne se sentaient pas assez de force pour réduire les grands à la raison, ils leur faisaient donner caution qu'ils se présenteraient devant le tribunal du roi [h] : c'était pour juger l'affaire, et non pour la rejuger. Je trouve, dans le capitulaire de Metz [i], l'appel de faux jugement à la cour du roi établi, et toutes autres sortes d'appels proscrits et punis.

Si l'on n'acquiesçait pas [k] au jugement des échevins [l],

---

a. Capitulaire III, de l'an 812, art. 3, édit. de Baluze, p. 497, et de Charles le Chauve, ajouté à la loi des Lombards, liv. II, art. 3.

b. Cap. III, de l'an 812, art. 2.

c. *Cum fidelibus;* capitulaire de Louis le Débonnaire, édit. de Baluze, p. 667.

d. Voyez le capitulaire de Charles le Chauve, ajouté à la loi des Lombards, liv. II, art. 3.

e. Capitulaire III, de l'an 812, art. 8.

f. Capitulaire ajouté à la loi des Lombards, liv. II, tit. 59.

g. *Placitum.*

h. Cela paraît par les formules, les chartres et les capitulaires.

i. De l'an 757, édit. de Baluze, p. 180, art. 9 et 10; et le synode *apud Vernas*, de l'an 755, art. 29, édit. de Baluze, p. 175. Ces deux capitulaires furent faits sous le roi Pépin.

k. Capitulaire XI, de Charlemagne, de l'an 805, édit. de Baluze, p. 423; et loi de Lothaire, dans la loi des Lombards, liv. II, tit. 52, art. 23.

l. Officiers sous le comte : *scabini.*

et qu'on ne réclamât pas, on était mis en prison jusqu'à ce qu'on eût acquiescé; et, si l'on réclamait, on était conduit sous une sûre garde devant le roi, et l'affaire se discutait à sa cour.

Il ne pouvait guère être question de l'appel de défaute de droit. Car, bien loin que, dans ces temps-là, on eût coutume de se plaindre que les comtes, et autres gens qui avaient droit de tenir des assises, ne fussent pas exacts à tenir leur cour, on se plaignait, au contraire, qu'ils l'étaient trop *m*; et tout est plein d'ordonnances qui défendent aux comtes, et autres officiers de justice quelconques, de tenir plus de trois assises par an. Il fallait moins corriger leur négligence, qu'arrêter leur activité.

Mais, lorsqu'un nombre innombrable de petites seigneuries se formèrent, que différents degrés de vasselage furent établis, la négligence de certains vassaux à tenir leur cour donna naissance à ces sortes d'appels *n*; d'autant plus qu'il en revenait au seigneur suzerain des amendes considérables.

L'usage du combat judiciaire s'étendant de plus en plus, il y eut des lieux, des cas, des temps, où il fut difficile d'assembler les pairs, et où par conséquent on négligea de rendre la justice. L'appel de défaute de droit s'introduisit; et ces sortes d'appels ont été souvent des points remarquables de notre histoire, parce que la plupart des guerres de ces temps-là avaient pour motif la violation du droit politique, comme nos guerres d'aujourd'hui ont ordinairement pour cause, ou pour prétexte, celle du droit des gens.

Beaumanoir *o* dit que, dans le cas de défaute de droit, il n'y avait jamais de bataille : en voici les raisons. On ne pouvait pas appeler au combat le seigneur lui-même, à cause du respect dû à sa personne : on ne pouvait pas appeler les pairs du seigneur, parce que la chose était claire, et qu'il n'y avait qu'à compter les jours des ajournements ou des autres délais : il n'y avait point de jugement, et on ne faussait que sur un jugement. Enfin le délit des pairs offensait le seigneur comme la partie; et il était contre l'ordre qu'il y eût un combat entre le seigneur et ses pairs.

Mais comme, devant le tribunal suzerain, on prouvait

_____

m. Voyez la loi des Lombards, liv. II, tit. 52, art. 22.
n. On voit des appels de défaute de droit, dès le temps de Philippe Auguste.
o. Chap. LXI, p. 315.

la défaute par témoins, on pouvait appeler au combat
les témoins [p]; et par là, on n'offensait ni le seigneur, ni
son tribunal.

1º Dans les cas où la défaute venait de la part des hommes
ou pairs du seigneur qui avaient différé de rendre la justice, ou évité de faire le jugement après les délais passés,
c'étaient les pairs du seigneur qu'on appelait de défaute
de droit devant le suzerain; et, s'ils succombaient, ils
payaient une amende à leur seigneur [q]. Celui-ci ne pouvait porter aucun secours à ses hommes; au contraire, il
saisissait leur fief, jusqu'à ce qu'ils lui eussent payé chacun une amende de soixante livres.

2º Lorsque la défaute venait de la part du seigneur, ce
qui arrivait lorsqu'il n'y avait pas assez d'hommes à sa
cour pour faire le jugement, ou lorsqu'il n'avait pas
assemblé ses hommes, ou mis quelqu'un à sa place pour
les assembler, on demandait la défaute devant le seigneur
suzerain; mais, à cause du respect dû au seigneur, on
faisait ajourner la partie [r], et non pas le seigneur.

Le seigneur demandait sa cour devant le tribunal
suzerain; et, s'il gagnait la défaute, on lui renvoyait
l'affaire, et on lui payait une amende de soixante livres [s];
mais, si la défaute était prouvée, la peine contre lui était
de perdre le jugement de la chose contestée, le fond était
jugé dans le tribunal suzerain [t]. En effet, on n'avait
demandé la défaute que pour cela.

3º Si l'on plaidait à la cour de son seigneur contre lui [u],
ce qui n'avait lieu que pour les affaires qui concernaient
le fief; après avoir laissé passer tous les délais, on sommait
le seigneur même devant bonnes gens [x], et on le faisait
sommer par le souverain, dont on devait avoir permission.
On n'ajournait point par pairs, parce que les pairs ne
pouvaient ajourner leur seigneur; mais ils pouvaient
ajourner pour leur seigneur [y].

p. Beaumanoir, chap. LXI, p. 315.
q. Défontaines, chap. XXI, art. 24.
r. Ibid., chap. XXI, art. 32.
s. Beaumanoir, chap. LXI, p. 312.
t. Défontaines, chap. XXI, art. I, 29.
u. Sous le règne de Louis VIII, le sire de Nèle plaidait contre Jeanne
comtesse de Flandre; il la somma de le faire juger dans quarante
jours; et il l'appela ensuite de défaute de droit à la cour du roi. Elle
répondit qu'elle le ferait juger par ses pairs en Flandre. La cour du
roi prononça qu'il n'y serait point renvoyé, et que la comtesse serait
ajournée.
x. Défontaines, chap. XXI, art. 34.
y. Ibid., art. 9.

Quelquefois l'appel de défaute de droit était suivi d'un appel de faux jugement [z], lorsque le seigneur, malgré la défaute, avait fait rendre le jugement.

Le vassal qui appelait à tort son seigneur de défaute de droit [a], était condamné à lui payer une amende à sa volonté.

Les Gantois avaient appelé de défaute de droit le comte de Flandre devant le roi [b], sur ce qu'il avait différé de leur rendre jugement en sa cour. Il se trouva qu'il avait pris encore moins de délais que n'en donnait la coutume du pays. Les Gantois lui furent renvoyés; il fit saisir de leurs biens jusqu'à la valeur de soixante mille livres. Ils revinrent à la cour du roi, pour que cette amende fût modérée : il fut décidé que le comte pouvait prendre cette amende, et même plus, s'il voulait. Beaumanoir avait assisté à ces jugements.

4º Dans les affaires que le seigneur pouvait avoir contre le vassal, pour raison du corps ou de l'honneur de celui-ci, ou des biens qui n'étaient pas du fief, il n'était point question d'appel de défaute de droit; puisqu'on ne jugeait point à la cour du seigneur, mais à la cour de celui de qui il tenait; les hommes, dit Défontaines [c], n'ayant pas droit de faire jugement sur le corps de leur seigneur.

J'ai travaillé à donner une idée claire de ces choses, qui, dans les auteurs de ces temps-là, sont si confuses et si obscures, qu'en vérité, les tirer du chaos où elles sont, c'est les découvrir.

z. Beaumanoir, chap. LXI, p. 311.
a. *Ibid.*, p. 312. Mais celui qui n'aurait été homme, ni tenant du seigneur, ne lui payoit qu'une amende de 60 liv., *ibid.*
b. *Ibid.*, p. 318.
c. Chap. XXI, art. 35.

CHAPITRE XXIX

Epoque du règne de Saint Louis.

Saint Louis abolit le combat judiciaire dans les tribunaux de ses domaines, comme il paraît par l'ordonnance qu'il fit là-dessus [a], et par les *établissements* [b].

a. En 1260.
b. Liv. I, chap. II et VII; liv. II, chap. X et XI.

Mais il ne l'ôta point dans les cours de ses barons [c], excepté dans le cas d'appel de faux jugement.

On ne pouvait fausser la cour de son seigneur [d], sans demander le combat judiciaire contre les juges qui avaient prononcé le jugement. Mais Saint Louis introduisit l'usage de fausser sans combattre [e]; changement qui fut une espèce de révolution.

Il déclara qu'on ne pourrait point fausser les jugements rendus dans les seigneuries de ses domaines, parce que c'était un crime de félonie [f]. Effectivement, si c'était une espèce de crime de félonie contre le seigneur, à plus forte raison en était-ce un contre le roi. Mais il voulut que l'on pût demander amendement des jugements rendus dans ses cours [g]; non pas parce qu'ils étaient faussement ou méchamment rendus, mais parce qu'ils faisaient quelque préjudice [h]. Il voulut, au contraire, qu'on fût contraint de fausser les jugements des cours des barons, si l'on voulait s'en plaindre [i].

On ne pouvait point, suivant les établissements, fausser les cours des domaines du roi, comme on vient de le dire. Il fallait demander amendement devant le même tribunal : et, en cas que le bailli ne voulût pas faire l'amendement requis, le roi permettait de faire appel à sa cour [k]; ou plutôt, en interprétant les établissements par eux-mêmes, de lui présenter une requête ou supplication [l].

A l'égard des cours des seigneurs, Saint Louis, en permettant de les fausser, voulut que l'affaire fût portée au tribunal du roi ou du seigneur suzerain [m], non pas pour y être décidée par le combat [n], mais par témoins, suivant une forme de procéder dont il donna des règles [o].

Ainsi, soit qu'on pût fausser, comme dans les cours des

---

c. Comme il paraît partout dans les *Etablissements;* et Beaumanoir, chap. LXI, p. 309.

d. C'est-à-dire, appeler de faux jugement.

e. Etablissements, liv. I, chap. VI; et liv. II, chap. XV.

f. *Ibid.,* liv. II, chap. XV.

g. *Ibid.,* liv. I, chap. LXXVII; et liv. II, chap. XV.

h. *Etablissements,* liv. I, chap. LXXVIII.

i. *Ibid.,* liv. II, chap. XV.

k. *Ibid.,* liv. I, chap. LXXVIII.

l. *Ibid.,* liv. II, chap. XV.

m. Mais si on ne faussait pas, et qu'on voulût appeler, on n'était point reçu. *Etablissements,* liv. II, chap. XV. *Li sire en auroit le recort de sa cour, droit faisant.*

n. *Ibid.,* liv. I, chap. VI et LXVII; et liv. II, chap. XV; et Beaumanoir, chap. XI, p. 58.

o. *Etablissements,* liv. I, chap. I, II et III.

seigneurs; soit qu'on ne le pût pas, comme dans les cours de ses domaines; il établit qu'on pourrait appeler, sans courir le hasard d'un combat.

Défontaines [p] nous rapporte les deux premiers exemples qu'il ait vus, où l'on ait ainsi procédé sans combat judiciaire : l'un, dans une affaire jugée à la cour de Saint-Quentin, qui était du domaine du roi; et l'autre, dans la cour de Ponthieu, où le comte, qui était présent, opposa l'ancienne jurisprudence : mais ces deux affaires furent jugées par droit.

On demandera peut-être pourquoi Saint Louis ordonna, pour les cours de ses barons, une manière de procéder différente de celle qu'il établissait dans les tribunaux de ses domaines : en voici la raison. Saint Louis statuant pour les cours de ses domaines, ne fut point gêné dans ses vues; mais il eut des ménagements à garder avec les seigneurs, qui jouissaient de cette ancienne prérogative, que les affaires n'étaient jamais tirées de leurs cours, à moins qu'on ne s'exposât aux dangers de les fausser. Saint Louis maintint cet usage de fausser; mais il voulut qu'on pût fausser sans combattre : c'est-à-dire que, pour que le changement se fît moins sentir, il ôta la chose, et laissa subsister les termes.

Ceci ne fut pas universellement reçu dans les cours des seigneurs. Beaumanoir [q] dit que, de son temps, il y avait deux manières de juger; l'une suivant l'*établissement-le-roi* et l'autre suivant la pratique ancienne : que les seigneurs avaient droit de suivre l'une ou l'autre de ces pratiques; mais que quand, dans une affaire, on en avait choisi une, on ne pouvait plus revenir à l'autre. Il ajoute que le comte de Clermont suivait la nouvelle pratique [r], tandis que ses vassaux se tenaient à l'ancienne : mais qu'il pourrait, quand il voudrait, rétablir l'ancienne; sans quoi, il aurait moins d'autorité que ses vassaux.

Il faut savoir que la France était pour lors divisée en pays du domaine du roi [s], et en ce que l'on appelait pays des barons, ou en baronnies; et, pour me servir des termes des établissements de Saint Louis, en pays de l'obéissance-le-roi, et en pays hors l'obéissance-le-roi. Quand les rois faisaient des ordonnances pour les pays

p. Chap. XXII, art. 16 et 17.
q. Chap. LXI, p. 309.
r. *Ibid.*
s. Voyez Beaumanoir; Défontaines et les *Etablissements*, liv. II, chap. X, XI, XV, et autres.

de leurs domaines, ils n'employaient que leur seule autorité : mais, quand ils en faisaient qui regardaient aussi les
pays de leurs barons, elles étaient faites de concert avec
eux, ou scellées ou souscrites d'eux [1] : sans cela, les
barons les recevaient, ou ne les recevaient pas, suivant
qu'elles leur paraissaient convenir ou non au bien de
leurs seigneuries. Les arrière-vassaux étaient dans les
mêmes termes avec les grands vassaux. Or les établissements ne furent pas donnés du consentement des seigneurs, quoiqu'ils statuassent sur des choses qui étaient
pour eux d'une grande importance : ainsi ils ne furent
reçus que par ceux qui crurent qu'il leur était avantageux
de les recevoir. Robert, fils de Saint Louis, les admit dans
sa comté de Clermont ; et ses vassaux ne crurent pas qu'il
leur convînt de les faire pratiquer chez eux.

1. Voyez les ordonnances du commencement de la troisième race,
dans le recueil de Laurière, surtout celles de Philippe Auguste sur la
juridiction ecclésiastique, et celle de Louis VIII sur les Juifs ; et les
chartes rapportées par M. Brussel, notamment celle de Saint Louis
sur le bail et le rachat des terres, et la majorité féodale des filles,
t. II, liv. III, p. 35 ; et *ibid.*, l'ordonnance de Philippe Auguste, p. 7.

CHAPITRE XXX

Observation sur les appels.

On conçoit que des appels, qui étaient des provocations
à un combat, devaient se faire sur-le-champ. « S'il se part
de court sans appeler, dit Beaumanoir [a], il perd son
appel, et tient le jugement pour bon. » Ceci subsista,
même après qu'on eut restreint l'usage du combat judiciaire [b].

a. Chap. LXIII, p. 327 ; *ibid.*, chap. LXI, p. 312.
b. Voyez les établissements de Saint Louis, liv. II, chap. XV ; l'ordonnance de Charles VII, de 1453.

Chapitre XXXI

Continuation du même sujet.

Le vilain ne pouvait pas fausser la cour de son seigneur : nous l'apprenons de Défontaines [a]; et cela est
confirmé par les établissements [b]. « Aussi, dit encore
Défontaines [c], n'y a-t-il, entre toi seigneur et ton vilain,
autre juge fors Dieu. »

C'était l'usage du combat judiciaire qui avait exclu les
vilains de pouvoir fausser la cour de leur seigneur; et
cela est si vrai, que les vilains qui, par charte ou par
usage [d], avaient droit de combattre, avaient aussi droit
de fausser la cour de leur seigneur, quand même les
hommes qui avaient jugé auraient été chevaliers [e]; et
Défontaines donne des expédients, pour que ce scandale
du vilain, qui, en faussant le jugement, combattrait contre
un chevalier, n'arrivât pas [f].

La pratique des combats judiciaires commençant à
s'abolir, et l'usage des nouveaux appels à s'introduire, on
pensa qu'il était déraisonnable que les personnes franches
eussent un remède contre l'injustice de la cour de leurs
seigneurs, et que les vilains ne l'eussent pas; et le parlement reçut leurs appels comme ceux des personnes
franches.

Chapitre XXXII

Continuation du même sujet.

Lorsqu'on faussait la cour de son seigneur, il venait en
personne devant le seigneur suzerain, pour défendre le

a. Chap. XXI, art. 21 et 22.
b. Liv. I, chap. CXXXVI.
c. Chap. II, art. 8.
d. Défontaines, chap. XXII, art. 7. Cet article, et le 21 du chap. XXII
du même auteur, ont été jusqu'ici très mal expliqués. Défontaines
ne met point en opposition le jugement du seigneur avec celui du
chevalier, puisque c'était le même; mais il oppose le vilain ordinaire
à celui qui avait le privilège de combattre.
e. Les chevaliers peuvent toujours être du nombre des juges.
Défontaines, chap. XXI, art. 48.
f. Chap. XXII, art. 14.

jugement de sa cour. De même [a], dans le cas d'appel de
défaute de droit, la partie ajournée devant le seigneur
suzerain menait son seigneur avec elle, afin que, si la
défaute n'était pas prouvée, il pût ravoir sa cour.

Dans la suite, ce qui n'était que deux cas particuliers
étant devenu général pour toutes les affaires, par l'introduction de toutes sortes d'appels, il parut extraordinaire
que le seigneur fût obligé de passer sa vie dans d'autres
tribunaux que les siens, et pour d'autres affaires que les
siennes. Philippe de Valois ordonna que les baillis seuls
seraient ajournés [b]. Et, quand l'usage des appels devint
encore plus fréquent, ce fut aux parties à défendre à
l'appel ; le fait du juge devint le fait de la partie [c].

J'ai dit [d] que, dans l'appel de défaute de droit, le seigneur ne perdait que le droit de faire juger l'affaire en sa
cour. Mais, si le seigneur était attaqué lui-même comme
partie [e], ce qui devint très fréquent [f], il payait au roi, ou
au seigneur suzerain devant qui on avait appelé, une
amende de soixante livres. De là vint cet usage, lorsque
les appels furent universellement reçus, de faire payer
l'amende au seigneur, lorsqu'on réformait la sentence de
son juge : usage qui subsista longtemps, qui fut confirmé
par l'ordonnance de Roussillon, et que son absurdité a
fait périr.

a. Défontaines, chap. xxi, art. 33.
b. En 1332.
c. Voyez quel était l'état des choses du temps de Boutillier, qui
vivait en l'an 1402. *Somme rurale*, liv. I, p. 19 et 20.
d. Ci-dessus, chap. xxx.
e. Beaumanoir, chap. lxi, p. 312 et 318.
f. *Ibid.*

Chapitre XXXIII

Continuation du même sujet.

Dans la pratique du combat judiciaire, le fausseur, qui
avait appelé un des juges, pouvait perdre, par le combat,
son procès [a], et ne pouvait pas le gagner. En effet, la partie
qui avait un jugement pour elle, n'en devait pas être

a. Défontaines, chap. xxi, art. 14.

privée par le fait d'autrui. Il fallait donc que le fausseur qui avait vaincu, combattît encore contre la partie; non pas pour savoir si le jugement était bon ou mauvais; il ne s'agissait plus de ce jugement, puisque le combat l'avait anéanti; mais pour décider si la demande était légitime ou non : et c'est sur ce nouveau point que l'on combattait. De là doit être venue notre manière de prononcer les arrêts : *La cour met l'appel au néant; la cour met l'appel et ce dont a été appelé au néant.* En effet, quand celui qui avait appelé de faux jugement était vaincu, l'appel était anéanti; quand il avait vaincu, le jugement était anéanti, et l'appel même : il fallait procéder à un nouveau jugement.

Ceci est si vrai, que, lorsque l'affaire se jugeait par enquêtes, cette manière de prononcer n'avait pas lieu. M. de la Roche-Flavin [b] nous dit que la chambre des enquêtes ne pouvait user de cette forme dans les premiers temps de sa création.

b. *Des parlements de France*, liv. I, chap. XVI.

CHAPITRE XXXIV

Comment la procédure devint secrète.

Les duels avaient introduit une forme de procédure publique; l'attaque et la défense étaient également connues. « Les témoins, dit Beaumanoir [a], doivent dire leur témoignage devant tous. »

Le commentateur de Boutillier dit avoir appris d'anciens praticiens, et de quelques vieux procès écrits à la main, qu'anciennement, en France, les procès criminels se faisaient publiquement, et en une forme non guère différente des jugements publics des Romains. Ceci était lié avec l'ignorance de l'écriture, commune dans ces temps-là. L'usage de l'écriture arrête les idées, et peut faire établir le secret : mais, quand on n'a point cet usage, il n'y a que la publicité de la procédure qui puisse fixer ces mêmes idées.

Et, comme il pouvait y avoir de l'incertitude sur ce qui

a. Chap. LXI, p. 315.

avait été jugé par hommes [b], ou plaidé devant hommes, on pouvait en rappeler la mémoire toutes les fois qu'on tenait la cour, par ce qui s'appelait la procédure par record [c]; et, dans ce cas, il n'était pas permis d'appeler les témoins au combat; car les affaires n'auraient jamais eu de fin.

Dans la suite, il s'introduisit une forme de procéder secrète. Tout était public : tout devint caché, les interrogatoires, les informations, le récolement, la confrontation, les conclusions de la partie publique; et c'est l'usage d'aujourd'hui. La première forme de procéder convenait au gouvernement d'alors, comme la nouvelle était propre au gouvernement qui fut établi depuis.

Le commentateur de Boutillier fixe à l'ordonnance de 1539 l'époque de ce changement. Je crois qu'il se fit peu à peu, et qu'il passa de seigneurie en seigneurie, à mesure que les seigneurs renoncèrent à l'ancienne pratique de juger, et que celle tirée des établissements de Saint Louis vint à se perfectionner. En effet, Beaumanoir dit que ce n'était que dans les cas où on pouvait donner des gages de bataille, qu'on entendait publiquement les témoins [d] : dans les autres, on les oyait en secret, et on rédigeait leurs dépositions par écrit. Les procédures devinrent donc secrètes, lorsqu'il n'y eut plus de gages de bataille.

b. Comme dit Beaumanoir, chap. XXXIX, p. 209.
c. On prouvait par témoins ce qui s'était déjà passé, dit ou ordonné en justice.
d. Chap. XXXIX, p. 218.

CHAPITRE XXXV

Des dépens.

Anciennement en France, il n'y avait point de condamnation de dépens en cour laye [a]. La partie qui succombait était assez punie par des condamnations d'amende envers le seigneur et ses pairs. La manière de procéder par le combat judiciaire faisait que, dans les crimes, la partie qui succombait, et qui perdait la vie et les biens, était punie

a. Défontaines, dans son Conseil, chap. XXII, art. 3 et 8; et Beaumanoir, chap. XXXIII; Établissements, liv. I, chap. XC.

autant qu'elle pouvait l'être; et, dans les autres cas du combat judiciaire, il y avait des amendes quelquefois fixes, quelquefois dépendantes de la volonté du seigneur, qui faisaient assez craindre les événements des procès. Il en était de même dans les affaires qui ne se décidaient que par le combat. Comme c'était le seigneur qui avait les profits principaux, c'était lui aussi qui faisait les principales dépenses, soit pour assembler ses pairs, soit pour les mettre en état de procéder au jugement. D'ailleurs, les affaires finissant sur le lieu même, et toujours presque sur-le-champ, et sans ce nombre infini d'écritures qu'on vit depuis, il n'était pas nécessaire de donner des dépens aux parties.

C'est l'usage des appels qui doit naturellement introduire celui de donner des dépens. Aussi Défontaines [b] dit-il que, lorsqu'on appelait par loi écrite, c'est-à-dire quand on suivait les nouvelles lois de Saint Louis, on donnait des dépens; mais que, dans l'usage ordinaire, qui ne permettait point d'appeler sans fausser, il n'y en avait point; on n'obtenait qu'une amende, et la possession d'an et jour de la chose contestée, si l'affaire était renvoyée au seigneur.

Mais, lorsque de nouvelles facilités d'appeler augmentèrent le nombre des appels [c]; que, par le fréquent usage de ces appels d'un tribunal à un autre, les parties furent sans cesse transportées hors du lieu de leur séjour; quand l'art nouveau de la procédure multiplia et éternisa les procès; lorsque la science d'éluder les demandes les plus justes se fut raffinée; quand un plaideur sut fuir, uniquement pour se faire suivre; lorsque la demande fut ruineuse, et la défense tranquille; que les raisons se perdirent dans des volumes de paroles et d'écrits; que tout fut plein de suppôts de justice, qui ne devaient point rendre la justice; que la mauvaise foi trouva des conseils, là où elle ne trouva pas des appuis; il fallut bien arrêter les plaideurs par la crainte des dépens. Ils durent les payer pour la décision, et pour les moyens qu'ils avaient employés pour l'éluder. Charles le Bel fit là-dessus une ordonnance générale [d].

---

b. Chap. XXII, art. 8.
c. A présent que l'on est si enclin à appeler, dit BOUTILLIER, *Somme rurale*, liv. I, tit. 3, p. 16.
d. En 1324.

Chapitre XXXVI

De la partie publique.

Comme, par les lois saliques et ripuaires, et par les autres lois des peuples barbares, les peines des crimes étaient pécuniaires; il n'y avait point pour lors, comme aujourd'hui parmi nous, de partie publique qui fût chargée de la poursuite des crimes. En effet, tout se réduisait en réparations de dommages; toute poursuite était, en quelque façon, civile, et chaque particulier pouvait la faire. D'un autre côté, le droit romain avait des formes populaires pour la poursuite des crimes, qui ne pouvaient s'accorder avec le ministère d'une partie publique.

L'usage des combats judiciaires ne répugnait pas moins à cette idée; car, qui aurait voulu être la partie publique, et se faire champion de tous contre tous?

Je trouve, dans un recueil de formules que M. Muratori a insérées dans les lois des Lombards, qu'il y avait, dans la seconde race, un *avoué* de la partie publique [a]. Mais, si on lit le recueil entier de ces formules, on verra qu'il y avait une différence totale entre ces officiers, et ce que nous appelons aujourd'hui la partie publique, nos procureurs généraux, nos procureurs du roi ou des seigneurs. Les premiers étaient plutôt les agents du public pour la manutention politique et domestique, que pour la manutention civile. En effet, on ne voit point, dans ces formules, qu'ils fussent chargés de la poursuite des crimes, et des affaires qui concernaient les mineurs, les églises, ou l'état des personnes.

J'ai dit que l'établissement d'une partie publique répugnait à l'usage du combat judiciaire. Je trouve pourtant, dans une de ces formules, un avoué de la partie publique qui a la liberté de combattre. M. Muratori l'a mise à la suite de la constitution d'Henri Ier [b], pour laquelle elle a été faite. Il est dit, dans cette constitution, que « si quelqu'un tue son père, son frère, son neveu, ou quelque autre de ses parents, il perdra leur succession, qui passera aux

a. *Advocatus de parte publica.*
b. Voyez cette constitution et cette formule, dans le second volume des *Historiens d'Italie*, p. 175.

autres parents; et que la sienne propre appartiendra au fisc ». Or c'est pour la poursuite de cette succession dévolue au fisc, que l'avoué de la partie publique, qui en soutenait les droits, avait la liberté de combattre : ce cas rentrait dans la règle générale.

Nous voyons, dans ces formules, l'avoué de la partie publique agir contre celui qui avait pris un voleur, et ne l'avait pas mené au comte [c]; contre celui qui avait fait un soulèvement ou une assemblée contre le comte [d]; contre celui qui avait sauvé la vie à un homme que le comte lui avait donné pour le faire mourir [e]; contre l'avoué des églises, à qui le comte avait ordonné de lui présenter un voleur, et qui n'avait point obéi [f]; contre celui qui avait révélé le secret du roi aux étrangers [g]; contre celui qui, à main armée, avait poursuivi l'envoyé de l'empereur [h]; contre celui qui avait méprisé les lettres de l'empereur [i], et il était poursuivi par l'avoué de l'empereur, ou par l'empereur lui-même; contre celui qui n'avait pas voulu recevoir la monnaie du prince [k] : enfin, cet avoué demandait les choses que la loi adjugeait au fisc [l].

Mais, dans la poursuite des crimes, on ne voit point d'avoué de la partie publique; même quand on emploie les duels [m]; même quand il s'agit d'incendie [n]; même lorsque le juge est tué sur son tribunal [o]; même lorsqu'il s'agit de l'état des personnes [p], de la liberté et de la servitude [q].

Ces formules sont faites, non seulement pour les lois des Lombards, mais pour les capitulaires ajoutés : ainsi il ne faut pas douter que, sur cette matière, elles ne nous donnent la pratique de la seconde race.

Il est clair que ces avoués de la partie publique durent s'éteindre avec la seconde race, comme les envoyés du roi

c. Recueil de Muratori, p. 104, sur la loi 88 de Charlemagne, liv. I, tit. 26, § 78.
d. Autre formule, *ibid.*, p. 87.
e. *Ibid.*, p. 104.
f. *Ibid.*, p. 95.
g. *Ibid.*, p. 88.
h. *Ibid.*, p. 98.
i. *Ibid.*, p. 132.
k. *Ibid.*, p. 132.
l. *Ibid.*, p. 137.
m. *Ibid.*, p. 147.
n. *Ibid.*
o. *Ibid.*, p. 168.
p. *Ibid.*, p. 134.
q. *Ibid.*, p. 107.

dans les provinces; par la raison qu'il n'y eut plus de loi générale, ni de fisc général; et par la raison qu'il n'y eut plus de comte dans les provinces, pour tenir les plaids; et par conséquent plus de ces sortes d'officiers dont la principale fonction était de maintenir l'autorité du comte.

L'usage des combats, devenu plus fréquent dans la troisième race, ne permit pas d'établir une partie publique. Aussi Boutillier, dans sa somme rurale, parlant des officiers de justice, ne cite-t-il que les baillis, hommes féodaux, et sergents. Voyez les établissements ʳ, et Beaumanoir ˢ, sur la manière dont on faisait les poursuites dans ces temps-là.

Je trouve, dans les lois de Jacques II, roi de Majorque ᵗ, une création de l'emploi de procureur du roi, avec les fonctions qu'ont aujourd'hui les nôtres ᵘ. Il est visible qu'ils ne vinrent qu'après que la forme judiciaire eut changé parmi nous.

Chapitre XXXVII

Comment les établissements de Saint Louis tombèrent dans l'oubli.

Ce fut le destin des *établissements*, qu'il naquirent, vieillirent et moururent en très peu de temps.

Je ferai là-dessus quelques réflexions. Le code que nous avons sous le nom d'établissements de Saint Louis, n'a jamais été fait pour servir de loi à tout le royaume, quoique cela soit dit dans la préface de ce code. Cette compilation est un code général, qui statue sur toutes les affaires civiles; les dispositions des biens pas testament, ou entre vifs; les dots et les avantages des femmes; les profits et les prérogatives des fiefs; les affaires de police; etc. Or, dans un temps où chaque ville, bourg ou village, avait sa coutume, donner un corps général de lois civiles, c'était vouloir renverser, dans un moment,

---

r. Liv. I, chap. I; et liv. II, chap. XI et XIII.

s. Chap. I, et chap. LXI.

t. Voyez ces lois dans les *Vies des saints*, du mois de juin, t. III, p. 26.

u. *Qui continue nostram sacram curiam sequi teneatur, instituatur qui sacta et causas in ipsa curia promoveat atque prosequatur.*

toutes les lois particulières sous lesquelles on vivait dans
chaque lieu du royaume. Faire une coutume générale de
toutes les coutumes particulières, serait une chose inconsi-
dérée, même dans ce temps-ci, où les princes ne trouvent
partout que de l'obéissance. Car, s'il est vrai qu'il ne faut
pas changer, lorsque les inconvénients égalent les avantages ; encore moins le faut-il, lorsque les avantages sont
petits, et les inconvénients immenses. Or, si l'on fait
attention à l'état où était pour lors le royaume, où chacun
s'enivrait de l'idée de sa souveraineté et de sa puissance,
on voit bien qu'entreprendre de changer partout les lois
et les usages reçus, c'était une chose qui ne pouvait venir
dans l'esprit de ceux qui gouvernaient.

Ce que je viens de dire prouve encore que ce code des
établissements ne fut pas confirmé, en parlement, par
les barons et gens de loi du royaume, comme il est dit dans
un manuscrit de l'hôtel de ville d'Amiens, cité par
M. Ducange [a]. On voit, dans les autres manuscrits, que
ce code fut donné par Saint Louis, en l'année 1270, avant
qu'il partît pour Tunis : ce fait n'est pas plus vrai ; car
Saint Louis est parti en 1269, comme l'a remarqué
M. Ducange ; d'où il conclut que ce code aurait été
publié en son absence. Mais je dis que cela ne peut pas
être : Comment Saint Louis aurait-il pris le temps de son
absence, pour faire une chose qui aurait été une semence
de troubles, et qui eût pu produire, non pas des changements, mais des révolutions ? Une pareille entreprise
avait besoin, plus qu'une autre, d'être suivie de près ; et
n'était point l'ouvrage d'une régence faible, et même
composée de seigneurs qui avaient intérêt que la chose ne
réussît pas. C'était Matthieu, abbé de Saint-Denis ;
Simon de Clermont, comte de Nelle ; et, en cas de mort,
Philippe, évêque d'Evreux ; et Jean, comte de Ponthieu.
On a vu ci-dessus [b] que le comte de Ponthieu s'opposa,
dans sa seigneurie, à l'exécution d'un nouvel ordre judiciaire.

Je dis, en troisième lieu, qu'il y a grande apparence que
le code que nous avons est une chose différente des
établissements de Saint Louis sur l'ordre judiciaire. Ce
code cite les établissements ; il est donc un ouvrage sur les
établissements, et non pas les établissements. De plus
Beaumanoir, qui parle souvent des établissements de

a. Préface sur les *Etablissements*.
b. Chap. XXIX.

Saint Louis, ne cite que des établissements particuliers de
ce prince, et non pas cette compilation des établissements.
Défontaines, qui écrivait sous ce prince [c], nous parle
des deux premières fois que l'on exécuta ses établissements
sur l'ordre judiciaire, comme d'une chose reculée. Les
établissements de Saint Louis étaient donc antérieurs à la
compilation dont je parle; qui, à la rigueur, et en adop-
tant les prologues erronés mis par quelques ignorants à
la tête de cet ouvrage, n'aurait paru que la dernière
année de la vie de Saint Louis, ou même après la mort de
ce prince.

[c]. Voyez ci-dessus le chap. XXIX.

Chapitre XXXVIII
Continuation du même sujet.

Qu'est-ce donc que cette compilation que nous avons
sous le nom d'établissements de Saint Louis ? Qu'est-ce
que ce code obscur, confus, et ambigu, où l'on mêle
sans cesse la jurisprudence française avec la loi romaine;
où l'on parle comme un législateur, et où l'on voit un
jurisconsulte; où l'on trouve un corps entier de jurisprudence sur tous les cas, sur tous les points du droit
civil ? Il faut se transporter dans ces temps-là.

Saint Louis, voyant les abus de la jurisprudence de
son temps, chercha à en dégoûter les peuples : il fit
plusieurs règlements pour les tribunaux de ses domaines,
et pour ceux de ses barons; et il eut un tel succès, que
Beaumanoir, qui écrivait très peu de temps après la mort
de ce prince [a], nous dit que la manière de juger établie
par Saint Louis était pratiquée dans un grand nombre de
cours des seigneurs.

Ainsi ce prince remplit son objet, quoique ses règlements pour les tribunaux des seigneurs n'eussent pas été
faits pour être une loi générale du royaume, mais comme
un exemple que chacun pourrait suivre, et que chacun
même aurait intérêt de suivre. Il ôta le mal, en faisant
sentir le meilleur. Quand on vit dans ses tribunaux,

[a]. Ch. LXI, p. 309.

quand on vit dans ceux des seigneurs une manière de procéder plus naturelle, plus raisonnable, plus conforme à la morale, à la religion, à la tranquillité publique, à la sûreté de la personne et des biens, on la prit, et on abandonna l'autre.

Inviter, quand il ne faut pas contraindre; conduire, quand il ne faut pas commander; c'est l'habileté suprême. La raison a un empire naturel; elle a même un empire tyrannique : on lui résiste, mais cette résistance est son triomphe; encore un peu de temps, et l'on sera forcé de revenir à elle

Saint Louis, pour dégoûter de la jurisprudence française, fit traduire les livres du droit romain, afin qu'ils fussent connus des hommes de loi de ces temps-là. Défontaines, qui est le premier auteur de pratique que nous ayons [b], fit un grand usage de ces lois romaines : son ouvrage est, en quelque façon, un résultat de l'ancienne jurisprudence française, des lois ou établissements de Saint Louis, et de la loi romaine. Beaumanoir fit peu d'usage de la loi romaine; mais il concilia l'ancienne jurisprudence française avec les règlements de Saint Louis.

C'est dans l'esprit de ces deux ouvrages, et surtout de celui de Défontaines, que quelque bailli, je crois, fit l'ouvrage de jurisprudence que nous appelons les établissements. Il est dit, dans le titre de cet ouvrage, qu'il est fait selon l'usage de Paris, et d'Orléans, et de cour de baronnie; et, dans le prologue, qu'il y est traité des usages de tout le royaume, et d'Anjou, et de cour de baronnie. Il est visible que cet ouvrage fut fait pour Paris, Orléans, et Anjou, comme les ouvrages de Beaumanoir et de Défontaines furent faits pour les comtés de Clermont et de Vermandois : et, comme il paraît, par Beaumanoir, que plusieurs lois de Saint Louis avaient pénétré dans les cours de baronnie, le compilateur a eu quelque raison de dire que son ouvrage regardait aussi les cours de baronnie [c].

Il est clair que celui qui fit cet ouvrage compila les coutumes du pays, avec les lois et les établissements de

---

[b]. Il dit lui-même dans son prologue : *Nus luy enprit onques mais cette chose dont j'ay.*

[c]. Il n'y a rien de si vague que le titre et le prologue. D'abord ce sont les usages de Paris et d'Orléans, et de cour de baronnie; ensuite, ce sont les usages de toutes les cours layes du royaume, et de la prévôté de France; ensuite, ce sont les usages de tout le royaume, et d'Anjou, et de cour de baronnie.

Saint Louis. Cet ouvrage est très précieux, parce qu'il contient les anciennes coutumes d'Anjou et les établissements de Saint Louis, tels qu'ils étaient alors pratiqués, et enfin ce qu'on y pratiquait de l'ancienne jurisprudence française.

La différence de cet ouvrage d'avec ceux de Défontaines et de Beaumanoir, c'est qu'on y parle en termes de commandement, comme les législateurs; et cela pouvait être ainsi, parce qu'il était une compilation de coutumes écrites et de lois.

Il y avait un vice intérieur dans cette compilation : elle formait un code amphibie, où l'on avait mêlé la jurisprudence française avec la loi romaine; on rapprochait des choses qui n'avaient jamais de rapport, et qui souvent étaient contradictoires.

Je sais bien que les tribunaux français des hommes ou des pairs, les jugements sans appel à un autre tribunal, la manière de prononcer par ces mots, *Je condamne* ou *j'absous* [d], avaient de la conformité avec les jugements populaires des Romains. Mais on fit peu d'usage de cette ancienne jurisprudence; on se servit plutôt de celle qui fut introduite depuis par les empereurs, qu'on employa partout dans cette compilation, pour régler, limiter, corriger, étendre la jurisprudence française.

Chapitre XXXIX

Continuation du même sujet.

Les formes judiciaires introduites par Saint Louis cessèrent d'être en usage. Ce prince avait eu moins en vue la chose même, c'est-à-dire la meilleure manière de juger, que la meilleure manière de suppléer à l'ancienne pratique de juger. Le premier objet était de dégoûter de l'ancienne jurisprudence, et le second d'en former une nouvelle. Mais les inconvénients de celle-ci ayant paru, on en vit bientôt succéder une autre.

Ainsi les lois de Saint Louis changèrent moins la jurisprudence française, qu'elles ne donnèrent des moyens pour la changer; elles ouvrirent de nouveaux tribunaux,

d. *Etablissements*, liv. II, chap. xv.

ou plutôt des voies pour y arriver; et, quand on put parvenir aisément à celui qui avait une autorité générale, les jugements, qui auparavant ne faisaient que les usages d'une seigneurie particulière, formèrent une jurisprudence universelle. On était parvenu, par la force des établissements, à avoir des décisions générales, qui manquaient entièrement dans le royaume : quand le bâtiment fut construit, on laissa tomber l'échafaud.

Ainsi les lois que fit Saint Louis eurent des effets qu'on n'aurait pas dû attendre du chef-d'œuvre de la législation. Il faut quelquefois bien des siècles pour préparer les changements; les événements mûrissent, et voilà les révolutions.

Le parlement jugea en dernier ressort de presque toutes les affaires du royaume. Auparavant il ne jugeait que de celles qui étaient entre les ducs, comtes, barons, évêques, abbés [a], ou entre le roi et ses vassaux [b], plutôt dans le rapport qu'elles avaient avec l'ordre politique, qu'avec l'ordre civil. Dans la suite, on fut obligé de le rendre sédentaire, et de le tenir toujours assemblé; et enfin, on en créa plusieurs, pour qu'ils pussent suffire à toutes les affaires.

A peine le parlement fut-il un corps fixe, qu'on commença à compiler ses arrêts. Jean de Monluc, sous le règne de Philippe le Bel, fit le recueil qu'on appelle aujourd'hui les registres *Olim* [c].

CHAPITRE XL

Comment on prit les formes judiciaires des décrétales.

Mais d'où vient qu'en abandonnant les formes judiciaires établies, on prit celles du droit canonique, plutôt que celles du droit romain ? C'est qu'on avait toujours devant les yeux les tribunaux clercs, qui suivaient les formes du droit canonique, et que l'on ne connaissait aucun tribunal qui suivît celles du droit romain. De plus :

a. Voyez du TILLET, *Sur la cour des pairs*. Voyez aussi la Roche-Flavin, liv. I, chap. III; Budée, et Paul Emile.
b. Les autres affaires étaient décidées par les tribunaux ordinaires.
c. Voyez l'excellent ouvrage de M. le président Hénault, sur l'an 1313.

les bornes de la juridiction ecclésiastique et de la séculière étaient, dans ces temps-là, très peu connues : il y avait des gens [a] qui plaidaient indifféremment dans les deux cours [b]; il y avait des matières pour lesquelles on plaidait de même. Il semble [c] que la juridiction laye ne se fût gardé, privativement à l'autre, que le jugement des matières féodales, et des crimes commis par les laïcs dans les cas qui ne choquaient pas la religion [d]. Car si, pour raison des conventions et des contrats, il fallait aller à la justice laye, les parties pouvaient volontairement procéder devant les tribunaux clercs, qui, n'étant pas en droit d'obliger la justice laye à faire exécuter la sentence, contraignaient d'y obéir par voie d'excommunication [e]. Dans ces circonstances, lorsque, dans les tribunaux laïcs, on voulut changer de pratique, on prit celle des clercs, parce qu'on la savait; et on ne prit pas celle du droit romain, parce qu'on ne la savait point : car, en fait de pratique, on ne sait que ce que l'on pratique.

Chapitre XLI

Flux et reflux de la juridiction ecclésiastique et de la juridiction laye.

La puissance civile étant entre les mains d'une infinité de seigneurs, il avait été aisé à la juridiction ecclésiastique de se donner tous les jours plus d'étendue : mais, comme la juridiction ecclésiastique énerva la juridiction des seigneurs, et contribua par là à donner des forces à la juridiction royale, la juridiction royale restreignit peu à peu la juridiction ecclésiastique, et celle-ci recula devant la première. Le parlement, qui avait pris, dans sa forme de procéder, tout ce qu'il y avait de bon et d'utile dans celle des tribunaux des clercs, ne vit bientôt

a. Beaumanoir, chap. xi, p. 58.
b. Les femmes veuves, les croisés, ceux qui tenaient les biens des églises, pour raison de ces biens. *Ibid.*
c. Voyez tout le chapitre xi de Beaumanoir.
d. Les tribunaux clercs, sous prétexte du serment, s'en étaient même saisis, comme on le voit par le fameux concordat, passé entre Philippe Auguste, les clercs et les barons, qui se trouve dans les ordonnances de Laurière.
e. Beaumanoir, chap. xi, p. 60.

plus que ses abus; et la juridiction royale se fortifiant tous les jours, elle fut toujours plus en état de corriger ces mêmes abus. En effet, ils étaient intolérables; et, sans en faire l'énumération, je renverrai à Beaumanoir, à Boutillier, aux ordonnances de nos rois ^a. Je ne parlerai que de ceux qui intéressaient plus directement la fortune publique. Nous connaissons ces abus par les arrêts qui les réformèrent. L'épaisse ignorance les avait introduits; une espèce de clarté parut, et ils ne furent plus. On peut juger, par le silence du clergé, qu'il alla lui-même au-devant de la correction; ce qui, vu la nature de l'esprit humain, mérite des louanges. Tout homme qui mourait sans donner une partie de ses biens à l'église, ce qui s'appelait mourir *déconfés*, était privé de la communion et de la sépulture. Si l'on mourait sans faire de testament, il fallait que les parents obtinssent de l'évêque qu'il nommât, concurremment avec eux, des arbitres, pour fixer ce que le défunt aurait dû donner, en cas qu'il eût fait un testament. On ne pouvait pas coucher ensemble la première nuit des noces, ni même les deux suivantes, sans en avoir acheté la permission : c'était bien ces trois nuits-là qu'il fallait choisir; car, pour les autres, on n'aurait pas donné beaucoup d'argent. Le parlement corrigea tout cela. On trouve, dans le glossaire du droit français de Ragau ^b, l'arrêt qu'il rendit contre l'évêque d'Amiens ^c.

Je reviens au commencement de mon chapitre. Lorsque, dans un siècle ou dans un gouvernement, on voit les divers corps de l'État chercher à augmenter leur autorité, et à prendre les uns sur les autres de certains avantages, on se tromperait souvent si l'on regardait leurs entreprises comme une marque certaine de leur corruption. Par un malheur attaché à la condition humaine, les grands hommes modérés sont rares; et, comme il est toujours plus aisé de suivre sa force que de l'arrêter, peut-être, dans la classe des gens supérieurs, est-il plus facile de trouver des gens extrêmement vertueux, que des hommes extrêmement sages.

L'âme goûte tant de délices à dominer les autres âmes; ceux même qui aiment le bien s'aiment si fort eux-mêmes,

a. Voyez BOUTILLIER, *Somme rurale*, tit. 9, quelles personnes ne peuvent faire demande en cour laye; et Beaumanoir, chap. XI, p. 56; et les règlements de Philippe Auguste à ce sujet; et l'établissement de Philippe Auguste, fait entre les clercs, le roi et les barons.

b. Au mot *exécuteurs testamentaires*.

c. Du 19 mars 1409.

qu'il n'y a personne qui ne soit assez malheureux pour avoir encore à se défier de ses bonnes intentions : et en vérité, nos actions tiennent à tant de choses, qu'il est mille fois plus aisé de faire le bien, que de le bien faire.

Chapitre XLII

Renaissance du droit romain, et ce qui en résulta.
Changements dans les tribunaux.

Le digeste de Justinien ayant été retrouvé vers l'an 1137, le droit romain sembla prendre une seconde naissance. On établit des écoles en Italie, où on l'enseignait : on avait déjà le code *Justinien* et les *novelles*. J'ai déjà dit que ce droit y prit une telle faveur, qu'il fit éclipser la loi des Lombards.

Des docteurs italiens portèrent le droit de Justinien en France, où l'on n'avait connu que le code Théodosien [a], parce que ce ne fut qu'après l'établissement des barbares dans les Gaules, que les lois de Justinien furent faites [b]. Ce droit reçut quelques oppositions ; mais il se maintint, malgré les excommunications des papes, qui proté-geaient leurs canons [c]. Saint Louis chercha à l'accréditer, par les traductions qu'il fit faire des ouvrages de Justinien, que nous avons encore manuscrites dans nos biblio-thèques ; et j'ai déjà dit qu'on en fit un grand usage dans les établissements. Philippe le Bel fit enseigner les lois de Justinien, seulement comme raison écrite, dans les pays de France qui se gouvernaient par les coutumes [d] ; et elles furent adoptées comme loi, dans les pays où le droit romain était la loi.

J'ai dit ci-dessus que la manière de procéder par le combat judiciaire demandait, dans ceux qui jugeaient, très peu de suffisance ; on décidait les affaires dans chaque

---

a. On suivait en Italie le code de Justinien. C'est pour cela que le pape Jean VIII, dans sa constitution donnée après le synode de Troyes, parle de ce code, non pas parce qu'il était connu en France, mais parce qu'il le connaissait lui-même ; et sa constitution était générale.

b. Le code de cet empereur fut publié vers l'an 530.

c. *Décrétales*, liv. V, tit. *de privilegiis*, capite *super specula*.

d. Par une charte de l'an 1312, en faveur de l'université d'Orléans, rapportée par du Tillet.

lieu, selon l'usage de chaque lieu, et suivant quelques coutumes simples, qui se recevaient par tradition. Il y avait, du temps de Beaumanoir, deux différentes manières de rendre la justice [e] : dans des lieux, on jugeait par pairs ; dans d'autres, on jugeait par baillis [f] : quand on suivait la première forme, les pairs jugeaient suivant l'usage de leur juridiction ; dans la seconde, c'étaient des prud'hommes ou vieillards, qui indiquaient au bailli le même usage [g]. Tout ceci ne demandait aucunes lettres, aucune capacité, aucune étude. Mais, lorsque le code obscur des établissements, et d'autres ouvrages de jurisprudence parurent ; lorsque le droit romain fut traduit ; lorsqu'il commença à être enseigné dans les écoles ; lorsqu'un certain art de la procédure, et qu'un certain art de la jurisprudence commencèrent à se former ; lorsqu'on vit naître des praticiens et des jurisconsultes, les pairs et les prud'hommes ne furent plus en état de juger ; les pairs commencèrent à se retirer des tribunaux du seigneur ; les seigneurs furent peu portés à les assembler : d'autant mieux que les jugements, au lieu d'être une action éclatante, agréable à la noblesse, intéressante pour les gens de guerre, n'étaient plus qu'une pratique, qu'ils ne savaient, ni ne voulaient savoir. La pratique de juger par pairs devint moins en usage [h] ; celle de juger par baillis s'étendit. Les baillis ne jugeaient pas [i] ; ils faisaient l'ins-

---

e. Coutume de Beauvoisis, chap. I, de l'office des baillis.

f. Dans la commune, les bourgeois étaient jugés par d'autres bourgeois, comme les hommes de fief se jugeaient entre eux. Voyez la Thaumassière, chap. XIX.

g. Aussi toutes les requêtes commençaient-elles par ces mots : *Sire juge, il est d'usage qu'en votre juridiction*, etc. comme il paraît par la formule rapportée dans Boutillier, *Somme rurale*, liv. I, tit. 21.

h. Le changement fut insensible. On trouve encore les pairs employés du temps de Boutillier, qui vivait en 1402, date de son testament, qui rapporte cette formule au liv. I, tit. 21 : *Sire juge, en ma justice haute, moyenne et basse, que j'ai en tel lieu, cour, plaids, baillis, hommes féodaux et sergens.* Mais il n'y avait plus que les matières féodales qui se jugeassent par pairs. *Ibid.*, liv. I, tit. I, p. 16.

i. Comme il paraît par la formule des lettres que le seigneur leur donnait, rapportée par Boutillier, *Somme rurale*, liv. I, tit. 14. Ce qui se prouve encore par Beaumanoir, coutume de Beauvoisis, chap. I, des baillis. Ils ne faisaient que la procédure. *Le bailli est tenu, en la présence des hommes, à penre les paroles de chaux qui plaident, et doit demander as parties se ils veulent avoir droit selon les raisons que ils ont dites ; et se ils disent, Sire, oïl, le bailli doit contraindre les hommes que ils fassent le jugement.* Voyez aussi les établissements de Saint Louis, liv. I, chap. CV ; et liv. II, chap. XV. *Li juge, si ne doit pas faire le jugement.*

truction, et prononçaient le jugement des prud'hommes : Mais, les prud'hommes n'étant plus en état de juger, les baillis jugèrent eux-mêmes.

Cela se fit d'autant plus aisément, qu'on avait devant les yeux la pratique des juges d'église : le droit canonique et le nouveau droit civil concoururent également à abolir les pairs.

Ainsi se perdit l'usage constamment observé dans la monarchie, qu'un juge ne jugeait jamais seul, comme on le voit par les lois saliques, les capitulaires, et par les premiers écrivains de pratique de la troisième race [k]. L'abus contraire, qui n'a lieu que dans les justices locales, a été modéré, et en quelque façon corrigé, par l'introduction en plusieurs lieux d'un lieutenant du juge, que celui-ci consulte, et qui représente les anciens prud'hommes; par l'obligation où est le juge de prendre deux gradués, dans les cas qui peuvent mériter une peine afflictive : et enfin il est devenu nul, par l'extrême facilité des appels.

[k]. Beaumanoir, chap. LXVII, p. 336; et chap. LXI, p. 315 et 316: les *Etablissements*, liv. II, chap. XV.

Chapitre XLIII

Continuation du même sujet.

Ainsi ce ne fut point une loi qui défendit aux seigneurs de tenir eux-mêmes leur cour; ce ne fut point une loi qui abolit les fonctions que leurs pairs y avaient; il n'y eut point de loi qui ordonnât de créer des baillis; ce ne fut point par une loi qu'ils eurent le droit de juger. Tout cela se fit peu à peu, et par la force de la chose. La connaissance du droit romain, des arrêts des cours, des corps de coutumes nouvellement écrites, demandaient une étude, dont les nobles et le peuple sans lettres n'étaient point capables.

La seule ordonnance que nous ayons sur cette matière [a] est celle qui obligea les seigneurs de choisir leurs baillis dans l'ordre des laïcs. C'est mal à propos qu'on l'a regardée comme la loi de leur création; mais elle ne dit

[a]. Elle est de l'an 1287.

que ce qu'elle dit. De plus : elle fixe ce qu'elle prescrit
par les raisons qu'elle en donne : « C'est afin, est-il dit,
que les baillis puissent être punis de leurs prévarications,
qu'il faut qu'ils soient pris dans l'ordre des laïcs [b]. » On
sait les privilèges des ecclésiastiques dans ces temps-là.

Il ne faut pas croire que les droits dont les seigneurs
jouissaient autrefois, et dont ils ne jouissent plus aujour-
d'hui, leur aient été ôtés comme des usurpations : plusieurs de ces droits ont été perdus par négligence; et
d'autres ont été abandonnés, parce que divers changements s'étant introduits dans le cours de plusieurs siècles,
ils ne pouvaient subsister avec ces changements.

b. *Ut, si ibi delinquant, superiores sui possuit animadvertere in
ceosdem.*

Chapitre XLIV

De la preuve par témoins.

Les juges, qui n'avaient d'autres règles que les usages,
s'en enquéraient ordinairement par témoins, dans chaque
question qui se présentait.

Le combat judiciaire devenant moins en usage, on fit
les enquêtes par écrit. Mais une preuve vocale mise par
écrit n'est jamais qu'une preuve vocale; cela ne faisait
qu'augmenter les frais de la procédure. On fit des règlements qui rendirent la plupart de ces enquêtes inutiles [a];
on établit des registres publics, dans lesquels la plupart
des faits se trouvaient prouvés, la noblesse, l'âge, la
légitimité, le mariage. L'écriture est un témoin qui est
difficilement corrompu. On fit rédiger par écrit les coutumes. Tout cela était bien raisonnable : il est plus aisé
d'aller chercher, dans les registres de baptême, si Pierre
est fils de Paul, que d'aller prouver ce fait par une longue
enquête. Quand, dans un pays, il y a un très grand nombre
d'usages, il est plus aisé de les écrire tous dans un code,
que d'obliger les particuliers à prouver chaque usage.
Enfin, on fit la fameuse ordonnance qui défendit de
recevoir la preuve par témoins pour une dette au-dessus

a. Voyez comment on prouvait l'âge et la parenté : *Etablissements*,
liv. I, chap. LXXI et LXXII.

de cent livres, à moins qu'il n'y eût un commencement
de preuve par écrit.

Chapitre XLV

Des coutumes de France.

La France était régie, comme j'ai dit, par des coutumes
non écrites ; et les usages particuliers de chaque seigneurie
formaient le droit civil. Chaque seigneurie avait son droit
civil, comme le dit Beaumanoir [a] ; et un droit si particulier, que cet auteur, qu'on doit regarder comme la lumière
de ce temps-là, et une grande lumière, dit qu'il ne croit
pas que, dans tout le royaume, il y eût deux seigneuries
qui fussent gouvernées de tout égard par la même loi.

Cette prodigieuse diversité avait une première origine,
et elle en avait une seconde. Pour la première, on peut se
souvenir de ce que j'ai dit ci-dessus [b], au chapitre des
coutumes locales ; et, quant à la seconde, on la trouve
dans les divers événements des combats judiciaires ; des
cas continuellement fortuits devant introduire naturellement de nouveaux usages.

Ces coutumes-là étaient conservées dans la mémoire
des vieillards : mais il se forma peu à peu des lois ou des
coutumes écrites.

1° Dans le commencement de la troisième race [c], les
rois donnèrent des chartes particulières, et en donnèrent
même de générales, de la manière dont je l'ai expliqué
ci-dessus : tels sont les établissements de Philippe
Auguste, et ceux que fit Saint Louis. De même, les grands
vassaux, de concert avec les seigneurs qui tenaient d'eux,
donnèrent, dans les assises de leurs duchés ou comtés,
de certaines chartes ou établissements, selon les circonstances : telles furent l'assise de Géofroi, comte de Bre-
tagne, sur le partage des nobles ; les coutumes de Normandie, accordées par le duc Raoul ; les coutumes de
Champagne, données par le roi Thibault ; les lois de
Simon, comte de Montfort ; et autres. Cela produisit

a. Prologue sur la *Coutume de Beauvoisis.*
b. Chap. xii.
c. Voyez le recueil des ordonnances de Laurière.

quelques lois écrites, et même plus générales que celles
que l'on avait.

2º Dans le commencement de la troisième race,
presque tout le bas peuple était serf. Plusieurs raisons
obligèrent les rois et les seigneurs de les affranchir.

Les seigneurs, en affranchissant leurs serfs, leur donnèrent des biens; il fallut leur donner des lois civiles pour
régler la disposition de ces biens. Les seigneurs, en affranchissant leurs serfs, se privèrent de leurs biens; il fallut
donc régler les droits que les seigneurs se réservaient pour
l'équivalent de leur bien. L'une et l'autre de ces choses
furent réglées par les chartes d'affranchissement; ces
chartes formèrent une partie de nos coutumes, et cette
partie se trouva rédigée par écrit.

3º Sous le règne de Saint Louis, et les suivants, des
praticiens habiles, tels que Défontaines, Beaumanoir, et
autres, rédigèrent par écrit les coutumes de leurs bail-
liages. Leur objet était plutôt de donner une pratique
judiciaire, que les usages de leur temps sur la disposition
des biens. Mais tout s'y trouve; et, quoique ces auteurs
particuliers n'eussent d'autorité que par la vérité et la
publicité des choses qu'ils disaient, on ne peut douter
qu'elles n'aient beaucoup servi à la renaissance de notre
droit français. Tel était, dans ces temps-là, notre droit
coutumier écrit.

Voici la grande époque. Charles VII et ses successeurs
firent rédiger par écrit, dans tout le royaume, les diverses
coutumes locales, et prescrivirent des formalités qui
devaient être observées à leur rédaction. Or, comme cette
rédaction se fit par provinces; et que, de chaque seigneurie, on venait déposer, dans l'assemblée générale de
la province, les usages écrits ou non écrits de chaque
lieu; on chercha à rendre les coutumes plus générales,
autant que cela se put faire sans blesser les intérêts des
particuliers qui furent réservés [d]. Ainsi nos coutumes
prirent trois caractères; elles furent écrites, elles furent
plus générales, elles reçurent le sceau de l'autorité royale.

Plusieurs de ces coutumes ayant été de nouveau rédigées, on y fit plusieurs changements, soit en ôtant tout ce
qui ne pouvait compatir avec la jurisprudence actuelle,
soit en ajoutant plusieurs choses tirées de cette jurisprudence.

---

[d]. Cela se fit ainsi lors de la rédaction des coutumes de Berri et
de Paris. Voyez la Thaumassière, chap. III.

Quoique le droit coutumier soit regardé, parmi nous, comme contenant une espèce d'opposition avec le droit romain, de sorte que ces deux droits divisent les territoires ; il est pourtant vrai que plusieurs dispositions du droit romain sont entrées dans nos coutumes, surtout lorsqu'on en fit de nouvelles rédactions, dans des temps qui ne sont pas fort éloignés des nôtres, où ce droit était l'objet des connaissances de tous ceux qui se destinaient aux emplois civils ; dans des temps où l'on ne faisait pas gloire d'ignorer ce que l'on doit savoir, et de savoir ce que l'on doit ignorer ; où la facilité de l'esprit servait plus à apprendre sa profession, qu'à la faire ; et où les amusements continuels n'étaient pas même l'attribut des femmes.

Il aurait fallu que je m'étendisse davantage à la fin de ce livre ; et qu'entrant dans de plus grands détails, j'eusse suivi tous les changements insensibles, qui, depuis l'ouverture des appels, ont formé le grand corps de notre jurisprudence française. Mais j'aurais mis un grand ouvrage dans un grand ouvrage. Je suis comme cet antiquaire qui partit de son pays, arriva en Egypte, jeta un coup d'œil sur les pyramides, et s'en retourna [e].

e. Dans le *Spectateur anglais*.

LIVRE XXIX

DE LA MANIÈRE DE COMPOSER LES LOIS

CHAPITRE PREMIER

De l'esprit du législateur.

Je le dis, et il me semble que je n'ai fait cet ouvrage que pour le prouver : L'esprit de modération doit être celui du législateur; le bien politique, comme le bien moral, se trouve toujours entre deux limites. En voici un exemple.

Les formalités de la justice sont nécessaires à la liberté. Mais le nombre en pourrait être si grand, qu'il choquerait le but des lois mêmes qui les auraient établies : les affaires n'auraient point de fin; la propriété des biens resterait incertaine; on donnerait à l'une des parties le bien de l'autre sans examen, ou on les ruinerait toutes les deux à force d'examiner.

Les citoyens perdraient leur liberté et leur sûreté; les accusateurs n'auraient plus les moyens de convaincre, ni les accusés le moyen de se justifier.

CHAPITRE II

Continuation du même sujet.

Cecilius, dans Aulu-Gelle [a], discourant sur la loi des douze tables, qui permettait au créancier de couper en

a. Liv. XX, chap. I.

morceaux le débiteur insolvable, la justifie par son atrocité
même, qui empêchait qu'on n'empruntât au-delà de ses
facultés [b]. Les lois les plus cruelles seront donc les meilleures ? Le bien sera l'excès ? et tous les rapports des
choses seront détruits ?

CHAPITRE III

Que les lois qui paraissent s'éloigner
des vues du législateur y sont souvent conformes.

La loi de Solon, qui déclarait infâmes tous ceux qui,
dans une sédition, ne prendraient aucun parti, a paru bien
extraordinaire : mais il faut faire attention aux circonstances dans lesquelles la Grèce se trouvait pour lors. Elle
était partagée en de très petits Etats : il était à craindre
que, dans une république travaillée par des dissensions
civiles, les gens les plus prudents ne se missent à couvert,
et que par là les choses ne fussent portées à l'extrémité.

Dans les séditions qui arrivaient dans ces petits Etats,
le gros de la cité entrait dans la querelle, ou la faisait.
Dans nos grandes monarchies, les partis sont formés par
peu de gens, et le peuple voudrait vivre dans l'inaction.
Dans ce cas, il est naturel de rappeler les séditieux au
gros des citoyens, non pas le gros des citoyens aux séditieux : dans l'autre, il faut faire rentrer le petit nombre
de gens sages et tranquilles parmi les séditieux : c'est
ainsi que la fermentation d'une liqueur peut être arrêtée
par une seule goutte d'une autre.

CHAPITRE IV

Des lois qui choquent les vues du législateur.

Il y a des lois que le législateur a si peu connues,
qu'elles sont contraires au but même qu'il s'est proposé.

---

[b]. Cecilius dit qu'il n'a jamais vu ni lu que cette peine eût été
infligée : mais il y a apparence qu'elle n'a jamais été établie. L'opinion
de quelques jurisconsultes, que la loi des douze tables ne parlait
que de la division du prix du débiteur vendu, est très vraisemblable.

Ceux qui ont établi chez les Français que, lorsqu'un des deux prétendants à un bénéfice meurt, le bénéfice reste à celui qui survit, ont cherché sans doute à éteindre les affaires. Mais il en résulte un effet contraire : on voit les ecclésiastiques s'attaquer et se battre, comme des dogues anglais, jusqu'à la mort.

CHAPITRE V

Continuation du même sujet.

La loi dont je vais parler se trouve dans ce serment, qui nous a été conservé par Eschines [a]. « Je jure que je ne détruirai jamais une ville des Amphictions, et que je ne détournerai point ses eaux courantes; si quelque peuple ose faire quelque chose de pareil, je lui déclarerai la guerre, et je détruirai ses villes. » Le dernier article de cette loi, qui paraît confirmer le premier, lui est réellement contraire. Amphiction veut qu'on ne détruise jamais les villes grecques, et sa loi ouvre la porte à la destruction de ces villes. Pour établir un bon droit des gens parmi les Grecs, il fallait les accoutumer à penser que c'était une chose atroce de détruire une ville grecque; il ne devait pas même détruire les destructeurs. La loi d'Amphiction était juste, mais elle n'était pas prudente. Cela se prouve par l'abus même que l'on en fit. Philippe ne se fit-il pas donner le pouvoir de détruire les villes, sous prétexte qu'elles avaient violé les lois des Grecs ? Amphiction aurait pu infliger d'autres peines : ordonner, par exemple, qu'un certain nombre de magistrats de la ville destructrice, ou de chefs de l'armée violatrice, seraient punis de mort; que le peuple destructeur cesserait, pour un temps, de jouir des privilèges des Grecs; qu'il paierait une amende jusqu'au rétablissement de la ville. La loi devait surtout porter sur la réparation du dommage.

a. *De falsa legatione.*

Chapitre VI

Que les lois qui paraissent les mêmes
n'ont pas toujours le même effet.

César défendit de garder chez soi plus de soixante sesterces [a]. Cette loi fut regardée à Rome comme très propre
à concilier les débiteurs avec les créanciers; parce qu'en
obligeant les riches à prêter aux pauvres, elle mettait
ceux-ci en état de satisfaire les riches. Une même loi
faite en France, du temps du *système*, fut très funeste :
c'est que la circonstance dans laquelle on la fit était
affreuse. Après avoir ôté tous les moyens de placer son
argent, on ôta même la ressource de le garder chez soi;
ce qui était égal à un enlèvement fait par violence. César
fit sa loi pour que l'argent circulât parmi le peuple; le
ministre de France fit la sienne pour que l'argent fût mis
dans une seule main. Le premier donna pour de l'argent
des fonds de terre, ou des hypothèques sur des particuliers; le second proposa pour de l'argent des effets qui
n'avaient point de valeur, et qui n'en pouvaient avoir par
leur nature, par la raison que sa loi obligeait de les
prendre.

a. Dion, liv. XLI.

Chapitre VII

Continuation du même sujet.
Nécessité de bien composer les lois.

La loi de l'ostracisme fut établie à Athènes, à Argos et
à Syracuse [a]. A Syracuse, elle fit mille maux, parce
qu'elle fut faite sans prudence. Les principaux citoyens
se bannissaient les uns les autres, en se mettant une
feuille de figuier à la main [b]; de sorte que ceux qui avaient
quelque mérite quittèrent les affaires. A Athènes, où le

a. Aristote, *République*, liv. V, chap. III.
b. Plutarque, *Vie de Denys*.

législateur avait senti l'extension et les bornes qu'il devait donner à sa loi, l'ostracisme fut une chose admirable : on n'y soumettait jamais qu'une seule personne; il fallait un si grand nombre de suffrages, qu'il était difficile qu'on exilât quelqu'un dont l'absence ne fût pas nécessaire.

On ne pouvait bannir que tous les cinq ans : en effet, dès que l'ostracisme ne devait s'exercer que contre un grand personnage qui donnerait de la crainte à ses concitoyens, ce ne devait pas être une affaire de tous les jours.

CHAPITRE VIII

Que les lois qui paraissent les mêmes
n'ont pas toujours eu le même motif.

On reçoit en France la plupart des lois des Romains sur les substitutions; mais les substitutions y ont tout un autre motif que chez les Romains. Chez ceux-ci, l'hérédité était jointe à de certains sacrifices qui devaient être faits par l'héritier, et qui étaient réglés par le droit des pontifes [a]. Cela fit qu'ils tinrent à déshonneur de mourir sans héritier, qu'ils prirent pour héritiers leurs esclaves, et qu'ils inventèrent les substitutions. La substitution vulgaire, qui fut la première inventée, et qui n'avait lieu que dans le cas où l'héritier institué n'accepterait pas l'hérédité, en est une grande preuve : elle n'avait point pour objet de perpétuer l'héritage dans une famille du même nom, mais de trouver quelqu'un qui acceptât l'héritage.

---

a. Lorsque l'hérédité était trop chargée, on éludait le droit des pontifes par de certaines ventes, d'où vint le mot, *fine sacris hæreditas.*

Chapitre IX

Que les lois grecques et romaines ont puni
l'homicide de soi-même, sans avoir le même motif.

Un homme, dit Platon [a], qui a tué celui qui lui est
étroitement lié, c'est-à-dire lui-même, non par ordre du
magistrat, ni pour éviter l'ignominie, mais par faiblesse,
sera puni. La loi romaine punissait cette action, lorsqu'elle n'avait pas été faite par faiblesse d'âme, par ennui
de la vie, par impuissance de souffrir la douleur, mais
par le désespoir de quelque crime. La loi romaine absolvait dans le cas où la grecque condamnait, et condamnait
dans le cas où l'autre absolvait.

La loi de Platon était formée sur les institutions lacédémoniennes, où les ordres du magistrat étaient totalement absolus, où l'ignominie était le plus grand des
malheurs, et la faiblesse le plus grand des crimes. La loi
romaine abandonnait toutes ces belles idées ; elle n'était
qu'une loi fiscale.

Du temps de la république, il n'y avait point de loi à
Rome qui punît ceux qui se tuaient eux-mêmes : cette
action, chez les historiens, est toujours prise en bonne
part, et l'on n'y voit jamais de punition contre ceux qui
l'ont faite.

Du temps des premiers empereurs, les grandes familles
de Rome furent sans cesse exterminées par des jugements.
La coutume s'introduisit de prévenir la condamnation
par une mort volontaire. On y trouvait un grand avantage. On obtenait l'honneur de la sépulture, et les testaments étaient exécutés [b] ; cela venait de ce qu'il n'y avait
point de loi civile à Rome contre ceux qui se tuaient eux-
mêmes. Mais, lorsque les empereurs devinrent aussi
avares qu'ils avaient été cruels, ils ne laissèrent plus à
ceux dont ils voulaient se défaire le moyen de conserver
leurs biens, et ils déclarèrent que ce serait un crime de
s'ôter la vie par les remords d'un autre crime.

Ce que je dis, du motif des empereurs, est si vrai,

---

a. Liv. IX, *des Lois*.
b. *Eorum qui de se statuebant, humantur corpora, manebant testa-*
menta, pretium festinandi. Tacit.

qu'ils consentirent que les biens de ceux qui se seraient
tués eux-mêmes ne fussent pas confisqués, lorsque le
crime pour lequel ils s'étaient tués n'assujettissait point
à la confiscation [c].

c. Rescript de l'empereur Pie, dans la loi III, § 1 et 2, ff. *de bonis
eorum qui ante sententiam mortem sibi consciverunt.*

CHAPITRE X

Que les lois qui paraissent contraires
dérivent quelquefois du même esprit.

On va aujourd'hui dans la maison d'un homme pour
l'appeler en jugement; cela ne pouvait se faire chez les
Romains [a].

L'appel en jugement était une action violente [b], et
comme une espèce de contrainte par corps [c]; et on ne
pouvait pas plus aller dans la maison d'un homme pour
l'appeler en jugement, qu'on ne peut aujourd'hui aller
contraindre par corps, dans sa maison, un homme qui
n'est condamné que pour des dettes civiles.

Les lois romaines [d] et les nôtres admettent également
ce principe, que chaque citoyen a sa maison pour asile,
et qu'il n'y doit recevoir aucune violence.

a. Leg. XVIII, ff. *de in jus vocando.*
b. Voyez la loi des douze tables.
c. *Rapit in jus.* Horace, satire 9. C'est pour cela qu'on ne pouvait
appeler en jugement ceux à qui on devait un certain respect.
d. Voyez la loi XVIII, ff. *de in jus vocando.*

CHAPITRE XI

De quelle manière deux lois diverses
peuvent être comparées.

En France, la peine contre les faux témoins est capitale; en Angleterre, elle ne l'est point. Pour juger laquelle
de ces deux lois est la meilleure, il faut ajouter : En France,

la question contre les criminels est pratiquée; en Angleterre, elle ne l'est point; et dire encore : En France,
l'accusé ne produit point ses témoins, et il est très rare
qu'on y admette ce que l'on appelle les faits justificatifs;
en Angleterre, l'on reçoit les témoignages de part et
d'autre. Les trois lois françaises forment un système très
lié et très suivi ; les trois lois anglaises en forment un qui
ne l'est pas moins. La loi d'Angleterre, qui ne connaît
point la question contre les criminels, n'a que peu d'espérance de tirer de l'accusé la confession de son crime; elle
appelle donc de tous côtés les témoignages étrangers, et
elle n'ose les décourager par la crainte d'une peine capitale. La loi française, qui a une ressource de plus, ne
craint pas tant d'intimider les témoins; au contraire, la
raison demande qu'elle les intimide : elle n'écoute que les
témoins d'une part [a]; ce sont ceux que produit la partie
publique; et le destin de l'accusé dépend de leur seul
témoignage. Mais, en Angleterre, on reçoit les témoins
des deux parts; et l'affaire est, pour ainsi dire, discutée
entre eux. Le faux témoignage y peut donc être moins
dangereux : l'accusé y a une ressource contre le faux
témoignage; au lieu que la loi française n'en donne point.
Ainsi, pour juger lesquelles de ces lois sont les plus
conformes à la raison, il ne faut pas comparer chacune de
ces lois à chacune; il faut les prendre toutes ensemble, et
les comparer toutes ensemble.

a. Par l'ancienne jurisprudence française, les témoins étaient ouïs
des deux parts. Aussi voit-on, dans les *Etablissements* de Saint Louis,
liv. I, chap. VII, que la peine contre les faux témoins, en justice, était
pécuniaire.

CHAPITRE XII

Que les lois qui paraissent les mêmes
sont réellement quelquefois différentes.

Les lois grecques et romaines punissaient le receleur
du vol comme le voleur [a] : la loi française fait de même.
Celles-là étaient raisonnables, celle-ci ne l'est pas. Chez
les Grecs et chez les Romains, le voleur étant condamné

a. Leg. I, ff. *de receptatoribus.*

à une peine pécuniaire, il fallait punir le receleur de la même peine : car tout homme qui contribue, de quelque façon que ce soit, à un dommage, doit le réparer. Mais, parmi nous, la peine du vol étant capitale, on n'a pas pu, sans outrer les choses, punir le receleur comme le voleur. Celui qui reçoit le vol peut, en mille occasions, le recevoir innocemment; celui qui vole est toujours coupable : l'un empêche la conviction d'un crime déjà commis, l'autre commet ce crime : tout est passif dans l'un, il y a une action dans l'autre : il faut que le voleur surmonte plus d'obstacles, et que son âme se raidisse plus longtemps contre les lois.

Les jurisconsultes ont été plus loin : ils ont regardé le receleur comme plus odieux que le voleur [b] ; car sans eux, disent-ils, le vol ne pourrait être caché longtemps. Cela, encore une fois, pouvait être bon, quand la peine était pécuniaire; il s'agissait d'un dommage, et le receleur était ordinairement plus en état de le réparer : mais, la peine devenue capitale, il aurait fallu se régler sur d'autres principes.

b. Leg. I, ff. *de receptatoribus.*

CHAPITRE XIII

Qu'il ne faut point séparer les lois de l'objet pour lequel elles sont faites. Des lois romaines sur le vol.

Lorsque le voleur était surpris avec la chose volée, avant qu'il l'eût portée dans le lieu où il avait résolu de la cacher, cela était appelé chez les Romains un vol manifeste; quand le voleur n'était découvert qu'après, c'était un vol non manifeste.

La loi des douze tables ordonnait que le voleur manifeste fût battu de verges et réduit en servitude, s'il était pubère; ou seulement battu de verges, s'il était impubère : elle ne condamnait le voleur non manifeste qu'au paiement du double de la chose volée.

Lorsque la loi Porcia eut aboli l'usage de battre de verges les citoyens, et de les réduire en servitude, le voleur manifeste fut condamné au quadruple [a], et on

a. Voyez ce que dit Favorinus sur Aulu-Gelle, liv. XX, chap. I.

continua à punir du double le voleur non manifeste.

Il paraît bizarre que ces lois missent une telle différence dans la qualité de ces deux crimes, et dans la peine qu'elles infligeaient : en effet, que le voleur fût surpris avant, ou après avoir porté le vol dans le lieu de sa destination, c'était une circonstance qui ne changeait point la nature du crime. Je ne saurais douter que toute la théorie des lois romaines sur le vol, ne fût tirée des institutions lacédémoniennes. Lycurgue, dans la vue de donner à ses citoyens de l'adresse, de la ruse et de l'activité, voulut qu'on exerçât les enfants au larcin, et qu'on fouettât rudement ceux qui s'y laisseraient surprendre : cela établit chez les Grecs, et ensuite chez les Romains, une grande différence entre le vol manifeste, et le vol non manifeste [b].

Chez les Romains, l'esclave qui avait volé était précipité de la roche Tarpéienne. Là, il n'était point question des institutions lacédémoniennes ; les lois de Lycurgue sur le vol n'avaient point été faites pour les esclaves ; c'était les suivre que de s'en écarter en ce point.

A Rome, lorsqu'un impubère avait été surpris dans le vol, le préteur le faisait battre de verges à sa volonté, comme on faisait à Lacédémone. Tout ceci venait de plus loin. Les Lacédémoniens avaient tiré ces usages des Crétois ; et Platon [c], qui veut prouver que les institutions des Crétois étaient faites pour la guerre, cite celle-ci : « la faculté de supporter la douleur dans les combats particuliers, et dans les larcins qui obligent de se cacher ».

Comme les lois civiles dépendent des lois politiques, parce que c'est toujours pour une société qu'elles sont faites, il serait bon que, quand on veut porter une loi civile d'une nation chez une autre, on examinât auparavant si elles ont toutes les deux les mêmes institutions et le même droit politique.

Ainsi, lorsque les lois sur le vol passèrent des Crétois aux Lacédémoniens, comme elles y passèrent avec le gouvernement et la constitution même, ces lois furent aussi sensées chez un de ces peuples qu'elles l'étaient chez l'autre. Mais, lorsque de Lacédémone elles furent portées à Rome, comme elles n'y trouvèrent pas la même constitution, elles y furent toujours étrangères, et n'eurent aucune liaison avec les autres lois civiles des Romains.

b. Conférez ce que dit PLUTARQUE, *Vie de Lycurgue*, avec les lois du digeste, au titre *de furtis;* et les institutes, liv. IV, tit. I, § 1, 2 et 3.
c. *Des lois*, liv. I.

Chapitre XIV

Qu'il ne faut point séparer les lois des circonstances
dans lesquelles elles ont été faites.

Une loi d'Athènes voulait que, lorsque la ville était assiégée, on fît mourir tous les gens inutiles [a]. C'était une abominable loi politique, qui était une suite d'un abominable droit des gens. Chez les Grecs, les habitants d'une ville prise perdaient la liberté civile, et étaient vendus comme esclaves : la prise d'une ville emportait son entière destruction. Et c'est l'origine non seulement de ces défenses opiniâtres et de ces actions dénaturées, mais encore de ces lois atroces que l'on fit quelquefois.

Les lois romaines voulaient que les médecins pussent être punis pour leur négligence, ou pour leur impéritie [b]. Dans ces cas, elles condamnaient à la déportation le médecin d'une condition un peu relevée, et à la mort celui qui était d'une condition plus basse. Par nos lois, il en est autrement. Les lois de Rome n'avaient pas été faites dans les mêmes circonstances que les nôtres : à Rome, s'ingérait de la médecine qui voulait; mais, parmi nous, les médecins sont obligés de faire des études, et de prendre certains grades; ils sont donc censés connaître leur art.

a. *Inutilis ætas occidatur :* Syrian in Hermog.
b. La loi Cornelia, *de sicariis;* institut. liv. IV, tit. 3; *de lege Aquilia,* § 7.

Chapitre XV

Qu'il est bon quelquefois qu'une loi se corrige elle-même.

La loi des douze tables permettait de tuer le voleur de nuit [a], aussi bien que le voleur de jour, qui, étant poursuivi, se mettait en défense : mais elle voulait que celui qui tuait le voleur criât, et appelât les citoyens [b]; et c'est

a. Voyez la loi IV, ff. *ad leg. Aquil.*
b. *Ibid.* Voyez le décret de Tassillon, ajouté à la loi des Bavarois, *de popularibus legibus,* art. 4.

une chose que les lois, qui permettent de se faire justice soi-même, doivent toujours exiger. C'est le cri de l'innocence, qui, dans le moment de l'action, appelle des témoins, appelle des juges. Il faut que le peuple prenne connaissance de l'action, et qu'il en prenne connaissance dans le moment qu'elle a été faite; dans un temps où tout parle, l'air, le visage, les passions, le silence, et où chaque parole condamne ou justifie. Une loi qui peut devenir si contraire à la sûreté et à la liberté des citoyens, doit être exécutée dans la présence des citoyens.

Chapitre XVI

Choses à observer dans la composition des lois.

Ceux qui ont un génie assez étendu pour pouvoir donner des lois à leur nation ou à une autre, doivent faire de certaines attentions sur la manière de les former.

Le style en doit être concis. Les lois des douze tables sont un modèle de précision : les enfants les apprenaient par cœur [a]. Les *novelles* de Justinien sont si diffuses, qu'il fallut les abréger [b].

Le style des lois doit être simple; l'expression directe s'entend toujours mieux que l'expression réfléchie. Il n'y a point de majesté dans les lois du bas-empire; on y fait parler les princes comme des rhéteurs. Quand le style des lois est enflé, on ne les regarde que comme un ouvrage d'ostentation.

Il est essentiel que les paroles des lois réveillent chez tous les hommes les mêmes idées. Le cardinal de Richelieu convenait que l'on pouvait accuser un ministre devant le roi [c]; mais il voulait que l'on fût puni, si les choses qu'on prouvait n'étaient pas considérables : ce qui devait empêcher tout le monde de dire quelque vérité que ce fût contre lui, puisqu'une chose considérable est entièrement relative, et que ce qui est considérable pour quelqu'un, ne l'est pas pour un autre.

La loi d'Honorius punissait de mort celui qui achetait,

---

a. *Ut carmen necessarium.* Cicéron, *De legibus*, liv. II.
b. C'est l'ouvrage d'*Irnerius*.
c. *Testament politique.*

comme serf, un affranchi ou qui aurait voulu l'inquiéter [d].
Il ne fallait point se servir d'une expression si vague : l'inquiétude que l'on cause à un homme dépend entièrement
du degré de sa sensibilité.

Lorsque la loi doit faire quelque vexation, il faut,
autant qu'on le peut, éviter de la faire à prix d'argent.
Mille causes changent la valeur de la monnaie; et, avec la
même dénomination, on n'a plus la même chose. On sait
l'histoire de cet impertinent de Rome [e], qui donnait des
soufflets à tous ceux qu'il rencontrait, et leur faisait présenter les vingt-cinq sous de la loi des douze tables.

Lorsque, dans une loi, l'on a bien fixé les idées des
choses, il ne faut point revenir à des expressions vagues.
Dans l'ordonnance criminelle de Louis XIV [f], après
qu'on a fait l'énumération exacte des cas royaux, on
ajoute ces mots : « Et ceux dont de tout temps les juges
royaux ont jugé »; ce qui fait rentrer dans l'arbitraire
dont on venait de sortir.

Charles VII dit qu'il apprend que des parties font
appel, trois, quatre et six mois après le jugement, contre
la coutume du royaume, en pays coutumier [g] : il ordonne
qu'on appellera incontinent, à moins qu'il n'y ait fraude
ou dol du procureur [h], ou qu'il n'y ait grande et évidente
cause de relever l'appelant. La fin de cette loi détruit le
commencement; et elle le détruisit si bien, que, dans la
suite, on a appelé pendant trente ans [i].

La loi des Lombards ne veut pas qu'une femme, qui a
pris un habit de religieuse, quoiqu'elle ne soit pas consacrée, puisse se marier [k] : « car, dit-elle, si un époux, qui
a engagé à lui une femme seulement par un anneau, ne
peut pas, sans crime, en épouser une autre, à plus forte
raison l'épouse de Dieu ou de la sainte Vierge... » Je dis
que, dans les lois, il faut raisonner de la réalité à la réalité;
et non pas de la réalité à la figure, ou de la figure à la
réalité.

d. *Aut qualibet manumissione donatum inquietare voluerit.* Appendice
au code Théodosien, dans le premier tome des œuvres du père Sirmond, p. 737.

e. Aulu-Gelle, liv. XX, chap. I.

f. On trouve, dans le procès-verbal de cette ordonnance, les motifs
que l'on eut pour cela.

g. Dans son ordonnance de Montel-lès-Tours, l'an 1453.

h. On pouvait punir le procureur, sans qu'il fût nécessaire de
troubler l'ordre public.

i. L'ordonnance de 1667 a fait des règlements là-dessus.

k. Liv. II, tit. 37.

Une loi de Constantin veut que le témoignage seul de l'évêque suffise, sans ouïr d'autres témoins [1]. Ce prince prenait un chemin bien court, il jugeait des affaires par les personnes, et des personnes par les dignités.

Les lois ne doivent point être subtiles ; elles sont faites pour des gens de médiocre entendement : elles ne sont point un art de logique, mais la raison simple d'un père de famille.

Lorsque, dans une loi, les exceptions, limitations, modifications, ne sont point nécessaires, il vaut beaucoup mieux n'en point mettre. De pareils détails jettent dans de nouveaux détails.

Il ne faut point faire de changement dans une loi, sans une raison suffisante. Justinien ordonna qu'un mari pourrait être répudié, sans que la femme perdît sa dot, si, pendant deux ans, il n'avait pu consommer le mariage [m]. Il changea la loi, et donna trois ans au pauvre malheureux [n]. Mais, dans un cas pareil, deux ans en valent trois, et trois n'en valent pas plus que deux.

Lorsqu'on fait tant que de rendre raison d'une loi, il faut que cette raison soit digne d'elle. Une loi romaine décide qu'un aveugle ne peut pas plaider, parce qu'il ne voit pas les ornements de la magistrature [o]. Il faut l'avoir fait exprès, pour donner une si mauvaise raison, quand il s'en présentait tant de bonnes.

Le jurisconsulte Paul dit que l'enfant naît parfait au septième mois, et que la raison des nombres de Pythagore semble le prouver [p]. Il est singulier qu'on juge ces choses sur la raison des nombres de Pythagore.

Quelques jurisconsultes français ont dit que, lorsque le roi acquérait quelque pays, les églises y devenaient sujettes au droit de régale, parce que la couronne du roi est ronde. Je ne discuterai point ici les droits du roi, et si, dans ce cas, la raison de la loi civile ou ecclésiastique doit céder à la raison de la loi politique : mais je dirai que des droits si respectables doivent être défendus par des maximes graves. Qui a jamais vu fonder, sur la figure d'un signe d'une dignité, les droits réels de cette dignité ?

Davila [q] dit que Charles IX fut déclaré majeur, au

---

l. Dans l'appendice du père Sirmond, au code Théodosien, t. I.
m. Leg. I, cod. *de repudiis.*
n. Voyez l'authentique *sed hodie,* au cod. *de repudiis.*
o. Leg. I, ff. *de postulando.*
p. Dans les *Sentences,* liv. IV, tit. 9.
q. Della guerra civile di Francia, p. 96.

parlement de Rouen, à quatorze ans commencés, parce que les lois veulent qu'on compte le temps du moment au moment, lorsqu'il s'agit de la restitution et de l'administration des biens du pupille : au lieu qu'elle regarde l'année commencée comme une année complète, lorsqu'il s'agit d'acquérir des honneurs. Je n'ai garde de censurer une disposition qui ne paraît pas avoir eu jusqu'ici d'inconvénient; je dirai seulement que la raison alléguée par le chancelier de l'Hôpital n'était pas la vraie : il s'en faut bien que le gouvernement des peuples ne soit qu'un honneur.

En fait de présomption, celle de la loi vaut mieux que celle de l'homme. La loi française regarde comme frauduleux tous les actes faits par un marchand dans les dix jours qui ont précédé sa banqueroute [r] : c'est la présomption de la loi. La roi romaine infligeait des peines au mari qui gardait sa femme après l'adultère, à moins qu'il n'y fût déterminé par la crainte de l'événement d'un procès, ou par la négligence de sa propre honte; et c'est la présomption de l'homme. Il fallait que le juge présumât les motifs de la conduite du mari, et qu'il se déterminât sur une matière de penser très obscure. Lorsque le juge présume, les jugements deviennent arbitraires; lorsque la loi présume, elle donne au juge une règle fixe.

La loi de Platon, comme j'ai dit, voulait qu'on punît celui qui se tuerait, non pas pour éviter l'ignominie, mais par faiblesse [s]. Cette loi était vicieuse, en ce que, dans le seul cas où l'on ne pouvait pas tirer du criminel l'aveu du motif qui l'avait fait agir, elle voulait que le juge se déterminât sur ces motifs.

Comme les lois inutiles affaiblissent les lois nécessaires, celles qu'on peut éluder affaiblissent la législation. Une loi doit avoir son effet, et il ne faut pas permettre d'y déroger par une convention particulière.

La loi Falcidie ordonnait, chez les Romains, que l'héritier eût toujours la quatrième partie de l'hérédité : une autre loi [t] permit au testateur de défendre à l'héritier de retenir cette quatrième partie : c'est se jouer des lois. La loi Falcidie devenait inutile : car, si le testateur voulait favoriser son héritier, celui-ci n'avait pas besoin de la loi Falcidie; et, s'il ne voulait pas le favoriser, il lui défendait de se servir de la loi Falcidie.

r. Elle est du mois de novembre 1702.
s. Liv. IX, *Des lois.*
t. C'est l'authentique, *sed cum testator.*

Il faut prendre garde que les lois soient conçues de manière qu'elles ne choquent point la nature des choses. Dans la proscription du prince d'Orange, Philippe II promet à celui qui le tuera de donner à lui, ou à ses héritiers, vingt-cinq mille écus et la noblesse; et cela en parole de roi, et comme serviteur de Dieu. La noblesse promise pour une telle action! une telle action ordonnée en qualité de serviteur de Dieu! Tout cela renverse également les idées de l'honneur, celles de la morale, et celles de la religion.

Il est rare qu'il faille défendre une chose qui n'est pas mauvaise, sous prétexte de quelque perfection qu'on imagine.

Il faut, dans les lois, une certaine candeur. Faites pour punir la méchanceté des hommes, elles doivent avoir elles-mêmes la plus grande innocence. On peut voir, dans la loi des Wisigoths, cette requête ridicule, par laquelle on fit obliger les Juifs à manger toutes les choses apprêtées avec du cochon, pourvu qu'ils ne mangeassent pas du cochon même [u]. C'était une grande cruauté : on les soumettait à une loi contraire à la leur; on ne leur laissait garder de la leur que ce qui pouvait être un signe pour les reconnaître.

[u]. Liv. XII. tit. 2, § 16.

CHAPITRE XVII

Mauvaise manière de donner des lois.

Les empereurs romains manifestaient, comme nos princes, leurs volontés par des décrets et des édits : mais ce que nos princes ne font pas, ils permirent que les juges ou les particuliers, dans leurs différends, les interrogeassent par lettres; et leurs réponses étaient appelées des rescrits. Les décrétales des papes sont, à proprement parler, des rescrits. On sent que c'est une mauvaise sorte de législation. Ceux qui demandent ainsi des lois sont de mauvais guides pour le législateur; les faits sont toujours mal exposés. Trajan, dit Jules Capitolin [a],

[a]. Voyez Jules CAPITOLIN, *In Macrino*.

refusa souvent de donner de ces sortes de rescrits, afin qu'on n'étendît pas à tous les cas une décision, et souvent une faveur particulière. Macrin avait résolu d'abolir tous ces rescrits *b*; il ne pouvait souffrir qu'on regardât comme des lois les réponses de Commode, de Caracalla, et de tous ces autres princes pleins d'impéritie. Justinien pensa autrement, et il en remplit sa compilation.

Je voudrais que ceux qui lisent les lois romaines distinguassent bien ces sortes d'hypothèses, avec les sénatus-consultes, les plébiscites, les constitutions générales des empereurs, et toutes les lois fondées sur la nature des choses, sur la fragilité des femmes, la faiblesse des mineurs, et l'utilité publique.

Chapitre XVIII

Des idées d'uniformité.

Il y a de certaines idées d'uniformité qui saisissent quelquefois les grands esprits (car elles ont touché Charlemagne) mais qui frappent infailliblement les petits. Ils y trouvent un genre de perfection qu'ils reconnaissent, parce qu'ils est impossible de ne le pas découvrir, les mêmes poids dans la police, les mêmes mesures dans le commerce, les mêmes lois dans l'Etat, la même religion dans toutes ses parties. Mais cela est-il toujours à propos, sans exception ? Le mal de changer est-il toujours moins grand que le mal de souffrir ? Et la grandeur du génie ne consisterait-elle pas mieux à savoir dans quel cas il faut l'uniformité, et dans quel cas il faut des différences ? A la Chine, les Chinois sont gouvernés par le cérémonial chinois, et les Tartares, par le cérémonial tartare : c'est pourtant le peuple du monde qui a le plus la tranquillité pour objet. Lorsque les citoyens suivent les lois, qu'importe qu'ils suivent la même ?

b. Voyez Jules Capitolin, *In Macrino.*

CHAPITRE XIX

Des législateurs.

Aristote voulait satisfaire, tantôt sa jalousie contre Platon, tantôt sa passion pour Alexandre. Platon était indigné contre la tyrannie du peuple d'Athènes. Machiavel était plein de son idole, le duc de Valentinois. Thomas More, qui parlait plutôt de ce qu'il avait lu que de ce qu'il avait pensé, voulait gouverner tous les Etats avec la simplicité d'une ville grecque [a]. Arrington ne voyait que la république d'Angleterre, pendant qu'une foule d'écrivains trouvaient le désordre partout où ils ne voyaient point de couronne. Les lois rencontrent toujours les passions et les préjugés du législateur. Quelquefois elles passent au travers, et s'y teignent; quelquefois elles y restent, et s'y incorporent.

a. Dans son *Utopie*.

LIVRE XXX

*THÉORIE DES LOIS FÉODALES CHEZ LES FRANCS, DANS
LE RAPPORT QU'ELLES ONT AVEC L'ÉTABLISSEMENT
DE LA MONARCHIE*

CHAPITRE PREMIER

Des lois féodales.

Je croirais qu'il y aurait une imperfection dans mon
ouvrage, si je passais sous silence un événement arrivé
une fois dans le monde, et qui n'arrivera peut-être jamais;
si je ne parlais de ces lois que l'on vit paraître en un
moment dans toute l'Europe, sans qu'elles tinssent à
celles que l'on avait jusqu'alors connues; de ces lois
qui ont fait des biens et des maux infinis; qui ont laissé
des droits quand on a cédé le domaine; qui, en donnant
à plusieurs personnes divers genres de seigneurie sur la
même chose ou sur les mêmes personnes, ont diminué le
poids de la seigneurie entière; qui ont posé diverses
limites dans des empires trop étendus; qui ont produit
la règle avec une inclinaison à l'anarchie, et l'anarchie
avec une tendance à l'ordre et à l'harmonie.

Ceci demanderait un ouvrage exprès; mais, vu la
nature de celui-ci, on y trouvera plutôt ces lois comme je
les ai envisagées, que comme je les ai traitées.

C'est un beau spectacle que celui des lois féodales.
Un chêne antique s'élève [a]; l'œil en voit de loin les
feuillages; il approche, il en voit la tige; mais il n'en aperçoit point les racines : il faut percer la terre pour les
trouver.

---

a.   *... Quantum vertice ad auras*
         Æthereas, tantum radice ad tartara tendit.
                                        Virgile.

Chapitre II

Des sources des lois féodales.

Les peuples qui conquirent l'empire romain étaient sortis de la Germanie. Quoique peu d'auteurs anciens nous aient décrit leurs mœurs, nous en avons deux qui sont d'un très grand poids. César, faisant la guerre aux Germains, décrit les mœurs des Germains [a]; et c'est sur ces mœurs qu'il a réglé quelques-unes de ses entreprises [b]. Quelques pages de César, sur cette matière, sont des volumes.

Tacite fait un ouvrage exprès sur les mœurs des Germains. Il est court, cet ouvrage; mais c'est l'ouvrage de Tacite, qui abrégeait tout, parce qu'il voyait tout.

Ces deux auteurs se trouvent dans un tel concert avec les codes des lois des peuples barbares que nous avons, qu'en lisant César et Tacite, on trouve partout ces codes; et qu'en lisant ces codes, on trouve partout César et Tacite.

Que si, dans la recherche des lois féodales, je me vois dans un labyrinthe obscur, plein de routes et de détours, je crois que je tiens le bout du fil, et que je puis marcher.

a. Liv. VI.
b. Par exemple, sa retraite d'Allemagne, *ibid.*

Chapitre III

Origine du vasselage.

« César dit que les Germains ne s'attachaient point à l'agriculture; que la plupart vivaient de lait, de fromage et de chair; que personne n'avait de terres ni de limites qui lui fussent propres; que les princes et les magistrats de chaque nation donnaient aux particuliers la portion de terre qu'ils voulaient, et dans le lieu qu'ils voulaient, et les obligeaient, l'année suivante, de passer ailleurs [a].

a. Liv. VI de la guerre des Gaules. Tacite ajoute : *Nulli domus, aut ager, aut aliqua cura; prout ad quem venere aluntur.* De moribus Germanorum.

Tacite dit que chaque prince avait une troupe de gens qui
s'attachaient à lui, et le suivaient [b]. » Cet auteur qui,
dans sa langue, leur donne un nom qui a du rapport
avec leur état, les nomme *compagnons* [c]. Il y avait
entre eux une émulation singulière pour obtenir quelque
distinction auprès du prince, et une même émulation
entre les princes sur le nombre et la bravoure de leurs
compagnons [d]. « C'est, ajoute Tacite, la dignité, c'est la
puissance, d'être toujours entouré d'une foule de jeunes
gens que l'on a choisis; c'est un ornement dans la paix,
c'est un rempart dans la guerre. On se rend célèbre dans
dans sa nation et chez les peuples voisins, si l'on surpasse
les autres par le nombre et le courage de ses compagnons :
on reçoit des présents; les ambassades viennent de toutes
parts. Souvent la réputation décide de la guerre. Dans le
combat, il est honteux au prince d'être inférieur en
courage; il est honteux à la troupe de ne point égaler la
valeur du prince; c'est une infamie éternelle de lui avoir
survécu. L'engagement le plus sacré, c'est de le défendre.
Si une cité est en paix, les princes vont chez celles qui
font la guerre; c'est par là qu'ils conservent un grand
nombre d'amis. Ceux-ci reçoivent d'eux le cheval du
combat et le javelot terrible. Les repas peu délicats, mais
grands, sont une espèce de solde pour eux. Le prince ne
soutient ses libéralités que par les guerres et les rapines.
Vous leur persuaderiez bien moins de labourer la terre
et d'attendre l'année, que d'appeler l'ennemi et de recevoir des blessures; ils n'acquerront pas par la sueur ce
qu'ils peuvent obtenir par le sang. »

Ainsi, chez les Germains, il y avait des vassaux, et non
pas des fiefs. Il n'y avait point de fiefs, parce que les
princes n'avaient point de terres à donner; ou plutôt les
fiefs étaient des chevaux de bataille, des armes, des repas.
Il y avait des vassaux, parce qu'il y avait des hommes
fidèles, qui étaient liés par leur parole, qui étaient engagés
pour la guerre, et qui faisaient, à peu près, le même
service que l'on fit depuis pour les fiefs.

b. *De moribus Germanorum.*
c. *Comites.*
d. *Ibid.*

CHAPITRE IV

Continuation du même sujet.

César [a] dit que « quand un des princes déclarait à l'assemblée qu'il avait formé le projet de quelque expédition, et demandait qu'on le suivît, ceux qui approuvaient le chef et l'entreprise se levaient et offraient leurs secours. Ils étaient loués par la multitude. Mais, s'ils ne remplissaient pas leurs engagements, ils perdaient la confiance publique, et on les regardait comme des déserteurs et des traîtres ».

Ce que dit ici César, et ce que nous avons dit dans le chapitre précédent, après Tacite, est le germe de l'histoire de la première race.

Il ne faut pas être étonné que les rois aient toujours eu, à chaque expédition, de nouvelles armées à refaire, d'autres troupes à persuader, de nouvelles gens à engager ; qu'il ait fallu, pour acquérir beaucoup, qu'ils répandissent beaucoup ; qu'ils acquissent sans cesse, par le partage, des terres et des dépouilles, et qu'ils donnassent sans cesse ces terres et ces dépouilles ; que leur domaine grossît continuellement, et qu'il diminuât sans cesse ; qu'un père qui donnait à un de ses enfants un royaume, y joignît toujours un trésor [b] ; que le trésor du roi fût regardé comme nécessaire à la monarchie ; et qu'un roi ne pût, même pour la dot de sa fille, en faire part aux étrangers, sans le consentement des autres rois [c]. La monarchie avait son allure, par des ressorts qu'il fallait toujours remonter.

---

a. *De bello Gallico*, liv. VI.
b. Voyez la vie de Dagobert.
c. Voyez Grégoire de Tours, liv. VI, sur le mariage de la fille de Chilpéric. Childebert lui envoie des ambassadeurs, pour lui dire qu'il n'ait point à donner des villes du royaume de son père à sa fille, ni de ses trésors, ni des serfs, ni des chevaux, ni des cavaliers, ni des attelages de bœufs, etc.

Chapitre V

De la conquête des Francs.

Il n'est pas vrai que les Francs, entrant dans la Gaule, aient occupé toutes les terres du pays pour en faire des fiefs. Quelques gens ont pensé ainsi, parce qu'ils ont vu, sur la fin de la seconde race, presque toutes les terres devenues des fiefs, des arrière-fiefs ou des dépendances de l'un ou de l'autre : mais cela a eu des causes particulières qu'on expliquera dans la suite.

La conséquence qu'on en voudrait tirer, que les barbares firent un règlement général pour établir partout la servitude de la glèbe, n'est pas moins fausse que le principe. Si, dans un temps où les fiefs étaient amovibles, toutes les terres du royaume avaient été des fiefs, ou des dépendances des fiefs, et tous les hommes du royaume des vassaux ou des serfs qui dépendaient d'eux; comme celui qui a les biens a toujours aussi la puissance, le roi, qui aurait disposé continuellement des fiefs, c'est-à-dire de l'unique propriété, aurait eu une puissance aussi arbitraire que celle du sultan l'est en Turquie; ce qui renverse toute l'histoire.

Chapitre VI

Des Goths, des Bourguignons, et des Francs.

Les Gaules furent envahies par les nations germaines. Les Wisigoths occupèrent la Narbonnaise, et presque tout le midi; les Bourguignons s'établirent dans la partie qui regarde l'Orient; et les Francs conquirent à peu près le reste.

Il ne faut pas douter que ces barbares n'aient conservé, dans leurs conquêtes, les mœurs, les inclinations et les usages qu'ils avaient dans leur pays; parce qu'une nation ne change pas, dans un instant, de manière de penser et d'agir. Ces peuples, dans la Germanie, cultivaient peu les terres. Il paraît, par Tacite et César, qu'ils s'appliquaient beaucoup à la vie pastorale : aussi les dispositions des codes des lois des barbares roulent-elles presque toutes sur les troupeaux. Roricon, qui écrivait l'histoire chez les Francs, était pasteur.

Chapitre VII

Différentes manières de partager les terres.

Les Goths et les Bourguignons ayant pénétré, sous divers prétextes, dans l'intérieur de l'empire, les Romains, pour arrêter leurs dévastations, furent obligés de pourvoir à leur subsistance. D'abord, ils leur donnaient du blé[a]; dans la suite, ils aimèrent mieux leur donner des terres. Les empereurs, ou, sous leur nom, les magistrats romains, firent des conventions avec eux sur le partage du pays[b], comme on le voit dans les chroniques et dans les codes des Wisigoths[c] et des Bourguignons[d].

Les Francs ne suivirent pas le même plan. On ne trouve, dans les lois saliques et ripuaires, aucune trace d'un tel partage de terres. Ils avaient conquis; ils prirent ce qu'ils voulurent, et ne firent de règlements qu'entre eux.

Distinguons donc le procédé des Bourguignons et des Wisigoths dans la Gaule, celui de ces mêmes Wisigoths en Espagne, des soldats auxiliaires sous Augustule et Odoacer en Italie[e], d'avec celui des Francs dans les Gaules, et des Vandales en Afrique[f]. Les premiers firent des conventions avec les anciens habitants, et en conséquence un partage de terres avec eux; les seconds ne firent rien de tout cela.

---

a. Voyez Zozyme, liv. V, sur la distribution du blé demandée par Alaric.

b. *Burgundiones partem Galliæ occupaverunt, terrasque cum Gallicis senatoribus diviserunt.* Chronique de Marius, sur l'an 456.

c. Liv. X, tit. I, § 8, 9 et 16.

d. Chap. LIV, § 1 et 2; et ce partage subsistait du temps de Louis le Débonnaire, comme il paraît par son capitulaire de l'an 829, qui a été inséré dans la loi des Bourguignons, tit. 79, § 1.

e. Voyez Procope, *Guerre des Goths.*

f. *Guerre des Vandales.*

Chapitre VIII

Continuation du même sujet.

Ce qui donne l'idée d'une grande usurpation des terres des Romains par les barbares, c'est qu'on trouve, dans les lois des Wisigoths et des Bourguignons, que ces deux peuples eurent les deux tiers des terres : mais ces deux tiers ne furent pris que dans de certains quartiers qu'on leur assigna.

Gondebaud dit, dans la loi des Bourguignons, que son peuple, dans son établissement, reçut les deux tiers des terres [a] : et il est dit, dans le second supplément à cette loi, qu'on n'en donnerait plus que la moitié à ceux qui viendraient dans le pays [b]. Toutes les terres n'avaient donc pas d'abord été partagées entre les Romains et les Bourguignons.

On trouve, dans les textes de ces deux règlements, les mêmes expressions; ils s'expliquent donc l'un et l'autre. Et, comme on ne peut pas entendre le second d'un partage universel des terres, on ne peut pas non plus donner cette signification au premier.

Les Francs agirent avec la même modération que les Bourguignons; ils ne dépouillèrent pas les Romains dans toute l'étendue de leurs conquêtes. Qu'auraient-ils fait de tant de terres ? Ils prirent celles qui leur convinrent, et laissèrent le reste.

Chapitre IX

Juste application de la loi des Bourguignons et de celle des Wisigoths sur le partage des terres.

Il faut considérer que ces partages ne furent point faits par un esprit tyrannique, mais dans l'idée de sub-

---

a. *Licet eo tempore quo populus noster mancipiorum tertiam et duas terrarum partes accepit*, etc., loi des Bourguignons, tit. 54, § 1.
b. *Ut non amplius a Burgundionibus qui infra venerunt requiratur, quam ad præsens necessitas fuerit, medietas terræ*, art. 11.

venir aux besoins mutuels des deux peuples qui devaient habiter le même pays.

La loi des Bourguignons veut que chaque Bourguignon soit reçu, en qualité d'hôte, chez un Romain. Cela est conforme aux mœurs des Germains, qui, au rapport de Tacite[a], étaient le peuple de la terre qui aimait le plus à exercer l'hospitalité.

La loi veut que le Bourguignon ait les deux tiers des terres, et le tiers des serfs. Elle suivait le génie des deux peuples, et se conformait à la manière dont ils se procuraient la subsistance. Le Bourguignon, qui faisait paître des troupeaux, avait besoin de beaucoup de terres, et de peu de serfs; et le grand travail de la culture de la terre exigeait que le Romain eût moins de glèbe, et un plus grand nombre de serfs. Les bois étaient partagés par moitié; parce que les besoins, à cet égard, étaient les mêmes.

On voit, dans le code des Bourguignons[b], que chaque barbare fut placé chez chaque Romain. Le partage ne fut donc pas général : mais le nombre des Romains qui donnèrent le partage, fut égal à celui des Bourguignons qui le reçurent. Le Romain fut lésé le moins qu'il fut possible. Le Bourguignon, guerrier, chasseur et pasteur, ne dédaignait pas de prendre des friches; le Romain gardait les terres les plus propres à la culture : les troupeaux du Bourguignon engraissaient le champ du Romain.

a. *De moribus Germanorum.*
b. Et dans celui des Wisigoths.

Chapitre X

Des servitudes.

Il est dit, dans la loi des Bourguignons[a], que, quand ces peuples s'établirent dans les Gaules, ils reçurent les deux tiers des terres, et le tiers des serfs. La servitude

a. Tit. 54.

de la glèbe était donc établie dans cette partie de la Gaule, avant l'entrée des Bourguignons [b].

La loi des Bourguignons, statuant sur les deux nations, distingue formellement, dans l'une et dans l'autre, les nobles, les ingénus, et les serfs [c]. La servitude n'était donc point une chose particulière aux Romains, ni la liberté et la noblesse une chose particulière aux barbares.

Cette même loi dit que, si un affranchi bourguignon n'avait point donné une certaine somme à son maître, ni reçu une portion tierce d'un Romain, il était toujours censé de la famille de son maître [d]. Le Romain propriétaire était donc libre, puisqu'il n'était point dans la famille d'un autre ; il était libre, puisque sa portion tierce était un signe de liberté.

Il n'y a qu'à ouvrir les lois saliques et ripuaires, pour voir que les Romains ne vivaient pas plus dans la servitude chez les Francs, que chez les autres conquérants de la Gaule.

M. le comte de Boulainvilliers a manqué le point capital de son système ; il n'a point prouvé que les Francs aient fait un règlement général qui mît les Romains dans une espèce de servitude.

Comme son ouvrage est écrit sans aucun art, et qu'il y parle avec cette simplicité, cette franchise et cette ingénuité de l'ancienne noblesse dont il était sorti, tout le monde est capable de juger, et des belles choses qu'il dit, et des erreurs dans lesquelles il tombe. Ainsi je ne l'examinerai point. Je dirai seulement qu'il avait plus d'esprit que de lumières, plus de lumières que de savoir : mais ce savoir n'était point méprisable, parce que, de notre histoire et de nos lois, il savait très bien les grandes choses.

M. le comte de Boulainvilliers et M. l'abbé Dubos ont fait chacun un système, dont l'un semble être une conjuration contre le tiers état, et l'autre une conjuration contre la noblesse. Lorsque le Soleil donna à Phaéton son char à conduire, il lui dit : « Si vous montez trop haut, vous brûlerez la demeure céleste : si vous descendez trop bas, vous réduirez en cendres la terre. N'allez point trop à droite, vous tomberiez dans la constellation du

---

b. Cela est confirmé par tout le titre du code *de agricolis et censitis et colenis.*

c. *Si dentem optimati Burgundioni, vel Romano nobili excusserit,* tit. 26, § 1 ; et *Si mediocribus personis ingenuis, tam Bungundionibus quam Romanis : ibid.,* § 2.

d. Tit. 57.

Serpent; n'allez point trop à gauche, vous iriez dans celle
de l'Autel : tenez-vous entre les deux *. »

e.   *Nec preme, nec summum molire per æthera currum.*
           Altius egressus, cœlestia tecta cremabis;
           Inferius, terras : medio tutissimus ibis.
           Neu te dexterior tortum declinet ad Anguem;
           Neve sinisterior pressam rota ducat ad Aram :
           Inter utrumque tene...
                                        OVID., *Metam.*, liv. II.

CHAPITRE XI

Continuation du même sujet.

Ce qui a donné l'idée d'un règlement général fait dans
le temps de la conquête, c'est qu'on a vu en France un
prodigieux nombre de servitudes vers le commencement
de la troisième race; et, comme on ne s'est pas aperçu de
la progression continuelle qui se fit de ces servitudes, on
a imaginé dans un temps obscur une loi générale qui ne
fut jamais.

Dans le commencement de la première race, on voit
un nombre infini d'hommes libres, soit parmi les Francs,
soit parmi les Romains : mais le nombre des serfs augmenta tellement, qu'au commencement de la troisième,
tous les laboureurs et presque tous les habitants des villes
se trouvèrent serfs *a* : et, au lieu que, dans le commencement de la première, il y avait dans les villes à peu près la
même administration que chez les Romains, des corps
de bourgeoisie, un sénat, des cours de judicature; on ne
trouve guère, vers le commencement de la troisième,
qu'un seigneur et des serfs.

Lorsque les Francs, les Bourguignons et les Goths
faisaient leurs invasions, ils prenaient l'or, l'argent, les
meubles, les vêtements, les hommes, les femmes, les
garçons, dont l'armée pouvait se charger : le tout se
rapportait en commun, et l'armée le partageait *b*. Le

_____

a. Pendant que la Gaule était sous la domination des Romains,
ils formaient des corps particuliers : c'étaient ordinairement des
affranchis ou descendants d'affranchis.

b. Voyez *Grégoire de Tours*, liv. II, chap. XXVII; Aimoin, liv. I,
chap. XII.

corps entier de l'histoire prouve qu'après le premier établissement, c'est-à-dire après les premiers ravages, ils reçurent à composition les habitants, et leur laissèrent tous leurs droits politiques et civils. C'était le droit des gens de ces temps-là; on enlevait tout dans la guerre, on accordait tout dans la paix. Si cela n'avait pas été ainsi, comment trouverions-nous, dans les lois saliques et bourguignonnes, tant de dispositions contradictoires à la servitude générale des hommes ?

Mais ce que la conquête ne fit pas, le même droit des gens [c], qui subsista après la conquête, le fit. La résistance, la révolte, la prise des villes, emportaient avec elles la servitude des habitants. Et comme, outre les guerres que les différentes nations conquérantes firent entre elles, il y eut cela de particulier chez les Francs, que les divers partages de la monarchie firent naître sans cesse des guerres civiles entre les frères ou neveux, dans lesquelles ce droit des gens fut toujours pratiqué; les servitudes devinrent plus générales en France que dans les autres pays : et c'est, je crois, une des causes de la différence qui est entre nos lois françaises, et celles d'Italie et d'Espagne, sur les droits des seigneurs.

La conquête ne fut que l'affaire d'un moment; et le droit des gens que l'on y employa produisit quelques servitudes. L'usage du même droit des gens, pendant plusieurs siècles, fit que les servitudes s'étendirent prodigieusement.

Theuderic [d], croyant que les peuples d'Auvergne ne lui étaient pas fidèles, dit aux Francs de son partage : « Suivez-moi : je vous mènerai dans un pays où vous aurez de l'or, de l'argent, des captifs, des vêtements, des troupeaux en abondance; et vous en transférerez tous les hommes dans votre pays. »

Après la paix qui se fit entre Gontrand et Chilpéric [e], ceux qui assiégeaient Bourges ayant eu ordre de revenir, ils amenèrent tant de butin, qu'ils ne laissèrent presque dans le pays ni hommes ni troupeaux.

Théodoric, roi d'Italie, dont l'esprit et la politique étaient de se distinguer toujours des autres rois barbares, envoyant son armée dans la Gaule, écrit au général [f] :

c. Voyez les *Vies des saints*, citées ci-après, p. 320, note i.
d. Grégoire de Tours, liv. III.
e. Grégoire de Tours, liv. VI, chap. xxxi.
f. Lett. 43, liv. III, dans *Cassiodore*.

« Je veux qu'on suive les lois romaines, et que vous rendiez les esclaves fugitifs à leurs maîtres : le défenseur de la liberté ne doit point favoriser l'abandon de la servitude. Que les autres rois se plaisent dans le pillage et la ruine des villes qu'ils ont prises : nous voulons vaincre de manière que nos sujets se plaignent d'avoir acquis trop tard la sujétion. » Il est clair qu'il voulait rendre odieux les rois des Francs et des Bourguignons, et qu'il faisait allusion à leur droit des gens.

Ce droit subsista dans la seconde race. L'armée de Pépin étant entrée en Aquitaine, revint en France chargée d'un nombre infini de dépouilles et de serfs, disent les annales de Metz[g].

Je pourrais citer des autorités sans nombre[h]. Et comme, dans ces malheurs, les entrailles de la charité s'émurent; comme plusieurs saints évêques, voyant les captifs attachés deux à deux, employèrent l'argent des églises, et vendirent même les vases sacrés pour en racheter ce qu'ils purent; que de saints moines s'y employèrent; c'est dans les vies des saints que l'on trouve les plus grands éclaircissements sur cette matière[i]. Quoiqu'on puisse reprocher aux auteurs de ces vies d'avoir été quelquefois un peu trop crédules sur des choses que Dieu a certainement faites, si elles ont été dans l'ordre de ses desseins, on ne laisse pas d'en tirer de grandes lumières sur les mœurs et les usages de ces temps-là.

Quand on jette les yeux sur les monuments de notre histoire et de nos lois, il semble que tout est mer, et que les rivages mêmes manquent à la mer[k]. Tous ces écrits froids, secs, insipides et durs, il faut les lire, il faut les dévorer, comme la fable dit que Saturne dévorait les pierres.

Une infinité de terres, que les hommes libres faisaient valoir, se changèrent en main-mortables[l]. Quand un

g. Sur l'an 763. *Innumerabilibus spoliis et captivis totus ille exercitus ditatus, in Franciam reversus est.*

h. *Annales de Fulde,* année 739; Paul Diacre, *De geslis Langobardorum,* liv. III, chap. xxx; et liv. IV, chap. I : et les *Vies des saints,* citées note suivante.

i. Voyez les vies de *saint Epiphane,* de *saint Eptadius,* de *saint Césaire,* de *saint Fidole,* de *saint Porcien,* de *saint Trévérius,* de *saint Eusichius,* et de *saint Léger,* les miracles de *saint Julien.*

k. ... *Deerant quoque littera ponto.* Ov., liv. I.

l. Les colons même n'étaient pas tous serfs : voyez la loi XVIII et XXIII, au code *de agricolis et censitis et colonis,* et la XX du même titre.

pays se trouva privé des hommes libres qui l'habitaient, ceux qui avaient beaucoup de serfs prirent ou se firent céder de grands territoires, et y bâtirent des villages, comme on le voit dans diverses chartes. D'un autre côté, les hommes libres, qui cultivaient les arts, se trouvèrent être des serfs qui devaient les exercer. Les servitudes rendaient aux arts et au labourage ce qu'on leur avait ôté.

Ce fut une chose usitée, que les propriétaires des terres les donnèrent aux églises, pour les tenir eux-mêmes à cens, croyant participer, par leur servitude, à la sainteté des églises.

Chapitre XII

Que les terres du partage des barbares ne payaient point de tributs.

Des peuples simples, pauvres, libres, guerriers, pasteurs, qui vivaient sans industrie, et ne tenaient à leurs terres que par des cases de jonc [a], suivaient des chefs pour faire du butin, et non pas pour payer, ou lever des tributs. L'art de la maltôte est toujours inventé après coup, et lorsque les hommes commencent à jouir de la félicité des autres arts.

Le tribut passager d'une cruche de vin par arpent [b], qui fut une des vexations de Chilpéric et de Frédégonde, ne concerna que les Romains. En effet, ce ne furent pas les Francs qui déchirèrent les rôles de ces taxes, mais les ecclésiastiques, qui, dans ces temps-là, étaient tous Romains [c]. Ce tribut affligea principalement les habitants des villes [d] : or, les villes étaient presque toutes habitées par des Romains.

Grégoire de Tours dit qu'un certain juge fut obligé, après la mort de Chilpéric, de se réfugier dans une église;

---

a. Voyez *Grégoire de Tours*, liv. II.

b. *Ibid.*, liv. V.

c. Cela paraît par toute l'histoire de Grégoire de Tours. Le même Grégoire demande à un certain Valfiliacus comment il avait pu parvenir à la cléricature, lui qui était Lombard d'origine. Grégoire de Tours, liv. VIII.

d. *Quæ conditi universis urbibus per Galliam constitutis summopere est adhibita.* Vie de saint Aridius.

pour avoir, sous le règne de ce prince, assujettit à des
tributs des Francs qui, du temps de Childebert, étaient
ingénus : *Multos de Francis qui, tempore Childeberti regis,
ingenui suerant, publico tributo subegit* [e]. Les Francs qui
n'étaient point serfs ne payaient donc point de tributs.

Il n'y a point de grammairien qui ne pâlisse, en voyant
comment ce passage a été interprété par M. l'abbé
Dubos [f]. Il remarque que, dans ces temps-là, les affranchis étaient aussi appelés ingénus. Sur cela, il interprète
le mot latin *ingenui*, par ces mots, *affranchis de tributs;*
expression dont on peut se servir, dans la langue française, comme on dit *affranchis de soins, affranchis de
peines* : mais, dans la langue latine, *ingenui a tributis,
libertini a tributis, manumissi tributorum,* seraient des
expressions monstrueuses.

Parthenius, dit Grégoire de Tours [g], pensa être mis à
mort par les Francs, pour leur avoir imposé des tributs.
M. l'abbé Dubos, pressé par ce passage, suppose froide-
ment ce qui est en question : C'était, dit-il, une sur-
charge [h].

On voit, dans la loi des Wisigoths [i], que, quand un
barbare occupait le fonds d'un Romain, le juge l'obligeait de le vendre, pour que ce fonds continuât à être
tributaire : les barbares ne payaient donc pas de tributs
sur les terres [k].

M. l'abbé Dubos [l], qui avait besoin que les Wisigoths
payassent des tributs [m], quitte le sens littéral et spirituel
de la loi; et imagine, uniquement parce qu'il imagine,
qu'il y avait eu, entre l'établissement des Goths et cette
loi, une augmentation de tributs, qui ne concernait que

---

e. Liv. VII.
f. Etablissement de la monarchie française, t. III, chap. XIV, p. 515.
g. Liv. III, chap. XXXVI.
h. T. III, p. 514.
*i. Judices atque præpositi tertias Romanorum, ab illis qui occupatas
tenent, auferant; et Romanis sua exactione sine aliqua dilatione resti-
tuant, ut nihil fisco debeat deperire.* Liv. X, tit. I, chap. XIV.
k. Les Vandales n'en payaient point en Afrique. PROCOPE, *Guerre
des Vandales,* liv. I et II; *Historia miscella,* liv. XVI, p. 106. Remarquez que les conquérants de l'Afrique étaient un composé de Vandales, d'Alains et de Francs. *Historia miscella,* liv. XIV, p. 94.
l. Etablissement des Francs dans les Gaules, t. III, chap. XIV,
p. 510.
m. Il s'appuie sur une autre loi des Wisigoths, liv. X, tit. I, art. II,
qui ne prouve absolument rien : elle dit seulement que celui qui a
reçu d'un seigneur une terre, sous condition d'une redevance, doit
la payer.

les Romains. Mais il n'est permis qu'au Père Hardouin d'exercer ainsi sur les faits un pouvoir arbitraire.

M. l'abbé Dubos [n] va chercher, dans le code de Justinien [o], des lois, pour prouver que les bénéfices militaires, chez les Romains, étaient sujets aux tributs ; d'où il conclut qu'il en était de même des fiefs ou bénéfices chez les Francs. Mais l'opinion, que nos fiefs tirent leur origine de cet établissement des Romains, est aujourd'hui proscrite : elle n'a eu de crédit que dans les temps où l'on connaissait l'histoire romaine, et très peu la nôtre, et où nos monuments anciens étaient ensevelis dans la poussière.

M. l'abbé Dubos a tort de citer Cassiodore, et d'employer ce qui se passait en Italie et dans la partie de la Gaule soumise à Théodoric, pour nous apprendre ce qui était en usage chez les Francs ; ce sont des choses qu'il ne faut point confondre. Je ferai voir quelque jour, dans un ouvrage particulier, que le plan de la monarchie des Ostrogoths était entièrement différent du plan de toutes celles qui furent fondées, dans ces temps-là, par les autres peuples barbares : et que, bien loin qu'on puisse dire qu'une chose était en usage chez les Francs, parce qu'elle l'était chez les Ostrogoths ; on a, au contraire, un juste sujet de penser qu'une chose qui se pratiquait chez les Ostrogoths ne se pratiquait pas chez les Francs.

Ce qui coûte le plus à ceux dont l'esprit flotte dans une vaste érudition, c'est de chercher leurs preuves là où elles ne sont point étrangères au sujet ; et de trouver, pour parler comme les astronomes, le lieu du soleil.

M. l'abbé Dubos abuse des capitulaires comme de l'histoire, et comme des lois des peuples barbares. Quand il veut que les Francs aient payé des tributs, il applique à des hommes libres ce qui ne peut être entendu que des serfs [p] ; quand il veut parler de leur milice, il applique à des serfs ce qui ne pouvait concerner que des hommes libres [q].

---

n. T. III, p. 511.

o. Leg. III, tit. 74, liv. XI.

p. *Etablissement de la monarchie française*, t. III, chap. XIV, p. 513, où il cite l'article 28 de l'édit de Pistes : voyez ci-dessous le chap. XVIII.

q. *Ibid.* t. III, chap. IV, p. 290.

CHAPITRE XIII

Quelles étaient les charges des Romains et des Gaulois
dans la monarchie des Francs.

Je pourrais examiner si les Romains et les Gaulois
vaincus continuèrent de payer les charges auxquelles ils
étaient assujettis sous les empereurs. Mais, pour aller
plus vite, je me contenterai de dire que, s'ils les payèrent
d'abord, ils en furent bientôt exemptés, et que ces tributs
furent changés en un service militaire; et j'avoue que je
ne conçois guère comment les Francs auraient été d'abord
si amis de la maltôte, et en auraient paru tout à coup si
éloignés.

Un capitulaire de Louis le Débonnaire nous explique
très bien l'état où étaient les hommes libres dans la
monarchie des Francs [a]. Quelques bandes de Goths ou
d'Ibères, fuyant l'oppression des Maures, furent reçus
dans les terres de Louis [b]. La convention qui fut faite
avec eux porte que, comme les autres hommes libres, ils
iraient à l'armée avec leur comte; que, dans la marche,
ils feraient la garde et les patrouilles sous les ordres du
même comte [c]; et qu'ils donneraient aux envoyés du roi,
et aux ambassadeurs qui partiraient de sa cour ou iraient
vers lui, des chevaux et des chariots pour les voitures [d];
que, d'ailleurs, ils ne pourraient être contraints à payer
d'autres cens; et qu'ils seraient traités comme les autres
hommes libres.

On ne peut pas dire que ce fussent de nouveaux usages
introduits dans les commencements de la seconde race;
cela devait appartenir, au moins, au milieu ou à la fin de
la première. Un capitulaire de l'an 864 dit expressément
que c'était une coutume ancienne, que les hommes libres
fissent le service militaire, et payassent de plus les chevaux et les voitures dont nous avons parlé [e]; charges qui

---

a. De l'an 815, chap. I. Ce qui est conforme au capitulaire de
Charles le Chauve, de l'an 844, art. I et 2.

b. *Pro Hispanis in partibus Aquitaniæ, Septimaniæ et Provinciæ*
consistentibus. Ibid.

c. *Excubias et explorationes quas wactas dicunt : ibid.*

d. Ils n'étaient pas obligés d'en donner au comte : *ibid.*, art. 5.

e. *Ut pagenses Franci, qui caballos habent, cum suis comitibus in hos-*

leur étaient particulières, et dont ceux qui possédaient les fiefs étaient exempts, comme je le prouverai dans la suite.

Ce n'est pas tout : il y avait un règlement qui ne permettait guère de soumettre ces hommes libres à des tributs [f]. Celui qui avait quatre manoirs [g] était toujours obligé de marcher à la guerre; celui qui n'en avait que trois était joint à un homme libre qui n'en avait qu'un; celui-ci le défrayait pour un quart, et restait chez lui. On joignait de même deux hommes libres qui avaient chacun deux manoirs; celui des deux qui marchait était défrayé de la moitié par celui qui restait.

Il y a plus : nous avons une infinité de chartes où l'on donne les privilèges des fiefs à des terres ou districts possédés par des hommes libres, et dont je parlerai beaucoup dans la suite [h]. On exempte ces terres de toutes les charges qu'exigeaient sur elles les comtes et autres officiers du roi; et, comme on énumère en particulier toutes ces charges, et qu'il n'y est point question de tributs, il est visible qu'on n'en levait pas.

Il était aisé que la maltôte romaine tombât d'elle-même dans la monarchie des Francs : c'était un art très compliqué, et qui n'entrait ni dans les idées, ni dans le plan de ces peuples simples. Si les Tartares inondaient aujourd'hui l'Europe, il faudrait bien des affaires pour leur faire entendre ce que c'est qu'un financier parmi nous.

L'auteur incertain de la vie de Louis le Débonnaire, parlant des comtes et autres officiers de la nation des Francs que Charlemagne établit en Aquitaine, dit qu'il leur donna la garde de la frontière, le pouvoir militaire, et l'intendance des domaines qui appartenaient à la couronne [i]. Cela fait voir l'état des revenus du prince dans la seconde race. Le prince avait gardé des domaines, qu'il faisait valoir par ses esclaves. Mais les indictions, la capitation, et autres impôts levés, du temps des empe-

---

tem pergant. Il est défendu aux comtes de les priver de leurs chevaux; *ut hostem facere, et debitos paravaredos secundum antiquam consuetudinem exsolvere possint,* édit de Pistes, dans Baluze, p. 186.

f. Capitulaire de Charlemagne, de l'an 812, chap. I. Édit. de Pistes, l'an 864, art. 27.

g. Quatuor mansos. Il me semble que ce qu'on appelait *mansus* était une certaine portion de terre attachée à une cense où il y avait des esclaves; témoin le capitulaire de l'an 853, *apud Sylvacum,* tit. 14, contre ceux qui chassaient les esclaves de leur *mansus.*

h. Voyez ci-dessous le chapitre xx de ce livre, p. 342.

i. Dans Duchesne, t. II, p. 287.

reurs, sur la personne ou les biens des hommes libres, avaient été changés en une obligation de garder la frontière, ou d'aller à la guerre.

On voit, dans la même histoire *k*, que Louis le Débonnaire ayant été trouver son père en Allemagne, ce prince lui demanda comment il pouvait être si pauvre, lui qui était roi : que Louis lui répondit qu'il n'était roi que de nom, et que les seigneurs tenaient presque tous ses domaines : que Charlemagne, craignant que ce jeune prince ne perdît leur affection, s'il reprenait lui-même ce qu'il avait inconsidérément donné, il envoya des commissaires pour rétablir les choses.

Les évêques écrivant à Louis, frère de Charles le Chauve, lui disaient : « Ayez soin de vos terres, afin que vous ne soyez pas obligé de voyager sans cesse par les maisons des ecclésiastiques, et de fatiguer leurs serfs par des voitures *l*. Faites en sorte, disaient-ils encore, que vous ayez de quoi vivre et recevoir des ambassades. » Il est visible que les revenus des rois consistaient alors dans leurs domaines *m*.

k. Dans Duchesne, t. II, p. 89.
l. Voyez le capitulaire dans l'an 858, art. 14.
m. Ils levaient encore quelques droits sur les rivières, lorsqu'il y avait un pont ou un passage.

CHAPITRE XIV

De ce qu'on appelait census.

Lorsque les barbares sortirent de leur pays, ils voulurent rédiger par écrit leurs usages : mais, comme on trouva de la difficulté à écrire des mots germains avec des lettres romaines, on donna ces lois en latin.

Dans la confusion de la conquête et de ses progrès, la plupart des choses changèrent de nature; il fallut, pour les exprimer, se servir des anciens mots latins qui avaient le plus de rapport aux nouveaux usages. Ainsi, ce qui pouvait réveiller l'idée de l'ancien cens des Romains *a*, on le nomma *census, tributum ;* et, quand les

a. Le *census* était un mot si générique, qu'on s'en servit pour exprimer les péages des rivières, lorsqu'il y avait un pont ou un bac à

choses n'y eurent aucun rapport quelconque, on exprima, comme on put, les mots germains avec des lettres romaines : ainsi on forma le mot *fredum*, dont je parlerai beaucoup dans les chapitres suivants.

Les mots *census* et *tributum* ayant été ainsi employés d'une manière arbitraire, cela a jeté quelque obscurité dans la signification qu'avaient ces mots dans la première et dans la seconde race : et des auteurs modernes [b], qui avaient des systèmes particuliers, ayant trouvé ce mot dans les écrits de ces temps-là, ils ont jugé que ce qu'on appelait *census* était précisément le cens des Romains; et ils en ont tiré cette conséquence, que nos rois des deux premières races s'étaient mis à la place des empereurs romains, et n'avaient rien changé à leur administration [c]. Et, comme de certains droits levés dans la seconde race ont été, par quelques hasards, et par de certaines modifications, convertis en d'autres [d], ils en ont conclu que ces droits étaient le cens des Romains : et comme, depuis les règlements modernes, ils ont vu que le domaine de la couronne était absolument inaliénable, ils ont dit que ces droits, qui représentaient le cens des Romains, et qui ne forment pas une partie de ce domaine, étaient de pures usurpations. Je laisse les autres conséquences.

Transporter dans des siècles reculés toutes les idées du siècle où l'on vit, c'est des sources de l'erreur celle qui est la plus féconde. A ces gens qui veulent rendre modernes tous les siècles anciens, je dirai ce que les prêtres d'Egypte dirent à Solon : « O Athéniens, vous n'êtes que des enfants ! »

---

passer. Voyez le capitulaire 111 de l'an 803, édition de Baluze, p. 395, art. 1; et le v de l'an 819, p. 616. On appela encore de ce nom les voitures fournies par les hommes libres au roi ou à ses envoyés, comme il paraît par le capitulaire de Charles le Chauve, de l'an 865, art. 8.

b. M. l'abbé Dubos, et ceux qui l'ont suivi.

c. Voyez la faiblesse des raisons de M. l'abbé Dubos, *Établissement de la monarchie française*, t. III, liv. VI, chap. xiv; surtout l'induction qu'il tire d'un passage de Grégoire de Tours, sur un démêlé de son église avec le roi Charibert.

d Par exemple, par les affranchissements.

CHAPITRE XV

Que ce qu'on appelait census *ne se levait que sur les serfs,
et non pas sur les hommes libres.*

Le roi, les ecclésiastiques et les seigneurs levaient des
tributs réglés, chacun sur les serfs de ses domaines. Je le
prouve, à l'égard du roi, par le capitulaire de Villis ; à
l'égard des ecclésiastiques, par les codes des lois des barbares ª ; à l'égard des seigneurs, par les règlements que
Charlemagne fit là-dessus ᵇ.

Ces tributs étaient appelés *census :* c'étaient des droits
économiques, et non pas fiscaux ; des redevances uniquement privées, et non pas des charges publiques.

Je dis que ce qu'on appelait *census* était un tribut levé
sur les serfs. Je le prouve par une formule de Marculfe,
qui contient une permission du roi de se faire clerc,
pourvu qu'on soit ingénu, et qu'on ne soit point inscrit
dans le registre du cens ᶜ. Je le prouve encore par une
commission que Charlemagne donna à un comte qu'il
envoya dans les contrées de Saxe ᵈ ; elle contient l'affranchissement des Saxons, à cause qu'ils avaient embrassé
le christianisme ; et c'est proprement une charte d'ingénuité ᵉ. Ce prince les rétablit dans leur première liberté
civile, et les exempte de payer le cens ᶠ. C'était donc une
même chose d'être serf et de payer le cens, d'être libre
et de ne le payer pas.

Par une espèce de lettres patentes du même prince en
faveur des Espagnols qui avaient été reçus dans la monarchie ᵍ, il est défendu aux comtes d'exiger d'eux aucun
cens, et de leur ôter leurs terres. On sait que les étran-

---

a. Loi des Allemands, chap. XXII ; et la loi des Bavarois, tit. 1,
chap. XIV, où l'on trouve les règlements que les ecclésiastiques firent
sur leur état.

b. Livre V des capitulaires, chap. CCCIII.

*c. Si ille de capite suo bene ingenuus sit, et in puletico publico censitus
non est ;* liv. I, form. 19.

d. De l'an 789, édition des capitulaires de Baluze, t. I, p. 250.

e. Et ut ista ingenuitatis pagina firma stabilisque consistat ; ibid.

*f. Pristinæque libertati donatos, et omni nobis debito censu solutos ;
ibid.*

g. Præceptum pro Hispanis, de l'an 812, édition de Baluze, t. I,
p. 500.

gers qui arrivaient en France étaient traités comme des
serfs; et Charlemagne, voulant qu'on les regardât comme
des hommes libres, puisqu'il voulait qu'ils eussent la
propriété de leurs terres, défendait d'exiger d'eux le cens.

Un capitulaire de Charles le Chauve, donné en faveur
des mêmes Espagnols [h], veut qu'on les traite comme on
traitait les autres Francs, et défend d'exiger d'eux le
cens : les hommes libres ne le payaient donc pas.

L'article 30 de l'édit de Pistes réforme l'abus par
lequel plusieurs colons du roi ou de l'Eglise vendaient les
terres dépendantes de leurs manoirs à des ecclésiastiques
ou à des gens de leur condition, et ne se réservaient qu'une
petite case; de sorte qu'on ne pouvait plus être payé du
cens; et il y est ordonné de rétablir les choses dans leur
premier état : le cens était donc un tribut d'esclaves.

Il résulte encore de là qu'il n'y avait point de cens
général dans la monarchie; et cela est clair par un grand
nombre de textes. Car, que signifierait ce capitulaire [i]?
« Nous voulons qu'on exige le cens royal dans tous les
lieux où autrefois on l'exigeait légitimement [k]. » Que voudrait dire celui [l] où Charlemagne ordonne à ses envoyés
dans les provinces de faire une recherche exacte de tous
les cens qui avaient anciennement été du domaine du
roi [m]? et celui [n] où il dispose des cens payés par ceux
dont on les exige [o]? Quelle signification donner à cet
autre [p] où on lit : « Si quelqu'un a acquis une terre tributaire sur laquelle nous avions accoutumé de lever le
cens [q]? » à cet autre enfin [r] où Charles le Chauve parle
des terres censuelles dont le cens avait de toute antiquité
appartenu au roi [s]?

  h. De l'an 844, édition de Baluze, t. II, art. 1 et 2, p. 27.

  i. Capitulaire 111, de l'an 805, art. 20 et 22, inséré dans le recueil
  d'Anzegise, liv. III, art. 15. Cela est conforme à celui de Charles le
  Chauve, de l'an 854, *apud Attiniacum*, art. 6.

  k. Undecumque legitime exigebatur ; ibid.

  l. De l'an 812, art. 10 et 11, édition de Baluze, t. I, p. 498.

  m. Undecumque antiquitus ad partem regis venire solebant : capitulaire de l'an 811, art. 10 et 11.

  n. De l'an 813, art. 6, édition de Baluze, t. I, p. 508.

  o. De illis unde censa exigunt : capitulaire de l'an 813, art. 6.

  p. Livre IV des capitulaires, article 37, et inséré dans la loi des
  Lombards.

  *q. Si quis terram tributoriam, unde census ad partem nostram exire
  solebat, susceperit :* liv. IV des *Capitulaires*, art. 37.

  r. De l'an 805, art. 8.

  s. Unde census ad partem regis exivit antiquitus : capitulaire de
  l'an 805, art. 8.

Remarquez qu'il y a quelques textes qui paraissent d'abord contraires à ce que j'ai dit, et qui cependant le confirment. On a vu ci-dessus que les hommes libres, dans la monarchie, n'étaient obligés qu'à fournir de certaines voitures. Le capitulaire que je viens de citer appelle cela *census* [t], et il l'oppose au cens qui était payé par les serfs.

De plus : l'édit de Pistes [u] parle de ces hommes francs, qui devaient payer le cens royal pour leur tête et pour leurs cases, et qui s'étaient vendus pendant la famine [x]. Le roi veut qu'ils soient rachetés. C'est que ceux qui étaient affranchis par lettres du roi [y], n'acquéraient point, ordinairement, une pleine et entière liberté [z]; mais ils payaient *censum in capite* : et c'est de cette sorte de gens dont il est ici parlé.

Il faut donc se défaire de l'idée d'un cens général et universel, dérivé de la police des Romains, duquel on suppose que les droits des seigneurs ont dérivé de même par des usurpations. Ce qu'on appelait cens dans la monarchie française, indépendamment de l'abus que l'on a fait de ce mot, était un droit particulier, levé sur les serfs par les maîtres.

Je supplie le lecteur de me pardonner l'ennui mortel que tant de citations doivent lui donner : je serais plus court, si je ne trouvais toujours devant moi le livre de l'établissement de la monarchie française dans les Gaules, de M. l'abbé Dubos. Rien ne recule plus le progrès des connaissances, qu'un mauvais ouvrage d'un auteur célèbre; parce que, avant d'instruire, il faut commencer par détromper.

---

t. *Censibus vel paraveredis quos Franci homines ad regiam potestatem exsolvere debent.*

u. De l'an 864, art. 34, édition de Baluze, p. 192.

x. *De illis Francis hominibus qui censum regium de suo capite et de suis recellis debeant ; ibid.*

y. L'article 28 du même édit explique bien tout cela. Il met même une distinction entre l'affranchi romain, et l'affranchi franc : et on y voit que le cens n'était pas général. Il faut le lire.

z. Comme il paraît par un capitulaire de Charlemagne, de l'an 813, déjà cité.

Chapitre XVI

Des leudes ou vassaux.

J'ai parlé de ces volontaires qui, chez les Germains, suivaient les princes dans leurs entreprises. Le même usage se conserva après la conquête. Tacite les désigne par le nom de compagnons [a]; la loi salique par celui d'hommes qui sont sous la loi du roi [b]; les formules de Marculfe [c] par celui d'antrustions du roi [d]; nos premiers historiens par celui de leudes, de fidèles [e]; et les suivants par celui de vassaux et seigneurs [f].

On trouve, dans les lois saliques et ripuaires, un nombre infini de dispositions pour les Francs, et quelques-unes seulement pour les antrustions. Les dispositions sur ces antrustions sont différentes de celles faites pour les autres Francs; on y règle partout les biens des Francs, et on ne dit rien de ceux des antrustions : ce qui vient de ce que les biens de ceux-ci se réglaient plutôt par la loi politique que par la loi civile, et qu'ils étaient le sort d'une armée, et non le patrimoine d'une famille.

Les biens réservés pour les leudes furent appelés des biens fiscaux [g], des bénéfices, des honneurs, des fiefs, dans les divers auteurs et dans les divers temps.

On ne peut pas douter que d'abord les fiefs ne fussent amovibles [h]. On voit, dans Grégoire de Tours [i], que l'on ôte à Sunégisile et à Galloman tout ce qu'ils tenaient du fisc, et qu'on ne leur laisse que ce qu'ils avaient en propriété. Gontran, élevant au trône son neveu Childebert, eut une conférence secrète avec lui, et lui indiqua ceux à qui il devait donner des fiefs, et ceux à qui il devait les

a. *Comites.*
b. *Qui sunt in truste regis*, tit. 44, art. 4.
c. Liv. I, formule 18.
d. Du mot *trew*, qui signifie *fidèle* chez les Allemands, et chez les Anglais *true*, *vrai*.
e. *Leudes*, *fidèles*.
f. *Vassali*, *seniores*.
g. *Fiscalia.* Voyez la formule 14 de Marculfe, liv. I. Il est dit, dans la vie de saint Maur, *dedit siscum unum ;* et dans les annales de Metz sur l'an 747, *dedit illi comitatus et siscos plurimos.* Les biens destinés à l'entretien de la famille royale étaient appelés *regalia.*
h. Voyez le livre I, tit. I, des fiefs; et Cujas sur ce livre.
i. Liv. IX, chap. xxxviii.

ôter [k]. Dans une formule de Marculfe, le roi donne en
échange, non seulement des bénéfices que son fisc tenait,
mais encore ceux qu'un autre avait tenus [l]. La loi des
Lombards oppose les bénéfices à la propriété [m]. Les historiens, les formules, les codes des différents peuples
barbares, tous les monuments qui nous restent, sont
unanimes. Enfin, ceux qui ont écrit le livre des fiefs [n],
nous apprennent que d'abord les seigneurs purent les
ôter à leur volonté, qu'ensuite ils les assurèrent pour
un an [o], et après les donnèrent pour la vie.

k. *Quos honoraret muneribus, quos ab honore depelleret :* ibid., liv. VII.
l. *Vel reliquis quibuscumque beneficiis, quodcumque ille, vel fiscus
noster, in ipsis locis tenuisse noscitur.* Liv. I, formule 30.
m. Liv. III, tit. 8, § 3.
n. *Feudorum,* liv. I, tit. I.
o. C'était une espèce de précaire que le seigneur renouvelait, ou
ne renouvelait pas l'année d'ensuite, comme Cujas l'a remarqué.

Chapitre XVII

Du service militaire des hommes libres.

Deux sortes de gens étaient tenus au service militaire ;
les leudes vassaux ou arrière-vassaux, qui étaient obligés
en conséquence de leur fief ; et les hommes libres, Francs,
Romains et Gaulois, qui servaient sous le comte, et
étaient menés par lui et ses officiers.

On appelait hommes libres ceux qui, d'un côté,
n'avaient point de bénéfices ou fiefs, et qui, de l'autre,
n'étaient point soumis à la servitude de la glèbe ; les
terres qu'ils possédaient étaient ce qu'on appelait des
terres allodiales.

Les comtes assemblaient les hommes libres, et les
menaient à la guerre [a] ; ils avaient sous eux des officiers
qu'ils appelaient vicaires [b] : et, comme tous les hommes
libres étaient divisés en centaines, qui formaient ce que
l'on appelait un bourg, les comtes avaient encore sous

a. Voyez le capitulaire de Charlemagne, de l'an 812, art. 3 et 4,
édition de Baluze, t. I, p. 491 ; et l'édit de Pistes, de l'an 864, art. 26,
t. II, p. 186.
b. *Et habebat unusquisque comes vicarios et centenarios secum :* liv. II
des capitulaires, art. 28.

eux des officiers qu'on appelait centeniers, qui menaient les hommes libres du bourg *c*, ou leurs centaines, à la guerre.

Cette division par centaines est postérieure à l'établissement des Francs dans les Gaules. Elle fut faite par Clotaire et Childebert, dans la vue d'obliger chaque district à répondre des vols qui s'y feraient : on voit cela dans les décrets de ces princes *d*. Une pareille police s'observe encore aujourd'hui en Angleterre.

Comme les comtes menaient les hommes libres à la guerre, les leudes y menaient aussi leurs vassaux ou arrière-vassaux; et les évêques, abbés, ou leurs avoués *e*, y menaient les leurs *f*.

Les évêques étaient assez embarrassés : ils ne convenaient pas bien eux-mêmes de leurs faits *g*. Ils demandèrent à Charlemagne de ne plus les obliger d'aller à la guerre; et, quand ils l'eurent obtenu, ils se plaignirent de ce qu'on leur faisait perdre la considération publique : et ce prince fut obligé de justifier là-dessus ses intentions. Quoi qu'il en soit, dans les temps où ils n'allèrent plus à la guerre, je ne vois pas que leurs vassaux y aient été menés par les comtes; on voit, au contraire, que les rois, ou les évêques, choisissaient un des fidèles pour les y conduire *h*.

Dans un capitulaire de Louis le Débonnaire *i*, le roi distingue trois sortes de vassaux, ceux du roi, ceux des évêques, ceux du comte. Les vassaux d'un leude ou seigneur n'étaient menés à la guerre par le comte, que lorsque quelque emploi dans la maison du roi empêchait ces leudes de les mener eux-mêmes *k*.

---

c. On les appelait *compagenses.*

d. Donnés vers l'an 595, art. 1. Voyez les *Capitulaires*, édition de Baluze, p. 20. Ces règlements furent sans doute faits de concert.

e. Advocati.

f. Capitulaire de Charlemagne, de l'an 812, art. 1 et 5, édition de Baluze, t. I, p. 490.

g. Voyez le capitulaire de l'an 803, donné à Worms, édition de Baluze, p. 408 et 410.

h. Capitulaire de Worms, de l'an 803, édition de Baluze, p. 409; et le concile de l'an 845, sous Charles le Chauve, *in Verno palatio*, édition de Baluze, t. II, p. 17, art. 8.

i. Capitulare quintum anni 819, art. 27, édition de Baluze, p. 618.

k. De vassis dominicis qui adhuc intra casam serviunt, et tamen beneficia habere noscuntur, statutum est ut quicumque ex eis cum domino imperatore domi remanserint, vassallos suos casatos secum non retineant; sed cum comite, cujus pagenses sunt, ire permittant. Capitulaire 11, de l'an 812, art. 7, édition de Baluze, t. I, p. 494.

Mais qui est-ce qui menait les leudes à la guerre ? On ne peut douter que ce ne fût le roi, qui était toujours à la tête de ses fidèles. C'est pour cela que, dans les capitulaires, on voit toujours une opposition entre les vassaux du roi et ceux des évêques [l]. Nos rois, courageux, fiers et magnanimes n'étaient point dans l'armée pour se mettre à la tête de cette milice ecclésiastique ; ce n'était point ces gens-là qu'ils choisissaient pour vaincre ou mourir avec eux.

Mais ces leudes menaient de même leurs vassaux et arrière-vassaux ; et cela paraît bien par ce capitulaire où Charlemagne ordonne que tout homme libre, qui aura quatre manoirs, soit dans sa propriété, soit dans le bénéfice de quelqu'un, aille contre l'ennemi, ou suive son seigneur [m]. Il est visible que Charlemagne veut dire que celui qui n'avait qu'une terre en propre entrait dans la milice du comte, et que celui qui tenait un bénéfice du seigneur partait avec lui.

Cependant M. l'abbé Dubos prétend que, quand il est parlé, dans les capitulaires, des hommes qui dépendaient d'un seigneur particulier, il n'est question que des serfs [n], et il se fonde sur la loi des Wisigoths et la pratique de ce peuple. Il vaudrait mieux se fonder sur les capitulaires mêmes. Celui que je viens de citer dit formellement le contraire. Le traité entre Charles le Chauve et ses frères parle de même des hommes libres, qui peuvent prendre à leur choix un seigneur ou le roi ; et cette disposition est conforme à beaucoup d'autres.

On peut donc dire qu'il y avait trois sortes de milices ; celle des leudes ou fidèles du roi, qui avaient eux-mêmes sous leur dépendance d'autres fidèles ; celle des évêques ou autres ecclésiastiques, et de leurs vassaux ; et enfin celle du comte, qui menait les hommes libres.

Je ne dis point que les vassaux ne pussent être soumis au comte, comme ceux qui ont un commandement particulier dépendent de celui qui a un commandement plus général.

---

l. Capitulaire 1 de l'an 812, art. 5. *De hominibus nostris, et episcoporum et abbatum qui vel beneficia, vel talia propris habent*, etc., édition de Baluze, t. I, p. 490.

m. De l'an 812, chap. 1, édition de Baluze, p. 490. *Ut omnis homo liber qui quatuor mansos vestitos de proprio suo, sive de alicujus beneficio, habet, ipse se præparet, et ipse in hostem pergat, sive cum seniore suo.*

n. T. III, liv. VI, chap. IV, p. 299, *Établissement de la monarchie française.*

On voit même que le comte et les envoyés du roi pouvaient leur faire payer le ban, c'est-à-dire une amende, lorsqu'ils n'avaient pas rempli les engagements de leur fief.

De même, si les vassaux du roi faisaient des rapines, ils étaient soumis à la correction du comte, s'ils n'aimaient mieux se soumettre à celle du roi [o].

o. Capitulaire de l'an 882, art. 11, *apud Vernis palatium*, édition de Baluze, t. II, p. 17.

Chapitre XVIII

Du double service.

C'était un principe fondamental de la monarchie, que ceux qui étaient sous la puissance militaire de quelqu'un, étaient aussi sous sa juridiction civile : aussi le capitulaire de Louis le Débonnaire, de l'an 815 [a], fait-il marcher d'un pas égal la puissance militaire du comte, et sa juridiction civile sur les hommes libres : aussi les placites [b], du comte, qui menait à la guerre des hommes libres, étaient-ils appelés les placites des hommes libres [c] : d'où résulta, sans doute, cette maxime, que ce n'était que dans les placites du comte, et non dans ceux de ses officiers, qu'on pouvait juger les questions sur la liberté. Aussi le comte ne menait-il pas à la guerre les vassaux des évêques ou abbés [d], parce qu'ils n'étaient pas sous sa juridiction civile : aussi n'y menait-il pas les arrière-vassaux des leudes : aussi le glossaire des lois anglaises [e] nous dit-il que ceux que les Saxons appelaient *coples*, furent nommés par les Normands *comtes, compagnons*, parce qu'ils partageaient avec le roi les amendes judiciaires [f] : aussi voyons-nous, dans tous les temps, que

a. Art. 1 et 2; le concile *in Verno palatio*, de l'an 845, art. 8, édition de Baluze, t. II, p. 17.
b. Plaids ou assises.
c. Capitulaires, liv. IV de la collection d'Anzegise, art. 57; et le capitulaire V de Louis le Débonnaire, de l'an 819, art. 14, édition de Baluze, t. I, p. 615.
d. Voyez, ci-dessus, p. 333, note *f*; et p. 334, note *l*.
e. Que l'on trouve dans le recueil de Guillaume Lambard, *De priscis Anglorum legibus*.
f. Au mot *satrapia*.

l'obligation de tout vassal envers son seigneur *g*, fut de porter les armes, et de juger ses pairs dans sa cour *h*.

Une des raisons qui attachait ainsi ce droit de justice au droit de mener à la guerre, était que celui qui menait à la guerre faisait en même temps payer les droits du fisc, qui consistaient en quelques services de voiture dus par les hommes libres, et en général en de certains profits judiciaires, dont je parlerai ci-après.

Les seigneurs eurent le droit de rendre la justice dans leur fief, par le même principe qui fit que les comtes eurent le droit de la rendre dans leur comté : Et, pour bien dire, les comtés, dans les variations arrivées dans les divers temps, suivirent toujours les variations arrivées dans les fiefs : les uns et les autres étaient gouvernés sur le même plan et sur les mêmes idées. En un mot, les comtes, dans leurs comtés, étaient des leudes ; les leudes, dans leurs seigneuries, étaient des comtes.

On n'a pas eu des idées justes, lorsqu'on a regardé les comtes comme des officiers de justice, et les ducs comme des officiers militaires. Les uns et les autres étaient également des officiers militaires et civils *i* : toute la différence était que le duc avait sous lui plusieurs comtes, quoiqu'il y eût des comtes qui n'avaient point de duc sur eux, comme nous l'apprenons de Frédégaire *k*.

On croira peut-être que le gouvernement des Francs était pour lors bien dur, puisque les mêmes officiers avaient, en même temps, sur les sujets la puissance militaire et la puissance civile, et même la puissance fiscale; chose que j'ai dit, dans les livres précédents, être une des marques distinctives du despotisme.

Mais il ne faut pas penser que les comtes jugeassent seuls, et rendissent la justice comme les bachas la rendent en Turquie *l* : ils assemblaient, pour juger les affaires, des espèces de plaids ou d'assises *m*, où les notables étaient convoqués.

Pour qu'on puisse bien entendre ce qui concerne les

---

g. Les assises de Jérusalem, chap. CCXXI et CCXXII, expliquent bien ceci.

h. Les avoués de l'église *(advocati)* étaient également à la tête de leurs plaids et de leur milice.

i. Voyez la formule 8 de Marculfe, liv. I, qui contient les lettres accordées à un duc, patrice ou comte, qui leur donnent la juridiction civile, et l'administration fiscale.

k. Chronique, chap. LXXVIII, sur l'an 636.

l. Voyez *Grégoire de Tours*, liv. V, *ad annum 680*.

m. *Mallum*.

jugements, dans les formules, les lois des barbares et les capitulaires, je dirai que les fonctions de comte [n], du gravion et du centenier, étaient les mêmes ; que les juges, les rathimburges et les échevins, étaient, sous différents noms, les mêmes personnes ; c'étaient les adjoints du comte, et ordinairement il en avait sept : et, comme il ne lui fallait pas moins de douze personnes pour juger [o], il remplissait le nombre par des notables [p].

Mais, qui que ce fût qui eût la juridiction, le roi, le comte, le gravion, le centenier, les seigneurs, les ecclésiastiques, ils ne jugèrent jamais seuls : et cet usage, qui tirait son origine des forêts de la Germanie, se maintint encore, lorsque les fiefs prirent une forme nouvelle.

Quant au pouvoir fiscal, il était tel, que le comte ne pouvait guère en abuser. Les droits du prince, à l'égard des hommes libres, étaient si simples, qu'ils ne consistaient, comme j'ai dit, qu'en de certaines voitures exigées dans de certaines occasions publiques [q] : et, quant aux droits judiciaires, il y avait des lois qui prévenaient les malversations [r].

CHAPITRE XIX

Des compositions chez les peuples barbares.

Comme il est impossible d'entrer un peu avant dans notre droit politique, si l'on ne connaît parfaitement les lois et les mœurs des peuples germains, je m'arrêterai un moment, pour faire la recherche de ces mœurs et de ces lois.

Il paraît, par Tacite, que les Germains ne connaissaient que deux crimes capitaux ; ils pendaient les traîtres, et noyaient les poltrons : c'étaient, chez eux, les seuls

---

n. Joignez ici ce que j'ai dit au livre XXVIII, chap. XXVIII ; et au livre XXXI, chap. VIII.

o. Voyez, sur tout ceci, les capitulaires de Louis le Débonnaire, ajoutés à la loi salique, art. 2 ; et la formule des jugements, donnée par du Cange, au mot *boni homines*.

p. *Per bonos homines*. Quelquefois il n'y avait que des notables. Voyez l'appendice aux formules de Marculfe, chap. LI.

q. Et quelques droits sur les rivières, dont j'ai parlé.

r. Voyez la loi des Ripuaires, tit. 89 ; et la loi des Lombards, liv. II, tit. 52, § 9.

crimes qui fussent publics. Lorsqu'un homme avait fait quelque tort à un autre, les parents de la personne offensée ou lésée entraient dans la querelle; et la haine s'apaisait par une satisfaction. Cette satisfaction regardait celui qui avait été offensé, s'il pouvait la recevoir; et les parents, si l'injure ou le tort leur était commun; ou si, par la mort de celui qui avait été offensé ou lésé, la satisfaction leur était dévolue [a].

De la manière dont parle Tacite, ces satisfactions se faisaient par une convention réciproque entre les parties : aussi, dans les codes des peuples barbares, ces satisfactions s'appellent-elles des compositions.

Je ne trouve que la loi des Frisons [b] qui ait laissé le peuple dans cette situation où chaque famille ennemie était, pour ainsi dire, dans l'état de nature; et où, sans être retenue par quelque loi politique ou civile, elle pouvait, à sa fantaisie, exercer sa vengeance, jusqu'à ce qu'elle eût été satisfaite. Cette loi même fut tempérée : on établit que celui dont on demandait la vie aurait la paix dans sa maison [c]; qu'il l'aurait en allant et en revenant de l'église et du lieu où l'on rendait les jugements.

Les compilateurs des lois saliques citent un ancien usage des Francs [d], par lequel celui qui avait exhumé un cadavre pour le dépouiller, était banni de la société des hommes, jusqu'à ce que les parents consentissent à l'y faire rentrer : et comme, avant ce temps, il était défendu à tout le monde, et à sa femme même, de lui donner du pain, ou de le recevoir dans sa maison, un tel homme était à l'égard des autres, et les autres étaient à son égard, dans l'état de nature, jusqu'à ce que cet état eût cessé par la composition.

A cela près, on voit que les sages des diverses nations barbares songèrent à faire par eux-mêmes ce qu'il était trop long et trop dangereux d'attendre de la convention réciproque des parties. Ils furent attentifs à mettre un prix juste à la composition que devait recevoir celui à qui on avait fait quelque tort ou quelque injure. Toutes

a. *Suscipere tam inimicitias, seu patris, seu propinqui, quam amicitias, necesse est : nec implacabiles durant; luitur enim etiam homicidium certo armentorum ac pecorum numero, recipitque satisfactionem universa domus.* TACITE, *De moribus Germanorum.*

b. Voyez cette loi, tit. 2, sur les meurtres; et l'addition de Vulemar sur les vols.

c. *Additio sapientum,* tit. 1, § 1.

d. Loi salique, tit. 58, § 1; tit. 17, § 3.

ces lois barbares ont là-dessus une précision admirable :
on y distingue avec finesse les cas *e*, on y pèse les circonstances; la loi se met à la place de celui qui est offensé, et
demande pour lui la satisfaction que, dans un moment de
sang-froid, il aurait demandée lui-même.

Ce fut par l'établissement de ces lois, que les peuples
germains sortirent de cet état de nature, où il semble
qu'ils étaient encore du temps de Tacite.

Rotharis déclara, dans la loi des Lombards, qu'il avait
augmenté les compositions de la coutume ancienne pour
les blessures; afin que, le blessé étant satisfait, les inimitiés pussent cesser *f*. En effet, les Lombards, peuple
pauvre, s'étant enrichis par la conquête de l'Italie, les
compositions anciennes devenaient frivoles, et les réconciliations ne se faisaient plus. Je ne doute pas que cette
considération n'ait obligé les autres chefs des nations
conquérantes à faire les divers codes de lois que nous
avons aujourd'hui.

La principale composition était celle que le meurtrier
devait payer aux parents du mort. La différence des conditions en mettait une dans les compositions *g* : ainsi, dans
la loi des Angles, la composition était de six cents sous
pour la mort d'un adalingue, de deux cents pour celle
d'un homme libre, de trente pour celle d'un serf. La
grandeur de la composition, établie sur la tête d'un
homme, faisait donc une de ses grandes prérogatives;
car, outre la distinction qu'elle faisait de sa personne, elle
établissait pour lui, parmi des nations violentes, une plus
grande sûreté.

La loi des Bavarois nous fait bien sentir ceci *h* : elle
donne le nom des familles bavaroises qui recevaient une
composition double, parce qu'elles étaient les premières
après les Agilolfingues *i*. Les Agilolfingues étaient de la
race ducale, et on choisissait le duc parmi eux; ils avaient
une composition quadruple. La composition pour le duc
excédait d'un tiers celle qui était établie pour les Agilolfingues. « Parce qu'il est duc, dit la loi, on lui rend un plus
grand honneur qu'à ses parents. »

Toutes ces compositions étaient fixées à prix d'argent.

e. Voyez surtout les titres 3, 4, 5, 6 et 7 de la loi salique, qui regardent
les vols des animaux.

f. Liv. I, tit. 7, § 15.

g. Voyez la loi des Angles, tit. I, § 1, 2, 4; *ibid.*, tit. 5, § 6; la loi
des Bavarois, tit. I, chap. VIII et IX; la loi des Frisons, tit. 15.

h. Tit. 2, chap. XX.

i. Hozidra, Ozza, Sagana, Habilingua, Anniena : *ibid.*

Mais, comme ces peuples, surtout pendant qu'ils se tinrent dans la Germanie, n'en avaient guère ; on pouvait donner du bétail, du blé, des meubles, des armes, des chiens, des oiseaux de chasse, des terres, etc. [k] Souvent même la loi fixait la valeur de ces choses [l] ; ce qui explique comment, avec si peu d'argent, il y eut chez eux tant de peines pécuniaires.

Ces lois s'attachèrent donc à marquer avec précision la différence des torts, des injures, des crimes ; afin que chacun connût au juste jusqu'à quel point il était lésé ou offensé ; qu'il sût exactement la réparation qu'il devait recevoir, et surtout qu'il n'en devait pas recevoir davantage.

Dans ce point de vue, on conçoit que celui qui se vengeait après avoir reçu la satisfaction, commettait un grand crime. Ce crime ne contenait pas moins une offense publique qu'une offense particulière : c'était un mépris de la loi même. C'est ce crime que les législateurs ne manquèrent pas de punir [m].

Il y avait un autre crime, qui fut surtout regardé comme dangereux [n], lorsque ces peuples perdirent, dans le gouvernement civil, quelque chose de leur esprit d'indépendance, et que les rois s'attachèrent à mettre dans l'État une meilleure police : ce crime était de ne vouloir point faire, ou de ne vouloir pas recevoir la satisfaction. Nous voyons, dans divers codes des lois des barbares, que les législateurs y obligeaient [o]. En effet, celui qui

---

k. Ainsi la loi d'Ina estimait la vie une certaine somme d'argent, ou une certaine portion de terre. *Leges Inæ regis, titulo de Villico regio, de priscis Anglorum legibus,* Cambridge, 1644.

l. Voyez la loi des Saxons, qui fait même cette fixation pour plusieurs peuples, chap. XVIII. Voyez aussi la loi des Ripuaires, tit. 36, § 11 ; la loi des Bavarois, tit. I, § 10 et 11. *Si aurum non habet, donet aliam pecuniam, mancipia, terram,* etc.

m. Voyez la loi des Lombards, liv. I, tit. 25, § 21 ; *ibid.,* liv. I, tit. 9, § 8 et 34 ; *ibid.,* § 38 ; et le capitulaire de Charlemagne, de l'an 802, chap. XXXII, contenant une instruction donnée à ceux qu'il envoyait dans les provinces.

n. Voyez dans *Grégoire de Tours,* liv. VII, chap. XLVII, le détail d'un procès, où une partie perd la moitié de la composition qui lui avait été adjugée, pour s'être fait justice elle-même, au lieu de recevoir la satisfaction, quelques excès qu'elle eût soufferts depuis.

o. Voyez la loi des Saxons, chap. III, § 4 ; la loi des Lombards, liv. I, tit. 37, § 1 et 2 ; et la loi des Allemands, tit. 45, § 1 et 2. Cette dernière loi permettait de se faire justice soi-même, sur-le-champ, et dans le premier mouvement. Voyez aussi les capitulaires de Charlemagne, de l'an 779, chap. XXII ; de l'an 802, chap. XXXII ; et celui du même de l'an 805, chap. V.

refusait de recevoir la satisfaction voulait conserver son droit de vengeance ; celui qui refusait de la faire laissait à l'offensé son droit de vengeance : et c'est ce que les gens sages avaient réformé dans les institutions des Germains, qui invitaient à la composition, mais n'y obligeaient pas.

Je viens de parler d'un texte de la loi salique, où le législateur laissait à la liberté de l'offensé de recevoir ou de ne recevoir pas la satisfaction : c'est cette loi qui interdisait à celui qui avait dépouillé un cadavre le commerce des hommes, jusqu'à ce que les parents, acceptant la satisfaction, eussent demandé qu'il pût vivre parmi les hommes [p]. Le respect pour les choses saintes fit que ceux qui rédigèrent les lois saliques ne touchèrent point à l'ancien usage.

Il aurait été injuste d'accorder une composition aux parents d'un voleur tué dans l'action du vol, ou à ceux d'une femme qui avait été renvoyée après une séparation pour crime d'adultère. La loi des Bavarois ne donnait point de composition dans des cas pareils, et punissait les parents qui en poursuivaient la vengeance [q].

Il n'est pas rare de trouver, dans les codes des lois des barbares, des compositions pour des actions involontaires. La loi des Lombards est presque toujours sensée ; elle voulait que, dans ce cas, on composât suivant sa générosité, et que les parents ne pussent plus poursuivre la vengeance [r].

Clotaire II fit un décret très sage : il défendit à celui qui avait été volé de recevoir sa composition en secret [s], et sans l'ordonnance du juge. On va voir, tout à l'heure, le motif de cette loi.

---

p. Les compilateurs des lois des Ripuaires paraissent avoir modifié ceci. Voyez le tit. 85 de ces lois.

q. Voyez le décret de Tassillon, *de popularibus legibus*, art. 3, 4, 10, 26, 29 ; la loi des Angles, tit. 7, § 4.

r. Liv. I, tit. 9, § 4.

s. *Pactus pro tenore pacis inter* Childebertum et Clotarium, *anno 593*; et *decretio* Clotarii II *regis, circa annum 595*, chap. XI.

Chapitre XX

De ce qu'on a appelé depuis la justice des seigneurs.

Outre la composition qu'on devait payer aux parents pour les meurtres, les torts et les injures, il fallait encore payer un certain droit que les codes des lois des barbares appellent *fredum* [a]. J'en parlerai beaucoup; et, pour en donner l'idée, je dirai que c'est la récompense de la protection accordée contre le droit de vengeance. Encore aujourd'hui, dans la langue suédoise, *fred* veut dire la paix.

Chez ces nations violentes, rendre la justice n'était autre chose qu'accorder, à celui qui avait fait une offense, sa protection contre la vengeance de celui qui l'avait reçue; et obliger ce dernier à recevoir la satisfaction qui lui était due : de sorte que, chez les Germains, à la différence de tous les autres peuples, la justice se rendait pour protéger le criminel contre celui qu'il avait offensé.

Les codes des lois des barbares nous donnent les cas où ces *freda* devaient être exigés. Dans ceux où les parents ne pouvaient pas prendre de vengeance, ils ne donnent point de *fredum* : en effet, là où il n'y avait point de vengeance, il ne pouvait y avoir de droit de protection contre la vengeance. Ainsi, dans la loi des Lombards [b], si quelqu'un tuait par hasard un homme libre, il payait la valeur de l'homme mort, sans le *fredum* ; parce que, l'ayant tué involontairement, ce n'était pas le cas où les parents eussent un droit de vengeance. Ainsi, dans la loi des Ripuaires [c], quand un homme était tué par un morceau de bois ou un ouvrage fait de main d'homme, l'ouvrage ou le bois étaient censés coupables, et les parents les prenaient pour leur usage, sans pouvoir exiger de *fredum*.

De même, quand une bête avait tué un homme, la même loi établissait une composition sans le *fredum* [d], parce que les parents du mort n'étaient pas offensés.

----

a. Lorsque la loi ne le fixait pas, il était ordinairement le tiers de ce qu'on donnait pour la composition, comme il paraît dans la loi des Ripuaires, chap. LXXXIX, qui est expliquée par le troisième capitulaire de l'an 813, édition de Baluze, t. I, p. 512.

b. Liv. I, tit. 2, § 17, édition de Lindembrock.

c. Tit. 70.

d. Tit. 46. Voyez aussi la loi des Lombards, liv. I, chap. XXI, § 3, édition de Lindembrock : *si caballus cum pede*, etc.

Enfin, par la loi salique [e], un enfant, qui avait commis quelque faute avant l'âge de douze ans, payait la composition sans le *fredum* : comme il ne pouvait porter encore les armes, il n'était point dans le cas où la partie lésée ou ses parents pussent demander la vengeance.

C'était le coupable qui payait le *fredum*, pour la paix et la sécurité que les excès qu'il avait commis lui avaient fait perdre, et qu'il pouvait recouvrer par la protection : mais un enfant ne perdait point cette sécurité; il n'était point un homme, et ne pouvait être mis hors de la société des hommes.

Ce *fredum* était un droit local pour celui qui jugeait dans le territoire [f]. La loi des Ripuaires lui défendait pourtant de l'exiger lui-même [g]; elle voulait que la partie qui avait obtenu gain de cause, le reçût et le portât au fisc, pour que la paix, dit la loi, fût éternelle entre les Ripuaires.

La grandeur du *fredum* se proportionna à la grandeur de la protection [h] : ainsi le *fredum* pour la protection du roi fut plus grand que celui accordé pour la protection du comte et des autres juges.

Je vois déjà naître la justice des seigneurs. Les fiefs comprenaient de grands territoires, comme il paraît par une infinité de monuments. J'ai déjà prouvé que les rois ne levaient rien sur les terres qui étaient du partage des Francs; encore moins pouvaient-ils se réserver des droits sur les fiefs. Ceux qui les obtinrent eurent, à cet égard, la jouissance la plus étendue; ils en tirèrent tous les fruits et tous les émoluments : et, comme un des plus considérables était les profits judiciaires *(freda)* que l'on recevait par les usages des Francs [i], il suivait que celui qui avait le fief avait aussi la justice, qui ne s'exerçait que par des compositions aux parents, et des profits au seigneur. Elle n'était autre chose que le droit de faire payer les compositions de la loi, et celui d'exiger les amendes de la loi.

e. Tit. 28, § 6.
f. Comme il paraît par le décret de Clotaire II, de l'an 595. *Fredus tamen judicis, in cujus pago est, reservetur.*
g. Tit. 89.
h. *Capitulare incerti anni*, chap. LVII, dans Baluze, t. I, p. 515. Et il faut remarquer que ce qu'on appelle *fredum* ou *faida*, dans les monuments de la première race, s'appelle *bannum* dans ceux de la seconde, comme il paraît par le capitulaire *de partibus Saxoniæ*, de l'an 789.
i. Voyez le capitulaire de Charlemagne, *de Villis*, où il met ces *freda* au nombre des grands revenus de ce qu'on appelait *villæ*, ou domaines du roi.

On voit, par les formules qui portent la confirmation ou la translation à perpétuité d'un fief en faveur d'un leude ou fidèle [k], ou des privilèges des fiefs en faveur des églises [l], que les fiefs avaient ce droit. Cela paraît encore par une infinité de chartres qui contiennent une défense aux juges ou officiers du roi d'entrer dans le territoire, pour y exercer quelque acte de justice que ce fût, et y exiger quelque émolument de justice que ce fût [m]. Dès que les juges royaux ne pouvaient plus rien exiger dans un district, ils n'entraient plus dans ce district; et ceux à qui restait ce district y faisaient les fonctions que ceux-là y avaient faites.

Il est défendu aux juges royaux d'obliger les parties de donner des cautions pour comparaître devant eux : c'était donc à celui qui recevait le territoire à les exiger. Il est dit que les envoyés du roi ne pourraient plus demander de logement; en effet, ils n'y avaient plus aucune fonction.

La justice fut donc, dans les fiefs anciens et dans les fiefs nouveaux, un droit inhérent au fief même, un droit lucratif qui en faisait partie. C'est pour cela que, dans tous les temps, elle a été regardée ainsi; d'où est né ce principe, que les justices sont patrimoniales en France.

Quelques-uns ont cru que les justices tiraient leur origine de affranchissements que les rois et les seigneurs firent de leurs serfs. Mais les nations germaines, et celles qui en sont descendues, ne sont pas les seules qui aient affranchi des esclaves, et ce sont les seules qui aient établi des justices patrimoniales. D'ailleurs, les formules de Marculfe nous font voir des hommes libres dépendants de ces justices dans les premiers temps [n] : les serfs ont donc été justiciables, parce qu'ils se sont trouvés dans le territoire; et ils n'ont pas donné l'origine aux fiefs, pour avoir été englobés dans le fief.

D'autres gens ont pris une voie plus courte : Les seigneurs ont usurpé les justices, ont-ils dit; et tout a été dit. Mais n'y a-t-il eu sur la terre que les peuples descendus

---

k. Voyez la formule 3, 4 et 17, liv. I de Marculfe.

l. Ibid., formule 2, 3 et 4.

m. Voyez les recueils de ces chartes, surtout celui qui est à la fin du cinquième volume des historiens de France des Pères Bénédictins.

n. Voyez les formules 3, 4 et 14 du livre I; et la charte de Charlemagne, de l'an 771, dans Martenne, t. I, anecdot. collect. II. *Præcipientes jubemus ut ullus judex publicus... homines ipsius ecclesiæ et monasterii ipsius Morbacensis, tam ingenuos, quam et servos, et qui super eorum terras manere*, etc.

de la Germanie, qui aient usurpé les droits des princes ?
L'histoire nous apprend assez que d'autres peuples ont
fait des entreprises sur leurs souverains; mais on n'en
voit pas naître ce que l'on a appelé les justices des seigneurs. C'était donc dans le fonds des usages et des
coutumes des Germains qu'il en fallait chercher l'origine.

Je prie de voir, dans Loyseau[o], quelle est la manière
dont il suppose que les seigneurs procédèrent pour
former et usurper leurs diverses justices. Il faudrait qu'ils
eussent été les gens du monde les plus raffinés, et qu'ils
eussent volé, non pas comme les guerriers pillent, mais
comme des juges de village et des procureurs se volent
entre eux. Il faudrait dire que ces guerriers, dans toutes
les provinces particulières du royaume et dans tant de
royaumes, auraient fait un système général de politique.
Loyseau les fait raisonner comme, dans son cabinet, il
raisonnait lui-même.

Je le dirai encore : si la justice n'était point une dépendance du fief, pourquoi voit-on partout que le service du
fief était de servir le roi ou le seigneur, et dans leurs
cours et dans leurs guerres [p].

Chapitre XXI

De la justice territoriale des églises.

Les églises acquirent des biens très considérables.
Nous voyons que les rois leur donnèrent de grands fiscs,
c'est-à-dire, de grands fiefs; et nous trouvons d'abord les
justices établies dans les domaines de ces églises. D'où
aurait pris son origine un privilège si extraordinaire ? Il
était dans la nature de la chose donnée; le bien des ecclésiastiques avait ce privilège, parce qu'on ne le lui ôtait
pas. On donnait un fisc à l'Eglise; et on lui laissait les
prérogatives qu'il aurait eues, si on l'avait donné à un
leude : aussi fut-il soumis au service que l'Etat en aurait
tiré, s'il avait été accordé au laïc, comme on l'a déjà vu.

Les églises eurent donc le droit de faire payer les
compositions dans leur territoire, et d'en exiger le *fredum*;

o. *Traité des justices de village.*
p. Voyez M. du Cange, au mot *hominium.*

et, comme ces droits emportaient nécessairement celui d'empêcher les officiers royaux d'entrer dans le territoire, pour exiger ces *freda*, et y exercer tous actes de justice, le droit qu'eurent les ecclésiastiques de rendre la justice dans leur territoire fut appelé *immunité*, dans le style des formules [a], des chartes et des capitulaires.

La loi des Ripuaires [b] défend aux affranchis des églises [c] de tenir l'assemblée où la justice se rend [d] ailleurs que dans l'église où ils ont été affranchis. Les églises avaient donc des justices, même sur les hommes libres, et tenaient leurs plaids dès les premiers temps de la monarchie.

Je trouve, dans les *Vies des saints* [e], que Clovis donna à un saint personnage la puissance sur un territoire de six lieues de pays, et qu'il voulut qu'il fût libre de toute juridiction quelconque. Je crois bien que c'est une fausseté, mais c'est une fausseté très ancienne; le fond de la vie et les mensonges se rapportent aux mœurs et aux lois du temps; et ce sont ces mœurs et ces lois que l'on cherche ici [f].

Clotaire II ordonne aux évêques, ou aux grands, qui possèdent des terres dans des pays éloignés, de choisir dans le lieu même ceux qui doivent rendre la justice ou en recevoir les émoluments [g].

Le même prince règle la compétence entre les juges des églises et les officiers [h]. Le capitulaire de Charlemagne, de l'an 802, prescrit aux évêques et aux abbés les qualités que doivent avoir leurs officiers de justice. Un autre [i], du même prince, défend aux officiers royaux d'exercer aucune juridiction sur ceux qui cultivent les terres ecclésiastiques [k], à moins qu'ils n'aient pris cette condition en fraude, et pour se soustraire aux charges publiques. Les évêques assemblés à Reims déclarèrent

a. Voyez la formule 3 et 4 de Marculfe, liv. I.
b. *Ne aliubi nisi ad ecclesiam, ubi relaxati sunt, mallum teneant*, tit. 58, § 1. Voyez aussi le § 19, édition de Lindembrock.
c. *Tabulariis.*
d. *Mallum.*
e. Vita *sancti Germeri*, episcopi Tolosani, apud *Bollandianos*, 16 maii.
f. Voyez aussi la vie de saint Mélanius, et celle de saint Déicole.
g. Dans le concile de Paris, l'an 615. *Episcopi, vel potentes, qui in aliis possident regionibus, judices vel missos discussores de aliis provinciis non instituant, nisi de loco, qui justitiam percipiant et aliis reddant :* art. 19. Voyez aussi l'article 12.
h. Dans le concile de Paris, l'an 615, art. 5.
i. Dans la loi des Lombards, liv. II, tit. 44, chap. 11, édition de Lindembrock.
k. *Servi aldiones, libellarii antiqui, vel alii noviter facti ; ibid.*

que les vassaux des églises sont dans leur immunité [l]. Le capitulaire de Charlemagne, de l'an 806, veut que les églises aient la justice criminelle et civile sur tous ceux qui habitent dans leurs territoire [m]. Enfin, le capitulaire de Charles le Chauve distingue les juridictions du roi, celles des seigneurs, et celles des églises [n]; et je n'en dirai pas davantage.

[l]. Lettre de l'an 858, art. 7, dans les capitulaires, p. 108. *Sicut illæ res et facultates in quibus vivunt clerici, ita et illæ sub consecratione immunitatis sunt de quibus debent militare vassalli.*

[m]. Il est ajouté à la loi des Bavarois, art. 7; voyez aussi l'article 3 de l'édition de Lindembrock, p. 444. *Imprimis omnium jubendum est ut habeant ecclesiæ earum justicias, et in vita illorum qui habitant in ipsis ecclesiis et post, tam in pecuniis, quam et in substantiis earum.*

[n]. De l'an 857, *in synodo apud Carisiacum*, art. 4, édition de Baluze, p. 96.

Chapitre XXII

Que les justices étaient établies avant la fin de la seconde race.

On a dit que ce fut dans le désordre de la seconde race que les vassaux s'attribuèrent la justice dans leurs fiscs: on a mieux aimé faire une proposition générale, que de l'examiner: il a été plus facile de dire que les vassaux ne possédaient pas, que de découvrir comment ils possédaient. Mais les justices ne doivent point leur origine aux usurpations; elles dérivent du premier établissement, et non pas de sa corruption.

« Celui qui tue un homme libre, est-il dit dans la loi des Bavarois [a], paiera la composition à ses parents, s'il en a; et, s'il n'en a point, il la paiera au duc, ou à celui à qui il s'était recommandé pendant sa vie. » On sait ce que c'était que se recommander pour un bénéfice.

« Celui à qui on a enlevé son esclave, dit la loi des Allemands [b], ira au prince auquel est soumis le ravisseur, afin qu'il en puisse obtenir la composition. »

« Si un centenier, est-il dit dans le décret de Childebert [c],

a. Tit. 3, chap. XIII, édition de Lindembrock.
b. Tit. 85.
c. De l'an 595, art. 11 et 12, édition des capitulaires de Baluze, p. 19.

trouve un voleur dans une autre centaine que la sienne, ou dans les limites de nos fidèles, et qu'il ne l'en chasse pas, il représentera le voleur, ou se purgera par serment. » Il y avait donc de la différence entre les territoires des centeniers et celui des fidèles.

Ce décret de Childebert explique la constitution de Clotaire [d] de la même année, qui, donnée pour le même cas et sur le même fait, ne diffère que dans les termes ; la constitution appelant *in truste*, ce que le décret appelle *in terminis fidelium nostrorum*. Messieurs Bignon et du Cange [e], qui ont cru que *in truste* signifiait le domaine d'un autre roi, n'ont pas bien rencontré.

Dans une constitution de Pépin [f], roi d'Italie, faite tant pour les Francs que pour les Lombards, ce prince, après avoir imposé des peines aux comtes et autres officiers royaux qui prévariquent dans l'exercice de la justice, ou qui diffèrent de la rendre, ordonne que [g], s'il arrive qu'un Franc ou un Lombard ayant un fief ne veuille pas rendre la justice, le juge, dans le district duquel il sera, suspendra l'exercice de son fief ; et que, dans cet intervalle, lui ou son envoyé rendront la justice.

Un capitulaire de Charlemagne [h] prouve que les rois ne levaient point partout les *freda*. Un autre du même prince [i] nous fait voir les règles féodales et la cour féodale déjà établies. Un autre de Louis le Débonnaire veut que, lorsque celui qui a un fief ne rend pas la justice, ou empêche qu'on ne la rende, on vive à discrétion dans sa maison, jusqu'à ce que la justice soit rendue [k]. Je citerai

Pari conditione convenit ut si una centena in alia centena vestigium secuta fuerit et invenerit, vel in quibuscumque fidelium nostrorum terminis vestigium miserit, et ipsum in aliam centenam minime expellere potuerit, aut convictus reddat latronem, etc.

d. Si vestigius comprobatur latronis, tamen præfentiæ nihil longe mulctando ; aut si persequens latronem suum comprehenderit, integram sibi compositionem accipiat. Quod si in truste invenitur, medietatem compositionis trustis adquirat, et capitale exigat a latrone : art. 2 et 3.

e. Voyez le glossaire, au mot *trustis*.

f. Insérée dans la loi des Lombards, liv. II, tit. 52, § 14. C'est le capitulaire de l'an 793, dans Baluze, p. 544, art. 10.

g. Et si forsitan Francus aut Lange bardus habens beneficium justitiam facere noluerit, ille judex in cujus ministerio fuerit, contradicat illi beneficium suum, interim dum ipse aut missus ejus justitiam faciat. Voyez encore la même loi des Lombards, liv. II, tit. 52, § 2, qui se rapporte au capitulaire de Charlemagne, de l'an 779, art. 21.

h. Le troisième de l'an 812, art. 10.

i. Second capitulaire de l'an 813, art. 14 et 20, p. 509.

k. Capitulare quintum anni 819, art. 23, édit. de Baluze, p. 617. *Ut ubicumque missi, aut episcopum, aut abbatem, aut alium quemlibet,*

encore deux capitulaires de Charles le Chauve; l'un de l'an 861 [1], où l'on voit des juridictions particulières établies, des juges et des officiers sous eux; l'autre de l'an 864 [m], où il fait la distinction de ses propres seigneuries d'avec celles des particuliers.

On n'a point de concessions originaires des fiefs, parce qu'ils furent établis par le partage qu'on sait avoir été fait entre les vainqueurs. On ne peut donc pas prouver par des contrats originaires, que les justices, dans les commencements, aient été attachées aux fiefs : Mais si, dans les formules des confirmations, ou des translations à perpétuité de ces fiefs, on trouve, comme on a dit, que la justice y était établie, il fallait bien que ce droit de justice fût de la nature du fief et une de ses principales prérogatives.

Nous avons un plus grand nombre de monuments qui établissent la justice patrimoniale des églises dans leur territoire, que nous n'en avons pour prouver celle des bénéfices ou fiefs des leudes ou fidèles, par deux raisons : la première, que la plupart des monuments qui nous restent ont été conservés ou recueillis par les moines, pour l'utilité de leurs monastères : la seconde, que le patrimoine des églises ayant été formé par des concessions particulières, et une espèce de dérogation à l'ordre établi, il fallait des chartes pour cela; au lieu que les concessions faites aux leudes étant des conséquences de l'ordre politique, on n'avait pas besoin d'avoir, et encore moins de conserver une charte particulière. Souvent même les rois se contentaient de faire une simple tradition par le sceptre, comme il paraît par la vie de saint Maur.

Mais la troisième formule de Marculfe [n] nous prouve assez que le privilège d'immunité, et par conséquent celui de la justice, étaient communs aux ecclésiastiques et aux séculiers, puisqu'elle est faite pour les uns et pour

honore præditum invenerint, qui justitiam facere noluit vel prohibuit, de ipsius rebus vivant quandiu in eo loco justitias facere debent.

l. Edictum in Carisiaco, dans Baluze, t. II, p. 152. Unusquisque advocatus pro omnibus de sua advocatione... in convenientia ut cum ministerialibus de sua advocatione quos invenerit contra hunc bannum nostrum fecisse... castiget.

m. Edictum Pistense, art. 18, édition de Baluze, t. II, p. 181. Si in fiscum nostrum, vel in quamcumque immunitatem, aut alicujus potentis potestatem vel proprietatem consugerit, etc.

n. Livre I. Maximum regni nostri augere credimus monimentum, si beneficia opportuna locis ecclesiarum, aut cui volueris dicere, benivola deliberatione concedimus.

les autres. Il en est de même de la constitution de
Clotaire II °.

o Je l'ai citée dans le chapitre précédent : *Episcopi vel potentes.*

Chapitre XXIII

Idée générale du livre
de l'établissement de la monarchie française dans les Gaules,
par M. l'abbé Dubos.

Il est bon qu'avant de finir ce livre, j'examine un peu
l'ouvrage de M. l'abbé Dubos; parce que mes idées sont
perpétuellement contraires aux siennes; et que, s'il a
trouvé la vérité, je ne l'ai pas trouvée.

Cet ouvrage a séduit beaucoup de gens, parce qu'il est
écrit avec beaucoup d'art; parce qu'on y suppose éternel-
lement ce qui est en question; parce que, plus on y
manque de preuves, plus on y multiplie les probabilités;
parce qu'une infinité de conjectures sont mises en principe, et qu'on en tire, comme conséquences, d'autres
conjectures. Le lecteur oublie qu'il a douté, pour commencer à croire. Et, comme une érudition sans fin est placée,
non pas dans le système, mais à côté du système, l'esprit
est distrait par des accessoires, et ne s'occupe plus du
principal. D'ailleurs, tant de recherches ne permettent
pas d'imaginer qu'on n'ait rien trouvé; la longueur du
voyage fait croire qu'on est enfin arrivé.

Mais, quand on examine bien, on trouve un colosse
immense, qui a des pieds d'argile; et c'est parce que les
pieds sont d'argile, que le colosse est immense. Si le
système de M. l'abbé Dubos avait eu de bons fondements,
il n'aurait pas été obligé de faire trois mortels volumes
pour le prouver; il aurait tout trouvé dans son sujet; et,
sans aller chercher de toutes parts ce qui en était très
loin, la raison elle-même se serait chargée de placer cette
vérité dans la chaîne des autres vérités. L'histoire et nos
lois lui auraient dit : « Ne prenez point tant de peine :
nous rendrons témoignage de vous. »

Chapitre XXIV

Continuation du même sujet.
Réflexion sur le fond du système.

Monsieur l'abbé Dubos veut ôter toute espèce d'idée que les Francs soient entrés dans les Gaules en conquérants : selon lui, nos rois, appelés par les peuples, n'ont fait que se mettre à la place, et succéder aux droits des empereurs romains.

Cette prétention ne peut pas s'appliquer au temps où Clovis, entrant dans les Gaules, saccagea et prit les villes ; elle ne peut pas s'appliquer non plus au temps où il défit Syagrius, officier romain, et conquit les pays qu'il tenait : elle ne peut donc se rapporter qu'à celui où Clovis, devenu maître d'une grande partie des Gaules par la violence, aurait été appelé, par le choix et l'amour des peuples, à la domination du reste du pays. Et il ne suffit pas que Clovis ait été reçu, il faut qu'il ait été appelé ; il faut que M. l'abbé Dubos prouve que les peuples ont mieux aimé vivre sous la domination de Clovis, que de vivre sous la domination des Romains, ou sous leurs propres lois. Or les Romains de cette partie des Gaules qui n'avait point encore été envahie par les barbares, étaient, selon M. l'abbé Dubos, de deux sortes ; les uns étaient de la confédération armorique, et avaient chassé les officiers de l'empereur, pour se défendre eux-mêmes contre les barbares, et se gouverner par leurs propres lois ; les autres obéissaient aux officiers romains. Or, M. l'abbé Dubos prouve-t-il que les Romains, qui étaient encore soumis à l'empire, aient appelé Clovis ? point du tout. Prouve-t-il que la république des Armoriques ait appelé Clovis, et fait même quelque traité avec lui ? point du tout encore. Bien loin qu'il puisse nous dire quelle fut la destinée de cette république, il n'en saurait pas même montrer l'existence : et, quoiqu'il la suive depuis le temps d'Honorius jusqu'à la conquête de Clovis ; quoiqu'il y rapporte, avec un art admirable, tous les événements de ces temps-là, elle est restée invisible dans les auteurs. Car il y a bien de la différence entre prouver, par un passage de Zozime [a], que, sous l'empire d'Honorius, la

a. *Hist.*, liv. VI.

contrée armorique et les autres provinces des Gaules se révoltèrent, et formèrent une espèce de république [b]; et faire voir que, malgré les diverses pacifications des Gaules, les Armoriques formèrent toujours une république particulière, qui subsista jusqu'à la conquête de Clovis. Cependant il aurait besoin, pour établir son système, de preuves bien fortes et bien précises. Car, quand on voit un conquérant entrer dans un Etat, et en soumetttre une grande partie par la force et par la violence; et qu'on voit, quelque temps après, l'Etat entier soumis, sans que l'histoire dise comment il l'a été; on a un très juste sujet de croire que l'affaire a fini comme elle a commencé.

Ce point une fois manqué, il est aisé de voir que tout le système de M. l'abbé Dubos croule de fond en comble; et, toutes les fois qu'il tirera quelque conséquence de ce principe, que les Gaules n'ont pas été conquises par les Francs, mais que les Francs ont été appelés par les Romains, on pourra toujours la lui nier.

M. l'abbé Dubos prouve son principe par les dignités romaines dont Clovis fut revêtu : il veut que Clovis ait succédé à Childéric son père, dans l'emploi de Maître de la milice. Mais ces deux charges sont purement de sa création. La lettre de saint Remy à Clovis, sur laquelle il se fonde [c], n'est qu'une félicitation sur son avènement à la couronne. Quand l'objet d'un écrit est connu, pourquoi lui en donner un qui ne l'est pas ?

Clovis, sur la fin de son règne, fut fait consul par l'empereur Anastase : mais quel droit pouvait lui donner une autorité simplement annale ? Il y a apparence, dit M. l'abbé Dubos, que, dans le même diplôme, l'empereur Anastase fit Clovis proconsul. Et moi, je dirai qu'il y a apparence qu'il ne le fit pas. Sur un fait qui n'est fondé sur rien, l'autorité de celui qui le nie est égale à l'autorité de celui qui l'allègue. J'ai même une raison pour cela. Grégoire de Tours, qui parle du consulat, ne dit rien du proconsulat. Ce proconsulat n'aurait été même que d'environ dix mois. Clovis mourut un an et demi après avoir été fait consul; il n'est pas possible de faire du proconsulat une charge héréditaire. Enfin, quand le consulat, et, si l'on veut, le proconsulat, lui furent donnés, il était déjà le maître de la monarchie, et tous ses droits étaient établis.

b. *Totusque tractus armoricus, aliæque Galliarum provinciæ ; ibid.*
c. T. II, liv. III, chap. XVIII, p. 270.

La seconde preuve que M. l'abbé Dubos allègue, c'est la cession faite par l'empereur Justinien, aux enfants et aux petits-enfants de Clovis, de tous les droits de l'empire sur les Gaules. J'aurais bien des choses à dire sur cette cession. On peut juger de l'importance que les rois de France y mirent, par la manière dont ils en exécutèrent les conditions. D'ailleurs, les rois des Francs étaient maîtres des Gaules; ils étaient souverains paisibles; Justinien n'y possédait pas un pouce de terre; l'empire d'Occident était détruit depuis longtemps; et l'empereur d'Orient n'avait de droit sur les Gaules, que comme représentant l'empereur d'Occident; c'étaient des droits sur des droits. La monarchie des Francs était déjà fondée; le règlement de leur établissement était fait; les droits réciproques des personnes, et des diverses nations qui vivaient dans la monarchie, étaient convenus; les lois de chaque nation étaient données, et même rédigées par écrit. Que faisait cette cession étrangère à un établissement déjà formé?

Que veut dire M. l'abbé Dubos avec les déclamations de tous ces évêques, qui, dans le désordre, la confusion, la chute totale de l'État, les ravages de la conquête, cherchent à flatter le vainqueur? Que suppose la flatterie, que la faiblesse de celui qui est obligé de flatter? Que prouvent la rhétorique et la poésie, que l'emploi même de ces arts? Qui ne serait étonné de voir Grégoire de Tours, qui, après avoir parlé des assassinats de Clovis, dit que cependant Dieu prosternait tous les jours ses ennemis, parce qu'il marchait dans ses voies? Qui peut douter que le clergé n'ait été bien aise de la conversion de Clovis, et qu'il n'en ait même tiré des grands avantages? Mais qui peut douter, en même temps, que les peuples n'aient essuyé tous les malheurs de la conquête, et que le gouvernement romain n'ait cédé au gouvernement germanique? Les Francs n'ont point voulu, et n'ont pas même pu tout changer; et même peu de vainqueurs ont eu cette manie. Mais, pour que toutes les conséquences de M. l'abbé Dubos fussent vraies, il aurait fallu que non seulement ils n'eussent rien changé chez les Romains, mais encore qu'ils se fussent changés eux-mêmes.

Je m'engagerais bien, en suivant la méthode de M. l'abbé Dubos, à prouver de même que les Grecs ne conquirent pas la Perse. D'abord, je parlerais des traités que quelques-unes de leurs villes firent avec les Perses: je parle-

rais des Grecs qui furent à la solde des Perses, comme les
Francs furent à la solde des Romains. Que si Alexandre
entra dans le pays des Perses, assiégea, prit et détruisit
la ville de Tyr, c'était une affaire particulière, comme celle
de Syagrius. Mais, voyez comment le pontife des Juifs
vient au-devant de lui : écoutez l'oracle de Jupiter
Ammon : ressouvenez-vous comment il avait été prédit
à Gordium : voyez comment toutes les villes courent,
pour ainsi dire, au-devant de lui ; comment les satrapes
et les grands arrivent en foule. Il s'habille à la manière
des Perses ; c'est la robe consulaire de Clovis. Darius ne
lui offrit-il pas la moitié de son royaume ? Darius n'est-il
pas assassiné comme un tyran ? La mère et la femme de
Darius ne pleurent-elles pas la mort d'Alexandre ?
Quinte-Curce, Arrien, Plutarque, étaient-ils contemporains d'Alexandre ? L'imprimerie ne nous a-t-elle pas
donné des lumières qui manquaient à ces auteurs [d] ?
Voilà l'histoire de *L'Établissement de la monarchie française dans les Gaules.*

d. Voyez le Discours préliminaire de M. l'abbé Dubos.

CHAPITRE XXV
De la noblesse française.

M. l'abbé Dubos soutient que, dans les premiers temps de notre monarchie, il n'y avait qu'un seul
ordre de citoyens parmi les Francs. Cette prétention,
injurieuse au sang de nos premières familles, ne le serait
pas moins aux trois grandes maisons qui ont successivement régné sur nous. L'origine de leur grandeur
n'irait donc point se perdre dans l'oubli, la nuit et le
temps : l'histoire éclairerait des siècles où elles auraient
été des familles communes : et, pour que Childéric, Pépin,
et Hugues Capet, fussent gentilshommes, il faudrait
aller chercher leur origine parmi les Romains ou les
Saxons, c'est-à-dire, parmi les nations subjuguées.

M. l'abbé Dubos fonde son opinion sur la loi salique [a].
Il est clair, dit-il, par cette loi, qu'il n'y avait point deux

a. Voyez l'*Établissement de la monarchie française*, t. III, liv. VI,
chap. IV, p. 304.

ordres de citoyens chez les Francs. Elle donnait deux
cents sous de composition pour la mort de quelque Franc
que ce fût [b] : mais elle distinguait, chez les Romains, le
convive du roi, pour la mort duquel elle donnait trois
cents sous de composition ; du Romain possesseur, à qui
elle en donnait cent ; et du Romain tributaire, à qui elle
n'en donnait que quarante-cinq. Et, comme la différence
des compositions faisait la distinction principale, il
conclut que, chez les Francs, il n'y avait qu'un ordre de
citoyens ; et qu'il y en avait trois chez les Romains.

Il est surprenant que son erreur même ne lui ait pas
fait découvrir son erreur. En effet, il eût été bien extraordinaire que les nobles romains, qui vivaient sous la domination des Francs, y eussent eu une composition plus
grande, et y eussent été des personnages plus importants
que les plus illustres des Francs, et leurs plus grands
capitaines. Quelle apparence que le peuple vainqueur eût
eu si peu de respect pour lui-même, et qu'il en eût eu
tant pour le peuple vaincu ? De plus, M. l'abbé Dubos
cite les lois des autres nations barbares, qui prouvent
qu'il y avait parmi eux divers ordres de citoyens. Il serait
bien extraordinaire que cette règle générale eût précisément manqué chez les Francs. Cela aurait dû lui faire
penser qu'il entendait mal, ou qu'il appliquait mal les
textes de la loi salique ; ce qui lui est effectivement arrivé.

On trouve, en ouvrant cette loi, que la composition
pour la mort d'un antrustion, c'est-à-dire d'un fidèle ou
vassal du roi, était de six cents sous [c] ; et que celle pour
la mort d'un Romain, convive du roi, n'était que de
trois cents [d]. On y trouve [e] que la composition pour la
mort d'un simple Franc était de deux cents sous [f] ; et que
celle pour la mort d'un Romain d'une condition ordinaire
n'était que de cent [g]. On payait encore, pour la mort d'un
Romain tributaire, espèce de serf ou d'affranchi, une
composition de quarante-cinq sols [h] ; mais je n'en parle-

---

b. Il cite le titre 44 de cette loi, et la loi des Ripuaires, tit. 7 et 36.
c. *Qui in truste dominica est,* tit. 44, § 4 ; et cela se rapporte à la
formule 13 de Marculfe, *de regis antrustione.* Voyez aussi le titre 66
de la loi salique, § 3 et 4 ; et le tit. 74 : et la loi des Ripuaires, tit. 11 ;
et le capitulaire de Charles le Chauve, *apud Carisiacum,* de l'an 877,
chap. xx.
d. Loi salique, tit. 44, § 6.
e. *Ibid.,* § 4.
f. *Ibid.,* § 1.
g. *Ibid.,* tit. 44, § 15.
h. *Ibid.,* § 7.

rai point, non plus que de celle pour la mort du serf franc, ou de l'affranchi franc : il n'est point ici question de ce troisième ordre de personnes.

Que fait M. l'abbé Dubos ? Il passe sous silence le premier ordre de personnes chez les Francs, c'est-à-dire, l'article qui concerne les antrustions : et ensuite, comparant le Franc ordinaire, pour la mort duquel on payait deux cents sous de composition, avec ceux qu'il appelle des trois ordres chez les Romains, et pour la mort desquels on payait des compositions différentes, il trouve qu'il n'y avait qu'un seul ordre de citoyens chez les Francs, et qu'il y en avait trois chez les Romains.

Comme, selon lui, il n'y avait qu'un seul ordre de personnes chez les Francs, il eût été bon qu'il n'y en eût eu qu'un aussi chez les Bourguignons, parce que leur royaume forma une des principales pièces de notre monarchie. Mais il y a dans leurs codes trois sortes de compositions; l'une pour le noble Bourguignon ou Romain, l'autre pour le Bourguignon ou Romain d'une condition médiocre, la troisième pour ceux qui étaient d'une condition inférieure dans les deux nations [i]. M. l'abbé Dubos n'a point cité cette loi.

Il est singulier de voir comment il échappe aux passages qui le pressent de toutes parts [k]. Lui parle-t-on des grands, des seigneurs, des nobles ? Ce sont, dit-il, de simples distinctions, et non pas des distinctions d'ordre; ce sont des choses de courtoisie, et non pas des prérogatives de la loi : ou bien, dit-il, les gens dont on parle étaient du conseil du roi; ils pouvaient même être des Romains : mais il n'y avait toujours qu'un seul ordre de citoyens chez les Francs. D'un autre côté, s'il est parlé de quelque Franc d'un rang inférieur, ce sont des serfs [l]; et c'est de cette manière qu'il interprète le décret de Childebert. Il est nécessaire que je m'arrête sur ce décret. M. l'abbé Dubos l'a rendu fameux, parce qu'il s'en est servi pour prouver deux choses; l'une, que toutes les compositions que l'on trouve dans les lois des barbares

i. Si quis, quolibet casu, dentem optimati Burgundioni vel Romano nobili excusserit, solidos vigentiquinque cogatur exsolvere; de mediocribus personis ingenuis, tam Burgundionibus quam Romanis, si dens excussus fuerit, decem solidis componatur; de inferioribus personis, quinque solidos : art. 1, 2 et 3 du tit. 26 de la loi des Bourguignons.

k. Etablissement de la monarchie française, t. III, liv. VI, chap. IV et v.

l. Ibid., t. III, chap. v, p. 319 et 320.

n'étaient que des intérêts civils ajoutés aux peines corporelles [m], ce qui renverse de fond en comble tous les anciens monuments; l'autre, que tous les hommes libres étaient jugés directement et immédiatement par le roi [n], ce qui est contredit par une infinité de passages et d'autorités qui nous font connaître l'ordre judiciaire de ces temps-là [o].

Il est dit, dans ce décret fait dans une assemblée de la nation, que, si le juge trouve un voleur fameux, il le fera lier pour être envoyé devant le roi, si c'est un Franc *(Francus);* mais, si c'est une personne plus faible *(debilior persona)*, il sera pendu sur le lieu [p]. Selon M. l'abbé Dubos, *Francus* est un homme libre, *debilior persona* est un serf. J'ignorerai, pour un moment, ce que peut signifier ici le mot *Francus;* et je commencerai par examiner ce qu'on peut entendre par ces mots, *une personne plus faible.* Je dis que, dans quelque langue que ce soit, tout comparatif suppose nécessairement trois termes, le plus grand, le moindre, et le plus petit. S'il n'était ici question que des hommes libres et des serfs, on aurait dit un *serf,* et non pas *un homme d'une moindre puissance.* Ainsi *debilior persona* ne signifie point là un serf, mais une personne au-dessous de laquelle doit être le serf. Cela supposé, *Francus* ne signifiera pas un homme libre, mais un homme puissant : et *Francus* est pris ici dans cette acception, parce que, parmi les Francs, étaient toujours ceux qui avaient dans l'État une plus grande puissance, et qu'il était plus difficile au juge ou au comte de corriger. Cette explication s'accorde avec un grand nombre de capitulaires, qui donnent les cas dans lesquels les criminels pouvaient être renvoyés devant le roi, et ceux où ils ne le pouvaient pas [q].

On trouve, dans la vie de Louis le Débonnaire écrite par Tégan [r], que les évêques furent les principaux

---

m. Etablissement de la monarchie française, liv. VI, chap. IV, p. 307 et 308.

n. Ibid., p. 309; et au chap. suiv., p. 319 et 320.

o. Voyez le liv. XXVIII de cet ouvrage, chap. XXVIII; et le liv. XXXI, chap. VIII.

p. Itaque colonia convenit et ita bannivimus, ut unusquisque judex criminosum latronem ut audierit, ad casam suam ambulet, et ipsum ligare faciat : ita ut, si Francus fuerit, ad nostram præsentiam dirigatur; et, si debilior persona fuerit, in loco pendatur. Capitulaire de l'édition de Baluze, t. I, p. 19.

q. Voyez le liv. XXVIII de cet ouvrage, chap. XXVIII; et le liv. XXXI, chap. VIII.

r. Chap. XLIII et XLIV.

auteurs de l'humiliation de cet empereur, surtout ceux qui
avaient été serfs, et ceux qui étaient nés parmi les barbares. Tégan apostrophe ainsi Hébon, que ce prince avait
tiré de la servitude, et avait fait archevêque de Reims :
« Quelle récompense l'empereur a-t-il reçue de tant de
bienfaits [s] ! Il t'a fait libre, et non pas noble ; il ne pouvait
pas te faire noble, « après t'avoir donné la liberté. »

Ce discours, qui prouve si formellement deux ordres
de citoyens, n'embarrasse point M. l'abbé Dubos. Il
répond ainsi [t] : « Ce passage ne veut point dire que Louis
le Débonnaire n'eût pas pu faire entrer Hébon dans
l'ordre des nobles. Hébon, comme archevêque de Reims,
eût été du premier ordre, supérieur à celui de la
noblesse. » Je laisse au lecteur à décider si ce passage ne
le veut point dire ; je lui laisse à juger, s'il est ici question
d'une préséance du clergé sur la noblesse. « Ce passage
prouve seulement, continue M. l'abbé Dubos [u], que les
citoyens nés libres étaient qualifiés de noble-hommes :
dans l'usage du monde, noble-homme, et homme né
libre, ont signifié longtemps la même chose. » Quoi ! sur
ce que, dans nos temps modernes, quelques bourgeois
ont pris la qualité de noble-hommes, un passage de la vie
de Louis le Débonnaire s'appliquera à ces sortes de gens !
« Peut-être aussi, ajoute-t-il encore [x], qu'Hébon n'avait
point été esclave dans la nation des Francs, mais dans la
nation saxonne, ou dans une autre nation germanique, où
les citoyens étaient divisés en plusieurs ordres. » Donc, à
cause du *peut-être* de M. l'abbé Dubos, il n'y aura point
eu de noblesse dans la nation des Francs. Mais il n'a
jamais plus mal appliqué de *peut-être*. On vient de voir
que Tégan [y] distingue les évêques qui avaient été opposés
à Louis le Débonnaire, dont les uns avaient été serfs, et
les autres étaient d'une nation barbare. Hébon était des
premiers, et non pas des seconds. D'ailleurs, je ne sais
comment on peut dire qu'un serf, tel qu'Hébon, aurait été
Saxon ou Germain : un serf n'a point de famille, ni par

---

s. *O qualem remunerationem reddidisti ei ! Fecit te liberum, non nobi-*
lem, quod impossibile est post libertatem ; ibid.

t. *Etablissement de la monarchie française,* t. III, liv. VI, chap. IV,
p. 316.

u. *Ibid.*

x. *Ibid.*

y. *Omnes episcopi molesti fuerunt Ludovico, et maxime ii quos e ser-*
vili conditione honoratos habebat, cum his qui ex barbaris nationibus ad
hoc fastigium perducti sunt. De gestis *Ludovici pii,* cap. XLIII et XLIV.

conséquent de nation. Louis le Débonnaire affranchit
Hébon; et, comme les serfs affranchis prenaient la loi
de leur maître, Hébon devint Franc, et non pas Saxon
ou Germain.

Je viens d'attaquer; il faut que je me défende. On me
dira que le corps des antrustions formait bien dans l'Etat
un ordre distingué de celui des hommes libres; mais que,
comme les fiefs furent d'abord amovibles, et ensuite à
vie, cela ne pouvait pas former une noblesse d'origine,
puisque les prérogatives n'étaient point attachées à un
fief héréditaire. C'est cette objection qui a, sans doute, fait
penser à M. de Valois, qu'il n'y avait qu'un seul ordre de
citoyens chez les Francs : sentiment que M. l'abbé Dubos
a pris de lui, et qu'il a absolument gâté à force de mauvaises preuves. Quoi qu'il en soit, ce n'est point M. l'abbé
Dubos qui aurait pu faire cette objection. Car, ayant
donné trois ordres de noblesse romaine, et la qualité de
convive du roi pour le premier, il n'aurait pas pu dire que
ce titre marquât plus une noblesse d'origine, que celui
d'antrustion. Mais il faut une réponse directe. Les
antrustions ou fidèles n'étaient pas tels, parce qu'ils
avaient un fief; mais on leur donnait un fief, parce qu'ils
étaient antrustions ou fidèles. On se ressouvient de ce
que j'ai dit dans les premiers chapitres de ce livre : Ils
n'avaient pas pour lors, comme ils eurent dans la suite,
le même fief; mais, s'ils n'avaient pas celui-là, ils en
avaient un autre, et parce que les fiefs se donnaient à la
naissance, et parce qu'ils se donnaient souvent dans les
assemblées de la nation, et enfin parce que, comme il
était de l'intérêt des nobles d'en avoir, il était aussi de
l'intérêt du roi de leur en donner. Ces familles étaient
distinguées par leur dignité de fidèles, et par la prérogative de pouvoir se recommander pour un fief. Je ferai
voir, dans le livre suivant [z], comment, par les circonstances des temps, il y eut des hommes libres qui furent
admis à jouir de cette grande prérogative, et par conséquent à entrer dans l'ordre de la noblesse. Cela n'était
point ainsi du temps de Gontran et de Childebert, son
neveu; et cela était ainsi du temps de Charlemagne. Mais
quoique, dès le temps de ce prince, les hommes libres ne
fussent pas incapables de posséder des fiefs, il paraît, par
le passage de Tégan rapporté ci-dessus, que les serfs
affranchis en étaient absolument exclus. M. l'abbé

z. Chap. XXIII.

Dubos [a], qui va en Turquie, pour nous donner une idée de ce qu'était l'ancienne noblesse française, nous dira-t-il qu'on se soit jamais plaint en Turquie de ce qu'on y élevait aux honneurs et aux dignités des gens de basse naissance, comme on s'en plaignait sous les règnes de Louis le Débonnaire et de Charles le Chauve ? On ne s'en plaignait pas du temps de Charlemagne, parce que ce prince distingua toujours les anciennes familles d'avec les nouvelles ; ce que Louis le Débonnaire et Charles le Chauve ne firent pas.

Le public ne doit pas oublier qu'il est redevable à M. l'abbé Dubos de plusieurs compositions excellentes. C'est sur ces beaux ouvrages qu'il doit le juger, et non pas sur celui-ci. M. l'abbé Dubos y est tombé dans de grandes fautes, parce qu'il a plus eu devant les yeux M. le comte de Boulainvilliers, que son sujet. Je ne tirerai de toutes mes critiques, que cette réflexion : Si ce grand homme a erré, que ne dois-je pas craindre ?

---

a. *Histoire de l'établissement de la monarchie française*, t. III, liv. VI, chap. IV, p. 302.

LIVRE XXXI

*THÉORIE DES LOIS FÉODALES CHEZ LES FRANCS, DANS
LE RAPPORT QU'ELLES ONT AVEC LES RÉVOLUTIONS
DE LEUR MONARCHIE*

CHAPITRE PREMIER

Changements dans les offices et les fiefs.

D'abord les comtes n'étaient envoyés dans leurs districts que pour un an; bientôt ils achetèrent la continuation de leurs offices. On en trouve un exemple dès le règne des petits-enfants de Clovis. Un certain Péonius était comte dans la ville d'Auxerre [a]; il envoya son fils Mummolus porter de l'argent à Gontran, pour être continué dans son emploi; le fils donna de l'argent pour lui-même, et obtint la place du père. Les rois avaient déjà commencé à corrompre leurs propres grâces.

Quoique, par la loi du royaume, les fiefs fussent amovibles, ils ne se donnaient pourtant, ni ne s'ôtaient d'une manière capricieuse et arbitraire; et c'était ordinairement une des principales choses qui se traitaient dans les assemblées de la nation. On peut bien penser que la corruption se glissa dans ce point, comme elle s'était glissée dans l'autre; et que l'on continua la possession des fiefs pour de l'argent, comme on continuait la possession des comtés.

Je ferai voir, dans la suite de ce livre [b], qu'indépendamment des dons que les princes firent pour un temps, il y en eut d'autres qu'ils firent pour toujours. Il arriva que la cour voulut révoquer les dons qui avaient été faits: cela mit un mécontentement général dans la nation, et l'on en vit bientôt naître cette révolution fameuse dans

---

a. *Grégoire de Tours*, liv. IV, chap. XLII.
b. Chap. VII.

l'histoire de France, dont la première époque fut le spectacle étonnant du supplice de Brunehault.

Il paraît d'abord extraordinaire que cette reine, fille, sœur, mère de tant de rois, fameuse encore aujourd'hui par des ouvrages dignes d'un édile ou d'un proconsul romain, née avec un génie admirable pour les affaires, douée de qualités qui avaient été si longtemps respectées, se soit vue tout à coup exposée à des supplices si longs, si honteux, si cruels [c], par un roi dont l'autorité était assez mal affermie dans sa nation [d], si elle n'était tombée, par quelque cause particulière, dans la disgrâce de cette nation. Clotaire lui reprocha la mort de dix rois [e] : mais il y en avait deux qu'il fit lui-même mourir; la mort de quelques autres fut le crime du sort ou de la méchanceté d'une autre reine : et une nation qui avait laissé mourir Frédégonde dans son lit, qui s'était même opposée à la punition de ses épouvantables crimes [f], devait être bien froide sur ceux de Brunehault.

Elle fut mise sur un chameau, et on la promena dans toute l'armée; marque certaine qu'elle était tombée dans la disgrâce de cette armée. Frédégaire dit que Protaire, favori de Brunehault, prenait le bien des seigneurs, et en gorgeait le fisc, qu'il humiliait la noblesse, et que personne ne pouvait être sûr de garder le poste qu'il avait [g]. L'armée conjura contre lui, on le poignarda dans sa tente; et Brunehault, soit par les vengeances qu'elle tira de cette mort [h], soit par la poursuite du même plan, devint tous les jours plus odieuse à la nation [i].

Clotaire, ambitieux de régner seul, et plein de la plus affreuse vengeance, sûr de périr si les enfants de Brunehault avaient le dessus, entra dans une conjuration contre lui-même; et, soit qu'il fût malhabile, ou qu'il fût forcé par les circonstances, il se rendit accusateur de Brunehault, et fit faire de cette reine un exemple terrible.

c. *Chronique* de Frédégaire, chap. XLII.
d. Clotaire II, fils de Chilpéric, et père de Dagobert.
e. *Chronique* de Frédégaire, chap. XLII.
f. Voyez Grégoire de Tours, liv. VIII, chap. XXXI.
g. *Sæva illi fuit contra personas iniquitas, fisco nimium tribuens, de rebus personarum ingeniosè fiscum vellens implere... ut nullus reperiretur qui gradum quem arripuerat potuisset adsumere.* Chronique de Frédégaire, chap. XXVII, sur l'an 605.
h. *Ibid.*, chap. XXVIII, sur l'an 607.
i. *Ibid.*, chap. XLI, sur l'an 613. *Burgundiæ farones, tam episcopi quam cæteri leudes, timentes Brunichildem, et odium in eam habentes, consilium inientes,* etc.

Warnachaire avait été l'âme de la conjuration contre Brunehault; il fut fait maire de Bourgogne; il exigea de Clotaire qu'il ne serait jamais déplacé pendant sa vie [k]. Par là le maire ne put plus être dans le cas où avaient été les seigneurs français; et cette autorité commença à se rendre indépendante de l'autorité royale.

C'était la funeste régence de Brunehault qui avait surtout effarouché la nation. Tandis que les lois subsistèrent dans leur force, personne ne put se plaindre de ce qu'on lui ôtait un fief, puisque la loi ne le lui donnait pas pour toujours : Mais, quand l'avarice, les mauvaises pratiques, la corruption firent donner des fiefs, on se plaignit de ce qu'on était privé par de mauvaises voies des choses que souvent on avait acquises de même. Peut-être que, si le bien public avait été le motif de la révocation des dons, on n'aurait rien dit : mais on montrait l'ordre, sans cacher la corruption; on réclamait le droit du fisc, pour prodiguer les biens du fisc à sa fantaisie; les dons ne furent plus la récompense ou l'espérance des services. Brunehault, par un esprit corrompu, voulut corriger les abus de la corruption ancienne. Ses caprices n'étaient point ceux d'un esprit faible : les leudes et les grands officiers se crurent perdus; ils la perdirent.

Il s'en faut bien que nous ayons tous les actes qui furent passés dans ces temps-là; et les faiseurs de chroniques, qui savaient à peu près, de l'histoire de leur temps, ce que les villageois savent aujourd'hui de celle du nôtre, sont très stériles. Cependant nous avons une constitution de Clotaire, donnée dans le concile de Paris [l], pour la réformation des abus [m], qui fait voir que ce prince fit cesser les plaintes qui avaient donné lieu à la révolution. D'un côté, il y confirme tous les dons qui avaient été faits ou confirmés par les rois ses prédécesseurs [n]; et il ordonne, de l'autre, que tout ce qui a été ôté à ses leudes ou fidèles leur soit rendu [o].

Ce ne fut pas la seule concession que le roi fit dans ce concile. Il voulut que ce qui avait été fait contre les pri-

---

k. Chronique de Frédégaire, chap. XLII, sur l'an 613. *Sacramento a Clotario accepto ne unquam vitæ suæ temporibus degradaretur.*

l. Quelque temps après le supplice de Brunehault, l'an 615. Voyez l'édition des Capitulaires de Baluze, p. 21.

m. Quæ contra rationis ordinem acta vel ordinata sunt, ne in antea, quod avertat divinitas, contingant, disposuerimus, Christo præsule, per hujus edicti tenorem generaliter emendare. In præmio, *ibid.*, art. 16.

n. Ibid., art. 16.

o. Ibid., art. 17.

vilèges des ecclésiastiques fût corrigé [p] : il modéra l'influence de la cour dans les élections aux évêchés [q]. Le roi réforma de même les affaires fiscales; il voulut que tous les nouveaux cens fussent ôtés [r]; qu'on ne levât aucun droit de passage établi depuis la mort de Gontran, Sigebert et Chilpéric [s]; c'est-à-dire qu'il supprimait tout ce qui avait été fait pendant les régences de Frédégonde et de Brunehault : il défendit que ses troupeaux fussent menés dans les forêts des particuliers [t] : et nous allons voir tout à l'heure que la réforme fut encore plus générale, et s'étendit aux affaires civiles.

CHAPITRE II

Comment le gouvernement civil fut réformé.

On avait vu jusqu'ici la nation donner des marques d'impatience et de légèreté sur le choix, ou sur la conduite de ses maîtres; on l'avait vu régler les différends de ses maîtres entre eux, et leur imposer la nécessité de la paix. Mais, ce qu'on n'avait pas encore vu, la nation le fit pour lors : elle jeta les yeux sur sa situation actuelle; elle examina ses lois de sang-froid; elle pourvut à leur insuffisance; elle arrêta la violence; elle régla le pouvoir.

Les régences mâles, hardies et insolentes de Frédégonde et de Brunehault, avaient moins étonné cette nation, qu'elles ne l'avaient avertie. Frédégonde avait défendu ses méchancetés par ses méchancetés mêmes; elle avait justifié le poison et les assassinats par le poison et les assassinats; elle s'était conduite de manière que ses attentats étaient encore plus particuliers que publics. Frédégonde fit plus de maux, Brunehault en fit craindre davantage. Dans cette crise, la nation ne se contenta pas

---

p. Et quod per tempora ex hoc prætermissum est, vel dehinc, perpetualiter observetur.

q. Ita ut, episcopo decedente, in loco ipsius qui a metropolitano ordinari debet cum principalibus, a clero et populo eligatur; et, si persona condigna fuerit, per ordinationem principis ordinetur; vel certe, si de palatio eligitur, per meritum personæ et doctrinæ ordinetur ; ibid., art. 1.

r. Ut ubicumque census novus impie additus est, emendetur ; art. 8.

s. Ibid., art. 9.

t. Ibid., art. 21.

de mettre ordre au gouvernement féodal ; elle voulut aussi assurer son gouvernement civil : car celui-ci était encore plus corrompu que l'autre ; et cette corruption était d'autant plus dangereuse, qu'elle était plus ancienne, et tenait plus, en quelque sorte, à l'abus des mœurs qu'à l'abus des lois.

L'histoire de Grégoire de Tours, et les autres monuments nous font voir, d'un côté, une nation féroce et barbare ; et, de l'autre, des rois qui ne l'étaient pas moins. Ces princes étaient meurtriers, injustes, et cruels, parce que toute la nation l'était. Si le christianisme parut quelquefois les adoucir, ce ne fut que par les terreurs que le christianisme donne aux coupables. Les églises se défendirent contre eux par les miracles et les prodiges de leurs saints. Les rois n'étaient point sacrilèges, parce qu'ils redoutaient les peines des sacrilèges : mais d'ailleurs ils commirent, ou par colère, ou de sang-froid, toutes sortes de crimes et d'injustices, parce que ces crimes et ces injustices ne leur montraient pas la main de la divinité si présente. Les Francs, comme j'ai dit, souffraient des rois meurtriers, parce qu'ils étaient meurtriers eux-mêmes ; ils n'étaient point frappés des injustices et des rapines de leurs rois, parce qu'ils étaient ravisseurs et injustes comme eux. Il y avait bien des lois établies ; mais les rois les rendaient inutiles par de certaines lettres appelées préceptions [a], qui renversaient ces mêmes lois : c'était à peu près comme les rescrits des empereurs romains, soit que les rois eussent pris d'eux cet usage, soit qu'ils l'eussent tiré du fond même de leur naturel. On voit, dans Grégoire de Tours, qu'ils faisaient des meurtres de sang-froid, et faisaient mourir des accusés qui n'avaient pas seulement été entendus ; ils donnaient des préceptions pour faire des mariages illicites [b] ; ils en donnaient pour transporter les successions ; ils en donnaient pour ôter le droit des parents ; ils en donnaient pour épouser les religieuses. Ils ne faisaient point, à la vérité, des lois de leur seul mouvement ; mais ils suspendaient la pratique de celles qui étaient faites.

L'édit de Clotaire redressa tous les griefs. Personne ne

a. C'étaient des ordres que le roi envoyait aux juges, pour faire ou souffrir de certaines choses contre la loi.
b. Voyez *Grégoire de Tours*, liv. IV, p. 227. L'histoire et les chartes sont pleines de ceci ; et l'étendue de ces abus paraît surtout dans l'édit de Clotaire II, de l'an 515, donné pour les réformer. Voyez les capitulaires, édition de Baluze, t. I, p. 22.

put plus être condamné, sans être entendu ^{c}; les parents durent toujours succéder selon l'ordre établi par la loi ^{d}; toutes préceptions pour épouser des filles, des veuves, ou des religieuses, furent nulles, et on punit sévèrement ceux qui les obtinrent, et en firent usage ^{e}. Nous saurions peut-être plus exactement ce qu'il statuait sur ces préceptions, si l'article 13 de ce décret et les deux suivants n'avaient péri par le temps. Nous n'avons que les premiers mots de cet article 13, qui ordonne que les préceptions seront observées; ce qui ne peut pas s'entendre de celles qu'il venait d'abolir par la même loi. Nous avons une autre constitution du même prince, qui se rapporte à son édit, et corrige de même, de point en point, tous les abus des préceptions ^{f}.

Il est vrai que M. Baluze, trouvant cette constitution sans date, et sans le nom du lieu où elle a été donnée, l'a attribuée à Clotaire Ier. Elle est de Clotaire II. J'en donnerai trois raisons.

1° Il y est dit que le roi conservera les immunités accordées aux églises par son père et son aïeul ^{g}. Quelles immunités aurait pu accorder aux églises Childéric, aïeul de Clotaire Ier, lui qui n'était pas chrétien, et qui vivait avant que la monarchie eût été fondée? Mais, si l'on attribue ce décret à Clotaire II, on lui trouvera pour aïeul Clotaire Ier lui-même, qui fit des dons immenses aux églises, pour expier la mort de son fils Cramme, qu'il avait fait brûler avec sa femme et ses enfants.

2° Les abus que cette constitution corrige subsistèrent après la mort de Clotaire Ier, et furent même portés à leur comble pendant la faiblesse du règne de Gontran, la cruauté de celui de Chilpéric, et les détestables régences de Frédégonde et de Brunehault. Or comment la nation aurait-elle pu souffrir des griefs si solennellement proscrits, sans s'être jamais récriée sur le retour continuel de ces griefs? Comment n'aurait-elle pas fait pour lors ce qu'elle fit lorsque Chilpéric II ayant repris les anciennes violences ^{h}, elle le pressa d'ordonner que, dans les juge-

c. Art. 22.
d. *Ibid.*, art. 6.
e. *Ibid.*, art. 18.
f. Dans l'édit. des capitulaires de Baluze, t. I, p. 7.
g. J'ai parlé, au livre précédent, de ces immunités, qui étaient des concessions de droits de justice, et qui contenaient des défenses aux juges royaux de faire aucune fonction dans le territoire, et étaient équivalentes à l'érection ou concession d'un fief.
h. Il commença à régner vers l'an 670.

ments, on suivît la loi et les coutumes, comme on faisait anciennement [i] ?

Enfin, cette constitution, faite pour redresser les griefs, ne peut point concerner Clotaire Ier; puisqu'il n'y avait point sous son règne de plaintes dans le royaume à cet égard, et que son autorité y était très affermie, surtout dans le temps où l'on place cette constitution; au lieu qu'elle convient très bien aux événements qui arrivèrent sous le règne de Clotaire II, qui causèrent une révolution dans l'état politique du royaume. Il faut éclairer l'histoire par les lois, et les lois par l'histoire.

[i]. Voyez la vie de saint Léger.

CHAPITRE III

Autorité des maires du palais.

J'ai dit que Clotaire II s'était engagé à ne point ôter à Warnachaire la place de maire pendant sa vie. La révolution eut un autre effet. Avant ce temps, le maire était le maire du roi; il devint le maire du royaume : Le roi le choisissait; la nation le choisit. Protaire, avant la révolution, avait été fait maire par Théodéric [a], et Landéric par Frédégonde [b]; mais depuis, la nation fut en possession d'élire [c].

Ainsi il ne faut pas confondre, comme ont fait quelques auteurs, ces maires du palais avec ceux qui avaient cette dignité avant la mort de Brunehault, les maires du roi avec les maires du royaume. On voit, par la loi des Bourguignons, que chez eux la charge de maire n'était point une des premières de l'État [d] : elle ne fut pas non plus une des plus éminentes chez les premiers rois Francs [e].

a. *Instigante* Brunichilde, Theoderico *jubente*, etc. Frédégaire, chap. XXVII, sur l'an 605.
b. *Gesta regum Francorum*, chap. XXXVI.
c. Voyez Frédégaire, chronique, chap. LIV, sur l'an 626; et son continuateur anonyme, chap. CI, sur l'an 695; et chap. CV, sur l'an 715. Aimoin, liv. IV, chap. XV. EGINHARD, *Vie de Charlemagne*, chap. XLVIII. *Gesta regum Francorum*, chap. XLV.
d. Voyez la loi des Bourguignons, *in præfat.*, et le second supplément à cette loi, tit. XIII.
e. Voyez *Grégoire de Tours*, liv. IX, chap. XXXVI.

Clotaire rassura ceux qui possédaient des charges et des fiefs ; et, après la mort de Warnachaire, ce prince ayant demandé aux seigneurs assemblés à Troyes qui ils voulaient mettre en sa place, ils s'écrièrent tous qu'ils n'éliraient point ; et, lui demandant sa faveur, ils se mirent entre ses mains [f].

Dagobert réunit, comme son père, toute la monarchie : la nation se reposa sur lui, et ne lui donna point de maire. Ce prince se sentit en liberté ; et, rassuré d'ailleurs par ses victoires, il reprit le plan de Brunehault. Mais cela lui réussit si mal, que les leudes d'Austrasie se laissèrent battre par les Sclavons [g], s'en retournèrent chez eux, et les marches de l'Austrasie furent en proie aux barbares.

Il prit le parti d'offrir aux Austrasiens de céder l'Austrasie à son fils Sigebert, avec un trésor, et de mettre le gouvernement du royaume et du palais entre les mains de Cunibert, évêque de Cologne, et du duc Adalgise. Frédégaire n'entre point dans le détail des conventions qui furent faites pour lors : mais le roi les confirma toutes par ses chartes, et d'abord l'Austrasie fut mise hors de danger [h].

Dagobert, se sentant mourir, recommanda à Æga, sa femme Nentechilde et son fils Clovis. Les leudes de Neustrie et de Bourgogne choisirent ce jeune prince pour leur roi [i]. Æga et Nentechilde gouvernèrent le palais [k] ; ils rendirent tous les biens que Dagobert avait pris [l] ; et les plaintes cessèrent en Neustrie et en Bourgogne, comme elles avaient cessé en Austrasie.

Après la mort d'Æga, la reine Nentechilde engagea les seigneurs de Bourgogne à élire Floachatus pour leur

f. Eo anno, Clotarius _cum proceribus et leudibus Burgundiæ Trecassinis conjungitur : Cum eorum esset sollicitus, si vellent jam,_ Warnachario _discesso, alium in ejus honoris gradum sublimare : sed omnes unanimiter denegantes se nequaquam velle majoremdomus eligere, regis gratiam obnixe petentes, cum rege transegere._ Chronique de Frédégaire, chap. LVI, sur l'an 626.

g. Istam victoriam quam Vinidi _contra_ Francos _meruerunt, non tantum_ Sclavinorum _fortitudo obtinuit, quantum dementatio Austrasiorum, dum se cernebant cum_ Dagoberto _odium incurrisse, et assidue expoliarentur._ Chronique de Frédégaire, chap. LXVIII, sur l'an 630.

h. Deinceps Austrasii eorum studio limitem et regnum Francorum contra Vinidos _utiliter defensasse noscuntur ; ibid,_ chap. LXXV, sur l'an 632.

i. Ibid., chap. LXXIX, sur l'an 638.

k. Ibid.

l. Ibid., chap. LXXX, sur l'an 639.

maire ^m. Celui-ci envoya aux évêques et aux principaux
seigneurs du royaume de Bourgogne des lettres, par lesquelles il leur promettait de leur conserver pour toujours,
c'est-à-dire pendant leur vie, leurs honneurs et leurs
dignités ^n. Il confirma sa parole par un serment. C'est
ici que l'auteur du livre des maires de la maison royale
met le commencement de l'administration du royaume
par des maires du palais ^o.

Frédégaire, qui était Bourguignon, est entré dans de
plus grands détails sur ce qui regarde les maires de Bourgogne dans le temps de la révolution dont nous parlons,
que sur les maires d'Austrasie et de Neustrie : mais les
conventions qui furent faites en Bourgogne, furent, par
les mêmes raisons, faites en Neustrie et en Austrasie.

La nation crut qu'il était plus sûr de mettre la puissance entre les mains d'un maire qu'elle élisait, et à qui
elle pouvait imposer des conditions, qu'entre celles d'un
roi dont le pouvoir était héréditaire.

m. Chronique de Frédégaire, chap. LXXXIX, sur l'an 641.
n. *Ibid.* Floachatus *cunctis ducibus a regno Burgundiæ, seu pon-
tificibus, per epistolam etiam et sacramentis firmavit unicuique gradum
honoris et dignitatem, seu et amicitiam, perpetuo conservare.*
o. *Deinceps, a temporibus* Clodovei, *qui fuit filius* Dagoberti *inclyti
regis, pater vero* Theoderici, *regnum Francorum decidens per majores
domus cæpit ordinari.* De majoribusdomus regiæ.

Chapitre IV

Quel était, à l'égard des maires, le génie de la nation.

Un gouvernement dans lequel une nation qui avait un
roi élisait celui qui devait exercer la puissance royale,
paraît bien extraordinaire : mais, indépendamment des
circonstances où l'on se trouvait, je crois que les Francs
tiraient, à cet égard, leurs idées de bien loin.

Ils étaient descendus des Germains, dont Tacite dit
que, dans le choix de leur roi, ils se déterminaient par sa
noblesse; et, dans le choix de leur chef, par sa vertu ^a.
Voilà les rois de la première race, et les maires du palais;

a. *Reges ex nobilitate, duces ex virtute sumunt.* De morib. Germanorum.

les premiers étaient héréditaires, les seconds étaient électifs.

On ne peut douter que ces princes, qui, dans l'assemblée de la nation, se levaient, et se proposaient pour chefs de quelque entreprise à tous ceux qui voudraient les suivre, ne réunissent pour la plupart, dans leur personne, et l'autorité du roi et la puissance du maire. Leur noblesse leur avait donné la royauté; et leur vertu, les faisant suivre par plusieurs volontaires qui les prenaient pour chefs, leur donnait la puissance du maire. C'est par la dignité royale que nos premiers rois furent à la tête des tribunaux et des assemblées, et donnèrent des lois du consentement de ces assemblées : c'est par la dignité de duc ou de chef qu'ils firent leurs expéditions, et commandèrent leurs armées.

Pour connaître le génie des premiers Francs à cet égard, il n'y a qu'à jeter les yeux sur la conduite que tint Arbogaste, Franc de nation, à qui Valentinien avait donné le commandement de l'armée [b]. Il enferma l'empereur dans le palais; il ne permit à qui que ce fût de lui parler d'aucune affaire civile ou militaire. Arbogaste fit pour lors ce que les Pépins firent depuis.

[b]. Voyez Sulpicius Alexander, dans Grégoire de Tours, liv. II.

CHAPITRE V

Comment les maires obtinrent le commandement des armées.

Pendant que les rois commandèrent les armées, la nation ne pensa point à se choisir un chef. Clovis et ses quatre fils furent à la tête des Français, et les menèrent de victoire en victoire. Thibault, fils de Théodebert, prince jeune, faible et malade, fut le premier des rois qui resta dans son palais [a]. Il refusa de faire une expédition en Italie contre Narsès, et il eut le chagrin de voir les Francs se choisir deux chefs qui les y menèrent [b]. Des

a. L'an 552.
b. Leutheris *vero et* Butilinus, *tametsi id regi eorum minime placebat, belli cum eis societatem inierunt.* Agathias, liv. I, Grégoire de Tours, liv. IV, chap. IX.

quatre enfants de Clotaire Ier, Gontran fut celui qui négligea le plus de commander les armées [c] : d'autres rois suivirent cet exemple. Et pour remettre, sans péril, le commandement en d'autres mains, ils le donnèrent à plusieurs chefs ou ducs [d].

On en vit naître des inconvénients sans nombre : il n'y eut plus de discipline, on ne sut plus obéir ; les armées ne furent plus funestes qu'à leur propre pays ; elles étaient chargées de dépouilles avant d'arriver chez les ennemis. On trouve dans Grégoire de Tours une vive peinture de tous ces maux [e]. « Comment pourrons-nous obtenir la victoire, disait Gontran, nous qui ne conservons pas ce que nos pères ont acquis ? Notre nation n'est plus la même [f]... » Chose singulière ! elle était dans la décadence dès le temps des petits-fils de Clovis.

Il était donc naturel qu'on en vînt à faire un duc unique ; un duc qui eût de l'autorité sur cette multitude infinie de seigneurs et de leudes qui ne connaissaient plus leurs engagements ; un duc qui rétablît la discipline militaire, et qui menât contre l'ennemi une nation qui ne savait plus faire la guerre qu'à elle-même. On donna la puissance aux maires du palais.

La première fonction des maires du palais fut le gouvernement économique des maisons royales. Ils eurent, concurremment avec d'autres officiers, le gouvernement politique des fiefs [g] ; et, à la fin, ils en disposèrent seuls. Ils eurent aussi l'administration des affaires de la guerre, et le commandement des armées ; et ces deux fonctions se trouvèrent nécessairement liées avec les deux autres. Dans ces temps-là, il était plus difficile d'assembler les armées que de les commander : et quel autre que celui qui disposait des grâces, pouvait avoir cette autorité ? Dans cette nation indépendante et guerrière, il fallait plutôt inviter que contraindre ; il fallait donner ou faire

c. Gontran ne fit pas même l'expédition contre Gondovalde, qui se disait fils de Clotaire, et demandait sa part du royaume.

d. Quelquefois au nombre de vingt. Voyez *Grégoire de Tours*, liv. V, chap. XXVII ; liv. VIII, chap. XVIII et XXX ; liv. X, chap. III. Dagobert, qui n'avait point de maire en Bourgogne, eut la même politique, et envoya contre les Gascons dix ducs, et plusieurs comtes qui n'avaient point de ducs sur eux. Chronique de Frédégaire, chap. LXXVIII, sur l'an 636.

e. *Grégoire de Tours*, liv. VIII, chap. XXX ; et liv. X, chap. III. *Ibid.*, liv. VIII, chap. XXX.

f. *Ibid.*

g. Voyez le second supplément à la loi des Bourguignons, tit. 13 ; et *Grégoire de Tours*, liv. IX, chap. XXXVI.

espérer les fiefs qui vaquaient par la mort du possesseur, récompenser sans cesse, faire craindre les préférences : celui qui avait la surintendance du palais devait donc être le général de l'armée.

CHAPITRE VI

Seconde époque de l'abaissement des rois
de la première race.

Depuis le supplice de Brunehault, les maires avaient été administrateurs du royaume sous les rois; et, quoiqu'ils eussent la conduite de la guerre, les rois étaient pourtant à la tête des armées, et le maire et la nation combattaient sous eux. Mais la victoire du duc Pépin sur Théodéric et son maire [a] acheva de dégrader les rois [b] : celle que remporta Charles Martel sur Chilpéric et son maire Rainfroy [c], confirma cette dégradation. L'Austrasie triompha deux fois de la Neustrie et de la Bourgogne : et la mairie d'Austrasie étant comme attachée à la famille des Pépins, cette mairie s'éleva sur toutes les autres mairies, et cette maison sur toutes les autres maisons. Les vainqueurs craignirent que quelque homme accrédité ne se saisît de la personne des rois pour exciter des troubles. Ils les tinrent dans une maison royale, comme dans une espèce de prison [d]. Une fois chaque année, ils étaient montrés au peuple. Là ils faisaient des ordonnances [e], mais c'étaient celles du maire; ils répondaient aux ambassadeurs, mais c'étaient les réponses du maire. C'est dans ce temps que les historiens nous parlent du gouvernement des maires sur les rois qui leur étaient assujettis [f].

a. Voyez les annales de Metz, sur les années 687 et 688.
b. *Illis quidem nomina regnum imponens, ipse totius regni habens privilegium,* etc. *Ibid.,* sur l'an 695.
c. *Ibid.,* sur l'an 719.
d. *Sedemque illi regalem sub sua ditione concessit :* annales de Metz, sur l'an 719.
e. *Ex chronico Centulensi,* lib. II. *Ut responsa quæ erat edoctus, vel potius jussus, ex sua velut potestate redderet.*
f. Annales de Metz, sur l'an 691 : *Anno principatus* Pippini super Theodericum... Annales de Fulde ou de Laurisham. Pippinus, *dux Francorum,* obtinuit regnum Francorum per annos 27, cum regibus sibi subjectis.

Le délire de la nation pour la famille de Pépin alla si loin, qu'elle élut pour maire un de ses petits-fils qui était encore dans l'enfance ^{g}; elle l'établit sur un certain Dagobert, et mit un fantôme sur un fantôme.

g. *Posthæc* Theudoaldus, *filius ejus* (Grimoaldi) *parvulus, in loco ipsius, cum prædicto rege* Dagoberto, *majordomus palatii effectus est.* Le continuateur anonyme de Frédégaire, sur l'an 714, chap. CIV.

CHAPITRE VII

Des grands offices et des fiefs, sous les maires du palais.

Les maires du palais n'eurent garde de rétablir l'amovibilité des charges et des offices ; ils ne régnaient que par la protection qu'ils accordaient à cet égard à la noblesse : ainsi les grands offices continuèrent à être donnés pour la vie, et cet usage se confirma de plus en plus.

Mais j'ai des réflexions particulières à faire sur les fiefs. Je ne puis douter que, dès ce temps-là, la plupart n'eussent été rendus héréditaires.

Dans le traité d'Andeli ^{a}, Gontran, et son neveu Childebert, s'obligent de maintenir les libéralités faites aux leudes et aux églises par les rois leurs prédécesseurs ; et il est permis aux reines, aux filles, aux veuves des rois, de disposer, par testament et pour toujours, des choses qu'elles tiennent du fisc ^{b}.

Marculfe écrivait ses formules du temps des maires ^{c}. On en voit plusieurs où les rois donnent et à la personne et aux héritiers ^{d} : et, comme les formules sont les images des actions ordinaires de la vie, elles prouvent que, sur la fin de la première race, une partie des fiefs passait déjà

a. Rapporté par Grégoire de Tours, liv. IX. Voyez aussi l'édition de Clotaire II, de l'an 615, art. 16.

b. *Ut si quid de agris fiscalibus vel speciebus atque præsidio, pro arbitrii sui voluntate, facere, aut cuiquam conferre valuerint, fixa stabilitate perpetuo conservatur.*

c. Voyez la 24 et la 34 du liv. I.

d. Voyez la formule 14 du liv. I, qui s'applique également à des biens fiscaux donnés directement pour toujours, ou donnés d'abord en bénéfice et ensuite pour toujours : *Sicut ab illo, aut a fisco nostro, fuit possessa.* Voyez aussi la formule 17, *ibid.*

aux héritiers. Il s'en fallait bien que l'on eût, dans ces temps-là, l'idée d'un domaine inaliénable ; c'est une chose très moderne, et qu'on ne connaissait alors ni dans la théorie, ni dans la pratique.

On verra bientôt sur cela des preuves de fait : et, si je montre un temps où il ne se trouva plus de bénéfices pour l'armée, ni aucun fonds pour son entretien, il faudra bien convenir que les anciens bénéfices avaient été aliénés. Ce temps est celui de Charles Martel, qui fonda de nouveaux fiefs, qu'il faut bien distinguer des premiers.

Lorsque les rois commencèrent à donner pour toujours, soit par la corruption qui se glissa dans le gouvernement, soit par la constitution même qui faisait que les rois étaient obligés de récompenser sans cesse ; il était naturel qu'ils commençassent plutôt à donner à perpétuité les fiefs que les comtés. Se priver de quelques terres était peu de chose ; renoncer aux grands offices, c'était perdre la puissance même.

Chapitre VIII
Comment les alleux furent changés en fiefs.

La manière de changer un alleu en fief se trouve dans une formule de Marculfe *a*. On donnait sa terre au roi ; il la rendait au donateur en usufruit ou bénéfice, et celui-ci désignait au roi ses héritiers.

Pour découvrir les raisons que l'on eut de dénaturer ainsi son alleu, il faut que je cherche, comme dans des abîmes, les anciennes prérogatives de cette noblesse, qui, depuis onze siècles, est couverte de poussière, de sang et de sueur.

Ceux qui tenaient des fiefs avaient de très grands avantages. La composition, pour les torts qu'on leur faisait, était plus forte que celle des hommes libres. Il paraît, par les formules de Marcufe, que c'était un privilège du vassal du roi, que celui qui le tuerait paierait six cents sous de composition. Ce privilège était établi par la loi salique *b* et par celle des Ripuaires *c* et, pendant que ces

---

a. Liv. I, formule 13.
b. Tit. 44. Voyez aussi le tit. 66, § 3 et 4 ; et le titre 74.
c. Tit. 11.

deux lois ordonnaient six cents sous pour la mort du vassal du roi, elles n'en donnaient que deux cents pour la mort d'un ingénu, Franc, barbare, ou homme vivant sous la loi salique; et que cent pour celle d'un Romain [d].

Ce n'était pas le seul privilège qu'eussent les vassaux du roi. Il faut savoir que, quand un homme était cité en jugement, et qu'il ne se présentait point ou n'obéissait pas aux ordonnances des juges, il était appelé devant le roi [e]; et, s'il persistait dans sa contumace, il était mis hors de la protection du roi, et personne ne pouvait le recevoir chez soi, ni même lui donner du pain [f] : or, s'il était d'une condition ordinaire, ses biens étaient confisqués [g]; mais, s'il était vassal du roi, ils ne l'étaient pas [h]. Le premier, par sa contumace, était censé convaincu du crime; et non pas le second. Celui-là, dans les moindres crimes, était soumis à la preuve par l'eau bouillante [i]; celui-ci n'y était condamné que dans le cas du meurtre [k]. Enfin un vassal du roi ne pouvait être contraint de jurer en justice contre un autre vassal [l]. Ces privilèges augmentèrent toujours; et le capitulaire de Carloman fait cet honneur aux vassaux du roi, qu'on ne peut les obliger de jurer eux-mêmes, mais seulement par la bouche de leurs propres vassaux [m]. De plus : lorsque celui qui avait les honneurs ne s'était pas rendu à l'armée, sa peine était de s'abstenir de chair et de vin, autant de temps qu'il avait manqué au service : mais l'homme libre, qui n'avait pas suivi le comte [n], payait une composition de soixante sous, et était mis en servitude jusqu'à ce qu'il l'eût payée [o].

Il est donc aisé de penser que les Francs qui n'étaient point vassaux du roi, et encore plus les Romains, cherchèrent à le devenir; et qu'afin qu'ils ne fussent pas privés de leurs domaines, on imagina l'usage de donner son alleu au roi, de le recevoir de lui en fief, et de lui désigner ses

d. Voyez la loi des Ripuaires, tit. 7; et la loi salique, tit. 44, art. 1 et 4.

e. Loi salique, tit. 59 et 76.

f. *Extra sermonem regis* : loi salique, tit. 59 et 76.

g. Loi salique, tit. 59, § 1.

h. *Ibid.*, tit. 76, § 1.

i. *Ibid.*, tit. 56 et 59.

k. *Ibid.*, tit. 76, § 1.

l. *Ibid.*, tit. 76, § 2.

m. *Apud Vernis palatium*, de l'an 883, art. 4 et 11.

n. Capitulaire de Charlemagne, qui est le second de l'an 812, art. 1 et 3.

o. *Heribannum.*

héritiers. Cet usage continua toujours; et il eut surtout
lieu dans les désordres de la seconde race, où tout le
monde avait besoin d'un protecteur, et voulait faire corps
avec d'autres seigneurs, et entrer, pour ainsi dire, dans la
monarchie féodale, parce qu'on n'avait plus la monarchie
politique [p].

Ceci continua dans la troisième race, comme on le voit
par plusieurs chartes [q]; soit qu'on donnât son alleu, et
qu'on le reprît par le même acte; soit qu'on le déclarât
alleu, et qu'on le reconnût en fief. On appelait ces fiefs,
fiefs de reprise.

Cela ne signifie pas que ceux qui avaient des fiefs les
gouvernassent en bons pères de famille; et, quoique les
hommes libres cherchassent beaucoup à avoir des fiefs,
ils traitaient ce genre de biens comme on administre
aujourd'hui les usufruits. C'est ce qui fit faire à Charlemagne, prince le plus vigilant et le plus attentif que nous
ayons eu, bien des règlements [r], pour empêcher qu'on ne
dégradât les fiefs en faveur de ses propriétés. Cela prouve
seulement que, de son temps, la plupart des bénéfices
étaient encore à vie; et que, par conséquent, on prenait
plus de soin des alleus que des bénéfices : mais cela n'empêche pas que l'on n'aimât encore mieux être vassal du
roi qu'homme libre. On pouvait avoir des raisons pour
disposer d'une certaine portion particulière d'un fief;
mais on ne voulait pas perdre sa dignité même.

Je sais bien encore que Charlemagne se plaint, dans
un capitulaire [s], que, dans quelques lieux, il y avait des
gens qui donnaient leurs fiefs en propriété, et les rache-
taient ensuite en propriété. Mais je ne dis point qu'on
n'aimât mieux une propriété qu'un usufruit : Je dis seulement que, lorsqu'on pouvait faire d'un alleu un fief
qui passât aux héritiers, ce qui est le cas de la formule
dont j'ai parlé, on avait de grands avantages à le faire.

---

p. Non infirmis reliquit hæredibus, dit Lambert d'ARDRES, dans
du Cange, au mot *alodis*.

q. Voyez celles que du Cange cite au mot *alodis;* et celles que rapporte Galland, *Traité du franc-alleu*, p. 14 et suiv.

r. Capitulaire II, de l'an 802, art. 10; et le capitulaire VII, de
l'an 803, art. 3; et le capitulaire I, *incerti anni*, art. 49; et le capitulaire
de l'an 806, art. 7.

s. Le cinquième de l'an 806, art. 8.

Chapitre IX

*Comment les biens ecclésiastiques
furent convertis en fiefs.*

Les biens fiscaux n'auraient dû avoir d'autre destination, que de servir aux dons que les rois pouvaient faire pour inviter les Francs à de nouvelles entreprises, lesquelles augmentaient d'un autre côté les biens fiscaux; et cela était, comme j'ai dit, l'esprit de la nation : Mais les dons prirent un autre cours. Nous avons un discours de Chilpéric [a], petit-fils de Clovis, qui se plaignait déjà que ces biens avaient été presque tous donnés aux églises. « Notre fisc est devenu pauvre, disait-il; nos richesses ont été transportées aux églises [b] : il n'y a plus que les évêques qui règnent; ils sont dans la grandeur, et nous n'y sommes plus. »

Cela fit que les maires, qui n'osaient attaquer les seigneurs, dépouillèrent les églises; et une des raisons qu'allégua Pépin pour entrer en Neustrie [c], fut qu'il y avait été invité par les ecclésiastiques, pour arrêter les entreprises des rois, c'est-à-dire des maires, qui privaient l'Eglise de tous ses biens.

Les maires d'Austrasie, c'est-à-dire la maison des Pépins, avaient traité l'Eglise avec plus de modération qu'on n'avait fait en Neustrie et en Bourgogne; et cela est bien clair par nos chroniques [d], où les moines ne peuvent se lasser d'admirer la dévotion et la libéralité des Pépins. Ils avaient occupé eux-mêmes les premières places de l'Eglise. « Un corbeau ne crève pas les yeux à un corbeau », comme disait Chilpéric aux évêques [e].

Pépin soumit la Neustrie et la Bourgogne : mais ayant pris, pour détruire les maires et les rois, le prétexte de l'oppression des églises, il ne pouvait plus les dépouiller,

---

a. Dans *Grégoire de Tours*, liv. VI, chap. XLVI.

b. Cela fit qu'il annula les testaments faits en faveur des églises, et même les dons faits par son père : Gontran les rétablit, et fit même de nouveaux dons. *Grégoire de Tours*, liv. VII, chap. VII.

c. Voyez les annales de Metz, sur l'an 687 : *Excitor imprimis querelis sacerdotum et servorum dei, qui me sæpius adierunt ut pro sublatis injuste patrimonis*, etc.

d. *Ibid.*

e. Dans *Grégoire de Tours*.

sans contredire son titre, et faire voir qu'il se jouait de la nation. Mais la conquête de deux grands royaumes, et la destruction du parti opposé, lui fournirent assez de moyens de contenter ses capitaines.

Pépin se rendit maître de la monarchie, en protégeant le clergé : Charles Martel, son fils, ne put se maintenir qu'en l'opprimant. Ce prince, voyant qu'une partie des biens royaux et des biens fiscaux avaient été donnés à vie ou en propriété à la noblesse; et que le clergé, recevant des mains des riches et des pauvres, avait acquis une grande partie des allodiaux même; il dépouilla les églises : et les fiefs du premier partage ne subsistant plus, il forma une seconde fois des fiefs [f]. Il prit, pour lui et pour ses capitaines, les biens des églises, et les églises même; et fit cesser un abus qui, à la différence des maux ordinaires, était d'autant plus facile à guérir, qu'il était extrême.

Chapitre X

Richesses du clergé.

Le clergé recevait tant, qu'il faut que, dans les trois races, on lui ait donné plusieurs fois tous les biens du royaume. Mais, si les rois, la noblesse et le peuple trouvèrent le moyen de leur donner tous leurs biens, ils ne trouvèrent pas moins celui de les leur ôter. La piété fit fonder les églises dans la première race : mais l'esprit militaire les fit donner aux gens de guerre, qui les partagèrent à leurs enfants. Combien ne sortit-il pas de terres de la manse du clergé! Les rois de la seconde race ouvrirent leurs mains, et firent encore d'immenses libéralités : les Normands arrivent, pillent et ravagent; persécutent surtout les prêtres et les moines; cherchent les abbayes; regardent où ils trouveront quelque lieu religieux : car ils attribuaient aux ecclésiastiques la destruction de leurs idoles, et toutes les violences de Charlemagne, qui les avait obligés les uns après les autres de se réfugier dans le nord. C'étaient des haines que quarante ou cinquante années n'avaient pu leur faire oublier. Dans cet état des choses, combien le clergé perdit-il de biens! A

---

f. Karolus *plurima juri ecclesiastico detrahens, prædia fisco sociavit, ac deinde militibus dispertivit* : ex chronico Centulensi, lib. II.

peine y avait-il des ecclésiastiques pour les redemander. Il resta donc encore à la piété de la troisième race assez de fondations à faire, et de terres à donner : les opinions répandues et crues dans ces temps-là, auraient privé les laïcs de tout leur bien, s'ils avaient été assez honnêtes gens. Mais, si les ecclésiastiques avaient de l'ambition, les laïcs en avaient aussi : si le mourant donnait, le successeur voulait reprendre. On ne voit que querelles entre les seigneurs et les évêques, les gentilshommes et les abbés ; et il fallait qu'on pressât vivement les ecclésiastiques, puisqu'ils furent obligés de se mettre sous la protection de certains seigneurs, qui les défendaient pour un moment, et les opprimaient après.

Déjà une meilleure police, qui s'établissait dans le cours de la troisième race, permettait aux ecclésiastiques d'augmenter leur bien. Les calvinistes parurent, et firent battre de la monnaie de tout ce qui se trouva d'or et d'argent dans les églises. Comment le clergé aurait-il été assuré de sa fortune ? il ne l'était pas de son existence. Il traitait des matières de controverse, et l'on brûlait ses archives. Que servit-il de redemander à une noblesse toujours ruinée ce qu'elle n'avait plus, ou ce qu'elle avait hypothéqué de mille manières ? Le clergé a toujours acquis, il a toujours rendu, et il acquiert encore.

CHAPITRE XI

Etat de l'Europe du temps de Charles Martel.

Charles Martel, qui entreprit de dépouiller le clergé, se trouva dans les circonstances les plus heureuses : Il était craint et aimé des gens de guerre, et il travaillait pour eux ; il avait le prétexte de ses guerres contre les Sarrasins [a] ; quelque haï qu'il fût du clergé, il n'en avait aucun besoin ; le pape, à qui il était nécessaire, lui tendait les bras : on sait la célèbre ambassade que lui envoya Grégoire III [b]. Ces deux puissances furent fort unies,

---

a. Voyez les *Annales de Metz*.
b. *Epistolam quoque, decreto romanorum principum, sibi prædictus praeful* Gregorius *miserat, quod sese populus romanus, relicta imperatoris dominatione, ad suam defensionem et invictam clementiam convertere voluisset* : annales de Metz, sur l'an 741... *Eo pacto patrato, ut a partibus imperatoris recederet* : Frédégaire.

parce qu'elles ne pouvaient se passer l'une de l'autre : le pape avait besoin des Francs, pour le soutenir contre les Lombards et contre les Grecs; Charles Martel avait besoin du pape pour humilier les Grecs, embarrasser les Lombards, se rendre plus respectable chez lui, et accréditer les titres qu'il avait, et ceux que lui ou ses enfants pourraient prendre [c]. Il ne pouvait donc manquer son entreprise.

Saint Eucher, évêque d'Orléans, eut une vision qui étonna les princes. Il faut que je rapporte, à ce sujet, la lettre que les évêques, assemblés à Reims, écrivirent à Louis le Germanique [d], qui était entré dans les terres de Charles le Chauve; parce qu'elle est très propre à nous faire voir quel était, dans ces temps-là, l'état des choses, et la situation des esprits. Ils disent [e] que « saint Eucher ayant été ravi dans le ciel, il vit Charles Martel tourmenté dans l'enfer inférieur, par l'ordre des saints qui doivent assister avec Jésus-Christ au jugement dernier; qu'il avait été condamné à cette peine avant le temps, pour avoir dépouillé les églises de leurs biens, et s'être par là rendu coupable des péchés de tous ceux qui les avaient dotées; que le roi Pépin fit tenir à ce sujet un concile; qu'il fit rendre aux églises tout ce qu'il put retirer des biens ecclésiastiques; que, comme il n'en put ravoir qu'une partie, à cause de ses démêlés avec Vaifre, duc d'Aquitaine, il fit faire, en faveur des églises, des lettres précaires du reste [f]; et régla que les laïcs payeraient une dîme des biens qu'ils tenaient des églises, et douze deniers pour chaque maison; que Charlemagne ne donna point les biens de l'Église; qu'il fit, au contraire, un capitulaire par lequel il s'engagea, pour lui et ses successeurs, de ne les donner jamais; que tout ce qu'ils avancent est écrit; et que même

---

c. On peut voir, dans les auteurs de ces temps-là, l'impression que l'autorité de tant de papes fit sur l'esprit des Français. Quoique le roi Pépin eût déjà été couronné par l'archevêque de Mayence, il regarda l'onction qu'il reçut du pape Etienne comme une chose qui le confirmait dans tous ses droits.

d. *Anno 858, apud Carisiacum*, édition de Baluze, t. II, p. 101.

e. *Ibid.*, t. II, art. 7, p. 109.

f. *Precaria, quod precibus utendum conceditur*, dit Cujas, dans ses notes sur le livre I des fiefs. Je trouve, dans un diplôme du roi Pépin, daté de la troisième année de son règne, que ce prince n'établit pas le premier ces lettres précaires; il en cite une faite par le maire Ebroin, et continuée depuis. Voyez le diplôme de ce roi, dans le tome V des *Historiens de France* des Bénédictins, art. 6.

plusieurs d'entre eux l'avaient entendu raconter à Louis le Débonnaire, père des deux rois ».

Le règlement du roi Pépin, dont parlent les évêques, fut fait dans le concile tenu à Leptines [g]. L'Eglise y trouvait cet avantage, que ceux qui avaient reçu de ces biens ne les tenaient plus que d'une manière précaire; et que, d'ailleurs, elle en recevait la dîme, et douze deniers pour chaque case qui lui avait appartenu. Mais c'était un remède palliatif, et le mal restait toujours.

Cela même trouva de la contradiction : et Pépin fut obligé de faire un autre capitulaire [h], où il enjoignit à ceux qui tenaient de ces bénéfices de payer cette dîme et cette redevance, et même d'entretenir les maisons de l'évêché ou du monastère, sous peine de perdre les biens donnés. Charlemagne renouvela les règlements de Pépin [i].

Ce que les évêques disent dans la même lettre, que Charlemagne promit, pour lui et ses successeurs, de ne plus partager les biens des églises aux gens de guerre, est conforme au capitulaire de ce prince donné à Aix-la-Chapelle l'an 803, fait pour calmer les terreurs des ecclésiastiques à cet égard : mais les donations déjà faites subsistèrent toujours [k]. Les évêques ajoutent, et avec raison, que Louis le Débonnaire suivit la conduite de Charlemagne, et ne donna point les biens de l'église aux soldats.

Cependant les anciens abus allèrent si loin, que, sous les enfants de Louis le Débonnaire, les laïcs établissaient des prêtres dans leurs églises, ou les chassaient, sans le consentement des évêques [l]. Les églises se partageaient entre les héritiers [m]; et, quand elles étaient tenues d'une manière indécente, les évêques n'avaient d'autre ressource que d'en retirer les reliques [n].

g. L'an 743. Voyez le livre V des capitulaires, art. 3, édition de Baluze, p. 825.

h. Celui de Metz, de l'an 756, art. 4.

i. Voyez son capitulaire de l'an 803, donné à Worms, édition de Baluze, p. 411, où il règle le contrat précaire; et celui de Francfort, de l'an 794, p. 267, art. 24, sur les réparations des maisons; et celui de l'an 800, p. 330.

k. Comme il paraît par la note précédente, et par le capitulaire de Pépin, roi d'Italie, où il est dit que le roi donnerait en fief les monastères à ceux qui se recommanderaient pour des fiefs. Il est ajouté à la loi des Lombards, liv. III, tit. 1, § 30, et aux lois saliques, recueil des lois de Pépin, dans *Echard*, p. 195, tit. 26, art. 4.

l. Voyez la constitution de Lothaire Ier, dans la loi des Lombards, liv. III, loi I, § 43.

m. *Ibid.*, § 44.

n. *Ibid.*

Le capitulaire de Compiègne établit que l'envoyé du roi pourrait faire la visite de tous les monastères avec l'évêque [o], de l'avis et en présence de celui qui le tenait [p]; et cette règle générale prouve que l'abus était général.

Ce n'est pas qu'on manquât de lois pour la restitution des biens des églises. Le pape ayant reproché aux évêques leur négligence sur le rétablissement des monastères, ils écrivirent à Charles le Chauve qu'ils n'avaient point été touchés de ce reproche, parce qu'ils n'en étaient pas coupables; et ils l'avertirent de ce qui avait été promis, résolu et statué dans tant d'assemblées de la nation [q]. Effectivement ils en citent neuf.

On disputait toujours. Les Normands arrivèrent, et mirent tout le monde d'accord.

o. Donné la vingt-huitième année du règne de Charles le Chauve, l'an 868, édition de Baluze, p. 203.
p. *Cum concilio et consensu ipsius qui locum retinet.*
q. *Concilium apud Bonoilum,* seizième année de Charles le Chauve, l'an 856, édition de Baluze, p. 78.

Chapitre XII

Etablissements des dîmes.

Les règlements faits sous le roi Pépin avaient plutôt donné à l'Eglise l'espérance d'un soulagement qu'un soulagement effectif : et comme Charles Martel trouva tout le patrimoine public entre les mains des ecclésiastiques, Charlemagne trouva les biens des ecclésiastiques entre les mains des gens de guerre. On ne pouvait faire restituer à ceux-ci ce qu'on leur avait donné; et les circonstances où l'on était pour lors rendaient la chose encore plus impraticable qu'elle n'était de sa nature. D'un autre côté, le christianisme ne devait pas périr, faute de ministres, de temples et d'instructions [a].

Cela fit que Charlemagne établit les dîmes [b], nouveau genre de bien, qui eut cet avantage pour le clergé, qu'étant

a. Dans les guerres civiles qui s'élevèrent du temps de Charles Martel, les biens de l'église de Reims furent donnés aux laïcs. On laissa le clergé *subsister comme il pourrait,* est-il dit dans la vie de saint Remi. Surius, t. I, p. 279.
b. Loi des Lombards, liv. III, tit. 3, § 1 et 2.

singulièrement donné à l'Eglise, il fut plus aisé dans la suite d'en reconnaître les usurpations.

On a voulu donner à cet établissement des dates bien plus reculées : mais les autorités que l'on cite me semblent être des témoins contre ceux qui les allèguent. La constitution de Clotaire [c] dit seulement qu'on ne lèverait point de certaines dîmes sur les biens de l'église [d]. Bien loin donc que l'Eglise levât des dîmes dans ces temps-là, toute sa prétention était de s'en faire exempter. Le second concile de Mâcon [e], tenu l'an 585, qui ordonne que l'on paye les dîmes, dit, à la vérité, qu'on les avait payées dans les temps anciens : mais il dit aussi que, de son temps, on ne les payait plus.

Qui doute qu'avant Charlemagne on n'eût ouvert la bible, et prêché les dons et les offrandes du lévitique ? Mais je dis qu'avant ce prince les dîmes pouvaient être prêchées, mais qu'elles n'étaient point établies.

J'ai dit que les règlements faits sous le roi Pépin avaient soumis au paiement des dîmes, et aux réparations des églises, ceux qui possédaient en fief les biens ecclésiastiques. C'était beaucoup d'obliger par une loi, dont on ne pouvait disputer la justice, les principaux de la nation à donner l'exemple.

Charlemagne fit plus : et on voit, par le capitulaire de Willis [f], qu'il obligea ses propres fonds au paiement des dîmes : c'était encore un grand exemple.

Mais le bas peuple n'est guère capable d'abandonner ses intérêts par des exemples. Le synode de Francfort [g] lui présenta un motif plus pressant pour payer les dîmes. On y fit un capitulaire, dans lequel il est dit que, dans la dernière famine, on avait trouvé les épis de blé vides; qu'ils avaient été dévorés par les démons, et qu'on avait entendu leurs voix qui reprochaient de n'avoir pas payé

c. C'est celle dont j'ai tant parlé au chap. IV ci-dessus, que l'on trouve dans l'édition des capitulaires de Baluze, t. I, art. 11, p. 9.

d. *Agraria et pascuatia, vel decimas porcorum, ecclesiæ concedimus; ita ut actor aut decimator in rebus ecclesiæ nullus accedat.* Le capitulaire de Charlemagne, de l'an 800, édition de Baluze, p. 336, explique très bien ce que c'était que cette sorte de dîme, dont Clotaire exempte l'Eglise; c'était le dixième des cochons que l'on mettait dans les forêts du roi pour engraisser : et Charlemagne veut que ses juges le paient comme les autres, afin de donner l'exemple. On voit que c'était un droit seigneurial ou économique.

e. *Canone V, ex tomo primo conciliorum antiquorum Galliæ, opera Jacobi Sirmundi.*

f. Art. 6, édition de Baluze, p. 332. Il fut donné l'an 800.

g. Tenu sous Charlemagne, l'an 794.

la dîme [h] : et, en conséquence, il fut ordonné à tous ceux qui tenaient les biens ecclésiastiques, de payer la dîme; et, en conséquence encore, on l'ordonna à tous.

Le projet de Charlemagne ne réussit pas d'abord : cette charge parut accablante [i]. Le paiement des dîmes, chez les Juifs, était entré dans le plan de la fondation de leur république : mais ici le paiement des dîmes était une charge indépendante de celles de l'établissement de la monarchie. On peut voir, dans les dispositions ajoutées à la loi des Lombards [k], la difficulté qu'il y eut à faire recevoir les dîmes par les lois civiles : on peut juger, par les différents canons des conciles, de celle qu'il y eut à les faire recevoir par les lois ecclésiastiques.

Le peuple consentit enfin à payer les dîmes, à condition qu'il pourrait les racheter. La constitution de Louis le Débonnaire [l], et celle de l'empereur Lothaire son fils [m], ne le permirent pas.

Les lois de Charlemagne sur l'établissement des dîmes étaient l'ouvrage de la nécessité; la religion seule y eut part, et la superstition n'en eut aucune.

La fameuse division qu'il fit des dîmes en quatre parties, pour la fabrique des églises, pour les pauvres, pour l'évêque, pour les clercs [n], prouve bien qu'il voulait donner à l'Eglise cet état fixe et permanent qu'elle avait perdu.

Son testament fait voir qu'il voulut achever de réparer les maux que Charles Martel, son aïeul, avait faits [o]. Il fit trois parties égales de ses biens mobiliers : il voulut que deux de ces parties fussent divisées en vingt et une, pour les vingt et une métropoles de son empire; chaque partie devait être subdivisée entre la métropole et les évêchés qui en dépendaient. Il partagea le tiers qui restait en quatre parties; il en donna une à ses enfants et ses petits-

h. *Experimento enim didicimus in anno quo illa valida fames irrepsit, ebullire vacuas annonas a dæmonibus devoratas, et voces exprobrationis auditas*, etc. : édition de Baluze, p. 267, art. 23.

i. Voyez entre autres le capitulaire de Louis le Débonnaire, de l'an 829, édition de Baluze, p. 663, contre ceux qui, dans la vue de ne pas payer la dîme, ne cultivaient point leurs terres ; et art. 5 : *Nonis quidem et decimis, unde et genitor noster et nos frequenter, in diversis placitis, admonitionem fecimus.*

k. Entre autres, celle de Lothaire, liv. III, tit. 3, chap. VI.

l. De l'an 829, art. 7, dans Baluze, t. I, p. 663.

m. Loi des Lombards, liv. III, tit. 3, § 8.

n. Loi des Lombards, liv. III, tit. 3, § 4.

o. C'est une espèce de codicille rapporté par Eginhart, et qui est différent du testament même qu'on trouve dans Goldaste et Baluze.

enfants, une autre fut ajoutée aux deux tiers déjà donnés, les deux autres furent employées en œuvres pies. Il semblait qu'il regardât le don immense qu'il venait de faire aux églises, moins comme une action religieuse, que comme une dispensation politique.

CHAPITRE XIII

Des élections aux évêchés et abbayes.

Les églises étant devenues pauvres, les rois abandonnèrent les élections aux évêchés et autres bénéfices ecclésiastiques [a]. Les princes s'embarrassèrent moins d'en nommer les ministres, et les compétiteurs réclamèrent moins leur autorité. Ainsi l'Eglise recevait une espèce de compensation pour les biens qu'on lui avait ôtés.

Et si Louis le Débonnaire laissa au peuple romain le droit d'élire les papes [b], ce fut un effet de l'esprit général de son temps : on se gouverna, à l'égard du siège de Rome, comme on faisait à l'égard des autres.

a. Voyez le capitulaire de Charlemagne, de l'an 803, art. 2, édition de Baluze, p. 379; et l'édit de Louis le Débonnaire, de l'an 834, dans Goldaste, *Constitut. impériale*, t. I.
b. Cela est dit dans le fameux canon, *Ego Ludovicus*, qui est visiblement supposé. Il est dans l'édition de Baluze, p. 591, sur l'an 817.

CHAPITRE XIV

Des fiefs de Charles Martel.

Je ne dirai point si Charles Martel donnant les biens de l'Eglise en fief, il les donna à vie, ou à perpétuité. Tout ce que je sais, c'est que, du temps de Charlemagne [a] et de Lothaire Ier [b], il y avait de ces sortes de biens qui passaient aux héritiers et se partageaient entre eux.

a. Comme il paraît par son capitulaire de l'an 801, art. 17, dans Baluze, t. I, p. 360.
b. Voyez la constitution insérée dans le code des Lombards, liv. III, tit. I, § 44.

Je trouve, de plus, qu'une partie fut donnée en alleu, et l'autre partie en fief[c].

J'ai dit que les propriétaires des alleux étaient soumis au service comme les possesseurs des fiefs. Cela fut sans doute en partie cause que Charles Martel donna en alleu aussi bien qu'en fief.

c. Voyez la constitution ci-dessus; et le capitulaire de Charles le Chauve, de l'an 846, chap. XX, *in villa Sparnaco*, édition de Baluze, t. II, p. 31; et celui de l'an 853, chap. III et V, dans le synode de Soissons, édition de Baluze, t. II, p. 54; et celui de l'an 854, *apud Attiniacum*, chap. X, édition de Baluze, t. II, p. 70. Voyez aussi le capitulaire premier de Charlemagne, *incerti anni*, art. 49 et 56, édition de Baluze, t. I, p. 519.

CHAPITRE XV

Continuation du même sujet.

Il faut remarquer que les fiefs ayant été changés en biens d'Eglise, et les biens d'Eglise ayant été changés en fiefs, les fiefs et les biens d'Eglise prirent réciproquement quelque chose de la nature de l'un et de l'autre. Ainsi les biens d'Eglise eurent les privilèges des fiefs, et les fiefs eurent les privilèges des biens d'Eglise : tels furent les droits honorifiques dans les églises, qu'on vit naître dans ces temps-là[a]. Et, comme ces droits ont toujours été attachés à la haute justice, préférablement à ce que nous appelons aujourd'hui le fief; il suit que les justices patrimoniales étaient établies dans le temps même de ces droits.

a. Voyez les Capitulaires, liv. V, art. 44; et l'édit de Pistes de l'an 866, art. 8 et 9, où l'on voit les droits honorifiques des seigneurs établis tels qu'ils sont aujourd'hui.

CHAPITRE XVI

Confusion de la royauté et de la mairie. Seconde race. .

L'ordre des matières a fait que j'ai troublé l'ordre des temps; de sorte que j'ai parlé de Charlemagne, avant d'avoir parlé de cette époque fameuse de la translation de la couronne aux Carlovingiens faite sous le roi Pépin : chose qui, à la différence des événements ordinaires, est peut-être plus remarquée aujourd'hui qu'elle ne le fut dans le temps même qu'elle arriva.

Les rois n'avaient point d'autorité, mais ils avaient un nom; le titre de roi était héréditaire, et celui de maire était électif. Quoique les maires, dans les derniers temps, eussent mis sur le trône celui des Mérovingiens qu'ils voulaient, ils n'avaient point pris de roi dans une autre famille; et l'ancienne loi, qui donnait la couronne à une certaine famille, n'était point effacée du cœur des Francs. La personne du roi était presque inconnue dans la monarchie; mais la royauté ne l'était pas. Pépin, fils de Charles Martel, crut qu'il était à propos de confondre ces deux titres; confusion qui laisserait toujours de l'incertitude si la royauté nouvelle était héréditaire, ou non : et cela suffisait à celui qui joignait à la royauté une grande puissance. Pour lors, l'autorité du maire fut jointe à l'autorité royale. Dans le mélange de ces deux autorités, il se fit une espèce de conciliation. Le maire avait été électif, et le roi héréditaire : la couronne, au commencement de la seconde race, fut élective, parce que le peuple choisit; elle fut héréditaire, parce qu'il choisit toujours dans la même famille [a].

Le père Le Cointe, malgré la foi de tous les monuments [b], nie que le pape ait autorisé ce grand changement [c]; une de ses raisons est qu'il aurait fait une injustice. Et il est admirable de voir un historien juger de ce que les hommes ont fait, par ce qu'ils auraient dû faire! Avec cette manière de raisonner, il n'y aurait plus d'histoire.

Quoi qu'il en soit, il est certain que, dès le moment de la victoire du duc Pépin, sa famille fut régnante, et que celle des Mérovingiens ne le fut plus. Quand son petit-fils Pépin fut couronné roi, ce ne fut qu'une cérémonie de plus, et un fantôme de moins : il n'acquit rien, par

---

a. Voyez le testament de Charlemagne; et le partage que Louis le Débonnaire fit à ses enfants, dans l'assemblée des États tenue à Quierzy, rapportée par Goldaste : *Quem populus eligere velit, ut patri suo succedat in regni hæreditate.*

b. L'anonyme, sur l'an 752; et *Chron. Centul.*, sur l'an 754.

c. *Fabella quæ post Pippini mortem excogitata est, æquitati ac sanctitati Zachariæ papæ plurimum adversatur...* Annales ecclésiastiques des Français, t. II, p. 319.

là, que les ornements royaux; il n'y eut rien de changé dans la nation.

J'ai dit ceci pour fixer le moment de la révolution; afin qu'on ne se trompe pas, en regardant comme une révolution ce qui n'était qu'une conséquence de la révolution.

Quand Hugues Capet fut couronné roi au commencement de la troisième race, il y eut un plus grand changement; parce que l'Etat passa, de l'anarchie, à un gouvernement quelconque : mais, quand Pépin prit la couronne, on passa, d'un gouvernement, au même gouvernement.

Quand Pépin fut couronné roi, il ne fit que changer de nom : mais, quand Hugues Capet fut couronné roi, la chose changea; parce qu'un grand fief, uni à la couronne, fit cesser l'anarchie.

Quand Pépin fut couronné roi, le titre de roi fut uni au plus grand office; quand Hugues Capet fut couronné, le titre de roi fut uni au plus grand fief.

CHAPITRE XVII

Chose particulière dans l'élection des rois de la seconde race.

On voit, dans la formule de la consécration de Pépin [a], que Charles et Carloman furent aussi oints et bénis; et que les seigneurs français s'obligèrent, sous peine d'interdiction et d'excommunication, de n'élire jamais personne d'une autre race [b].

Il paraît, par les testaments de Charlemagne et de Louis le Débonnaire, que les Francs choisissaient entre les enfants des rois; ce qui se rapporte très bien à la clause ci-dessus. Et, lorsque l'empire passa dans une autre maison que celle de Charlemagne, la faculté d'élire, qui était restreinte et conditionnelle, devint pure et simple; et on s'éloigna de l'ancienne constitution.

Pépin, se sentant près de sa fin, convoqua les seigneurs ecclésiastiques et laïcs à Saint-Denis [c]; et partagea son royaume à ses deux fils, Charles et Carloman. Nous n'avons point les actes de cette assemblée : mais on

a. T. V des *Historiens de France*, par les pères bénédictins, p. 9.
b. *Ut nunquam de alterius lumbis regem in ævo præsumant eligere, sed ex ipsorum* ; ibid., p. 10.
c. L'an 768.

trouve ce qui s'y passa, dans l'auteur de l'ancienne collection historique mise au jour par Canisius [d], et celui des annales de Metz, comme l'a remarqué M. Baluze [e]. Et j'y vois deux choses, en quelque façon, contraires : qu'il fit le partage du consentement des grands ; et ensuite, qu'il le fit par un droit paternel. Cela prouve ce que j'ai dit, que le droit du peuple, dans cette race, était d'élire dans la famille : c'était, à proprement parler, plutôt un droit d'exclure, qu'un droit d'élire.

Cette espèce de droit d'élection se trouve confirmée par les monuments de la seconde race. Tel est ce capitulaire de la division de l'empire que Charlemagne fait entre ses trois enfants, où, après avoir formé leur partage, il dit que, « si un des trois frères a un fils, tel que le peuple veuille l'élire pour qu'il succède au royaume de son père, ses oncles y consentiront [f] ».

Cette même disposition se trouve dans le partage que Louis le Débonnaire fit entre ses trois enfants, Pépin, Louis et Charles, l'an 837, dans l'assemblée d'Aix-la-Chapelle [g] ; et encore dans un autre partage du même empereur, fait vingt ans auparavant, entre Lothaire, Pépin et Louis [h]. On peut voir encore le serment que Louis le Bègue fit à Compiègne, lorsqu'il y fut couronné. « Moi, Louis, constitué roi par la miséricorde de Dieu et l'élection du peuple, je promets... [i] » Ce que je dis est confirmé par les actes du concile de Valence, tenu l'an 890, pour l'élection de Louis, fils de Boson, au royaume d'Arles [k]. On y élit Louis ; et on donne pour principales raisons de son élection, qu'il était de la famille impériale [k], que Charles le Gras lui avait donné la dignité de roi, et que l'empereur Arnoul l'avait investi par le sceptre et par le ministère de ses ambassadeurs. Le royaume d'Arles, comme les autres, démembrés, ou dépendants de l'empire de Charlemagne, était électif et héréditaire.

d. T. II, *lectionis antiquæ.*
e. Édition des capitulaires, t. I, p. 188.
f. Dans le capitulaire premier de l'an 806, édition de Baluze, p. 439, art. 5.
g. Dans Godlaste, *Constitutions impériales,* t. II, p. 19.
h. Édition de Baluze, p. 574, art. 14. *Si vere aliquis illorum decedens, legitimos filios reliquerit, non inter eos potestas ipsa dividatur ; sed pocius populus, pariter conveniens, unum ex iis, quem dominus voluerit, eligat ; et hunc senior frater in loco fratris et filii suscipiat.*
i. Capitulaire de l'an 877, édition de Baluze, p. 272.
k. Dans Dumont, corps diplomatique, t. I, art. 36.
l. Par femmes.

Chapitre XVIII

Charlemagne.

Charlemagne songea à tenir le pouvoir de la noblesse dans ses limites, et à empêcher l'oppression du clergé et des hommes libres. Il mit un tel tempérament dans les ordres de l'Etat, qu'ils furent contrebalancés, et qu'il resta le maître. Tout fut uni par la force de son génie. Il mena continuellement la noblesse d'expédition en expédition ; il ne lui laissa pas le temps de former des desseins, et l'occupa tout entière à suivre les siens. L'empire se maintint par la grandeur du chef : le prince était grand, l'homme l'était davantage. Les rois ses enfants furent ses premiers sujets, les instruments de son pouvoir, et les modèles de l'obéissance. Il fit d'admirables règlements ; il fit plus, il les fit exécuter. Son génie se répandit sur toutes les parties de l'empire. On voit, dans les lois de ce prince, un esprit de prévoyance qui comprend tout, et une certaine force qui entraîne tout. Les prétextes pour éluder les devoirs sont ôtés ; les négligences corrigées, les abus réformés ou prévenus [a]. Il savait punir ; il savait encore mieux pardonner. Vaste dans ses desseins, simple dans l'exécution, personne n'eut à un plus haut degré l'art de faire les plus grandes choses avec facilité, et les difficiles avec promptitude. Il parcourait sans cesse son vaste empire, portant la main partout où il allait tomber. Les affaires renaissaient de toutes parts, il les finissait de toutes parts. Jamais prince ne sut mieux braver les dangers, jamais prince ne les sut mieux éviter. Il se joua de tous les périls, et particulièrement de ceux qu'éprouvent presque toujours les grands conquérants, je veux dire les conspirations. Ce prince prodigieux était extrêmement modéré ; son caractère était doux, ses manières simples ; il aimait à vivre avec les gens de la cour. Il fut peut-être trop sensible au plaisir des femmes : mais un prince qui gouverna toujours par lui-même, et qui passa sa vie dans les travaux, peut mériter plus d'excuses. Il mit une

---

a. Voyez son capitulaire III, de l'an 811, p. 486, art. 1, 2, 3, 4, 5, 6, 7 et 8 ; et le capitulaire premier de l'an 812, p. 490, art. 1 ; et le capitulaire de la même année, p. 494, art. 9 et 11 ; et autres.

règle admirable dans sa dépense : il fit valoir ses domaines avec sagesse, avec attention, avec économie ; un père de famille pourrait apprendre, dans les lois, à gouverner sa maison [b]. On voit, dans ses capitulaires, la source pure et sacrée d'où il tira ses richesses. Je ne dirai plus qu'un mot : il ordonnait qu'on vendît les œufs des basses-cours de ses domaines, et les herbes inutiles de ses jardins [c] ; et il avait distribué à ses peuples toutes les richesses des Lombards, et les immenses trésors de ces Huns qui avaient dépouillé l'univers.

b. Voyez le capitulaire de Willis, de l'an 800 ; son capitulaire II, de l'an 813, art. 6 et 19 ; et le liv. V des capitulaires, art. 303.

c. Capitulaire de Willis, art. 39. Voyez tout ce capitulaire, qui est un chef-d'œuvre de prudence, de bonne administration et d'économie.

CHAPITRE XIX

Continuation du même sujet.

Charlemagne et ses premiers successeurs craignirent que ceux qu'ils placeraient dans des lieux éloignés ne fussent portés à la révolte ; ils crurent qu'ils trouveraient plus de docilité dans les ecclésiastiques : ainsi ils érigèrent en Allemagne un grand nombre d'évêchés, et y joignirent de grands fiefs [a]. Il paraît, par quelques chartes, que les clauses qui contenaient les prérogatives de ces fiefs n'étaient pas différentes de celles qu'on mettait ordinairement dans ces concessions [b], quoiqu'on voie aujourd'hui les principaux ecclésiastiques d'Allemagne revêtus de la puissance souveraine. Quoi qu'il en soit, c'étaient des pièces qu'ils mettaient en avant contre les Saxons. Ce qu'ils ne pouvaient attendre de l'indolence ou des négligences d'un leude, ils crurent qu'ils devaient l'attendre du zèle et de l'attention agissante d'un évêque : outre qu'un tel vassal, bien loin de se servir contre eux des peuples assujettis, aurait au contraire besoin d'eux pour se soutenir contre ses peuples.

a. Voyez, entre autres, la fondation de l'archevêché de Brême, dans le capitulaire de 789, édition de Baluze, p. 245.

b. Par exemple, la défense aux juges royaux d'entrer dans le territoire, pour exiger les *freda* et autres droits. J'en ai beaucoup parlé au livre précédent.

CHAPITRE XX

Louis le Débonnaire.

Auguste, étant en Egypte, fit ouvrir le tombeau d'Alexandre : on lui demanda s'il voulait qu'on ouvrît ceux des Ptolomées ; il dit qu'il avait voulu voir le roi, et non pas les morts : Ainsi, dans l'histoire de cette seconde race, on cherche Pépin et Charlemagne ; on voudrait voir les rois, et non pas les morts.

Un prince, jouet de ses passions, et dupe de ses vertus même ; un prince qui ne connut jamais sa force ni sa faiblesse ; qui ne sut se concilier ni la crainte ni l'amour ; qui, avec peu de vices dans le cœur, avait toutes sortes de défauts dans l'esprit, prit en main les rênes de l'empire que Charlemagne avait tenues.

Dans le temps que l'univers est en larmes pour la mort de son père ; dans cet instant d'étonnement, où tout le monde demande Charles, et ne le trouve plus ; dans le temps qu'il hâte ses pas pour aller remplir sa place, il envoie devant lui des gens affidés pour arrêter ceux qui avaient contribué au désordre de la conduite de ses sœurs. Cela causa de sanglantes tragédies [a]. C'étaient des imprudences bien précipitées. Il commença à venger les crimes domestiques, avant d'être arrivé au palais ; et à révolter les esprits, avant d'être le maître.

Il fit crever les yeux à Bernard, roi d'Italie, son neveu, qui était venu implorer sa clémence, et qui mourut quelques jours après ; cela multiplia ses ennemis. La crainte qu'il en eut le détermina à faire tondre ses frères ; cela en augmenta encore le nombre. Ces deux derniers articles lui furent bien reprochés [b] : on ne manqua pas de dire qu'il avait violé son serment, et les promesses solennelles qu'il avait faites à son père le jour de son couronnement [c].

Après la mort de l'impératrice Hirmengarde, dont il

---

a. L'auteur incertain de la vie de Louis le Débonnaire, dans le recueil de Duchesne, t. II, p. 295.

b. Voyez le procès-verbal de sa dégradation, dans le recueil de Duchesne, t. II, p. 333.

c. Il lui ordonna d'avoir, pour ses sœurs, ses frères et ses neveux, une clémence sans bornes, *indeficientem misericordiam. Tégan*, dans le recueil de Duchesne, t. II, p. 276.

avait trois enfants, il épousa Judith; il en eut un fils : et bientôt, mêlant les complaisances d'un vieux mari avec toutes les faiblesses d'un vieux roi, il mit un désordre dans sa famille, qui entraîna la chute de la monarchie.

Il changea sans cesse les partages qu'il avait faits à ses enfants. Cependant ces partages avaient été confirmés, tour à tour, par ses serments, ceux de ses enfants, et ceux des seigneurs. C'était vouloir tenter la fidélité de ses sujets; c'était chercher à mettre de la confusion, des scrupules et des équivoques dans l'obéissance; c'était confondre les droits divers des princes, dans un temps surtout où, les forteresses étant rares, le premier rempart de l'autorité était la foi promise et la foi reçue.

Les enfants de l'empereur, pour maintenir leurs partages, sollicitèrent le clergé, et lui donnèrent des droits inouïs jusqu'alors. Ces droits étaient spécieux; on faisait entrer le clergé en garantie d'une chose qu'on avait voulu qu'il autorisât. Agobard représenta à Louis le Débonnaire qu'il avait envoyé Lothaire à Rome pour le faire déclarer empereur; qu'il avait fait des partages à ses enfants, après avoir consulté le ciel par trois jours de jeûnes et de prières [d]. Que pouvait faire un prince superstitieux, attaqué d'ailleurs par la superstition même? On sent quel échec l'autorité souveraine reçut deux fois, par la prison de ce prince et la pénitence publique. On avait voulu dégrader le roi, on dégrada la royauté.

On a d'abord de la peine à comprendre comment un prince, qui avait plusieurs bonnes qualités, qui ne manquait pas de lumières, qui aimait naturellement le bien, et, pour tout dire enfin, le fils de Charlemagne, put avoir des ennemis si nombreux, si violents, si irréconciliables, si ardents à l'offenser, si insolents dans son humiliation, si déterminés à le perdre [e] : Et ils l'auraient perdu deux fois sans retour, si ses enfants, dans le fond plus honnêtes gens qu'eux, eussent pu suivre un projet et convenir de quelque chose.

---

d. Voyez ses lettres.
e. Voyez le procès-verbal de sa dégradation dans le recueil de Duchesne, t. II, p. 331. Voyez aussi sa vie écrite par Tégan. *Tanto enim odio laborabat, ut tæderet eos vita ipsius*, dit l'auteur incertain, dans Duchesne, t. II, p. 307.

Chapitre XXI

Continuation du même sujet.

La force que Charlemagne avait mise dans la nation subsista assez sous Louis le Débonnaire, pour que l'Etat pût se maintenir dans sa grandeur, et être respecté des étrangers. Le prince avait l'esprit faible; mais la nation était guerrière. L'autorité se perdait au-dedans, sans que la puissance parût diminuer au-dehors.

Charles Martel, Pépin et Charlemagne gouvernèrent l'un après l'autre la monarchie. Le premier flatta l'avarice des gens de guerre; les deux autres celle du clergé; Louis le Débonnaire mécontenta tous les deux.

Dans la constitution française, le roi, la noblesse et le clergé avaient dans leurs mains toute la puissance de l'Etat. Charles Martel, Pépin et Charlemagne se joignirent quelquefois d'intérêts avec l'une des deux parties pour contenir l'autre, et presque toujours avec toutes les deux : mais Louis le Débonnaire détacha de lui l'un et l'autre de ces corps. Il indisposa les évêques par des règlements qui leur parurent rigides, parce qu'il allait plus loin qu'ils ne voulaient aller eux-mêmes. Il y a de très bonnes lois faites mal-à-propos. Les évêques, accoutumés, dans ces temps-là, à aller à la guerre contre les Sarrasins et les Saxons, étaient bien éloignés de l'esprit monastique [a]. D'un autre côté, ayant perdu toute sorte de confiance pour sa noblesse, il éleva des gens de néant [b]. Il la priva de ses emplois, la renvoya du palais, appela des étrangers [c]. Il s'était séparé de ces deux corps, il en fut abandonné.

---

a. Pour lors les évêques et les clercs commencèrent à quitter les ceintures et les baudriers d'or, les couteaux enrichis de pierreries qui y étaient suspendus, les habillements d'un goût exquis, les éperons dont la richesse accablait leurs talons. Mais l'ennemi du genre humain ne souffrit point une telle dévotion, qui souleva contre elle les ecclésiastiques de tous les ordres, et se fit à elle-même la guerre. L'auteur incertain de la Vie de Louis le Débonnaire, dans le recueil de Duchesne, t. II, p. 298.

b. Tégan dit que ce qui se faisait très rarement sous Charlemagne, se fit communément sous Louis.

c. Voulant contenir la noblesse, il prit pour son chambrier un certain Bénard, qui acheva de la désespérer.

Chapitre XXII
Continuation du même sujet.

Mais ce qui affaiblit surtout la monarchie, c'est que ce prince en dissipa les domaines [a]. C'est ici que Nitard, un des plus judicieux historiens que nous ayons ; Nitard, petit-fils de Charlemagne, qui était attaché au parti de Louis le Débonnaire, et qui écrivait l'histoire par ordre de Charles le Chauve, doit être écouté.

Il dit « qu'un certain Adelhard avait eu, pendant un temps, un tel empire sur l'esprit de l'empereur, que ce prince suivait sa volonté en toutes choses ; qu'à l'instigation de ce favori, il avait donné les biens fiscaux à tous ceux qui en avaient voulu [b] ; et, par là, avait anéanti la république [c] ». Ainsi il fit, dans tout l'empire, ce que j'ai dit qu'il avait fait en Aquitaine [d] ; chose que Charlemagne répara, et que personne ne répara plus.

L'Etat fut mis dans cet épuisement où Charles Martel le trouva lorsqu'il parvint à la mairie ; et l'on était dans ces circonstances, qu'il n'était plus question d'un coup d'autorité pour le rétablir.

Le fisc se trouva si pauvre, que, sous Charles le Chauve, on ne maintenait personne dans les honneurs ; on n'accordait la sûreté à personne, que pour de l'argent [e] : quand on pouvait détruire les Normands, on les laissait échapper pour de l'argent [f] : et le premier conseil qu'Hincmar donne à Louis le Bègue, c'est de demander, dans une assemblée, de quoi soutenir les dépenses de sa maison.

---

a. *Villas regias, quæ erant sui et avi et tritavi, fidelibus suis tradidit eas in possessiones sempiternas : fecit enim hoc diu tempore,* Tegan, *de gestis Ludovici pii.*

b. *Hinc libertates, hinc publica in propriis usibus distribuere suasit.* Nitard, liv. IV, à la fin.

c. *Rem publicam penitus annulavit ; ibid.*

d. Voyez le liv. XXX, chap. XIII.

e. Hincmar, lettre première à Louis le Bègue.

f. Voyez le fragment de la chronique du monastère de saint Serge d'Angers, dans Duchesne, t. II, p. 401.

CHAPITRE XXIII

Continuation du même sujet.

Le clergé eut sujet de se repentir de la protection qu'il avait accordée aux enfants de Louis le Débonnaire. Ce prince, comme j'ai dit, n'avait jamais donné de préceptions des biens de l'Eglise aux laïcs [a] : mais bientôt, Lothaire en Italie, et Pépin en Aquitaine, quittèrent le plan de Charlemagne, et reprirent celui de Charles Martel. Les ecclésiastiques eurent recours à l'empereur contre ses enfants : mais ils avaient affaibli eux-mêmes l'autorité qu'ils réclamaient. En Aquitaine, on eut quelque condescendance ; en Italie, on n'obéit pas.

Les guerres civiles, qui avaient troublé la vie de Louis le Débonnaire, furent le germe de celles qui suivirent sa mort. Les trois frères, Lothaire, Louis et Charles, cherchèrent, chacun de leur côté, à attirer les grands dans leur parti ; et à se faire des créatures. Ils donnèrent, à ceux qui voulurent les suivre, des préceptions des biens de l'Eglise ; et, pour gagner la noblesse, ils lui livrèrent le clergé.

On voit, dans les capitulaires, que ces princes furent obligés de céder à l'importunité des demandes, et qu'on leur arracha souvent ce qu'ils n'auraient pas voulu donner [b] : on y voit que le clergé se croyait plus opprimé par la noblesse que par les rois. Il paraît encore que Charles le Chauve fut celui qui attaqua le plus le patrimoine du clergé [c] ; soit qu'il fût le plus irrité contre lui,

---

a. Voyez ce que disent les évêques dans le synode de l'an 845, *apud Teudonis villam*, art. 4.

b. Voyez le synode de l'an 845, *apud Teudonis villam*, art. 3 et 4, qui décrit très bien l'état des choses ; aussi bien que celui de la même année, tenu au palais de Vernes, art. 12 ; et le synode de Beauvais, encore de la même année, art. 3, 4 et 6 ; et le capitulaire *in villa Sparnaco*, de l'an 846, art. 20 ; et la lettre que les évêques assemblés à Reims, écrivirent, l'an 858, à Louis le Germanique, art. 8.

c. Voyez le capitulaire *in villa Sparnaco*, de l'an 846. La noblesse avait irrité le roi contre les évêques, de sorte qu'il les chassa de l'assemblée. On choisit quelques canons des synodes, et on leur déclara que ce seraient les seuls qu'on observerait ; on ne leur accorda que ce qu'il était impossible de leur refuser. Voyez les articles 20, 21 et 22. Voyez aussi la lettre que les évêques assemblés écrivirent, l'an 858, à Louis le Germanique, art. 8 ; et l'édit de Pistes, de l'an 864, art. 5.

parce qu'il avait dégradé son père à son occasion; soit qu'il fût le plus timide. Quoi qu'il en soit, on voit, dans les capitulaires, des querelles continuelles entre le clergé qui demandait ses biens, et la noblesse qui refusait, qui éludait, ou qui différait de les rendre; et les rois entre deux [d].

C'est un spectacle digne de pitié, de voir l'état des choses en ces temps-là. Pendant que Louis le Débonnaire faisait aux églises des dons immenses de ses domaines, ses enfants distribuaient les biens du clergé aux laïcs. Souvent la même main qui fondait des abbayes nouvelles, dépouillait les anciennes. Le clergé n'avait point un état fixe. On lui ôtait; il regagnait : mais la couronne perdait toujours.

Vers la fin du règne de Charles le Chauve, et depuis ce règne, il ne fut plus guère question des démêlés du clergé et des laïcs sur la restitution des biens de l'Eglise. Les évêques jetèrent bien encore quelques soupirs dans leurs remontrances à Charles le Chauve, que l'on trouve dans le capitulaire de l'an 856, et dans la lettre qu'ils écrivirent à Louis le Germanique l'an 858 [e] : mais ils proposaient des choses, et ils réclamaient des promesses tant de fois éludées, que l'on voit qu'ils n'avaient aucune espérance de les obtenir.

Il ne fut plus question que de réparer en général les torts faits dans l'Eglise et dans l'Etat [f]. Les rois s'engageaient de ne point ôter aux leudes leurs hommes libres, et de ne plus donner les biens ecclésiastiques par des préceptions [g]; de sorte que le clergé et la noblesse parurent s'unir d'intérêts.

Les étranges ravages des Normands, comme j'ai dit,

---

d. Voyez le même capitulaire de l'an 846, *in villa Sparnaco*. Voyez aussi le capitulaire de l'assemblée tenue *apud Marsnam*, de l'an 847, article 4, dans laquelle le clergé se retrancha à demander qu'on le remît en possession de tout ce dont il avait joui sous le règne de Louis le Débonnaire. Voyez aussi le capitulaire de l'an 851, *apud Marsnam*, articles 6 et 7, qui maintient la noblesse et le clergé dans leurs possessions : et celui *apud Bonoilum*, de l'an 856, qui est une remontrance des évêques au roi, sur ce que les maux, après tant de lois faites, n'avaient pas été réparés : et enfin la lettre que les évêques assemblés à Reims écrivirent, l'an 858, à Louis le Germanique, art. 8.

e. Art. 8.

f. Voyez le capitulaire de l'an 851, art. 6 et 7.

g. Charles le Chauve, dans le synode de Soissons, dit *qu'il avait promis aux évêques de ne plus donner de préceptions des biens de l'Eglise.* Capitulaire de l'an 853, art. 11, édition de Baluze, t. II, p. 56.

contribuèrent beaucoup à mettre fin à ces querelles.

Les rois tous les jours moins accrédités, et par les causes que j'ai dites, et par celles que je dirai, crurent n'avoir d'autre parti à prendre que de se mettre entre les mains des ecclésiastiques. Mais le clergé avait affaibli les rois, et les rois avaient affaibli le clergé.

En vain Charles le Chauve, et ses successeurs appelèrent-ils le clergé pour soutenir l'Etat, et en empêcher la chute [h]; en vain se servirent-ils du respect que les peuples avaient pour ce corps, pour maintenir celui qu'on devait avoir pour eux [i]; en vain cherchèrent-ils à donner de l'autorité à leurs lois par l'autorité des canons [k]; en vain joignirent-ils les peines ecclésiastiques aux peines civiles [l], en vain, pour contrebalancer l'autorité du comte, donnèrent-ils à chaque évêque la qualité de leur envoyé dans les provinces [m] : il fut impossible au clergé de réparer le mal qu'il avait fait; et un étrange malheur, dont je parlerai bientôt, fit tomber la couronne à terre.

---

h. Voyez, dans Nitard, liv. IV, comment, après la fuite de Lothaire, les rois Louis et Charles consultèrent les évêques, pour savoir s'ils pourraient prendre et partager le royaume qu'ils avaient abandonné. En effet, comme les évêques formaient entre eux un corps plus uni que les leudes, il convenait à ces princes d'assurer leurs droits par une résolution des évêques, qui pourraient engager tous les autres seigneurs à les suivre.

i. Voyez le capitulaire de Charles le Chauve, *apud Saponarias,* de l'an 859, art. 3. *Venilon, que j'avais fait archevêque de Sens, m'a sacré; et je ne devais être chassé du royaume par personne, saltem sine audientia et judicio episcoporum, quorum ministerio in regem sum consecratus, et qui throni dei sunt dicti, in quibus deus sedet, et per quos sua decernit judicia; quorum paternis correctionibus et castigatoriis judiciis me subdere fui paratus, et in præsenti sum subditus.*

k. Voyez le capitulaire de Charles le Chauve, de Carisiaco, de l'an 857, édit. de Baluze, t. II, p. 88, art. 1, 2, 3, 4, et 7.

l. Voyez le synode de Pistes, de l'an 862, art. 4; et le capitulaire de Carloman et de Louis II, *apud Vernis palatium,* de l'an 883, art. 4 et 5.

m. Capitulaire de l'an 876, sous Charles le Chauve, *in synodo Pontigonensi,* édit. de Baluze, art. 12.

Chapitre XXIV

Que les hommes libres
furent rendus capables de posséder des fiefs.

J'ai dit que les hommes libres allaient à la guerre sous leur comte, et les vassaux sous leur seigneur. Cela faisait que les ordres de l'Etat se balançaient les uns les autres ; et, quoique les leudes eussent des vassaux sous eux, il pouvaient être contenus par le comte, qui était à la tête de tous les hommes libres de la monarchie.

D'abord [a], ces hommes libres ne purent pas se recommander pour un fief, mais ils le purent dans la suite : et je trouve que ce changement se fit dans le temps qui s'écoula, depuis le règne de Gontran, jusqu'à celui de Charlemagne. Je le prouve par la comparaison qu'on peut faire du traité d'Andely [b], passé entre Gontran, Childebert et la reine Brunehault et le partage fait par Charlemagne à ses enfants, et un partage pareil fait par Louis le Débonnaire [c]. Ces trois actes contiennent des dispositions à peu près pareilles à l'égard des vassaux ; et, comme on y règle les mêmes points, et à peu près dans les mêmes circonstances, l'esprit et la lettre de ces trois traités se trouvent à peu près les mêmes à cet égard.

Mais, pour ce qui concerne les hommes libres, il s'y trouve une différence capitale. Le traité d'Andely ne dit point qu'ils pussent se recommander pour un fief ; au lieu qu'on trouve, dans les partages de Charlemagne et de Louis le Débonnaire, des clauses expresses pour qu'ils pussent s'y recommander : ce qui fait voir que, depuis le traité d'Andely, un nouvel usage s'introduisait, par lequel les hommes libres étaient devenus capables de cette grande prérogative.

Cela dut arriver, lorsque Charles Martel ayant distribué les biens de l'Eglise à ses soldats, et les ayant donnés, partie en fief, partie en alleu, il se fit une espèce de révolution dans les lois féodales. Il est vraisemblable que les nobles, qui avaient déjà des fiefs, trouvèrent plus

---

a. Voyez ce que j'ai dit ci-dessus au liv. XXX, chap. dern. vers la fin.
b. De l'an 587, dans Grégoire de Tours, liv. IX.
c. Voyez le chap. suivant, où je parle plus au long de ces partages, et les notes où ils sont cités.

avantageux de recevoir les nouveaux dons en alleu; et
que les hommes libres se trouvèrent encore trop heureux
de les recevoir en fief.

CHAPITRE XXV

CAUSE PRINCIPALE DE L'AFFAIBLISSEMENT
DE LA SECONDE RACE.

Changement dans les alleux.

Charlemagne, dans le partage dont j'ai parlé au chapitre précédent *a*, régla qu'après sa mort les hommes de
chaque roi recevraient des bénéfices dans le royaume de
leur roi, et non dans le royaume d'un autre *b*; au lieu
qu'on conserverait ses alleux dans quelque royaume que
ce fût. Mais il ajoute que tout homme libre pourrait,
après la mort de son seigneur, se recommander pour un
fief dans les trois royaumes, à qui il voudrait, de même
que celui qui n'avait jamais eu de seigneur *c*. On trouve
les mêmes dispositions dans le partage que fit Louis le
Débonnaire à ses enfants, l'an 817 *d*.

Mais, quoique les hommes libres se recommandassent
pour un fief, la milice du comte n'en était point affaiblie :
il fallait toujours que l'homme libre contribuât pour son
alleu, et préparât des gens qui en fissent le service, à raison
d'un homme pour quatre manoirs; ou bien qu'il préparât
un homme qui servît pour lui le fief : et quelques abus
s'étant introduits là-dessus, ils furent corrigés, comme il
paraît par les constitutions de Charlemagne *e*, et par

---

a. De l'an 806, entre Charles, Pépin et Louis. Il est rapporté par
Goldaste et par Baluze, t. I, p. 439.
b. Art. 9, p. 443. Ce qui est conforme au traité d'Andely, dans
Grégoire de Tours, liv. IX.
c. Art. 10. Et il n'est point parlé de ceci dans le traité d'Andely.
d. Dans Baluze, t. I, p. 174. *Licentiam habeat unusquisque liber homo
qui seniorem non habuerit, cuicumque ex his tribus fratribus voluerit, se
commendandi*, art. 9. Voyez aussi le partage que fit le même empereur, l'an 837, art. 6, édit. de Baluze, p. 686.
e. De l'an 811, édit. de Baluze, t. I, p. 486, art. 7 et 8; et celle
de l'an 812, *ibid.*, p. 490, art. 1. *Ut omnis liber homo qui quatuor
mansos vestitos de proprio suo, sive de alicujus beneficio, habet, ipse se
præparet, et ipse in hostem pergat, sive cum seniore suo*, etc. Voyez
aussi le capitulaire de l'an 807, édit. de Baluze, t. I, p. 458.

celle de Pépin roi d'Italie ', qui s'expliquent l'une l'autre.

Ce que les historiens ont dit, que la bataille de Fontenay causa la ruine de la monarchie, est très vrai : mais qu'il me soit permis de jeter un coup d'œil sur les funestes conséquences de cette journée.

Quelque temps après cette bataille, les trois frères, Lothaire, Louis et Charles, firent un traité dans lequel je trouve des clauses qui durent changer tout l'état politique chez les Français *g*.

Dans l'annonciation *h* que Charles fit au peuple de la partie de ce traité qui le concernait, il dit que tout homme libre pourrait choisir pour seigneur qui il voudrait, du roi ou des autres seigneurs *i*. Avant ce traité, l'homme libre pouvait se recommander pour un fief : mais son alleu restait toujours sous la puissance immédiate du roi, c'est-à-dire, sous la juridiction du comte ; et il ne dépendait du seigneur, auquel il s'était recommandé, qu'à raison du fief qu'il en avait obtenu. Depuis ce traité, tout homme libre put soumettre son alleu au roi, ou à un autre seigneur, à son choix. Il n'est point question de ceux qui se recommandaient pour un fief, mais de ceux qui changeaient leur alleu en fief, et sortaient, pour ainsi dire, de la juridiction civile, pour entrer dans la puissance du roi, ou du seigneur qu'ils voulaient choisir.

Ainsi ceux qui étaient autrefois nuement sous la puissance du roi, en qualité d'hommes libres sous le comte, devinrent insensiblement vassaux les uns des autres ; puisque chaque homme libre pouvait choisir pour seigneur qui il voulait, ou du roi, ou des autres seigneurs.

Qu'un homme changeant en fief une terre qu'il possédait à perpétuité, ces nouveaux fiefs ne pouvaient plus être à vie. Aussi voyons-nous, un moment après, une loi générale pour donner les fiefs aux enfants du possesseur : elle est de Charles le Chauve, un des trois princes qui contractèrent *k*.

Ce que j'ai dit de la liberté qu'eurent tous les hommes

---

f. De l'an 793, insérée dans la loi des Lombards, liv. III, tit. 9, chap. IX.

g. En l'an 847, rapporté par Aubert le Mire et Baluze, t. II, p. 42, *conventus apud Marsnam.*

h. Adnunciatio.

i. Ut unusquisque liber homo in nostre regno seniorem quem voluerit, in nobis et in nostris fidelibus, accipiat : art. 2 de l'annonciation de Charles.

k. Capitulaire de l'an 877, tit. 53, art. 9 et 10, *apud Carisiacum : Similiter et de nostris vassallis faciendum est,* etc. Ce capitulaire se rapporte à un autre de la même année et du même lieu, art. 3.

de la monarchie, depuis le traité des trois frères, de choisir pour seigneur qui ils voulaient, du roi ou des autres seigneurs, se confirme par les actes passés depuis ce temps-là.

Du temps de Charlemagne, lorsqu'un vassal avait reçu d'un seigneur une chose, ne valût-elle qu'un sou, il ne pouvait plus le quitter [l]. Mais, sous Charles le Chauve, les vassaux purent impunément suivre leurs intérêts ou leur caprice : et ce prince s'exprime si fortement là-dessus, qu'il semble plutôt les inviter à jouir de cette liberté, qu'à la restreindre [m]. Du temps de Charlemagne, les bénéfices étaient plus personnels que réels; dans la suite, ils devinrent plus réels que personnels.

[l]. Capitulaire d'Aix-la-Chapelle, de l'an 813, art. 16. *Quod nullus seniorem suum dimittat, postquam ab eo acceperit valente solidum unum.* Et le capitulaire de Pépin, de l'an 783, art. 5.

[m]. Voyez le Capitulaire de Carisiaco, de l'an 856, art. 10 et 13, édit. de Baluze, t. II, p. 83, dans lequel le roi et les seigneurs ecclésiastiques et laïcs convinrent de ceci : *Et si aliqui, de vobis sit cui suus senioratus non placet, et illi simulat ad alium seniorem melius quam ad illum acaptare possit, veniat ad illum, et ipse tranquille et pacifico animo donet illi commeatum... Et quod deus illi cupierit ad alium seniorem acaptare potuerit, pacifice habeat.*

Chapitre XXVI

Changement dans les fiefs.

Il n'arriva pas de moindres changements dans les fiefs que dans les alleux. On voit, par le capitulaire de Compiègne, fait sous le roi Pépin [a], que ceux à qui le roi donnait un bénéfice donnaient eux-mêmes une partie de ce bénéfice à divers vassaux; mais ces parties n'étaient point distinguées du tout. Le roi les ôtait, lorsqu'il ôtait le tout; et, à la mort du leude, le vassal perdait aussi son arrière-fief; un nouveau bénéficiaire venait, qui établissait aussi de nouveaux arrière-vassaux. Ainsi l'arrière-fief ne dépendait point du fief; c'était la personne qui dépendait. D'un côté, l'arrière-vassal revenait au roi, parce qu'il n'était pas attaché pour toujours au vassal; et l'arrière-fief revenait de même au roi, parce qu'il était le fief même, et non pas une dépendance du fief.

[a]. De l'an 757, art. 6, édit. de Baluze, p. 181.

Tel était l'arrière-vasselage, lorsque les fiefs étaient amovibles ; tel il était encore, pendant que les fiefs furent à vie. Cela changea, lorsque les fiefs passèrent aux héritiers, et que les arrière-fiefs y passèrent de même. Ce qui relevait du roi immédiatement n'en releva plus que médiatement ; et la puissance royale se trouva, pour ainsi dire, reculée d'un degré, quelquefois de deux, et souvent davantage.

On voit, dans les livres des fiefs [b], que, quoique les vassaux du roi pussent donner en fief, c'est-à-dire en arrière-fief du roi, cependant ces arrière-vassaux ou petits vavasseurs ne pouvaient pas de même donner en fief ; de sorte que ce qu'ils avaient donné, ils pouvaient toujours le reprendre. D'ailleurs, une telle concession ne passait point aux enfants comme les fiefs, parce qu'elle n'était point censée faite selon la loi des fiefs.

Si l'on compare l'état où était l'arrière-vasselage du temps que les deux sénateurs de Milan écrivaient ces livres, avec celui où il était du temps du roi Pépin, on trouvera que les arrière-fiefs conservèrent plus longtemps leur nature primitive, que les fiefs [c].

Mais, lorsque ces sénateurs écrivirent, on avait mis des exceptions si générales à cette règle, qu'elles l'avaient presque anéantie. Car, si celui qui avait reçu un fief du petit vavasseur l'avait suivi à Rome dans une expédition, il acquérait tous les droits de vassal : de même, s'il avait donné de l'argent au petit vavasseur pour obtenir le fief, celui-ci ne pouvait le lui ôter, ni l'empêcher de le transmettre à son fils, jusqu'à ce qu'il lui eût rendu son argent [d]. Enfin, cette règle n'était plus suivie dans le sénat de Milan [e].

b. Liv. I, chap. I.
c. Au moins en Italie et en Allemagne.
d. Liv. I des fiefs, chap. I.
e. *Ibid.*

Chapitre XXVII

Autre changement arrivé dans les fiefs.

Du temps de Charlemagne [a], on était obligé, sous de grandes peines, de se rendre à la convocation, pour quelque guerre que ce fût; on ne recevait point d'excuses; et le comte qui aurait exempté quelqu'un aurait été puni lui-même. Mais le traité des trois frères [b] mit là-dessus une restriction qui tira, pour ainsi dire, la noblesse de la main du roi [c] : on ne fut plus tenu de suivre le roi à la guerre, que quand cette guerre était défensive. Il fut libre, dans les autres, de suivre son seigneur, ou de vaquer à ses affaires. Ce traité se rapporte à un autre, fait cinq ans auparavant entre les deux frères Charles le Chauve et Louis roi de Germanie, par lequel ces deux frères dispensèrent leurs vassaux de les suivre à la guerre, en cas qu'ils fissent quelque entreprise l'un contre l'autre; chose que les deux princes jurèrent, et qu'ils firent jurer aux deux armées [d].

La mort de cent mille Français à la bataille de Fontenay fit penser à ce qui restait encore de noblesse, que, par les querelles particulières de ses rois sur leur partage, elle serait enfin exterminée; et que leur ambition et leur jalousie ferait verser tout ce qu'il y avait encore de sang à répandre [e]. On fit cette loi, que la noblesse ne serait contrainte de suivre les princes à la guerre, que lorsqu'il s'agirait de défendre l'Etat contre une invasion étrangère. Elle fut en usage pendant plusieurs siècles [f].

a. Capitulaire de l'an 802, art. 7, édit. de Baluze, p. 365.
b. *Apud Marsnam*, l'an 847, édit. de Baluze, p. 42.
c. *Volumus ut cujuscumque nostrum homo, in cujuscumque regno sit, cum seniore suo in hostem, vel aliis suis utilitatibus, pergat; nisitalis regni invasio quam* Lamtuveri *dicunt, quod absit, acciderit, ut omnis populus illius regni ad eam repellendam communiter pergat :* art. 5, *ibid.*, p. 44.
d. *Apud Argentoratum*, dans Baluze, capitulaire, t. II, p. 39.
e. Effectivement, ce fut la noblesse qui fit ce traité. Voyez Nitard, liv. IV.
f. Voyez la loi de Guy, roi des Romains, parmi celles qui ont été ajoutées à la loi salique et à celle des Lombards, tit. 6, § 2, dans *Echard.*

Chapitre XXVIII

Changements arrivés dans les grands offices
et dans les fiefs.

Il semblait que tout prît un vice particulier, et se corrompît en même temps. J'ai dit que, dans les premiers temps, plusieurs fiefs étaient aliénés à perpétuité : mais c'étaient des cas particuliers, et les fiefs en général conservaient toujours leur propre nature; et, si la couronne avait perdu des fiefs, elle en avait substitué d'autres. J'ai dit encore que la couronne n'avait jamais aliéné les grands offices à perpétuité *a*.

Mais Charles le Chauve fit un règlement général, qui affecta également et les grands offices et les fiefs : il établit, dans ses capitulaires, que les comtés seraient donnés aux enfants du comte; et il voulut que ce règlement eût encore lieu pour les fiefs *b*.

On verra, tout à l'heure, que ce règlement reçut une plus grande extension; de sorte que les grands offices et les fiefs passèrent à des parents plus éloignés. Il suivit de là que la plupart des seigneurs, qui relevaient immédiatement de la couronne, n'en relevèrent plus que médiatement. Ces comtes, qui rendaient autrefois la justice dans les plaids du roi; ces comtes, qui menaient les hommes libres à la guerre, se trouvèrent entre le roi et ses hommes libres : et la puissance se trouva encore reculée d'un degré.

Il y a plus : il paraît, par les capitulaires, que les comtes avaient des bénéfices attachés à leurs comtés, et des vassaux sous eux *c*. Quand les comtés furent héréditaires,

a. Des auteurs ont dit que le comté de Toulouse avait été donné par Charles Martel, et passa d'héritier en héritier jusqu'au dernier Raymond : mais, si cela est, ce fut l'effet de quelques circonstances qui purent engager à choisir les comtes de Toulouse parmi les enfants du dernier possesseur.

b. Voyez son capitulaire de l'an 877, tit. 53, art. 9 et 10, *apud Carisiacum.* Ce capitulaire se rapporte à un autre de la même année et du même lieu, art. 3.

c. Le capitulaire 111, de l'an 812, art. 7; et celui de l'an 815, art. 6, sur les Espagnols; le recueil des capitulaires, liv. V, art. 228; et le capitulaire de l'an 869, art. 2; et celui de l'an 877, art. 13, édit. de Baluze.

ces vassaux du comte ne furent plus les vassaux immé-
diats du roi; les bénéfices attachés aux comtés ne furent
plus les bénéfices du roi; les comtes devinrent plus
puissants, parce que les vassaux qu'ils avaient déjà les
mirent en état de s'en procurer d'autres.

Pour bien sentir l'affaiblissement qui en résulta à la
fin de la seconde race, il n'y a qu'à voir ce qui arriva au
commencement de la troisième, où la multiplication des
arrière-fiefs mit les grands vassaux au désespoir.

C'était une coutume du royaume, que, quand les aînés
avaient donné des partages à leurs cadets, ceux-ci en
faisaient hommage à l'aîné [d]; de manière que le seigneur
dominant ne les tenait plus qu'en arrière-fief. Philippe
Auguste, le duc de Bourgogne, les comtes de Nevers, de
Boulogne, de Saint-Paul, de Dampierre, et autres seigneurs, déclarèrent que dorénavant, soit que le fief fût
divisé par succession ou autrement, le tout relèverait
toujours du même seigneur, sans aucun seigneur moyen [e].
Cette ordonnance ne fut pas généralement suivie; car,
comme j'ai dit ailleurs, il était impossible de faire, dans
ces temps-là, des ordonnances générales : mais plusieurs
de nos coutumes se réglèrent là-dessus.

d. Comme il paraît par Othon de Frissingue, des gestes de Frédéric, liv. II, chap. XXIX.
e. Voyez l'ordonnance de Phillipe Auguste, de l'an 1209, dans le
nouveau recueil.

Chapitre XXIX

De la nature des fiefs, depuis le règne de Charles le Chauve.

J'ai dit que Charles le Chauve voulut que, quand le
possesseur d'un grand office ou d'un fief laisserait en
mourant un fils, l'office ou le fief lui fût donné. Il serait
difficile de suivre le progrès des abus qui en résultèrent,
et de l'extension qu'on donna à cette loi dans chaque
pays. Je trouve, dans les livres des fiefs [a], qu'au commencement du règne de l'empereur Conrad II, les fiefs, dans
les pays de sa domination, ne passaient point aux petits-
fils; ils passaient seulement à celui des enfants du dernier

a. Liv. I, tit. I.

possesseur que le seigneur avait choisi [b] : ainsi les fiefs furent donnés par une espèce d'élection, que le seigneur fit entre ses enfants.

J'ai expliqué, au chapitre XVII de ce livre, comment, dans la seconde race, la couronne se trouvait à certains égards élective, et à certains égards héréditaire. Elle était héréditaire, parce qu'on prenait toujours les rois dans cette race ; elle l'était encore, parce que les enfants succédaient : elle était élective, parce que le peuple choisissait entre les enfants. Comme les choses vont toujours de proche en proche, et qu'une loi politique a toujours du rapport à une autre loi politique, on suivit, pour la succession des fiefs, le même esprit que l'on avait suivi pour la succession à la couronne [c]. Ainsi les fiefs passèrent aux enfants, et par droit de succession et par droit d'élection ; et chaque fief se trouva, comme la couronne, électif et héréditaire.

Ce droit d'élection, dans la personne du seigneur, ne subsistait pas [d] du temps des auteurs des livres des fiefs [e], c'est-à-dire, sous le règne de l'empereur Frédéric Ier.

b. *Sic progressum est, ut ad filios deveniret in quem dominus hoc vellet beneficium confirmare ; ibid.*

c. Au moins en Italie et en Allemagne.

d. *Quod hodie ita stabilitum est, ut ad omnes æqualiter veniat ;* liv. I des fiefs, tit. I.

e. Gerardus Niger, et Aubertus de Orto.

CHAPITRE XXX

Continuation du même sujet.

Il est dit, dans les livres des fiefs [a], que, quand l'empereur Conrad partit pour Rome, les fidèles qui étaient à son service lui demandèrent de faire une loi pour que les fiefs, qui passaient aux enfants, passassent aussi aux petits-enfants ; et que celui dont le frère était mort sans héritiers légitimes, pût succéder au fief qui avait appartenu à leur père commun : cela fut accordé.

On y ajoute, et il faut se souvenir que ceux qui parlent

a. Liv. I *des Fiefs*, tit. I.

vivaient du temps de l'empereur Frédéric I^{er b}, « que les
anciens jurisconsultes avaient toujours tenu que la succession des fiefs en ligne collatérale ne passait point au-
delà des frères germains; quoique, dans des temps
modernes, on l'eût portée jusqu'au septième degré;
comme, par le droit nouveau, on l'avait portée en ligne
directe jusqu'à l'infini ^c. » C'est ainsi que la loi de Conrad
reçut peu à peu des extensions.

Toutes ces choses supposées, la simple lecture de
l'histoire de France fera voir que la perpétuité des fiefs
s'établit plutôt en France qu'en Allemagne. Lorsque l'empereur Conrad II commença à régner en 1024, les choses
se trouvèrent encore en Allemagne comme elles étaient
déjà en France sous le règne de Charles le Chauve,
qui mourut en 877. Mais en France, depuis le règne de
Charles le Chauve, il se fit de tels changements, que
Charles le Simple se trouva hors d'état de disputer à une
maison étrangère ses droits incontestables à l'empire; et
qu'enfin, du temps de Hugues Capet, la maison régnante,
dépouillée de tous ses domaines, ne put pas même soutenir la couronne.

La faiblesse d'esprit de Charles le Chauve mit en
France une égale faiblesse dans l'Etat. Mais, comme
Louis le Germanique son frère, et quelques-uns de ceux
qui lui succédèrent, eurent de plus grandes qualités, la
force de leur Etat se soutint plus longtemps.

Que dis-je ? Peut-être que l'humeur flegmatique, et, si
j'ose le dire, l'immutabilité de l'esprit de la nation alle-
mande, résista plus longtemps que celui de la nation
française à cette disposition des choses, qui faisait que les
fiefs, comme par une tendance naturelle, se perpétuaient
dans les familles.

J'ajoute que le royaume d'Allemagne ne fut pas
dévasté, et, pour ainsi dire, anéanti, comme le fut celui
de France, par ce genre particulier de guerre que lui
firent les Normands et les Sarrasins. Il y avait moins de
richesses en Allemagne, moins de villes à saccager, moins
de côtes à parcourir, plus de marais à franchir, plus de
forêts à pénétrer. Les princes, qui ne virent pas à chaque
instant l'Etat prêt à tomber, eurent moins besoin de leurs
vassaux, c'est-à-dire, en dépendirent moins. Et il y a
apparence que, si les empereurs d'Allemagne n'avaient

---

b. Cujas l'a très bien prouvé.
c. Liv. I *des Fiefs*, tit. 1.

été obligés de s'aller faire couronner à Rome, et de faire des expéditions continuelles en Italie, les fiefs auraient conservé plus longtemps chez eux leur nature primitive.

Chapitre XXXI

Comment l'empire sortit de la maison de Charlemagne.

L'empire qui, au préjudice de la branche de Charles le Chauve, avait déjà été donné aux bâtards de celle de Louis le Germanique [a], passa encore dans une maison étrangère, par l'élection de Conrad, duc de Franconie, l'an 912. La branche qui régnait en France, et qui pouvait à peine disputer des villages, était encore moins en état de disputer l'empire. Nous avons un accord passé entre Charles le Simple et l'empereur Henri Ier, qui avait succédé à Conrad. On l'appelle le pacte de Bonn [b]. Les deux princes se rendirent dans un navire qu'on avait placé au milieu du Rhin, et se jurèrent une amitié éternelle. On employa un *mezzo termine* assez bon. Charles prit le titre de roi de la France occidentale, et Henri celui de roi de la France orientale. Charles contracta avec le roi de Germanie, et non avec l'empereur.

a. Arnoul, et son fils Louis IV.
b. De l'an 926, rapporté par Aubert le Mire, cod. *donationum piarum*, chap. XXVII.

Chapitre XXXII

*Comment la couronne de France passa
dans la maison de Hugues Capet.*

L'hérédité des fiefs, et l'établissement général des arrière-fiefs, éteignirent le gouvernement politique, et formèrent le gouvernement féodal. Au lieu de cette multitude innombrable de vassaux que les rois avaient eus, ils n'en eurent plus que quelques-uns, dont les autres dépendirent. Les rois n'eurent presque plus d'autorité directe : un pouvoir qui devait passer par tant d'autres pouvoirs, et par de si grands pouvoirs, s'arrêta ou se perdit avant d'arriver à son terme. De si grands vassaux n'obéirent plus ; et ils se servirent même de leurs arrière-vassaux pour ne plus obéir. Les rois, privés de leurs domaines, réduits aux villes de Reims et de Laon, restèrent à leur merci. L'arbre étendit trop loin ses branches, et la tête se sécha. Le royaume se trouva sans domaine, comme est aujourd'hui l'empire. On donna la couronne à un des plus puissants vassaux.

Les Normands ravageaient le royaume : ils venaient sur des espèces de radeaux ou de petits bâtiments, entraient par l'embouchure des rivières, les remontaient, et dévastaient le pays des deux côtés. Les villes d'Orléans et de Paris arrêtaient ces brigands [a] ; et ils ne pouvaient avancer ni sur la Seine, ni sur la Loire. Hugues Capet, qui possédait ces deux villes, tenait dans ses mains les deux clefs des malheureux restes du royaume ; on lui déféra une couronne qu'il était seul en état de défendre. C'est ainsi que depuis on a donné l'empire à la maison qui tient immobiles les frontières des Turcs.

L'empire était sorti de la maison de Charlemagne, dans le temps que l'hérédité des fiefs ne s'établissait que comme une condescendance. Elle fut même plus tard en usage chez les Allemands que chez les Français [b] : cela fit que l'empire, considéré comme un fief, fut électif. Au contraire, quand la couronne de France sortit de la maison de Charlemagne, les fiefs étaient réellement héréditaires dans ce royaume : la couronne, comme un grand fief, le fut aussi.

Du reste, on a eu grand tort de rejeter sur le moment de cette révolution tous les changements qui étaient arrivés, ou qui arrivèrent depuis. Tout se réduisit à deux événements ; la famille régnante changea, et la couronne fut unie à un grand fief.

a. Voyez le capitulaire de Charles le Chauve, de l'an 877, *apud Carisiacum,* sur l'importance de Paris, de saint Denys, et des châteaux sur la Loire, dans ces temps-là.

b. Voyez ci-dessus le chap. **xxx,** p. 419.

Chapitre XXXIII

Quelques conséquences de la perpétuité des fiefs.

Il suivit, de la perpétuité des fiefs, que le droit d'aînesse et de primogéniture s'établit parmi les Français. On ne le connaissait point dans la première race[a] : la couronne se partageait entre les frères; les alleux se divisaient de même; et les fiefs, amovibles ou à vie, n'étant pas un objet de succession, ne pouvaient pas être un objet de partage.

Dans la seconde race, le titre d'empereur qu'avait Louis le Débonnaire, et dont il honora Lothaire son fils aîné, lui fit imaginer de donner à ce prince une espèce de primauté sur ses cadets. Les deux rois devaient aller trouver l'empereur chaque année, lui porter des présents, et en recevoir de lui de plus grands; ils devaient conférer avec lui sur les affaires communes[b]. C'est ce qui donna à Lothaire ces prétentions qui lui réussirent si mal. Quand Agobard écrivit pour ce prince[c], il allégua la disposition de l'empereur même, qui avait associé Lothaire à l'empire, après que, par trois jours de jeûne et par la célébration des saints sacrifices, par des prières et des aumônes, Dieu avait été consulté; que la nation lui avait prêté serment, qu'elle ne pouvait point se parjurer; qu'il avait envoyé Lothaire à Rome pour être confirmé par le pape. Il pèse sur tout ceci, et non pas sur le droit d'aînesse. Il dit bien que l'empereur avait désigné un partage aux cadets, et qu'il avait préféré l'aîné : mais, en disant qu'il avait préféré l'aîné, c'était dire en même temps qu'il aurait pu préférer les cadets.

Mais, quand les fiefs furent héréditaires, le droit d'aînesse s'établit dans la succession des fiefs; et, par la même raison, dans celle de la couronne, qui était le grand fief. La loi ancienne, qui formait des partages, ne subsista plus : les fiefs étant chargés d'un service, il fallait que le possesseur fût en état de le remplir. On établit un

a. Voyez la loi salique et la loi des Ripuaires, au titre *Des alleux*.
b. Voyez le capitulaire de l'an 817, qui contient le premier partage que Louis le Débonnaire fit entre ses enfants.
c. Voyez ses deux lettres à ce sujet, dont l'une a pour titre, *de divisione imperii*.

droit de primogéniture ; et la raison de la loi féodale força celle de la loi politique ou civile.

Les fiefs passant aux enfants du possesseur, les seigneurs perdaient la liberté d'en disposer ; et, pour s'en dédommager, ils établirent un droit qu'on appela le droit de rachat, dont parlent nos coutumes, qui se paya d'abord en ligne directe, et qui, par usage, ne se paya plus qu'en ligne collatérale.

Bientôt les fiefs purent être transportés aux étrangers, comme un bien patrimonial. Cela fit naître le droit de lods et ventes, établi dans presque tout le royaume. Ces droits furent d'abord arbitraires : mais, quand la pratique d'accorder ces permissions devint générale, on les fixa dans chaque contrée.

Le droit de rachat devait se payer à chaque mutation d'héritier, et se paya même d'abord en ligne directe [d]. La coutume la plus générale l'avait fixé à une année du revenu. Cela était onéreux et incommode au vassal, et affectait, pour ainsi dire, le fief. Il obtint souvent, dans l'acte d'hommage, que le seigneur ne demanderait plus pour le rachat qu'une certaine somme d'argent [e], laquelle, par les changements arrivés aux monnaies, est devenue de nulle importance : ainsi le droit de rachat se trouve aujourd'hui presque réduit à rien, tandis que celui de lods et ventes a subsisté dans toute son étendue. Ce droit-ci ne concernant ni le vassal ni ses héritiers, mais étant un cas fortuit qu'on ne devait ni prévoir ni attendre, on ne fit point ces sortes de stipulations, et on continua à payer une certaine portion du prix.

Lorsque les fiefs étaient à vie, on ne pouvait pas donner une partie de son fief, pour le tenir pour toujours en arrière-fief ; il eût été absurde qu'un simple usufruitier eût disposé de la propriété de la chose. Mais, lorsqu'ils devinrent perpétuels, cela fut permis [f], avec de certaines restrictions que mirent les coutumes [g] ; ce qu'on appelle se jouer de son fief.

La perpétuité des fiefs ayant fait établir le droit de

d. Voyez l'ordonnance de Philippe Auguste, de l'an 1209, sur les fiefs.

e. On trouve, dans les chartes, plusieurs de ces conventions, comme dans le capitulaire de Vendôme, et celui de l'abbaye de saint Cyprien en Poitou, dont M. Galland, p. 55, a donné des extraits.

f. Mais on ne pouvait pas abréger le fief, c'est-à-dire, en éteindre une portion.

g. Elles fixèrent la portion dont on pouvait se jouer.

rachat, les filles purent succéder à un fief, au défaut des mâles. Car le seigneur donnant le fief à la fille, il multipliait les cas de son droit de rachat, parce que le mari devait le payer comme la femme [h]. Cette disposition ne pouvait avoir lieu pour la couronne; car, comme elle ne relevait de personne, il ne pouvait point y avoir de droit de rachat sur elle.

La fille de Guillaume V, comte de Toulouse, ne succéda pas à la comté. Dans la suite, Aliénor succéda à l'Aquitaine, et Mathilde à la Normandie : et le droit de la succession des filles parut, dans ces temps-là, si bien établi, que Louis le Jeune, après la dissolution de son mariage avec Aliénor, ne fit aucune difficulté de lui rendre la Guyenne. Comme ces deux exemples suivirent de très près le premier, il faut que la loi générale qui appelait les femmes à la succession des fiefs, se soit introduite plus tard dans la comté de Toulouse, que dans les autres provinces du royaume [i].

La constitution de divers royaumes de l'Europe a suivi l'état actuel où étaient les fiefs dans les temps que ces royaumes ont été fondés. Les femmes ne succédèrent ni à la couronne de France, ni à l'empire; parce que, dans l'établissement de ces deux monarchies, les femmes ne pouvaient succéder aux fiefs : mais elles succédèrent dans les royaumes dont l'établissement suivit celui de la perpétuité des fiefs, tels que ceux qui furent fondés par les conquêtes des Normands, ceux qui furent fondés par les conquêtes faites sur les Maures; d'autres enfin, qui, au-delà des limites de l'Allemagne, et dans des temps assez modernes, prirent, en quelque façon, une seconde naissance par l'établissement du christianisme.

Quand les fiefs étaient amovibles, on les donnait à des gens qui étaient en état de les servir; et il n'était point question des mineurs : Mais, quand ils furent perpétuels, les seigneurs prirent le fief jusqu'à la majorité, soit pour augmenter leurs profits, soit pour faire élever le pupille dans l'exercice des armes [k]. C'est ce que nos coutumes

---

h. C'est pour cela que le seigneur contraignait la veuve de se remarier.

i. La plupart des grandes maisons avaient leurs lois de succession particulières. Voyez ce que M. de la Thaumassière nous dit sur les maisons du Berri.

k. On voit, dans le capitulaire de l'année 877, *apud Carisiacum*, art. 3, édit. de Baluze, t. II, p. 169, le moment où les rois firent administrer les fiefs, pour les conserver aux mineurs; exemple qui

appellent la garde-noble, laquelle est fondée sur d'autres principes que ceux de la tutelle, et en est entièrement distincte.

Quand les fiefs étaient à vie, on se recommandait pour un fief; et la tradition réelle, qui se faisait par le sceptre, constatait le fief, comme fait aujourd'hui l'hommage. Nous ne voyons pas que les comtes, ou même les envoyés du roi, reçussent les hommages dans les provinces; et cette fonction ne se trouve pas dans les commissions de ces officiers qui nous ont été conservées dans les capitulaires. Ils faisaient bien quelquefois prêter le serment de fidélité à tous les sujets [l] : mais ce serment était si peu un hommage de la nature de ceux qu'on établit depuis, que, dans ces derniers, le serment de fidélité était une action jointe à l'hommage, qui tantôt suivait et tantôt précédait l'hommage, qui n'avait point lieu dans tous les hommages, qui fut moins solennelle que l'hommage, et en était entièremen... distincte [m].

Les comtes et les envoyés du roi faisaient encore, dans les occasions, donner aux vassaux, dont la fidélité était suspecte, une assurance qu'on appelait *firmitas* [n]; mais cette assurance ne pouvait être un hommage, puisque les rois se la donnaient entre eux [o].

Que si l'abbé Suger parle d'une chaire de Dagobert, où, selon le rapport de l'Antiquité, les rois de France, avaient coutume de recevoir les hommages des seigneurs [p], il est clair qu'il emploie ici les idées et le langage de son temps.

Lorsque les fiefs passèrent aux héritiers, la reconnaissance du vassal, qui n'était dans les premiers temps qu'une chose occasionnelle, devint une action réglée : elle fut

fut suivi par les seigneurs, et donna l'origine à ce que nous appelons la garde-noble.

l. On en trouve la formule dans le capitulaire 11 de l'an 802. Voyez aussi celui de l'an 854, art. 13; et autres.

m. M. du Cange, au mot *hominium*, p. 1163, et au mot *fidelitas*, p. 474, cite les chartes des anciens hommages, où ces différences se trouvent, et grand nombre d'autorités qu'on peut voir. Dans l'hommage, le vassal mettait sa main dans celle du seigneur, et jurait : le serment de fidélité se faisait en jurant sur les évangiles. L'hommage se faisait à genoux; le serment de fidélité debout. Il n'y avait que le seigneur qui pût recevoir l'hommage; mais ses officiers pouvaient prendre le serment de fidélité. Voyez Litléton, sections 91 et 92. *Foi et hommage*, c'est fidélité et hommage.

n. Capitulaire de Charles le Chauve, de l'an 860, *post reditum a Confluentibus*, art. 3, édit. de Baluze, p. 145.

o. Ibid., art. 1.

p. Lib. de administratione sua.

faite d'une manière plus éclatante, elle fut remplie de plus de formalités ; parce qu'elle devait porter la mémoire des devoirs réciproques du seigneur et du vassal, dans tous les âges.

Je pourrais croire que les hommages commencèrent à s'établir du temps du roi Pépin, qui est le temps où j'ai dit que plusieurs bénéfices furent donnés à perpétuité : mais je le croirais avec précaution, et dans la supposition seule que les auteurs des anciennes annales des Francs n'aient pas été des ignorants, qui, décrivant les cérémonies de l'acte de fidélité que Taffillon, duc de Bavière, fit à Pépin *q*, aient parlé suivant les usages qu'ils voyaient pratiquer de leur temps *r*.

q. *Anno* 757, chap. XVII.
r. Tassilio *venit in vassatico se commendans, per manus sacramenta juravit multa et innumerabilia, reliquiis•sanctorum manus imponens, et fidelitatem promisit* Pippino. Il semblerait qu'il y aurait là un hommage et un serment de fidélité. Voyez à la p. 414, la note *m*.

CHAPITRE XXXIV

Continuation du même sujet.

Quand les fiefs étaient amovibles ou à vie, ils n'appartenaient guère qu'aux lois politiques : c'est pour cela que, dans les lois civiles de ces temps-là, il est fait si peu de mention des lois des fiefs. Mais, lorsqu'ils devinrent héréditaires, qu'ils purent se donner, se vendre, se léguer, ils appartinrent et aux lois politiques et aux lois civiles. Le fief, considéré comme une obligation au service militaire, tenait au droit politique ; considéré comme un genre de bien qui était dans le commerce, il tenait au droit civil. Cela donna naissance aux lois civiles sur les fiefs.

Les fiefs étant devenus héréditaires, les lois concernant l'ordre des successions durent être relatives à la perpétuité des fiefs. Ainsi s'établit, malgré la disposition du droit romain et de la loi salique *a*, cette règle du droit français, *propres ne remontent point* *b*. Il fallait que le fief fût servi ; mais un aïeul, un grand oncle, auraient été de

a. Au titre *des alleux.*
b. Liv. IV, *de feudis,* tit. 59.

mauvais vassaux à donner au seigneur : aussi cette règle n'eut-elle d'abord lieu que pour les fiefs, comme nous l'apprenons de Boutillier [c].

Les fiefs étant devenus héréditaires, les seigneurs, qui devaient veiller à ce que le fief fût servi, exigèrent que les filles qui devaient succéder au fief [d], et, je crois, quelquefois les mâles, ne pussent se marier sans leur consentement; de sorte que les contrats de mariage devinrent, pour les nobles, une disposition féodale et une disposition civile. Dans un acte pareil, fait sous les yeux du seigneur, on fit des dispositions pour la succession future, dans la vue que le fief pût être servi par les héritiers : aussi les seuls nobles eurent-ils d'abord la liberté de disposer des successions futures par contrat de mariage, comme l'ont remarqué Boyer [e] et Aufrerius [f].

Il est inutile de dire que le retrait lignager, fondé sur l'ancien droit des parents, qui est un mystère de notre ancienne jurisprudence française que je n'ai pas le temps de développer, ne put avoir lieu à l'égard des fiefs, que lorsqu'ils devinrent perpétuels.

Italiam, Italiam... [g] Je finis le traité des fiefs où la plupart des auteurs l'ont commencé.

FIN DE L'ESPRIT DES LOIS

. *Somme rurale*, liv. I, tit. 76, p. 447.
d. Suivant une ordonnance de Saint Louis, de l'an 1246, pour constater les coutumes d'Anjou et du Maine, ceux qui auront le bail d'une fille héritière d'un fief, donneront assurance au seigneur qu'elle ne sera mariée que de son consentement.
e. Décision 155, nº 8; et 204, nº 38.
f. *In Capell. Thol.*, décision 453.
g. Enéid., liv. III, vers 523.

DEFENSE
DE
L'ESPRIT DES LOIS

A laquelle on a joint quelques ÉCLAIRCISSEMENTS.

PREMIÈRE PARTIE

On a divisé cette défense en trois parties. Dans la première, on a répondu aux reproches généraux qui ont été faits à l'auteur de l'*Esprit des lois*. Dans la seconde, on répond aux reproches particuliers. La troisième contient des réflexions sur la manière dont on l'a critiqué. Le public va connaître l'état des choses ; il pourra juger.

I

Quoique l'*Esprit des lois* soit un ouvrage de pure politique et de pure jurisprudence, l'auteur a eu souvent occasion d'y parler de la religion chrétienne : il l'a fait de manière à en faire sentir toute la grandeur ; et, s'il n'a pas eu pour objet de travailler à la faire croire, il a cherché à la faire aimer.

Cependant, dans deux feuilles périodiques qui ont paru coup sur coup [a], on lui a fait les plus affreuses imputations. Il ne s'agit pas moins que de savoir s'il est spinosiste et déiste ; et, quoique ces deux accusations soient, par elles-mêmes, contradictoires ; on le mène sans cesse de l'une à l'autre. Toutes les deux, étant incompatibles, ne peuvent pas le rendre plus coupable qu'une seule ; mais toutes les deux peuvent le rendre plus odieux.

Il est donc spinosiste, lui qui, dès le premier article de son livre, a distingué le monde matériel d'avec les intelligences spirituelles.

Il est donc spinosiste, lui qui, dans le second article, a attaqué l'athéisme. *Ceux qui ont dit qu'une fatalité aveugle a produit tous les effets que nous voyons dans le*

a. L'une du 9 octobre 1749, l'autre du 16 du même mois.

monde, ont dit une grande absurdité : car, quelle plus grande absurdité, qu'une fatalité aveugle, qui a produit des êtres intelligents ?

Il est donc spinosiste, lui qui a continué par ces paroles : *Dieu a du rapport à l'univers, comme créateur, et comme conservateur* [b] : *les lois selon lesquelles il a créé, sont celles selon lesquelles il conserve. Il agit selon ces règles, parce qu'il les connaît ; il les connaît, parce qu'il les a faites ; il les a faites, parce qu'elles ont du rapport avec sa sagesse et sa puissance.*

Il est donc spinosiste, lui qui a ajouté : *Comme nous voyons que le monde, formé par le mouvement de la matière, et privé d'intelligence, subsiste toujours, etc* [c].

Il est donc spinosiste, lui qui a démontré contre Hobbes et Spinosa, *que les rapports de justice et d'équité étaient antérieurs à toutes les lois positives* [d].

Il est donc spinosiste, lui qui a dit, au commencement du chapitre second : *Cette loi qui, en imprimant dans nous-même l'idée d'un créateur, nous porte vers lui, est la première des lois naturelles par son importance.*

Il est donc spinosiste, lui qui a combattu de toutes ses forces le paradoxe de Bayle, qu'il vaut mieux être athée qu'idolâtre : Paradoxe dont les athées tireraient les plus dangereuses conséquences.

Que dit-on, après des passages si formels ? Et l'équité naturelle demande que le degré de preuve soit proportionné à la grandeur de l'accusation.

PREMIÈRE OBJECTION

L'auteur tombe dès le premier pas. Les lois, dans la signification la plus étendue, dit-il, *sont les rapports nécessaires qui dérivent de la nature des choses. Les lois des rapports !* cela se conçoit-il ?... *Cependant l'auteur n'a pas changé la définition ordinaire des lois sans dessein. Quel est donc son but ? le voici. Selon le nouveau système, il y a, entre tous les êtres qui forment ce que* Pope *appelle le* grand tout, *un enchaînement si nécessaire, que le moindre dérangement porterait la confusion jusqu'au trône du premier être. C'est ce qui fait dire à* Pope, *que les choses n'ont pu être autrement qu'elles ne sont, et que tout est bien comme il est. Cela posé,*

b. Liv. I, chap. I.
c. *Ibid.*
d. *Ibid.*

on entend la signification de ce langage nouveau, que les lois
sont les rapports nécessaires qui dérivent de la nature des
choses. A quoi l'on ajoute que, dans ce sens, tous les êtres ont
leurs lois; la divinité a ses lois; le monde matériel a ses lois;
les intelligences supérieures à l'homme ont leurs lois; les
bêtes ont leurs lois; l'homme a ses lois.

RÉPONSE

Les ténèbres mêmes ne sont pas plus obscures que
ceci. Le critique a ouï dire que Spinosa admettait un
principe aveugle et nécessaire qui gouvernait l'univers;
il ne lui en faut pas davantage : dès qu'il trouvera le mot
nécessaire, ce sera du spinosisme. L'auteur a dit que les
lois étaient un rapport nécessaire; voilà donc du spinosisme, parce que voilà du nécessaire. Et ce qu'il y a de
surprenant, c'est que l'auteur, chez le critique, se trouve
spinosiste à cause de cet article, quoique cet article com-
batte expressément les systèmes dangereux. L'auteur a
eu en vue d'attaquer le système de Hobbes; système
terrible, qui, faisant dépendre toutes les vertus et tous les
vices de l'établissement des lois que les hommes se sont
faites; et voulant prouver que les hommes naissent tous
en état de guerre, et que la première loi naturelle est la
guerre de tous contre tous, renverse, comme Spinosa, et
toute religion et toute morale. Sur cela, l'auteur a établi,
premièrement, qu'il y avait des lois de justice et d'équité
avant l'établissement des lois positives : il a prouvé que
tous les êtres avaient des lois; que, même avant leur
création, ils avaient des lois possibles; que Dieu lui-même
avait des lois, c'est-à-dire, les lois qu'il s'était faites. Il a
démontré qu'il était faux que les hommes naquissent en
état de guerre [e]; il a fait voir que l'état de guerre n'avait
commencé qu'après l'établissement des sociétés; il a
donné là-dessus des principes clairs. Mais il en résulte
toujours que l'auteur a attaqué les erreurs de Hobbes, et
les conséquences de celles de Spinosa; et qu'il lui est
arrivé qu'on l'a si peu entendu, que l'on a pris, pour
des opinions de Spinosa, les objections qu'il fait contre le
spinosisme. Avant d'entrer en dispute, il faudrait commencer par se mettre au fait de l'état de la question; et
savoir du moins si celui qu'on attaque est ami ou ennemi.

e. Liv. I, chap. II.

SECONDE OBJECTION

Le critique continue : *Sur quoi l'auteur cite Plutarque, qui dit que la loi est la reine de tous les mortels et immortels. Mais est-ce d'un païen, etc.*

RÉPONSE

Il est vrai que l'auteur a cité Plutarque, qui dit que la loi est la reine de tous les mortels et immortels.

TROISIÈME OBJECTION

L'auteur a dit que *la création, qui paraît être un acte arbitraire, suppose des règles aussi invariables que la fatalité des athées*. De ces termes, le critique conclut que l'auteur admet la fatalité des athées.

RÉPONSE

Un moment auparavant il a détruit cette fatalité par ces paroles : *Ceux qui ont dit qu'une fatalité aveugle gouverne l'univers, ont dit une grande absurdité : car quelle plus grande absurdité qu'une fatalité aveugle, qui a produit des êtres intelligents ?* De plus, dans le passage qu'on censure, on ne peut faire parler l'auteur que de ce dont il parle. Il ne parle point des causes, et il ne compare point les causes ; mais il parle des effets, et il compare les effets. Tout l'article, celui qui le précède, et celui qui le suit, font voir qu'il n'est question ici que des règles du mouvement, que l'auteur dit avoir été établies par Dieu : elles sont invariables, ces règles, et toute la physique le dit avec lui ; elles sont invariables, parce que Dieu a voulu qu'elles fussent telles, et qu'il a voulu conserver le monde. Il n'en dit ni plus ni moins.

Je dirai toujours que le critique n'entend jamais le sens des choses, et ne s'attache qu'aux paroles. Quand l'auteur a dit que la création, qui paraissait être un acte arbitraire, supposait des règles aussi invariables que la fatalité des athées ; on n'a pas pu l'entendre comme s'il disait que la création fût un acte nécessaire comme la fatalité des athées, puisqu'il a déjà combattu cette fatalité. De plus : les deux membres d'une comparaison doivent se rapporter; ainsi il faut absolument que la phrase veuille dire : la création, qui paraît d'abord devoir produire des règles de mouvement variables, en a d'aussi invariables que la fatalité des athées. Le critique, encore une fois, n'a vu et ne voit que les mots.

II

Il n'y a donc point de spinosisme dans l'*Esprit des lois*. Passons à une autre accusation; et voyons s'il est vrai que l'auteur ne reconnaisse pas la religion révélée. L'auteur, à la fin du chapitre premier, parlant de l'homme, qui est une intelligence finie, sujette à l'ignorance et à l'erreur, a dit : *Un tel être pouvait, à tous les instants, oublier son Créateur : Dieu l'a rappelé à lui par les lois de la religion.*

Il a dit, au chapitre premier du livre XXIV : *Je n'examinerai les diverses religions du monde, que par rapport au bien qu'on en tire dans l'État civil, soit que je parle de celle qui a sa racine dans le ciel, ou bien de celles qui ont la leur sur la terre.*

Il ne faudra que très peu d'équité, pour voir que je n'ai jamais prétendu faire céder les intérêts de la religion aux intérêts politiques, mais les unir : or, pour les unir, il faut les connaître. La religion chrétienne, qui ordonne aux hommes de s'aimer, veut sans doute que chaque peuple ait les meilleures lois politiques et les meilleures lois civiles; parce qu'elles sont, après elle, le plus grand bien que les hommes puissent donner et recevoir.

Et au chapitre second du même livre : *Un prince qui aime la religion, et qui la craint, est un lion qui cède à la main qui le flatte, ou à la voix qui l'apaise. Celui qui craint la religion, et qui la hait, est comme les bêtes sauvages, qui mordent la chaîne qui les empêche de se jeter sur ceux qui passent. Celui qui n'a point du tout de religion est cet animal terrible qui ne sent sa liberté que lorsqu'il déchire et qu'il dévore.*

Au chapitre troisième du même livre : *Pendant que les princes mahométans donnent sans cesse la mort ou la reçoivent, la religion, chez les chrétiens, rend les princes moins timides, et par conséquent moins cruels. Le prince compte sur ses sujets, et les sujets sur le prince. Chose admi-*

*rable! la religion chrétienne, qui ne semble avoir d'objet
que la félicité de l'autre vie, fait encore notre bonheur dans
celle-ci.*

Au chapitre quatrième du même livre : *Sur le caractère
de la religion chrétienne et celui de la mahométane, l'on
doit, sans autre examen, embrasser l'une et rejeter l'autre.*
On prie de continuer.

Dans le chapitre sixième : *M. Bayle, après avoir insulté
toutes les religions, flétrit la religion chrétienne : il ose
avancer que de véritables chrétiens ne formeraient pas un
État qui pût subsister. Pourquoi non ? Ce seraient des
citoyens infiniment éclairés sur leurs devoirs, et qui auraient
un très grand zèle pour les remplir; ils sentiraient très bien
les droits de la défense naturelle ; plus ils croiraient devoir
à la religion, plus ils penseraient devoir à la patrie. Les
principes du christianisme, bien gravés dans le cœur, seraient
infiniment plus forts que ce faux honneur des monarchies,
ces vertus humaines des républiques, et cette crainte servile
des États despotiques.*

Il est étonnant que ce grand homme n'ait pas su distinguer
les ordres pour l'établissement du christianisme d'avec le
christianisme même; et qu'on puisse lui imputer d'avoir
méconnu l'esprit de sa propre religion. Lorsque le législateur,
au lieu de donner des lois, a donné des conseils; c'est qu'il a
vu que ses conseils, s'ils étaient ordonnés comme des lois,
seraient contraires à l'esprit de ses lois.

Au chapitre dixième : *Si je pouvais un moment cesser de
penser que je suis chrétien, je ne pourrais m'empêcher de
mettre la destruction de la secte de Zénon au nombre des
malheurs du genre humain, etc. Faites abstraction des
vérités révélées ; cherchez dans toute la nature, vous n'y
trouverez pas de plus grand objet que les Antonins, etc.*

Et au chapitre treizième : *La religion païenne, qui ne
défendait que quelques crimes grossiers, qui arrêtait la main
et abandonnait le cœur, pouvait avoir des crimes inexpiables.
Mais une religion qui enveloppe toutes les passions; qui
n'est pas plus jalouse des actions que des désirs et des pensées; qui ne nous tient point attachés par quelque chaîne,
mais par un nombre innombrable de fils; qui laisse derrière
elle la justice humaine, et commence une autre justice ; qui
est faite pour mener sans cesse du repentir à l'amour, et de
l'amour au repentir ; qui met entre le juge et le criminel un
grand médiateur, entre le juste et le médiateur un grand
juge : une telle religion ne doit point avoir de crimes inexpiables. Mais, quoiqu'elle donne des craintes et des espérances*

à tous, elle fait assez sentir que, s'il n'y a point de crime qui, par sa nature, soit inexpiable, toute une vie peut l'être ; qu'il serait très dangereux de tourmenter la miséricorde par de nouveaux crimes et de nouvelles expiations ; qu'inquiets sur les anciennes dettes, jamais quittes envers le seigneur, nous devons craindre d'en contracter de nouvelles, de combler la mesure, et d'aller jusqu'au terme où la bonté paternelle finit.

Dans le chapitre dix-neuvième, à la fin, l'auteur, après avoir fait sentir les abus de diverses religions païennes, sur l'état des âmes dans l'autre vie, dit : *Ce n'est pas assez, pour une religion, d'établir un dogme ; il faut encore qu'elle le dirige : c'est ce qu'a fait admirablement bien la religion chrétienne, à l'égard des dogmes dont nous parlons. Elle nous fait espérer un état que nous croyons, non pas un état que nous sentions ou que nous connaissions : tout, jusqu'à la résurrection des corps, nous mène à des idées spirituelles.*

Et au chapitre vingt-sixième, à la fin : *Il suit de là qu'il est presque toujours convenable qu'une religion ait des dogmes particuliers, et un culte général. Dans les lois qui concernent les pratiques du culte, il faut peu de détails ; par exemple, des mortifications, et non pas une certaine mortification. Le christianisme est plein de bon sens : l'abstinence est de droit divin ; mais une abstinence particulière est de droit de police, et on peut la changer.*

Au chapitre dernier, livre vingt-cinquième : *Mais il n'en résulte pas qu'une religion apportée dans un pays très éloigné, et totalement différent de climat, de lois, de mœurs et de manières, ait tout le succès que sa sainteté devrait lui promettre.*

Et au chapitre troisième du livre vingt-quatrième : *C'est la religion chrétienne qui, malgré la grandeur de l'empire et le vice du climat, a empêché le despotisme de s'établir en Éthiopie, et a porté au milieu de l'Afrique les mœurs de l'Europe et ses lois, etc. Tout près de là, on voit le mahométisme faire enfermer les enfants du roi de Sennar : à sa mort, le conseil les envoie égorger, en faveur de celui qui monte sur le trône.*

Que, d'un côté, l'on se mette devant les yeux les massacres continuels des rois et des chefs grecs et romains ; et, de l'autre, la destruction des peuples et des villes par ces mêmes chefs, Thimur et Gengis Khan, qui ont dévasté l'Asie : et nous verrons que nous devons au christianisme, et dans le gouvernement un certain droit politique, et dans la guerre un certain droit des gens, que la nature humaine ne saurait assez reconnaître. On supplie de lire tout le chapitre.

Dans le chapitre huitième du livre vingt-quatrième : *Dans un pays où l'on a le malheur d'avoir une religion que Dieu n'a pas donnée, il est toujours nécessaire qu'elle s'accorde avec la morale ; parce que la religion, même fausse, est le meilleur garant que les hommes puissent avoir de la probité des hommes.*

Ce sont des passages formels. On y voit un écrivain, qui non seulement croit la religion chrétienne, mais qui l'aime. Que dit-on, pour prouver le contraire ? Et on avertit, encore une fois, qu'il faut que les preuves soient proportionnées à l'accusation : cette accusation n'est pas frivole, les preuves ne doivent point l'être. Et, comme ces preuves sont données dans une forme assez extraordinaire, étant toujours moitié preuves, moitié injures, et se trouvant comme enveloppées dans la suite d'un discours fort vague, je vais les chercher.

PREMIÈRE OBJECTION

L'auteur a loué les stoïciens, qui admettaient une fatalité aveugle, un enchaînement nécessaire, etc. [f] C'est le fondement de la religion naturelle.

RÉPONSE

Je suppose, un moment, que cette mauvaise manière de raisonner soit bonne. L'auteur a-t-il loué la physique et la métaphysique des stoïciens ? Il a loué leur morale ; il a dit que les peuples en avaient tiré de grands biens : il a dit cela, et il n'a rien dit de plus. Je me trompe ; il a dit plus : car, dès la première page du livre, il a attaqué cette fatalité des stoïciens : Il ne l'a donc point louée, quand il a loué les stoïciens.

SECONDE OBJECTION

L'auteur a loué Bayle, en l'appelant un grand homme [g].

---

f. P. 165 dès la deuxième feuille du 16 octobre 1749.
g. *Ibid.*

Réponse

Je suppose, encore un moment, qu'en général cette manière de raisonner soit bonne : elle ne l'est pas du moins dans ce cas-ci. Il est vrai que l'auteur a appelé Bayle un grand homme; mais il a censuré ses opinions. S'il les a censurées, il ne les admet pas. Et puisqu'il a combattu ses opinions, il ne l'appelle pas un grand homme à cause de ses opinions. Tout le monde sait que Bayle avait un grand esprit dont il a abusé; mais, cet esprit dont il a abusé, il l'avait. L'auteur a combattu ses sophismes, et il plaint ses égarements. Je n'aime point les gens qui renversent les lois de leur patrie; mais j'aurais de la peine à croire que César et Cromwell fussent de petits esprits : Je n'aime point les conquérants; mais on ne pourra guère me persuader qu'Alexandre et Gengis Khan aient été des génies communs. Il n'aurait pas fallu beaucoup d'esprit à l'auteur, pour dire que Bayle était un homme abominable; mais il y a apparence qu'il n'aime point à dire des injures, soit qu'il tienne cette disposition de la nature, soit qu'il l'ait reçue de son éducation. J'ai lieu de croire que, s'il prenait la plume, il n'en dirait pas même à ceux qui ont cherché à lui faire un des plus grands maux qu'un homme puisse faire à un homme, en travaillant à le rendre odieux à tous ceux qui ne le connaissent pas, et suspect à tous ceux qui le connaissent.

De plus : j'ai remarqué que les déclamations des hommes furieux ne font guère d'impression que sur ceux qui sont furieux eux-mêmes. La plupart des lecteurs sont des gens modérés : on ne prend guère un livre que lorsqu'on est de sang-froid; les gens raisonnables aiment les raisons. Quand l'auteur aurait dit mille injures à Bayle, il n'en serait résulté, ni que Bayle eût bien raisonné, ni que Bayle eût mal raisonné : tout ce qu'on en aurait pu conclure aurait été, que l'auteur savait dire des injures.

Troisième objection

Elle est tirée de ce que l'auteur n'a point parlé, dans son chapitre premier, du péché originel [h].

h. Feuille du 9 octobre 1749, p. 162.

Réponse

Je demande à tout homme sensé, si ce chapitre est un traité de théologie ? Si l'auteur avait parlé du péché originel, on lui aurait pu imputer, tout de même, de n'avoir pas parlé de la rédemption : ainsi, d'article en article, à l'infini.

Quatrième objection

Elle est tirée de ce que M. Domat a commencé son ouvrage autrement que l'auteur, et qu'il a d'abord parlé de la révélation.

Réponse

Il est vrai que M. Domat a commencé son ouvrage autrement que l'auteur, et qu'il a d'abord parlé de la révélation.

Cinquième objection

L'auteur a suivi le système du poème de Pope.

Réponse

Dans tout l'ouvrage, il n'y a pas un mot du système de Pope.

Sixième objection

L'auteur dit que la loi qui prescrit à l'homme ses devoirs envers Dieu, est la plus importante; mais il nie qu'elle soit la première : il prétend que la première loi de la nature est la paix; que les hommes ont commencé par avoir peur les uns des autres, etc. Que les enfants savent que la première loi, c'est d'aimer Dieu; et la seconde, c'est d'aimer son prochain.

Réponse

Voici les paroles de l'auteur : *Cette loi qui, en imprimant dans nous-mêmes l'idée d'un créateur, nous porte vers lui, est la première des lois naturelles, par son importance, et non pas dans l'ordre de ces lois. L'homme, dans l'état de nature, aurait plutôt la faculté de connaître, qu'il n'aurait des connaissances. Il est clair que ses premières idées ne seraient point des idées spéculatives : il songerait à la conservation de son être, avant de chercher l'origine de son être. Un homme pareil ne sentirait d'abord que sa faiblesse; sa timidité serait extrême; et, si l'on avait là-dessus besoin de l'expérience, l'on a trouvé dans les forêts des hommes sauvages; tout les fait trembler, tout les fait fuir* [1]. L'auteur a donc dit que la loi qui, en imprimant en nous-même l'idée du créateur, nous porte vers lui, était la première des lois naturelles. Il ne lui a pas été défendu, plus qu'aux philosophes et aux écrivains du droit naturel, de considérer l'homme sous divers égards : il lui a été permis de supposer un homme comme tombé des nues, laissé à lui-même, et sans éducation, avant l'établissement des sociétés. Eh bien! l'auteur a dit que la première loi naturelle, la plus importante, et par conséquent la capitale, serait pour lui, comme pour tous les hommes, de se porter vers son créateur : Il a aussi été permis à l'auteur d'examiner quelle serait la première impression qui se ferait sur cet homme, et de voir l'ordre dans lequel ces impressions seraient reçues dans son cerveau : et il a cru qu'il aurait des sentiments, avant de faire des réflexions; que le premier, dans l'ordre du temps, serait la peur; ensuite, le besoin de se nourrir, etc. L'auteur a dit que la loi qui, imprimant en nous l'idée du créateur, nous porte vers lui, est la première des lois naturelles : le critique dit que la première loi naturelle est d'aimer Dieu. Ils ne sont divisés que par les injures.

Septième objection

Elle est tirée du chapitre premier du premier livre, où l'auteur, après avoir dit que *l'homme était un être borné,*

i. Liv. I, chap. II.

a ajouté : *Un tel être pouvait, à tous les instants, oublier son créateur ; Dieu l'a appelé à lui par les lois de la religion.* Or, dit-on, quelle est cette religion dont parle l'auteur ? il parle, sans doute, de la religion naturelle ; il ne croit donc que la religion naturelle.

RÉPONSE

Je suppose, encore un moment, que cette manière de raisonner soit bonne ; et que, de ce que l'auteur n'aurait parlé là que de la religion naturelle, on en pût conclure qu'il ne croit que la religion naturelle, et qu'il exclut la religion révélée. Je dis que, dans cet endroit, il a parlé de la religion révélée, et non pas de la religion naturelle : car, s'il avait parlé de la religion naturelle, il serait un idiot. Ce serait comme s'il disait : Un tel être pouvait aisément oublier son créateur, c'est-à-dire la religion naturelle ; Dieu l'a rappelé à lui par les lois de la religion naturelle : de sorte que Dieu lui aurait donné la religion naturelle, pour perfectionner en lui la religion naturelle. Ainsi, pour se préparer à dire des invectives à l'auteur, on commence par ôter à ses paroles le sens du monde le plus clair, pour leur donner le sens du monde le plus absurde ; et, pour avoir meilleur marché de lui, on le prive du sens commun.

HUITIÈME OBJECTION

L'auteur a dit, en parlant de l'homme : *Un tel être pouvait, à tous les instants, oublier son créateur ; Dieu l'a rappelé à lui par les lois de la religion : un tel être pouvait, à tous les instants, s'oublier lui-même ; les philosophes l'ont averti par les lois de la morale : fait pour vivre dans la société, il pouvait oublier les autres ; les législateurs l'ont rendu à ses devoirs par les lois politiques et civiles* [k]. Donc, dit le critique, selon l'auteur, le gouvernement est partagé entre Dieu, les philosophes et les législateurs, etc. Où les philosophes ont-ils appris les lois de la morale ? où les législateurs ont-ils vu ce qu'il faut prescrire pour gouverner les sociétés avec équité [l] ?

k. Liv. I, chap. I.
l. P. 162 de la feuille du 9 octobre 1749.

RÉPONSE

Et cette réponse est très aisée. Ils l'ont pris dans la révélation, s'ils ont été assez heureux pour cela; ou bien dans cette loi qui, en imprimant en nous l'idée du créateur, nous porte vers lui. L'auteur de l'*Esprit des lois* a-t-il dit comme Virgile : *César partage l'empire avec Jupiter ?* Dieu, qui gouverne l'univers, n'a-t-il pas donné à de certains hommes plus de lumières, à d'autres plus de puissance ? Vous diriez que l'auteur a dit que, parce que Dieu a voulu que des hommes gouvernassent des hommes, il n'a pas voulu qu'ils lui obéissent, et qu'il s'est démis de l'empire qu'il avait sur eux, etc. Voilà où sont réduits ceux qui, ayant beaucoup de faiblesse pour raisonner, ont beaucoup de force pour déclamer.

NEUVIÈME OBJECTION

Le critique continue : *Remarquons encore que l'auteur, qui trouve que Dieu ne peut pas gouverner les êtres libres aussi bien que les autres, parce qu'étant libres, il faut qu'ils agissent par eux-mêmes* (Je remarquerai, en passant, que l'auteur ne se sert point de cette expression, « que Dieu ne peut pas »), *ne remédie à ce désordre que par des lois qui peuvent bien montrer à l'homme ce qu'il doit faire, mais qui ne lui donnent pas de le faire : ainsi, dans le système de l'auteur, Dieu crée des êtres dont il ne peut empêcher le désordre, ni le réparer... Aveugle, qui ne voit pas que Dieu fait ce qu'il veut de ceux-mêmes qui ne font pas ce qu'il veut !*

RÉPONSE

Le critique a déjà reproché à l'auteur de n'avoir point parlé du péché originel : Il le prend encore sur le fait; il n'a point parlé de la grâce. C'est une chose triste d'avoir affaire à un homme qui censure tous les articles d'un livre, et n'a qu'une idée dominante. C'est le conte de ce curé de village, à qui des astronomes montraient la lune dans un télescope, et qui n'y voyait que son clocher.

L'auteur de l'*Esprit des lois* a cru qu'il devait commencer par donner quelque idée des lois générales, et du droit de la nature et des gens. Ce sujet était immense, et il l'a traité dans deux chapitres : il a été obligé d'omettre quantité de choses qui appartenaient à son sujet; à plus forte raison a-t-il omis celles qui n'y avaient point de rapport.

DIXIÈME OBJECTION

L'auteur a dit qu'en Angleterre, l'homicide de soi-même était l'effet d'une maladie; et qu'on ne pouvait pas plus le punir, qu'on ne punit les effets de la démence. Un sectateur de la religion naturelle n'oublie pas que l'Angleterre est le berceau de sa secte; il passe l'éponge sur tous les crimes qu'il aperçoit.

RÉPONSE

L'auteur ne sait point si l'Angleterre est le berceau de la religion naturelle : mais il sait que l'Angleterre n'est pas son berceau, parce qu'il a parlé d'un effet physique qui se voit en Angleterre. Il ne pense pas sur la religion comme les Anglais; pas plus qu'un Anglais, qui parlerait d'un effet physique arrivé en France, ne penserait sur la religion comme les Français. L'auteur de l'*Esprit des lois* n'est point du tout sectateur de la religion naturelle : mais il voudrait que son critique fût sectateur de la logique naturelle.

Je crois avoir déjà fait tomber des mains du critique les armes effrayantes dont il s'est servi : je vais à présent donner une idée de son exorde, qui est tel, que je crains que l'on ne pense que ce soit par dérision que j'en parle ici.

Il dit d'abord, et ce sont ses paroles, que *le livre de* l'Esprit des lois *est une de ces productions irrégulières... qui ne se sont si fort multipliées que depuis l'arrivée de la bulle* Unigenitus. Mais, faire arriver l'*Esprit des lois* à cause de l'arrivée de la constitution *Unigenitus*, n'est-ce pas vouloir faire rire ? La bulle *Unigenitus* n'est point la cause occasionnelle du livre de l'*Esprit des lois ;* mais la bulle *Unigenitus* et le livre de l'*Esprit des lois* ont été les causes occasionnelles qui ont fait faire au critique un raisonnement si puéril. Le critique continue : *L'auteur dit qu'il a bien des fois commencé et abandonné son ouvrage... Cependant, quand il jettait au feu ses premières productions, il*

*était moins éloigné de la vérité, que lorsqu'il a commencé à
être content de son travail.* Qu'en sait-il ? Il ajoute : *Si
l'auteur avait voulu suivre un chemin frayé, son ouvrage
lui aurait coûté moins de travail.* Qu'en sait-il encore ? Il
prononce ensuite cet oracle : *Il ne faut pas beaucoup de
pénétration, pour apercevoir que le livre de l'*Esprit des lois
*est fondé sur le système de la religion naturelle... On a
montré, dans les lettres contre le poème de Pope, intitulé*
Essai sur l'homme, *que le système de la religion naturelle
rentre dans celui de Spinosa : C'en est assez pour inspirer à
un chrétien l'horreur du nouveau livre que nous annonçons.*
Je réponds que non seulement c'en est assez, mais même
que c'en serait beaucoup trop. Mais je viens de prouver
que le système de l'auteur n'est pas celui de la religion
naturelle ; et, en lui passant que le système de la religion
naturelle rentrât dans celui de Spinosa, le système de
l'auteur n'entrerait pas dans celui de Spinosa, puisqu'il
n'est pas celui de la religion naturelle.

Il veut donc inspirer de l'horreur, avant d'avoir prouvé
qu'on doit avoir de l'horreur.

Voici les deux formules de raisonnements répandus
dans les deux écrits auxquels je réponds : L'auteur de
l'*Esprit des lois* est un sectateur de la religion naturelle :
donc, il faut expliquer ce qu'il dit ici par les principes de
la religion naturelle : or, si ce qu'il dit ici est fondé sur
les principes de la religion naturelle, il est un sectateur
de la religion naturelle.

L'autre formule est celle-ci : L'auteur de l'*Esprit des
lois* est un sectateur de la religion naturelle : donc ce qu'il
dit dans son livre en faveur de la révélation, n'est que
pour cacher qu'il est un sectateur de la religion naturelle :
or, s'il se cache ainsi, il est un sectateur de la religion
naturelle.

Avant de finir cette première partie, je serais tenté de
faire une objection à celui qui en a tant fait. Il a si fort
effrayé les oreilles du mot de sectateur de la religion
naturelle, que moi, qui défends l'auteur, je n'ose presque
prononcer ce nom : je vais cependant prendre courage.
Ses deux écrits ne demanderaient-ils pas plus d'explication que celui que je défends ? Fait-il bien, en parlant de
la religion naturelle et de la révélation, de se jeter perpétuellement tout d'un côté, et de faire perdre les traces de
l'autre ? Fait-il bien de ne distinguer jamais ceux qui ne
reconnaissent que la seule religion naturelle, d'avec ceux
qui reconnaissent et la religion naturelle et la révélation ?

Fait-il bien de s'effaroucher toutes les fois que l'auteur considère l'homme dans l'état de la religion naturelle, et qu'il explique quelque chose sur les principes de la religion naturelle ? Fait-il bien de confondre la religion naturelle avec l'athéisme ? N'ai-je pas toujours ouï dire que nous avions tous une religion naturelle ? N'ai-je pas ouï dire que le christianisme était la perfection de la religion naturelle ? N'ai-je pas ouï dire que l'on employait la religion naturelle, pour prouver la révélation contre les déistes ? et que l'on employait la même religion naturelle, pour prouver l'existence de Dieu contre les athées ? Il dit que les stoïciens étaient des sectateurs de la religion naturelle : et moi, je lui dis qu'ils étaient des athées [m], puisqu'ils croyaient qu'une fatalité aveugle gouvernait l'univers ; et que c'est par la religion naturelle que l'on combat les stoïciens. Il dit que le système de la religion naturelle rentre dans celui de Spinosa [n] : et moi, je lui dis qu'ils sont contradictoires, et que c'est par la religion naturelle qu'on détruit le système de Spinosa. Je lui dis que confondre la religion naturelle avec l'athéisme, c'est confondre la preuve avec la chose qu'on veut prouver, et l'objection contre l'erreur avec l'erreur même ; que c'est ôter les armes puissantes que l'on a contre cette erreur. A Dieu ne plaise que je veuille imputer aucun mauvais dessein au critique, ni faire valoir les conséquences que l'on pourrait tirer de ses principes : quoiqu'il ait très peu d'indulgence, on en veut avoir pour lui. Je dis seulement que les idées métaphysiques sont extrêmement confuses dans sa tête ; qu'il n'a point du tout la faculté de séparer ; qu'il ne saurait porter de bons jugements, parce que, parmi les diverses choses qu'il faut voir, il n'en voit jamais qu'une. Et cela même, je ne le dis pas pour lui faire des reproches, mais pour détruire les siens.

m. Voyez la p. 165 des feuilles du 9 octobre 1749. *Les stoïciens n'admettaient qu'un Dieu : mais ce Dieu n'était autre chose que l'âme du monde. Ils voulaient que tous les êtres, depuis le premier, fussent nécessairement enchaînés les uns avec les autres; une nécessité fatale entraînait tout. Ils niaient l'immortalité de l'âme, et faisaient consister le souverain bonheur à vivre conformément à la nature. C'est le fond du système de la religion naturelle.*

n. Voyez, p. 161 de la première feuille du 9 octobre 1749, à la fin de la première colonne.

SECONDE PARTIE

IDÉE GÉNÉRALE

J'ai absous le livre de l'*Esprit des lois* de deux reproches généraux dont on l'avait chargé : il y a encore des imputations particulières auxquelles il faut que je réponde. Mais, pour donner un plus grand jour à ce que j'ai dit et à ce que je dirai dans la suite, je vais expliquer ce qui a donné lieu, ou a servi de prétexte aux invectives.

Les gens les plus sensés de divers pays de l'Europe, les hommes les plus éclairés et les plus sages, on regardé le livre de l'*Esprit des lois* comme un ouvrage utile : ils ont pensé que la morale en était pure, les principes justes; qu'il était propre à former d'honnêtes gens; qu'on y détruisait les opinions pernicieuses, qu'on y encourageait les bonnes.

D'un autre côté, voilà un homme qui en parle comme d'un livre dangereux; il en fait le sujet des invectives les plus outrées : il faut que j'explique ceci.

Bien loin d'avoir entendu les endroits particuliers qu'il critiquait dans ce livre, il n'a pas seulement su quelle était la matière qui y était traitée : ainsi, déclamant en l'air, et combattant contre le vent, il a remporté des triomphes de même espèce; il a bien critiqué le livre qu'il avait dans la tête, il n'a pas critiqué celui de l'auteur. Mais comment a-t-on pu manquer ainsi le sujet et le but d'un ouvrage qu'on avait devant les yeux ? Ceux qui auront quelques lumières verront, du premier coup d'œil, que cet ouvrage a pour objet les lois, les coutumes et les divers usages de tous les peuples de la terre. On peut dire que le sujet en est immense; qu'il embrasse toutes les institutions qui sont reçues parmi les hommes; puisque l'auteur distingue ces institutions; qu'il examine celles qui conviennent le plus à la société et à chaque société; qu'il en cherche l'origine, qu'il en découvre les causes physiques et morales; qu'il examine celles qui ont un degré de bonté par elles-mêmes, et celles qui n'en ont aucun; que, de deux pratiques pernicieuses, il cherche celle qui l'est plus et celle qui l'est moins; qu'il y discute celles qui peuvent avoir de bons effets à un certain égard, et de mauvais dans un autre. Il a cru ses recherches utiles, parce que le bon sens consiste beaucoup à connaître les nuances des choses. Or, dans un sujet aussi étendu, il a été nécessaire de traiter de la religion : car, y ayant sur la terre une religion vraie et une infinité de fausses, une religion envoyée du ciel et une infinité d'autres qui sont nées sur la terre, il n'a pu regarder toutes les religions fausses que comme des institutions humaines : ainsi il a dû les examiner comme toutes les autres institutions humaines. Et, quant à la religion chrétienne, il n'a eu qu'à l'adorer, comme étant une institution divine. Ce n'était point de cette religion qu'il devait traiter; parce que, par sa nature, elle n'est sujette à aucun examen : de sorte que, quand il en a parlé, il ne l'a jamais fait pour la faire entrer dans le plan de son ouvrage, mais pour lui payer le tribut de respect et d'amour qui lui est dû par tout chrétien; et pour que, dans les comparaisons qu'il en pouvait faire avec les autres religions, il pût la faire triompher de toutes. Ce que je dis se voit dans tout l'ouvrage : mais l'auteur l'a particulièrement expliqué au commencement du livre vingt-quatrième, qui est le premier des deux livres qu'il a faits sur la religion. Il le commence ainsi : *Comme on peut juger parmi les ténèbres celles qui sont les moins épaisses, et parmi les abîmes ceux qui sont les moins profonds; ainsi l'on peut chercher, parmi les religions fausses, celles qui sont les plus conformes au bien de la société; celles qui, quoiqu'elles n'aient pas l'effet de mener les hommes aux félicités de l'autre vie, peuvent le plus contribuer à leur bonheur dans celle-ci.*

Je n'examinerai donc les diverses religions du monde que par rapport au bien que l'on en tire dans l'état civil, soit que je parle de celle qui a sa racine dans le ciel, ou bien de celles qui ont la leur sur la terre.

L'auteur ne regardant donc les religions humaines que comme des institutions humaines, a dû en parler, parce qu'elles entraient nécessairement dans son plan. Il n'a point été les chercher, mais elles sont venues le chercher.

Et, quant à la religion chrétienne, il n'en a parlé que par occasion; parce que, par sa nature, ne pouvant être modifiée, mitigée, corrigée, elle n'entrait point dans le plan qu'il s'était proposé.

Qu'a-t-on fait pour donner une ample carrière aux déclamations, et ouvrir la porte la plus large aux invectives ? On a considéré l'auteur, comme si, à l'exemple de M. Abbadye, il avait voulu faire un traité sur la religion chrétienne : on l'a attaqué, comme si ses deux livres sur la religion étaient deux traités de théologie chrétienne : on l'a repris, comme si, parlant d'une religion quelconque, qui n'est pas la chrétienne, il avait eu à l'examiner selon les principes et les dogmes de la religion chrétienne : on l'a jugé, comme s'il s'était chargé, dans ses deux livres, d'établir pour les chrétiens, et de prêcher aux mahométans et aux idolâtres, les dogmes de la religion chrétienne. Toutes les fois qu'il a parlé de la religion en général, toutes les fois qu'il a employé le mot de religion, on a dit : C'est la religion chrétienne. Toutes les fois qu'il a comparé les pratiques religieuses de quelques nations quelconques, et qu'il a dit qu'elles étaient plus conformes au gouvernement politique de ce pays, que telle autre pratique, on a dit : Vous les approuvez donc, et abandonnez la foi chrétienne. Lorsqu'il a parlé de quelque peuple qui n'a point embrassé le christianisme, ou qui a précédé la venue de Jésus-Christ, on lui a dit : Vous ne reconnaissez donc pas la morale chrétienne. Quand il a examiné, en écrivain politique, quelque pratique que ce soit, on lui a dit : C'était tel dogme de théologie chrétienne que vous deviez mettre là. Vous dites que vous êtes jurisconsulte; et je vous ferai théologien malgré vous. Vous nous donnez d'ailleurs de très belles choses sur la religion chrétienne; mais c'est pour vous cacher que vous les dites : car je connais votre cœur, et je lis dans vos pensées. Il est vrai que je n'entends point votre livre; il n'importe pas que j'aie démêlé bien ou mal l'objet dans lequel il a été écrit : mais je connais au fond toutes vos pensées. Je ne sais pas un mot de ce que vous dites; mais j'entends très bien ce que vous ne dites pas. Entrons à présent en matière.

DES CONSEILS DE RELIGION

L'auteur, dans le livre sur la religion, a combattu l'erreur de Bayle; voici ses paroles *a* : *M. Bayle, après avoir insulté toutes les religions, flétrit la religion chrétienne. Il ose avancer que de véritables chrétiens ne formeraient pas un Etat qui pût subsister. Pourquoi non ? Ce seraient des citoyens infiniment éclairés sur leurs devoirs, et qui auraient un très grand zèle pour les remplir. Ils sentiraient très bien les droits de la défense naturelle. Plus ils croiraient devoir à la religion, plus ils penseraient devoir à la patrie. Les principes du christianisme, bien gravés dans le cœur, seraient infiniment plus forts que ce faux honneur des monarchies, ces vertus humaines des républiques, et cette crainte servile des Etats despotiques.*

Il est étonnant que ce grand homme n'ait pas su distinguer les ordres pour l'établissement du christianisme, d'avec le christianisme même ; et qu'on puisse lui imputer d'avoir méconnu l'esprit de sa propre religion. Lorsque le législateur, au lieu de donner des lois, a donné des conseils; c'est qu'il a vu que ses conseils, s'ils étaient ordonnés comme des lois, seraient contraires à l'esprit de ses lois. Qu'a-t-on fait pour ôter à l'auteur la gloire d'avoir combattu ainsi l'erreur de Bayle ? on prend le chapitre suivant, qui n'a rien à faire avec Bayle *b* : *Les lois humaines*, y est-il dit, *faites pour parler à l'esprit, doivent donner des préceptes, et point de conseils; la religion, faite pour parler au cœur, doit donner beaucoup de conseils, et peu de préceptes.* Et de là on conclut que l'auteur regarde tous les préceptes de l'Evangile comme des conseils. Il pourrait dire aussi que celui qui fait cette critique regarde lui-même tous les conseils de l'Evangile comme des préceptes; mais ce n'est pas sa manière de raisonner, et encore moins sa manière d'agir. Allons au fait : il faut un peu allonger ce que l'auteur a raccourci. M. Bayle avait soutenu qu'une société de chrétiens ne pourrait pas subsister : et il alléguait pour cela l'ordre de l'Evangile, de présenter l'autre joue, quand on reçoit un soufflet; de quitter le monde; de se retirer dans les déserts, etc. L'auteur a dit que Bayle prenait

---

a. Liv. XXIV, chap. VI.
b. C'est le chap. VII du liv. XXIV.

pour des préceptes ce qui n'était que des conseils, pour des règles générales ce qui n'était que des règles particulières : en cela, l'auteur a défendu la religion. Qu'arrive-t-il ? on pose, pour premier article de sa croyance, que tous les livres de l'Evangile ne contiennent que des conseils.

DE LA POLYGAMIE

D'autres articles ont encore fourni des sujets commodes pour les déclamations. La polygamie en était un excellent. L'auteur a fait un chapitre exprès, où il l'a réprouvée : le voici.

De la polygamie en elle-même.

A regarder la polygamie en général, indépendamment des circonstances qui peuvent la faire un peu tolérer, elle n'est point utile au genre humain, ni à aucun des deux sexes, soit à celui qui abuse, soit à celui dont on abuse. Elle n'est pas non plus utile aux enfants ; et un de ses grands inconvénients est que le père et la mère ne peuvent avoir la même affection pour leurs enfants ; un père ne peut pas aimer vingt enfants, comme une mère en aime deux. C'est bien pis, quand une femme a plusieurs maris ; car pour lors l'amour paternel ne tient qu'à cette opinion qu'un père peut croire, s'il veut, ou que les autres peuvent croire, que de certains enfants lui appartiennent.

La pluralité des femmes, qui le dirait ? mène à cet amour que la nature désavoue : c'est qu'une dissolution en entraîne toujours une autre, etc.

Il y a plus : la possession de beaucoup de femmes ne prévient pas toujours les désirs pour celle d'un autre ; il en est de la luxure comme de l'avarice, elle augmente sa soif par l'acquisition des trésors.

Du temps de Justinien, plusieurs philosophes, gênés par le christianisme, se retirèrent en Perse auprès de Cosroês : ce qui les frappa le plus, dit Agathias, ce fut que la polygamie était permise à des gens qui ne s'abstenaient pas même de l'adultère.

L'auteur a donc établi que la polygamie était, par sa nature et en elle-même, une chose mauvaise : il fallait

partir de ce chapitre; et c'est pourtant de ce chapitre que
l'on n'a rien dit. L'auteur, a de plus, examiné philoso-
phiquement dans quels pays, dans quels climats, dans
quelles circonstances elle avait de moins mauvais effets;
il a comparé les climats aux climats, et les pays aux pays;
et il a trouvé qu'il y avait des pays où elle avait des effets
moins mauvais que dans d'autres; parce que, suivant les
relations, le nombre des hommes et des femmes n'étant
point égal dans tous les pays, il est clair que, s'il y a des
pays où il y ait beaucoup plus de femmes que d'hommes,
la polygamie, mauvaise en elle-même, l'est moins dans
ceux-là que dans d'autres. L'auteur a discuté ceci dans
le chapitre IV du même livre. Mais, parce que le titre de
ce chapitre porte ces mots, *que la loi de la polygamie est
une affaire de calcul,* on a saisi ce titre. Cependant, comme
le titre d'un chapitre se rapporte au chapitre même, et ne
peut dire ni plus ni moins que ce chapitre, voyons-le.

*Suivant les calculs que l'on fait en diverses parties de
l'Europe, il y naît plus de garçons que de filles : au contraire,
les relations de l'Asie nous disent qu'il y naît beaucoup plus
de filles que de garçons. La loi d'une seule femme en Europe,
et celle qui en permet plusieurs en Asie, ont donc un certain
rapport au climat.*

*Dans les climats froids de l'Asie, il naît, comme en
Europe, beaucoup plus de garçons que de filles : c'est, disent
les Lamas, la raison de la loi qui, chez eux, permet à une
femme d'avoir plusieurs maris.*

*Mais j'ai peine à croire qu'il y ait beaucoup de pays où la
disproportion soit assez grande, pour qu'elle exige qu'on y
introduise la loi de plusieurs femmes, ou la loi de plusieurs
maris. Cela veut dire seulement que la pluralité des femmes,
ou même la pluralité des hommes, est plus conforme à la
nature dans certains pays que dans d'autres.*

*J'avoue que, si ce que les relations nous disent était vrai,
qu'à Bantam, il y a dix femmes pour un homme, ce serait un
cas bien particulier de la polygamie.*

*Dans tout ceci, je ne justifie pas les usages; mais j'en
rends les raisons.*

Revenons au titre : la polygamie est une affaire de calcul. Oui, elle l'est, quand on veut savoir si elle est plus
ou moins pernicieuse dans de certains climats, dans de
certains pays, dans de certaines circonstances que dans
d'autres : elle n'est point une affaire de calcul, quand on
doit décider si elle est bonne ou mauvaise par elle-même.

Elle n'est point une affaire de calcul, quand on raisonne sur sa nature ; elle peut être une affaire de calcul, quand on combine ses effets : enfin elle n'est jamais une affaire de calcul, quand on examine le but du mariage ; et elle l'est encore moins, quand on examine le mariage comme établi par Jésus-Christ.

J'ajouterai ici que le hasard a très bien servi l'auteur. Il ne prévoyait pas sans doute qu'on oublierait un chapitre formel, pour donner des sens équivoques à un autre : il a le bonheur d'avoir fini cet autre par ces paroles : *Dans tout ceci, je ne justifie point les usages ; mais j'en rends les raisons.*

L'auteur vient de dire qu'il ne voyait pas qu'il pût y avoir des climats où le nombre des femmes pût tellement excéder celui des hommes, ou le nombre des hommes celui des femmes, que cela dût engager à la polygamie dans aucun pays ; et il a ajouté : *Cela veut dire seulement que la pluralité des femmes, et même la pluralité des hommes, est plus conforme à la nature dans de certains pays que dans d'autres* [c]. Le critique a saisi le mot, *est plus conforme à la nature,* pour faire dire à l'auteur qu'il approuvait la polygamie. Mais, si je disais que j'aime mieux la fièvre que le scorbut, cela signifierait-il que j'aime la fièvre, ou seulement que le scorbut m'est plus désagréable que la fièvre ?

Voici, mot pour mot, une objection bien extraordinaire.

La polygamie d'une femme qui a plusieurs maris est un désordre monstrueux, qui n'a été permis en aucun cas, et que l'auteur ne distingue en aucune sorte de la polygamie d'un homme qui a plusieurs femmes [d]. *Ce langage, dans un un sectateur de la religion naturelle, n'a pas besoin de commentaire.*

Je supplie de faire attention à la liaison des idées du critique. Selon lui, il suit que, de ce que l'auteur est un sectateur de la religion naturelle, il n'a point parlé de ce dont il n'avait que faire de parler : ou bien il suit, selon lui, que l'auteur n'a point parlé de ce dont il n'avait que faire de parler, parce qu'il est sectateur de la religion naturelle. Ces deux raisonnements sont de même espèce, et les conséquences se trouvent également dans les prémisses. La manière ordinaire est de critiquer sur ce que l'on écrit ; ici le critique s'évapore sur ce que l'on n'écrit pas.

Je dis tout ceci en supposant, avec le critique, que l'auteur n'eût point distingué la polygamie d'une femme

c. Chap. IV du liv. XVI.
d. P. 164 de la feuille du 9 octobre 1749.

qui a plusieurs maris, de celle où un mari aurait plusieurs femmes. Mais, si l'auteur les a distinguées, que dira-t-il ? Si l'auteur a fait voir que, dans le premier cas, les abus étaient plus grands, que dira-t-il ? Je supplie le lecteur de relire le chapitre VI du livre XVI ; je l'ai rapporté ci-dessus. Le critique lui a fait des invectives parce qu'il avait gardé le silence sur cet article ; il ne reste plus que de lui en faire sur ce qu'il ne l'a pas gardé.

Mais voici une chose que je ne puis comprendre. Le critique a mis dans la seconde de ses feuilles, page 166 : *L'auteur nous a dit ci-dessus que la religion doit permettre la polygamie dans les pays chauds, et non dans les pays froids.* Mais l'auteur n'a dit cela nulle part. Il n'est plus question de mauvais raisonnements entre le critique et lui ; il est question d'un fait. Et comme l'auteur n'a dit nulle part que la religion doit permettre la polygamie dans les pays chauds et non dans les pays froids ; si l'imputation est fausse, comme elle l'est, et grave comme elle est, je prie le critique de se juger lui-même. Ce n'est pas le seul endroit sur lequel l'auteur ait à faire un cri. A la page 163, à la fin de la première feuille, il est dit : *Le cha-pitre IV porte pour titre que la loi de la polygamie est une affaire de calcul : c'est-à-dire que, dans les lieux où il naît plus de garçons que de filles, comme en Europe, on ne doit épouser qu'une femme ; dans ceux où il naît plus de filles que de garçons, la polygamie doit y être introduite.* Ainsi, lorsque l'auteur explique quelques usages, ou donne la raison de quelques pratiques, on les lui fait mettre en maximes ; et, ce qui est plus triste encore, en maximes de religion : et comme il a parlé d'une infinité d'usages et de pratiques dans tous les pays du monde, on peut, avec une pareille méthode, le charger des erreurs, et même des abominations de tout l'univers. Le critique dit, à la fin de sa seconde feuille, que Dieu lui a donné quelque zèle : Eh bien ! je réponds que Dieu ne lui a pas donné celui-là.

CLIMAT

Ce que l'auteur a dit sur le climat, est encore une matière très propre pour la rhétorique. Mais tous les effets quelconques ont des causes : le climat et les autres causes physiques produisent un nombre infini d'effets.

Si l'auteur avait dit le contraire, on l'aurait regardé comme un homme stupide. Toute la question se réduit à savoir si, dans des pays éloignés entre eux, si sous des climats différents, il y a des caractères d'esprit nationaux. Or, qu'il y ait de telles différences, cela est établi par l'universalité presque entière des livres qui ont été écrits. Et, comme le caractère de l'esprit influe beaucoup dans la disposition du cœur, on ne saurait encore douter qu'il n'y ait de certaines qualités du cœur plus fréquentes dans un pays que dans un autre; et l'on en a encore pour preuve un nombre infini d'écrivains de tous les lieux et de tous les temps. Comme ces choses sont humaines, l'auteur en a parlé d'une façon humaine. Il aurait pu joindre là bien des questions que l'on agite dans les écoles, sur les vertus humaines et sur les vertus chrétiennes; mais ce n'est point avec ces questions que l'on fait des livres de physique, de politique et de jurisprudence. En un mot, ce physique du climat peut produire diverses dispositions dans les esprits; ces dispositions peuvent influer sur les actions humaines : cela choque-t-il l'empire de celui qui a créé, ou les mérites de celui qui a racheté ?

Si l'auteur a recherché ce que les magistrats de divers pays pouvaient faire pour conduire leur nation de la manière la plus convenable et la plus conforme à son caractère, quel mal a-t-il fait en cela ?

On raisonnera de même à l'égard de diverses pratiques locales de religion. L'auteur n'avait à les considérer ni comme bonnes, ni comme mauvaises : il a dit seulement qu'il y avait des climats où de certaines pratiques de religion étaient plus aisées à recevoir, c'est-à-dire, étaient plus aisées à pratiquer par le peuple de ces climats, que par les peuples d'un autre. De ceci, il est inutile de donner des exemples; il y en a cent mille.

Je sais bien que la religion est indépendante par elle-même de tout effet physique quelconque; que celle qui est bonne dans un pays, est bonne dans un autre; et qu'elle ne peut être mauvaise dans un pays, sans l'être dans tous : mais je dis que, comme elle est pratiquée par les hommes et pour les hommes, il y a des lieux où une religion quelconque trouve plus de facilité à être pratiquée, soit en tout, soit en partie, dans de certains pays que dans d'autres, et dans de certaines circonstances que dans d'autres : et, dès que quelqu'un dira le contraire, il renoncera au bon sens.

L'auteur a remarqué que le climat des Indes produisait une certaine douceur dans les mœurs. Mais, dit le critique, les femmes s'y brûlent à la mort de leur mari. Il n'y a guère de philosophie dans cette objection. Le critique ignore-t-il les contradictions de l'esprit humain, et comment il sait séparer les choses les plus unies, et unir celles qui sont les plus séparées ? Voyez là-dessus les réflexions de l'auteur, au chapitre III du livre XIV.

TOLERANCE

Tout ce que l'auteur a dit sur la tolérance se rapporte à cette proposition du chapitre IX, livre XXV : *Nous sommes ici politiques, et non pas théologiens : et, pour les théologiens mêmes, il y a bien de la différence entre tolérer une religion, et l'approuver.*

Lorsque les lois de l'Etat ont cru devoir souffrir plusieurs religions, il faut qu'elles les obligent aussi à se tolérer entre elles. On prie de lire le reste du chapitre.

On a beaucoup crié sur ce que l'auteur a ajouté, au chapitre X, livre XXV : *Voici le principe fondamental des lois politiques en fait de religion : quand on est le maître, dans un Etat, de recevoir une nouvelle religion, ou de ne la pas recevoir, il ne faut pas l'y établir ; quand elle y est établie, il faut la tolérer.*

On objecte à l'auteur qu'il va avertir les princes idolâtres de fermer leurs Etats à la religion chrétienne : Effectivement, c'est un secret qu'il a été dire à l'oreille au roi de la Cochinchine. Comme cet argument a fourni matière à beaucoup de déclamations, j'y ferai deux réponses. La première, c'est que l'auteur a excepté nommément dans son livre la religion chrétienne. Il a dit, au livre XXIV, chapitre I, à la fin : *La religion chrétienne, qui ordonne aux hommes de s'aimer, veut, sans doute, que chaque peuple ait les meilleures lois politiques et les meilleures lois civiles ; parce qu'elles sont, après elle, le plus grand bien que les hommes puissent donner et recevoir.* Si donc la religion chrétienne est le premier bien, et les lois politiques et civiles le second, il n'y a point de lois politiques et civiles, dans un Etat, qui puissent ou doivent y empêcher l'entrée de la religion chrétienne.

Ma seconde réponse est que la religion du ciel ne s'éta-

blit pas par les mêmes voies que les religions de la terre.
Lisez l'histoire de l'Eglise, et vous verrez les prodiges de
la religion chrétienne. A-t-elle résolu d'entrer dans un
pays ? elle sait s'en faire ouvrir les portes ; tous les instruments sont bons pour cela : quelquefois Dieu veut se servir de quelques pécheurs ; quelquefois il va prendre sur
le trône un empereur, et fait plier sa tête sous le joug de
l'Evangile. La religion chrétienne se cache-t-elle dans les
lieux souterrains ? attendez un moment, et vous verrez la
majesté impériale parler pour elle. Elle traverse, quand
elle veut, les mers, les rivières et les montagnes. Ce ne
sont pas les obstacles d'ici bas qui l'empêchent d'aller.
Mettez de la répugnance dans les esprits ; elle saura
vaincre ces répugnances : établissez des coutumes, for-
mez des usages, publiez des édits, faites des lois ; elle
triomphera du climat, des lois qui en résultent, et des
législateurs qui les auront faites. Dieu, suivant des
décrets que nous ne connaissons point, étend, ou resserre
les limites de sa religion.

On dit : C'est comme si vous alliez dire aux rois d'Orient
qu'il ne faut pas qu'ils reçoivent chez eux la religion
chrétienne. C'est être bien charnel que de parler ainsi !
Etait-ce donc Hérode qui devait être le messie ? Il
semble qu'on regarde Jésus-Christ comme un roi qui,
voulant conquérir un Etat voisin, cache ses pratiques et
ses intelligences. Rendons-nous justice : la manière dont
nous nous conduisons dans les affaires humaines est-elle
assez pure, pour penser à l'employer à la conversion des
peuples ?

CELIBAT

Nous voici à l'article du célibat. Tout ce que l'auteur
en a dit se rapporte à cette proposition, qui se trouve au
livre XXV, chapitre IV ; la voici.

Je ne parlerai point ici des conséquences de la loi du céli-
bat : On sent qu'elle pourrait devenir nuisible, à proportion
que le corps du clergé serait trop étendu, et que par consé-
quent celui des laïcs ne le serait pas assez. Il est clair que
l'auteur ne parle ici que de la plus grande ou de la
moindre extension que l'on doit donner au célibat, par
rapport au plus grand ou au moindre nombre de ceux
qui doivent l'embrasser : et, comme l'a dit l'auteur en un

autre endroit, cette loi de perfection ne peut pas être faite pour tous les hommes : on sait, d'ailleurs, que la loi du célibat, telle que nous l'avons, n'est qu'une loi de discipline. Il n'a jamais été question, dans l'esprit des lois, de la nature du célibat même, et du degré de sa bonté; et ce n'est, en aucune façon, une matière qui doive entrer dans un livre de lois politiques et civiles. Le critique ne veut jamais que l'auteur traite son sujet ; il veut continuellement qu'il traite le sien : et, parce qu'il est toujours théologien, il ne veut pas que, même dans un livre de droit, il soit jurisconsulte. Cependant on verra, tout à l'heure, qu'il est, sur le célibat, de l'opinion des théologiens, c'est-à-dire, qu'il en a reconnu la bonté. Il faut savoir que, dans le livre XXIII, où il est traité du rapport que les lois ont avec le nombre des habitants, l'auteur a donné une théorie de ce que les lois politiques et civiles de divers peuples avaient fait à cet égard. Il a fait voir, en examinant les histoires des divers peuples de la terre, qu'il y avait eu des circonstances où ces lois furent plus nécessaires que dans d'autres, des peuples qui en avaient eu plus de besoin, de certains temps où ces peuples en avaient eu plus de besoin encore : et, comme il a pensé que les Romains furent le peuple du monde le plus sage, et qui, pour réparer ses pertes, eut le plus de besoin de pareilles lois, il a recueilli avec exactitude les lois qu'ils avaient faites à cet égard; il a marqué avec précision dans quelles circonstances elles avaient été faites et dans quelles autres circonstances elles avaient été ôtées. Il n'y a point de théologie dans tout ceci, et il n'en faut point pour tout ceci. Cependant il a jugé à propos d'y en mettre. Voici ses paroles : *A Dieu ne plaise que je parle ici contre le célibat qu'a adopté la religion : mais qui pourrait se taire contre celui qu'a formé le libertinage ; celui où les deux sexes se corrompant par les sentiments naturels même, fuient une union qui doit les rendre meilleurs, pour vivre dans celles qui les rendent toujours pires ?*

C'est une règle tirée de la nature, que, plus on diminue le nombre des mariages qui pourraient se faire, plus on corrompt ceux qui sont faits ; moins il y a de gens mariés, moins il y a de fidélité dans les mariages : comme, lorsqu'il y a plus de voleurs, il y a plus de vols [e].

---

e. Liv. XXIII, chap. XXI, à la fin.

L'auteur n'a donc point désapprouvé le célibat qui a pour motif la religion. On ne pouvait se plaindre de ce qu'il s'élevait contre le célibat introduit par le libertinage; de ce qu'il désapprouvait qu'une infinité de gens riches et voluptueux se portassent à fuir le joug du mariage, pour la commodité de leurs dérèglements; qu'ils prissent pour eux les délices et la volupté, et laissassent les peines aux misérables : on ne pouvait, dis-je, s'en plaindre. Mais le critique, après avoir cité ce que l'auteur a dit, prononce ces paroles : *On aperçoit ici toute la malignité de l'auteur, qui veut jeter sur la religion chrétienne des désordres qu'elle déteste.* Il n'y a pas d'apparence d'accuser le critique de n'avoir pas voulu entendre l'auteur : je dirai seulement qu'il ne l'a point entendu; et qu'il lui fait dire contre la religion, ce qu'il a dit contre le libertinage. Il doit en être bien fâché.

ERREUR PARTICULIERE
DU CRITIQUE

On croirait que le critique a juré de n'être jamais au fait de l'état de la question, et de n'entendre pas un seul des passages qu'il attaque. Tout le second chapitre du livre XXV roule sur les motifs, plus ou moins puissants, qui attachent les hommes à la conservation de leur religion : le critique trouve, dans son imagination, un autre chapitre qui aurait pour sujet, des motifs qui obligent les hommes à passer d'une religion dans une autre. Le premier sujet emporte un état passif; le second, un état d'action : et, appliquant sur un sujet ce que l'auteur a dit sur un autre, il déraisonne tout à son aise.

L'auteur a dit, au second article du chapitre II du livre XXV : *Nous sommes extrêmement portés à l'idolâtrie; et cependant nous ne sommes pas fort attachés aux religions idolâtres : nous ne sommes guère portés aux idées spirituelles; et cependant nous sommes très attachés aux religions qui nous font adorer un être spirituel. Cela vient de la satisfaction que nous trouvons en nous-mêmes, d'avoir été assez intelligents pour avoir choisi une religion qui tire la divinité de l'humiliation où les autres l'avaient mise.* L'auteur n'avait fait cet article que pour expliquer pourquoi les mahométans et les juifs, qui n'ont pas les mêmes grâces que nous,

sont aussi invinciblement attachés à leur religion, qu'on
le sait par expérience : le critique l'entend autrement.
*C'est à l'orgueil, dit-il, que l'on attribue d'avoir fait passer
les hommes, de l'idolâtrie, à l'unité d'un Dieu* [f]. Mais il
n'est question ici, ni dans tout le chapitre, d'aucun passage d'une religion dans une autre : et, si un chrétien
sent de la satisfaction à l'idée de la gloire et à la vue de la
grandeur de Dieu, et qu'on appelle cela de l'orgueil, c'est
un très bon orgueil.

MARIAGE

Voici une autre objection qui n'est pas commune.
L'auteur a fait deux chapitres au livre XXIII : l'un a
pour titre, *des hommes et des animaux, par rapport à la
propagation de l'espèce ;* et l'autre est intitulé, *des mariages.*
Dans le premier, il a dit ces paroles : *Les femelles des animaux ont, à peu près, une fécondité constante : mais, dans
l'espèce humaine, la manière de penser, le caractère, les
passions, les fantaisies, les caprices, l'idée de conserver sa
beauté, l'embarras de la grossesse, celui d'une famille trop
nombreuse, troublent la propagation de mille manières.* Et,
dans l'autre, il a dit : *L'obligation naturelle qu'a le père de
nourrir ses enfants, a fait établir le mariage, qui déclare
celui qui doit remplir cette obligation.*
On dit [là]-dessus : *Un chrétien rapporterait l'institution
du mariage à Dieu même, qui donna une compagne à Adam,
et qui unit le premier homme à la première femme, par un
lien indissoluble, avant qu'ils eussent des enfants à nourrir :
mais l'auteur évite tout ce qui a trait à la révélation.* Il
répondra qu'il est chrétien, mais qu'il n'est point imbécile; qu'il adore ces vérités, mais qu'il ne veut point
mettre à tort et à travers toutes les vérités qu'il croit.
L'empereur Justinien était chrétien, et son compilateur
l'était aussi. Eh bien! dans leurs livres de droit, que l'on
enseigne aux jeunes gens dans les écoles, ils définissent
le mariage, l'union de l'homme et de la femme qui forme
une société de vie individuelle [g]. Il n'est jamais venu
dans la tête de personne de leur reprocher de n'avoir pas
parlé de la révélation.

---

f. P. 166 de la seconde feuille.
g. *Maris et fœminæ conjuncto, individuam vitæ societatem continens.*

USURE

Nous voici à l'affaire de l'usure. J'ai peur que le lecteur ne soit fatigué de m'entendre dire que le critique n'est jamais au fait, et ne prend jamais le sens des passages qu'il censure. Il dit, au sujet des usures maritimes : *L'auteur ne voit rien que de juste dans les usures maritimes ; ce sont ses termes.* En vérité, cet ouvrage de l'*Esprit des lois* a un terrible interprète. L'auteur a traité des usures maritimes au chapitre xx du livre XXII ; il a donc dit, dans ce chapitre, que les usures maritimes étaient justes. Voyons-le.

Des usures maritimes.

La grandeur des usures maritimes est fondée sur deux choses ; le péril de la mer, qui fait qu'on ne s'expose à prêter son argent, que pour en avoir beaucoup d'avantages ; et la facilité que le commerce donne à l'emprunteur de faire promptement de grandes affaires et en grand nombre : au lieu que les usures de terre, n'étant fondées sur aucune de ces deux raisons, sont, ou proscrites par le législateur, ou, ce qui est plus sensé, réduites à de justes bornes.

Je demande à tout homme censé, si l'auteur vient de décider que les usures maritimes sont justes ; ou s'il a dit simplement que la grandeur des usures maritimes répugnait moins à l'équité naturelle, que la grandeur des usures de terre. Le critique ne connaît que les qualités positives et absolues ; il ne sait ce que c'est que ces termes *plus ou moins :* Si on lui disait qu'un mulâtre est moins noir qu'un nègre, cela signifierait, selon lui, qu'il est blanc comme de la neige ; si on lui disait qu'il est plus noir qu'un Européen, il croirait encore qu'on veut dire qu'il est noir comme du charbon. Mais poursuivons.

Il y a dans l'*Esprit des lois*, au livre XXII, quatre chapitres sur l'usure. Dans les deux premiers, qui sont le xix et celui qu'on vient de lire, l'auteur examine l'usure [h] dans le rapport qu'elle peut avoir avec le commerce, chez les différentes nations, et dans les divers gouvernements du monde ; ces deux chapitres ne s'appliquent qu'à cela :

[h]. Usure ou intérêt signifiait la même chose chez les Romains.

les deux suivants ne sont faits que pour expliquer les variations de l'usure chez les Romains. Mais voilà qu'on érige tout à coup l'auteur en casuiste, en canoniste et en théologien, uniquement par la raison que celui qui critique est casuiste, canoniste et théologien, ou deux des trois, ou un des trois, ou peut-être dans le fond aucun des trois. L'auteur sait qu'à regarder le prêt à intérêt dans son rapport avec la religion chrétienne, la matière a des distinctions et des limitations sans fin : il sait que les jurisconsultes et plusieurs tribunaux ne sont pas toujours d'accord avec les casuistes et les canonistes; que les uns admettent de certaines limitations au principe général de n'exiger jamais d'intérêts, et que les autres en admettent de plus grandes. Quand toutes ces questions auraient appartenu à son sujet, ce qui n'est pas, comment aurait-il pu les traiter ? On a bien de la peine à savoir ce qu'on a beaucoup étudié, encore moins sait-on ce qu'on n'a étudié de sa vie. Mais les chapitres mêmes que l'on emploie contre lui prouvent assez qu'il n'est qu'historien et jurisconsulte. Lisons le chapitre XIX [i].

L'argent est le signe des valeurs. Il est clair que celui qui a besoin de ce signe doit le louer, comme il fait toutes les choses dont il peut avoir besoin. Toute la différence est que les autres choses peuvent ou se louer, ou s'acheter : au lieu que l'argent, qui est le prix des choses, se loue et ne s'achète pas.

C'est bien une action très bonne de prêter à un autre son argent sans intérêt; mais on sent que ce ne peut être qu'un conseil de religion, et non une loi civile.

Pour que le commerce puisse se bien faire, il faut que l'argent ait un prix; mais que ce prix soit peu considérable. S'il est trop haut, le négociant, qui voit qu'il lui en coûterait plus en intérêts qu'il ne pourrait gagner dans son commerce, n'entreprend rien. Si l'argent n'a point de prix, personne n'en prête, et le négociant n'entreprend rien non plus.

Je me trompe, quand je dis que personne n'en prête : il faut toujours que les affaires de la société aillent; l'usure s'établit, mais avec les désordres que l'on a éprouvés dans tous les temps.

La loi de Mahomet confond l'usure avec le prêt à intérêt : l'usure augmente, dans les pays mahométans, à proportion de la sévérité de la défense; le prêteur s'indemnise du péril de la contravention.

i. Liv. XXII.

Dans ces pays d'Orient, la plupart des hommes n'ont rien d'assuré; il n'y a presque point de rapport entre la possession actuelle d'une femme, et l'espérance de la ravoir après l'avoir prêtée. L'usure y augmente donc à proportion du péril de l'insolvabilité.

Ensuite viennent le chapitre *des usures maritimes,* que j'ai rapporté ci-dessus; et le chapitre XXI, qui traite *du prêt par contrat, et de l'usure chez les Romains,* que voici :

Outre le prêt fait pour le commerce, il y a encore une espèce de prêt fait par un contrat civil, d'où résulte un intérêt ou usure.

Le peuple, chez les Romains, augmentant tous les jours sa puissance, les magistrats cherchèrent à se flatter, et à lui faire faire les lois qui lui étaient les plus agréables. Il retrancha les capitaux, il diminua les intérêts, il défendit d'en prendre; il ôta les contraintes par corps : enfin l'abolition des dettes fut mise en question, toutes les fois qu'un tribun voulut se rendre populaire.

Ces continuels changements, soit par des lois, soit par des plébiscites, naturalisèrent à Rome l'usure : car les créanciers voyant le peuple leur débiteur, leur législateur et leur juge, n'eurent plus de confiance dans les contrats. Le peuple, comme un débiteur décrédité, ne tentait à lui prêter que par de gros profits; d'autant plus que, si les lois ne venaient que de temps en temps, les plaintes du peuple étaient continuelles, et intimidaient toujours les créanciers. Cela fit que tous les moyens honnêtes de prêter et d'emprunter furent abolis à Rome; et qu'une usure affreuse, toujours foudroyée et toujours reconnaissante, s'y établit.

Cicéron nous dit que, de son temps, on prêtait à Rome à trente-quatre pour cent, et à quarante-huit pour cent dans les provinces. Ce mal venait, encore un coup, de ce que les lois n'avaient pas été ménagées. Les lois extrêmes dans le bien font naître le mal extrême : il fallut payer pour le prêt de l'argent, et pour le danger des peines de la loi. L'auteur n'a donc parlé du prêt à intérêt que dans son rapport avec le commerce des divers peuples, ou avec les lois civiles des Romains; et cela si si vrai, qu'il a distingué, au second article du chapitre XIX, les établissements des législateurs de la religion, d'avec ceux des législateurs politiques. S'il avait parlé là nommément de la religion chrétienne, ayant un autre sujet à traiter, il aurait employé d'autres termes; et fait ordonner à la religion chrétienne ce qu'elle ordonne, et conseiller ce qu'elle conseille : il aurait distingué, avec les théologiens, les cas divers; il aurait posé toutes les limitations que les principes de la religion chrétienne laissent à cette loi générale, établie quelquefois chez les Romains, et toujours chez les mahométans, *qu'il ne faut jamais, dans aucun cas et dans aucune circonstance, recevoir d'intérêt pour de l'argent*. L'auteur n'avait pas ce sujet à traiter ; mais celui-ci, qu'une défense générale, illimitée, indistincte et sans restriction, perd le commerce chez les mahométans, et pensa perdre la république chez les Romains : d'où il suit que, parce que les chrétiens ne vivent pas sous ces termes rigides, le commerce n'est point détruit chez eux ; et que l'on ne voit point, dans leurs Etats, ces usures affreuses qui s'exigent chez les mahométans, et que l'on extorquait autrefois chez les Romains.

L'auteur a employé les chapitres XXI et XXII [k] à examiner quelles furent les lois chez les Romains, au sujet du prêt par contrat, dans les divers temps de leur république : son critique quitte un moment les bancs de théologie, et se tourne du côté de l'érudition. On va voir qu'il se trompe encore dans son érudition ; et qu'il n'est pas seulement au fait de l'état des questions qu'il traite. Lisons le chapitre XXII [l].

Tacite dit que la loi des douze tables fixa l'intérêt à un pour cent par an : il est visible qu'il s'est trompé, et qu'il a pris pour la loi des douze tables une autre loi dont je vais parler. Si la loi des douze tables avait réglé cela ; comment, dans les disputes qui s'élevèrent depuis entre les créanciers et les débiteurs, ne se serait-on pas servi de son autorité ? On ne trouve aucun vestige de cette loi sur le prêt à intérêt ; et, pour peu qu'on soit versé dans l'histoire de Rome, on verra qu'une loi pareille ne pouvait point être l'ouvrage des décemvirs. Et un peu après l'auteur ajoute : *L'an 398 de Rome, les tribuns Duellius et Ménénius firent passer une loi qui réduisait les intérêts à un pour cent par an. C'est cette loi que Tacite confond avec la loi des douze tables ; et c'est la première qui ait été faite chez les Romains, pour fixer le taux de l'intérêt, etc.* Voyons à présent.

L'auteur dit que Tacite s'est trompé, en disant que la loi des douze tables avait fixé l'usure chez les Romains ; il a dit que Tacite a pris pour la loi des douze tables une loi qui fut faite par les tribus Duellius et Ménénius, environ quatre-vingt-quinze ans après la loi des douze tables ; et que cette loi fut la première qui fixa à Rome le taux de l'usure. Que lui dit-on ? Tacite ne s'est pas trompé; il a parlé de l'usure à un pour cent par mois, et non pas de l'usure à un pour cent par an. Mais il n'est pas question ici du taux de l'usure; il s'agit de savoir si la loi des douze tables a fait quelque disposition quelconque sur l'usure. L'auteur dit que Tacite s'est trompé, parce qu'il a dit que les décemvirs, dans la loi des douze tables, avaient fait un règlement pour fixer le taux de l'usure : et là-dessus le critique dit que Tacite ne s'est pas trompé, parce qu'il a parlé de l'usure à un pour cent par mois, et non pas à un pour cent par an. J'avais donc raison de dire que le critique ne sait pas l'état de la question.

Mais il en reste une autre, qui est de savoir si la loi quelconque, dont parle Tacite, fixa l'usure à un pour cent par an, comme l'a dit l'auteur; ou bien à un pour cent par mois, comme le dit le critique. La prudence voulait qu'il n'entreprît pas une dispute avec l'auteur sur les lois romaines, sans connaître les lois romaines; qu'il ne lui niât pas un fait qu'il ne savait pas, et dont il ignorait même les moyens de s'éclaircir. La question était de savoir ce que Tacite avait entendu par ces mots *unciarium fœnus* [m] : il ne lui fallait qu'ouvrir les dictionnaires; il aurait trouvé, dans celui de Calvinus ou Kahl [n], que l'usure onciaire était d'un pour cent par an, et non d'un pour cent par mois. Voulait-il consulter les savants ? il aurait trouvé la même chose dans Saumaise [o] :

> *Testis mearum centimanus Gyas*
> *Sententiarum.*
>
> Hor. ode IV, liv. IV, v. 69.

m. *Nam primo duodecim tabulis sanctum, ne quis unciario sœnore amplius exerceret.* Annales, liv. VI.

n. *Usurarum species ex assis partibus denominantur : quod ut intelligatur, illud scire oportet, sortem omnem ad centenarium numerum revocari; summam autem usuram esse, cum pars sortis centesima singulis mensibus persolvitur. Et quoniam ista ratione summa hæc usura duodecim aureos annuos in centenos efficit, duodenarius numerus jurisconsultos movit, ut assem hunc usurarium appellarent. Quemadmodum hic as, non ex menstrua, sed ex annua pensione æstimandus est; similiter omnes ejus partes ex anni ratione intelligendæ sunt : ut, si unus in centenos annuatim pendatur, unciaria usura; si bini, sextans; si terni, quadrans; si quaterni, triens; si quini, quinqunx; si seni, semis; is septeni, septunx; si octoni, bes; si novem, dodrans; si deni, dextrans; si undeni, deunx; si duodeni, as.* Lexicon Johannis Calvini, alias Kahl, *Coloniæ Allobrogum, anno 1622, apud Petrum Balduinum,* in verbo usura, p. 960.

o. *De modo usurarum, Lugduni Batavorum, ex officina Elseviriorum, anno 1639, p. 269, 270 et 271; et surtout ces mots : Unde vertus sit*

Remontait-il aux sources ? il aurait trouvé là-dessus des textes clairs dans les livres de droit *ᵖ*; il n'aurait point brouillé toutes les idées; il eût distingué les temps et les occasions où l'usure onciaire signifiait un pour cent par mois, d'avec les temps et les occasions où elle signifiait un pour cent par an; et il n'aurait pas pris le douzième de la centésime pour la centésime.

Lorsqu'il n'y avait point de lois sur le taux de l'usure chez les Romains, l'usage le plus ordinaire était que les usuriers prenaient douze onces de cuivre sur cent onces qu'ils prêtaient; c'est-à-dire douze pour cent par an : Et, comme un as valait douze onces de cuivre, les usuriers retiraient chaque année un as sur cent onces : et, comme il fallait souvent compter l'usure par mois, l'usure de six mois fut appelée *semis*, ou la moitié de l'as; l'usure de quatre mois fut appelée *triens*, ou le tiers de l'as; l'usure pour trois mois fut appelée *quadrans*, ou le quart de l'as; et enfin, l'usure pour un mois fut appelée *unciaria*, ou le douzième de l'as : de sorte que, comme on levait une once, chaque mois, sur cent onces qu'on avait prêtées, cette usure onciaire, ou d'un pour cent par mois, ou de douze pour cent par an, fut appelée usure centésime. Le critique a eu connaissance de cette signification de l'usure centésime, et il l'a appliquée très mal.

On voit que tout ceci n'était qu'une espèce de méthode, de formule ou de règle entre le débiteur et le créancier, pour compter leurs usures, dans la supposition que l'usure fût à douze pour cent par an, ce qui était l'usage le plus ordinaire : et, si quelqu'un avait prêté à dix-huit pour cent par an, on se serait servi de la même méthode, en augmentant d'un tiers l'usure de chaque mois; de sorte que l'usure onciaire aurait été d'une once et demie par mois.

Quand les Romains firent des lois sur l'usure, il ne fut point question de cette méthode, qui avait servi, et qui servait encore aux débiteurs et aux créanciers, pour la division du temps et la commodité du paiement de leurs usures. Le législateur avait un règlement public à faire; il ne s'agissait point de partager l'usure par mois; il avait à fixer, et il fixa l'usure par an. On continua à se servir

---

unciarium fœnus eorum, vel uncias usuras, ut eas quoque appellatas infra ostendam, non unciam dare menstruam in centum, sed annuam.

p. Argumentum legis XLVII, § Prafectus legionis, ff. de administratione et periculo tutoris.

des termes tirés de la division de l'as, sans y appliquer les mêmes idées : ainsi l'usure onciaire signifia un pour cent par an, l'usure *ex quadrante* signifia trois pour cent par an, l'usure *ex triente* quatre pour cent par an, l'usure *semis* six pour cent par an. Et, si l'usure onciaire avait signifié un pour cent par mois, les lois qui les fixèrent *ex quadrante*, *ex triente*, *ex semise*, auraient fixé l'usure à trois pour cent, à quatre pour cent, à six pour cent par mois : ce qui aurait été absurde, parce que les lois, faites pour réprimer l'usure, auraient été plus cruelles que les usuriers.

Le critique a donc confondu les espèces des choses. Mais j'ai intérêt de rapporter ici ses propres paroles, afin qu'on soit bien convaincu que l'intrépidité avec laquelle il parle ne doit imposer à personne : les voici [q] : *Tacite ne s'est point trompé : il parle de l'intérêt à un pour cent par mois, et l'auteur s'est imaginé qu'il parle d'un pour cent par an. Rien n'est si connu que le centésime qui se payait à l'usurier tous les mois. Un homme qui écrit deux volumes in-4° sur les lois, devrait-il l'ignorer ?*

Que cet homme ait ignoré ou n'ait pas ignoré ce centésime, c'est une chose très indifférente : mais il ne l'a pas ignoré, puisqu'il en a parlé en trois endroits. Mais comment en a-t-il parlé ? et où en a-t-il parlé [r] ? Je pourrait bien défier le critique de le deviner, parce qu'il n'y trouverait point les mêmes termes et les mêmes expressions qu'il sait.

Il n'est pas question ici de savoir, si l'auteur de l'*Esprit des lois* a manqué d'érudition ou non, mais de défendre ses autels [s]. Cependant il a fallu faire voir au public que le critique prenant un ton si décisif sur des choses qu'il ne sait pas, et dont il doute si peu qu'il n'ouvre pas même un dictionnaire pour se rassurer, ignorant les choses et accusant les autres d'ignorer ses propres erreurs, il ne mérite pas plus de confiance dans les autres accusations. Ne peut-on pas croire que la hauteur et la fierté du ton qu'il prend partout, n'empêchent en aucune manière qu'il n'ait tort ? que, quand il s'échauffe, cela ne veut pas dire qu'il n'ait pas tort ? que quand il anathématise avec ses mots d'impie et de sectateur de la religion naturelle,

q. Feuille du 9 octobre 1749, p. 164.
r. La troisième et la dernière note, chap. XXII, liv. XXII, et le texte de la troisième note.
s. *Pro aris.*

on peut encore croire qu'il a tort ? qu'il faut bien se
garder de recevoir les impressions que pourrait donner
l'activité de son esprit et l'impétuosité de son style ?
que, dans ses deux écrits, il est bon de séparer les injures
de ses raisons, mettre ensuite à part les raisons qui sont
mauvaises, après quoi il ne restera plus rien ?

L'auteur, aux chapitres du prêt à intérêt, et de l'usure
chez les Romains, traitant ce sujet, sans doute le plus
important de leur histoire, ce sujet qui tenait tellement à
la constitution, qu'elle pensa mille fois en être renversée;
parlant des lois qu'ils firent par désespoir, de celles où ils
suivirent leur prudence, des règlements qui n'étaient que
pour un temps, de ceux qu'ils firent pour toujours, dit,
vers la fin du chapitre XXII : *L'an 398 de Rome, les tribuns
Duellius et Ménénius firent passer une loi qui réduisait les
intérêts à un pour cent par an... Dix ans après, cette usure
fut réduite à la moitié; dans la suite, on l'ôta tout à fait...*

*Il en fut de cette loi comme de toutes celles où le législa-
teur a porté les choses à l'excès : on trouva une infinité de
moyens pour l'éluder; il en fallut faire beaucoup d'autres
pour la confirmer, corriger, tempérer : tantôt on quitta les
lois pour suivre les usages, tantôt on quitta les usages pour
suivre les lois. Mais, dans ce cas, l'usage devait aisément
prévaloir. Quand un homme emprunte, il trouve un
obstacle dans la loi même qui est faite en sa faveur : cette
loi a contre elle, et celui qu'elle secourt, et celui qu'elle
condamne. Le préteur Sempronius Asellus ayant permis aux
débiteurs d'agir en conséquence des lois, fut tué par les
créanciers, pour avoir voulu rappeler la mémoire d'une
rigidité qu'on ne pouvait plus soutenir.*

*Sous Sylla, Lucius Valérius Flaccus fit une loi qui
permettait l'intérêt à trois pour cent par an. Cette loi, la
plus équitable et la plus modérée de celles que les Romains
firent à cet égard, Paterculus la désapprouve. Mais, si cette
loi était nécessaire à la république, si elle était utile à tous
les particuliers, si elle formait une communication d'aisance
entre le débiteur et l'emprunteur, elle n'était point injuste.*

*Celui-là paie moins, dit Ulpien, qui paie plus tard. Cela
décide la question, si l'intérêt est légitime ; c'est-à-dire, si
le créancier peut vendre le temps, et le débiteur l'acheter.*

Voici comme le critique raisonne sur ce dernier passage, qui se rapporte uniquement à la loi de Flaccus, et
aux dispositions politiques des Romains. L'auteur, dit-il,
en résumant tout ce qu'il a dit de l'usure, soutient qu'il est
permis à un créancier de vendre le temps. On dirait, à

entendre le critique, que l'auteur vient de faire un traité de théologie, ou de droit canon, et qu'il résume ensuite ce traité de théologie et de droit canon ; pendant qu'il est clair qu'il ne parle que des dispositions politiques des Romains, de la loi de Flaccus, et de l'opinion de Paterculus : de sorte que cette loi de Flaccus, l'opinion de Paterculus, la réflexion d'Ulpien, celle de l'auteur, se tiennent et ne peuvent pas se séparer.

J'aurais encore bien des choses à dire ; mais j'aime mieux renvoyer aux feuilles mêmes. *Croyez-moi, mes chers Pisons : elles ressemblent à un ouvrage qui, comme les songes d'un malade, ne fait que des fantômes vains* [1].

Credite, Pisones, isti tabulæ fore librum
Persimilem, cujus, velut agri somnia, vanæ
Fingentur species.

Horat. de arte poetica, v. 6.

TROISIÈME PARTIE

On a vu, dans les deux premières parties, que tout ce qui résulte de tant de critiques amères, est ceci, que l'auteur de l'*Esprit des lois* n'a point fait son ouvrage suivant le plan et les vues de ses critiques; et que, si ses critiques avaient fait un ouvrage sur le même sujet, ils y auraient mis un très grand nombre de choses qu'ils savent. Il en résulte encore qu'ils sont théologiens, et que l'auteur est jurisconsulte, qu'ils se croient en état de faire son métier, et que lui ne se sent pas propre à faire le leur. Enfin, il en résulte qu'au lieu de l'attaquer avec tant d'aigreur, ils auraient mieux fait de sentir eux-mêmes le prix des choses qu'il a dites en faveur de la religion, qu'il a également respectée et défendue. Il me reste à faire quelques réflexions.

Cette manière de raisonner n'est pas bonne, qui, employée contre quelque bon livre que ce soit, peut le faire paraître aussi mauvais que quelque mauvais livre que ce soit; et qui, pratiquée contre quelque mauvais livre que ce soit, peut le faire paraître aussi bon que quelque bon livre que ce soit.

Cette manière de raisonner n'est pas bonne, qui, aux choses dont il s'agit, en rappelle d'autres qui ne sont point accessoires, et qui confond les diverses sciences, et les idées de chaque science.

Il ne faut point argumenter, sur un ouvrage fait sur une science, par des raisons qui pourraient attaquer la science même.

Quand on critique un ouvrage, et un grand ouvrage, il faut tâcher de se procurer une connaissance particulière de la science qui y est traitée, et bien lire les auteurs approuvés qui ont déjà écrit sur cette science; afin de voir si l'auteur s'est écarté de la manière reçue et ordinaire de la traiter.

Lorsqu'un auteur s'explique par ses paroles, ou par ses écrits qui en sont l'image, il est contre la raison de quitter les signes extérieurs de ses pensées, pour chercher ses pensées; parce qu'il n'y a que lui qui sache ses pensées. C'est bien pis, lorsque ses pensées sont bonnes, et qu'on lui en attribue de mauvaises.

Quand on écrit contre un auteur, et qu'on s'irrite contre lui, il faut prouver les qualifications par les choses, et non pas les choses par les qualifications.

Quand on voit, dans un auteur, une bonne intention générale, on se trompera plus rarement, si, sur certains endroits qu'on croit équivoques, on juge suivant l'intention générale, que si on lui prête une mauvaise intention particulière.

Dans les livres faits pour l'amusement, trois ou quatre pages donnent l'idée de style et des agréments de l'ouvrage : dans les livres de raisonnement, on ne tient rien, si on ne tient toute la chaîne.

Comme il est très difficile de faire un bon ouvrage, et très aisé de le critiquer, parce que l'auteur a eu tous les défilés à garder, et que le critique n'en a qu'un à forcer; il ne faut point que celui-ci ait tort : et, s'il arrivait qu'il eût continuellement tort, il serait inexcusable.

D'ailleurs la critique pouvant être considérée comme une ostentation de sa supériorité sur les autres, et son effet ordinaire étant de donner des moments délicieux pour l'orgueil humain; ceux qui s'y livrent méritent bien toujours de l'équité, mais rarement de l'indulgence.

Et comme, de tous les genres d'écrire, elle est celui dans lequel il est plus difficile de montrer un bon naturel; il faut avoir attention à ne point augmenter, par l'aigreur des paroles, la tristesse de la chose.

Quand on écrit sur les grandes matières, il ne suffit pas de consulter son zèle, il faut encore consulter ses lumières ; et, si le ciel ne nous a pas accordé de grands talents, on peut y suppléer par la défiance de soi-même, l'exactitude, le travail et les réflexions.

Cet art de trouver dans une chose, qui naturellement a un bon sens, tous les mauvais sens qu'un esprit qui ne raisonne pas juste peut leur donner, n'est point utile aux hommes : ceux qui le pratiquent ressemblent aux corbeaux, qui fuient les corps vivants, et volent de tous côtés pour chercher des cadavres.

Une pareille manière de critiquer produit deux grands inconvénients : le premier, c'est qu'elle gâte l'esprit des lecteurs, par un mélange du vrai et du faux, du bien et du mal : ils s'accoutument à chercher un mauvais sens dans les choses qui naturellement en ont un très bon ; d'où il leur est aisé de passer à cette disposition, de chercher un bon sens dans les choses qui naturellement en ont un mauvais : on leur fait perdre la faculté de raisonner juste, pour les jeter dans les subtilités d'une mauvaise dialectique. Le second mal est qu'en rendant, par cette façon de raisonner, les bons livres suspects, on n'a point d'autres armes pour attaquer les mauvais ouvrages : de sorte que le public n'a plus de règle pour les distinguer. Si l'on traite de spinosistes et de déistes ceux qui ne le sont pas, que dira-t-on à ceux qui le sont ?

Quoique nous devions penser aisément que les gens qui écrivent contre nous, sur des matières qui intéressent tous les hommes, y sont déterminés par la force de la charité chrétienne ; cependant, comme la nature de cette vertu est de ne pouvoir guère se cacher, qu'elle se montre en nous malgré nous, et qu'elle éclate et brille de toutes parts ; s'il arrivait que, dans deux écrits faits contre la même personne coup sur coup, on n'y trouvât aucune trace de cette charité, qu'elle n'y parût dans aucune phrase, dans aucun tour, aucune parole, aucune expression ; celui qui aurait écrit de pareils ouvrages aurait un juste sujet de craindre de n'y avoir pas été porté par la charité chrétienne.

Et, comme les vertus purement humaines sont en nous l'effet de ce que l'on appelle un bon naturel ; s'il était impossible d'y découvrir aucun vestige de ce bon naturel, le public pourrait en conclure que ces écrits ne seraient pas même l'effet des vertus humaines.

Aux yeux des hommes, les actions sont toujours plus sincères que les motifs ; et il leur est plus facile de croire que l'action de dire des injures atroces est un mal, que de se persuader que le motif qui les a fait dire est un bien.

Quand un homme tient à un Etat qui fait respecter la religion, et que la religion fait respecter ; et qu'il attaque, devant les gens du monde, un homme qui vit dans le monde ; il est essentiel qu'il maintienne, par sa manière d'agir, la supériorité de son caractère. Le monde est très corrompu : mais il y a de certaines passions qui s'y trouvent très contraintes ; il y en a de favorites, qui défendent aux autres de paraître. Considérez les gens du monde entre eux ; il n'y a rien de si timide : c'est l'orgueil qui n'ose pas dire ses secrets, et qui, dans les égards qu'il a pour les autres, se quitte pour se reprendre. Le christianisme nous donne l'habitude de soumettre cet orgueil ; le monde nous donne l'habitude de le cacher. Avec le peu de vertu que nous avons, que deviendrions-nous, si toute notre âme se mettait en liberté, et si nous n'étions pas attentifs aux moindres paroles, aux moindres signes, aux moindres gestes ? Or, quand des hommes d'un caractère respecté manifestent des emportements que les gens du monde n'oseraient mettre au jour, ceux-ci commencent à se croire meilleurs qu'ils ne sont en effet ; ce qui est un très grand mal.

Nous autres gens du monde, sommes si faibles, que nous méritons extrêmement d'être ménagés. Ainsi, lorsqu'on nous fait voir toutes les marques extérieures des passions violentes, que veut-on que nous pensions de l'intérieur ? Peut-on espérer que nous, avec notre témérité ordinaire de juger, ne jugions pas ?

On peut avoir remarqué, dans les disputes et les conversations, ce qui arrive aux gens dont l'esprit est dur et difficile : comme ils ne combattent pas pour s'aider les uns les autres, mais pour se jeter à terre, ils s'éloignent de la vérité, non pas à proportion de la grandeur ou de la petitesse de leur esprit, mais de la bizarrerie ou de l'inflexibilité plus ou moins grande de leur caractère. Le contraire arrive à ceux à qui la nature ou l'éducation ont donné de la douceur : comme leurs disputes sont des secours mutuels, qu'ils concourent au même objet, qu'ils ne pensent différemment que pour parvenir à penser de même, ils trouvent la vérité à proportion de leurs lumières : c'est la récompense d'un bon naturel.

Quand un homme écrit sur les matières de religion, il ne faut pas qu'il compte tellement sur la piété de ceux qui le lisent, qu'il dise des choses contraires au bon sens ; parce que, pour s'accréditer auprès de ceux qui ont plus de piété que de lumières, il se décrédite auprès de ceux qui ont plus de lumières que de piété.

Et comme la religion se défend beaucoup par elle-même, elle perd plus lorsqu'elle est mal défendue, que lorsqu'elle n'est point du tout défendue.

S'il arrivait qu'un homme, après avoir perdu ses lecteurs, attaquât quelqu'un qui eût quelque réputation, et trouvât par-là le moyen de se faire lire ; on pourrait peut-être soupçonner que, sous prétexte de sacrifier cette victime à la religion, il la sacrifierait à son amour-propre.

La manière de critiquer, dont nous parlons, est la chose du monde la plus capable de borner l'étendue, et de diminuer, si j'ose me servir de ce terme, la somme du génie national. La théologie a ses bornes, elle a ses formules ; parce que les vérités qu'elle enseigne, étant connues, il faut que les hommes s'y tiennent ; et on doit les empêcher de s'en écarter : c'est là qu'il ne faut pas que le génie prennent l'essor : on le circonscrit, pour ainsi dire, dans une enceinte. Mais c'est se moquer du monde, de vouloir mettre cette même enceinte autour de ceux qui traitent les sciences humaines. Les principes de la géométrie sont très vrais : mais, si on les appliquait à des choses de goût, on ferait déraisonner la raison même. Rien n'étouffe plus la doctrine, que de mettre, à toutes les choses, une robe de docteur. Les gens qui veulent toujours enseigner empêchent beaucoup d'apprendre. Il n'y a point de génie qu'on ne rétrécisse, lorsqu'on l'enveloppera d'un million de scrupules vains. Avez-vous les meilleures intentions du monde ? on vous forcera vous-même d'en douter. Vous ne pouvez plus être occupé à bien dire, quand vous êtes effrayé par la crainte de dire mal ; et qu'au lieu de suivre votre pensée, vous ne vous occupez que des termes qui peuvent échapper à la subtilité des critiques. On vient nous mettre un béguin sur la tête, pour nous dire à chaque mot : Prenez garde de tomber; vous voulez parler comme vous, je veux que vous parliez comme moi. Va-t-on prendre l'essor ? Ils vous arrêtent par la manche. A-t-on de la force et de la vie ? On vous l'ôte à coups d'épingle. Vous élevez-vous un peu ? Voilà des gens qui prennent leur pied, ou leur toise, lèvent la tête, et vous crient de descendre pour vous mesurer. Courez-vous dans votre carrière ? Ils voudront que vous regardiez toutes les pierres que les fourmis ont mises sur votre chemin. Il n'y a ni science, ni littérature, qui puisse résister à ce pédantisme. Notre siècle a formé des académies; on voudra nous faire rentrer dans les écoles des siècles ténébreux. Descartes est bien propre à rassurer ceux qui, avec un génie infiniment moindre que le sien, ont d'aussi bonnes intentions que lui : ce grand homme fut sans cesse accusé d'athéisme; et l'on n'emploie pas aujourd'hui, contre les athées, de plus forts arguments que les siens.

Du reste, nous ne devons regarder les critiques comme personnelles, que dans les cas où ceux qui les font ont voulu les rendre telles. Il est très permis de critiquer les ouvrages qui ont été donnés au public; parce qu'il serait ridicule que ceux qui ont voulu éclairer les autres, ne voulussent pas être éclairés eux-mêmes. Ceux qui nous avertissent sont les compagnons de nos travaux. Si le critique et l'auteur cherchent la vérité, ils ont le même intérêt; car la vérité est le bien de tous les hommes : ils seront des confédérés, et non pas des ennemis.

C'est avec grand plaisir que je quitte la plume. On aurait continué à garder le silence, si, de ce qu'on le gardait, plusieurs personnes n'avaient conclu qu'on y était réduit.

ÉCLAIRCISSEMENTS
SUR
L'ESPRIT DES LOIS

I

Quelques personnes ont fait cette objection. Dans le livre de l'*Esprit des lois*, c'est l'honneur ou la crainte qui sont le principe de certains gouvernements, non pas la vertu ; et la vertu n'est le principe que de quelques autres : donc les vertus chrétiennes ne sont pas requises dans la plupart des gouvernements.

Voici la réponse : l'auteur a mis cette note au chapitre v du livre troisième : *Je parle ici de la vertu politique, qui est la vertu morale, dans le sens qu'elle se dirige au bien général ; fort peu des vertus morales particulières ; et point du tout de cette vertu qui a du rapport aux vérités révélées.* Il y a, au chapitre suivant, une autre note qui renvoie à celle-ci ; et aux chapitres II et III du livre cinquième, l'auteur a défini sa vertu, l'*amour de la patrie*. Il définit l'amour de la patrie, l'*amour de l'égalité et de la frugalité.* Tout le livre cinquième pose sur ces principes. Quand un écrivain a défini un mot dans son ouvrage ; quand il a donné, pour me servir de cette expression, son diction- naire ; ne faut-il pas entendre ses paroles suivant la signi- fication qu'il leur a donnée ?

Le mot de vertu, comme la plupart des mots de toutes les langues, est pris dans diverses acceptions : tantôt il signifie les vertus chrétiennes, tantôt les vertus païennes ; souvent une certaine vertu chrétienne, ou bien une certaine vertu païenne ; quelquefois la force ; quelquefois, dans quelques langues, une certaine capacité pour un art ou de certains arts. C'est ce qui précède, ou ce qui suit ce mot, qui en fixe la signification. Ici, l'auteur a fait plus ; il a donné plusieurs fois la définition. On n'a donc fait

l'objection, que parce qu'on a lu l'ouvrage avec trop de
rapidité.

II

L'auteur a dit, au livre second, chapitre III : *La meilleure aristocratie est celle où la partie du peuple qui n'a
point de part à la puissance est si petite et si pauvre, que la
partie dominante n'a aucun intérêt à l'opprimer : Ainsi,
quand Antipater établit, à Athènes, que ceux qui n'auraient
pas deux mille drachmes seraient exclus du droit de suffrage* [a],
il forma la meilleure aristocratie qui fût possible ; parce que
ce sens était si petit, qu'il n'excluait que peu de gens, et
personne qui eût quelque considération dans la cité. Les
familles aristocratiques doivent donc être peuple autant
qu'il est possible. Plus une aristocratie approchera de la
démocratie, plus elle sera parfaite ; et elle le deviendra moins,
à mesure qu'elle approchera de la monarchie.*

Dans une lettre insérée dans le journal de Trévoux du
mois d'avril 1749, on a objecté à l'auteur sa citation même.
On a, dit-on, devant les yeux l'endroit cité : et on y
trouve qu'il n'y avait que neuf mille personnes qui eussent
le cens prescrit par Antipater ; qu'il y en avait vingt-deux
mille qui ne l'avaient pas : d'où l'on conclut que l'auteur
applique mal ses citations ; puisque, dans cette république
d'Antipater, le petit nombre était dans le cens, et que le
grand nombre n'y était pas.

RÉPONSE

Il eût été à désirer que celui qui a fait cette critique eût
fait plus d'attention, et à ce qu'a dit l'auteur, et à ce qu'a
dit Diodore.

1º Il n'y avait point vingt-deux mille personnes qui
n'eussent pas le cens dans la république d'Antipater : les
vingt-deux mille personnes, dont parle Diodore, furent
reléguées et établies dans la Thrace ; et il ne resta, pour
former cette république, que les neuf mille citoyens qui
avaient le cens, et ceux du bas peuple qui ne voulurent

---

a. Diodore, liv. XVIII, p. 601, édition de Rhodoman.

pas partir pour la Thrace. Le lecteur peut consulter Diodore.

2° Quand il serait resté à Athènes vingt-deux mille personnes qui n'auraient pas eu le cens, l'objection n'en serait pas plus juste. Les mots de *grand* et de *petit* sont relatifs. Neuf mille souverains, dans un Etat, font un nombre immense; et vingt-deux mille sujets, dans le même Etat, font un nombre infiniment petit.

FIN DE LA DÉFENSE DE L'ESPRIT DES LOIS.

INDEX
ANALYTIQUE ET ALPHABÉTIQUE
DES MATIÈRES

CONTENUES DANS L'ESPRIT DES LOIS ET DANS LA DÉFENSE

Le chiffre romain indique le livre; le chiffre arabe le chapitre, et le D. la Défense.

A

ABBAYES. Pourquoi les rois de France en abandonnèrent les élections, XXXI, 13.

Abbés. Menaient autrefois leurs vassaux à la guerre, XXX, 17. Pourquoi leurs vassaux n'étaient pas menés à la guerre par le comte, XXX, 18.

Abondance et *rareté* de l'or et de l'argent relatives : *abondance* et *rareté* réelles, XXII, 9.

Abyssins. Les suites qui résultent de la rigueur de leur carême prouvent que la religion devrait ne pas ôter la défense naturelle par l'autorité des pratiques de pure discipline, XXVI, 7.

Accusateurs. Précautions que l'on doit prendre pour garantir les citoyens de leurs calomnies : exemples tirés d'Athènes et de Rome, XII, 20. S'ils accusent devant le prince et non devant les magistrats, c'est une preuve de calomnie. Exception à cette règle, XII, 24. Du temps des combats judiciaires, plusieurs ne pouvaient pas se battre contre un seul accusé, XXVIII, 24. Quand étaient obligés de combattre pour leurs témoins provoqués par l'accusé, XXVIII, 26.

Accusations. A qui la faculté de les porter doit être confiée,

suivant la nature du gouvernement, VI, 8; XII, 15. Celles de magie et d'hérésie doivent être poursuivies avec une grande circonspection. Preuves d'absurdités et de cruautés qui peuvent résulter de la poursuite indiscrète de ces accusations. Combien on doit se défier de celles qui sont fondées sur la haine publique, XII, 5. L'équité naturelle demande que le degré de preuves soit proportionné à la grandeur de l'accusation, D. *première partie,* 1 et 2.

Accusation publique. Ce que c'est. Précautions nécessaires pour en prévenir les abus dans un État populaire, XII, 20. Quand et pourquoi elle cessa d'avoir lieu à Rome, contre l'adultère, VII, 11.

Accusés. Doivent, dans les grandes accusations, pouvoir, concurremment avec la loi, se choisir leurs juges, XI, 6. Combien il faut de témoins et de voix pour leur condamnation, XII, 3. Pouvaient à Rome et à Athènes se retirer avant le jugement, XII, 20. C'est un abus de l'inquisition de condamner celui qui nie, et de sauver celui qui avoue, XXVI, 12. Comment se justifiaient sous les lois saliques et autres lois

de cette façon de prononcer sur les appels dans les parlements : *La cour met l'appel au néant : La cour met l'appel et ce dont a été appelé au néant*, XXVIII, 33. C'est l'usage des appels qui a introduit celui de la condamnation aux dépens, XXVIII, 35. Leur extrême facilité a contribué à abolir l'usage constamment observé dans la monarchie, suivant lequel un juge ne jugeait jamais seul, XXVII, 42. Pourquoi Charles VII n'a pu en fixer le temps dans un bref délai ; et pourquoi ce délai s'est étendu jusqu'à trente ans, XXIX, 16.

Appel de défaute de droit. Quand cet appel a commencé d'être en usage, XXVIII, 28. Ces sortes d'appels ont souvent été des points remarquables dans notre histoire : pourquoi, *ibid.* En quel cas, contre qui il avait lieu : formalités qu'il fallait observer dans cette sorte de procédure : devant qui il se relevait, *ibid.* Concourait quelquefois avec l'appel de faux jugement, *ibid.* Usage qui s'y observait, XXVIII, 32. Voyez *Défaute de droit.*

Appel de faux jugement. Ce que c'était : contre qui on pouvait l'interjeter : précautions qu'il fallait prendre pour ne pas tomber dans la félonie contre son seigneur, ou être obligé de se battre contre tous ses pairs, XXVIII, 27. Formalités qui devaient s'y observer, suivant les différents cas, *ibid.* Ne se décidait pas toujours par le combat judiciaire, *ibid.* Ne pouvait avoir lieu contre les jugements rendus dans la cour du roi, ou dans celle des seigneurs, par les hommes de la cour du roi, *ibid.* Saint Louis l'abolit dans les seigneuries de ses domaines, et en laissa subsister l'usage dans celles des barons, mais sans qu'il y eût de combat judiciaire, XXVIII, 29. Usage qui s'y observait, XXVIII, 32.

Appel de faux jugement à la cour du roi. Était le seul appel établi ; tous les autres proscrits et punis, XXVIII, 28.

Appel en jugement. Voyez *Assignation.*

APPIUS, *décemvir.* Son attentat sur Virginie affermit la liberté à Rome, XII, 22.

Arabes. Leur boisson, avant Mahomet, était de l'eau, XIV, 10. Leur liberté, XVIII, 19. Leurs richesses : d'où ils les tirent : leur commerce : leur inaptitude à la guerre : comment ils deviennent conquérants, XXI, 16. Comment la religion adoucissait, chez eux, les fureurs de la guerre, XXIV, 18. L'atrocité de leurs mœurs fut adoucie par la religion de Mahomet, *ibid.* Les mariages entre parents au quatrième degré sont prohibés chez eux : ils ne tiennent cette loi que de la nature, XXVI, 14.

Arabie. Alexandre a-t-il voulu y établir le siège de son empire ? XXI, 8. Son commerce était-il utile aux Romains ? XXI, 16. C'est le seul pays, avec ses environs, où une religion qui défend l'usage du cochon peut être bonne : raisons physiques, XXIV, 25.

Aragon. Pourquoi on y fit des lois somptuaires, dans le XIIIe siècle, VII, 5. Le clergé y a moins acquis qu'en Castille, parce qu'il y a, en Aragon, quelque droit d'amortissement, XXV, 5.

ARBOGASTE. Sa conduite avec l'empereur Valentinien est un exemple du génie de la nation française à l'égard des maires du palais, XXXI, 4.

Arcades. Ne devaient la douceur de leurs mœurs qu'à la musique, IV, 8.

ARCADIUS. Maux qu'il causa à l'empire, en faisant la fonction de juge, VI, 5. Ce qu'il pensait des paroles criminelles, XII, 12. Appela les petits enfants à la succession de l'aïeul maternel, XXVII, 1.

ARCADIUS et HONORIUS. Furent

monarques commandaient les armées, XXXI, 4.

Duels. Origine de la maxime qui impose la nécessité de tenir sa parole à celui qui a promis de se battre, XXVIII, 20. Moyen plus simple d'en abolir l'usage que ne sont les peines capitales, XXVIII, 24. Voyez *Combat judiciaire*.

E

EAU BOUILLANTE. Voyez *Preuve par l'eau bouillante*.

Ecclésiastiques. La raideur avec laquelle ils soutiennent la preuve négative par serment, par la seule raison qu'elle se faisait dans les églises, fit étendre la preuve par le combat, contre laquelle ils étaient déchaînés, XXVIII, 18. Leurs entreprises sur la juridiction laie, XXVIII, 40. Moyens par lesquels ils se sont enrichis, XXVIII, 41. Vendaient aux nouveaux mariés la permission de coucher ensemble les trois premières nuits de leurs noces. Pourquoi ils s'étaient réservé ces trois nuits plutôt que d'autres, *ibid*. Les privilèges dont ils jouissaient autrefois sont la cause de la loi qui ordonne de ne prendre des baillis que parmi les laïques, XXVIII, 43. Loi qui les fait se battre entre eux, comme des dogues anglais, jusqu'à la mort, XXIX 4. Déchiraient, dans les commencements de la monarchie, les rôles des taxes, XXX, 12. Levaient des tributs réglés sur les serfs de leurs domaines; et ces tributs se nommaient *census* ou *cens*, XXX, 15. Les maux causés par Brunehault et par Frédégonde ne purent être réparés qu'en rendant aux ecclésiastiques leurs privilèges, XXXI, 1. Origine des grands fiefs qu'ils possèdent en Allemagne, XXXI, 19. Voyez *Clergé*, *Roi de France*, *Seigneurs*.

Echange. Dans quel cas on commerce par échange, XXII, 1.

Echevins. Ce que c'était autrefois : respect qui était dû à leurs décisions, XXVIII, 28. Etaient les mêmes personnes que les juges et les rathimburges, sous différents noms, XXX, 18.

Ecole de l'honneur. Où elle se trouve dans les monarchies, IV, 2.

Ecrits. Quand, et dans quels gouvernements peuvent être mis au nombre des crimes de lèse-majesté, XII, 13.

Ecriture. L'usage s'en conserva en Italie, lorsque la barbarie l'avait bannie de partout ailleurs; de là vient que les coutumes ne purent prévaloir, dans certaines provinces, sur le droit romain, XXVIII, 11. Quand la barbarie en fit perdre l'usage, on oublia le droit romain, les lois barbares et les capitulaires, auxquels on substitua les coutumes, XXVIII, 19. Dans les siècles où l'usage en était ignoré, on était forcé de rendre publiques les procédures criminelles, XXVIII, 34. C'est le témoin le plus sûr dont on puisse faire usage, XXVIII, 44.

Edifices publics. Ne doivent jamais être élevés sur le fonds des particuliers, sans indemnité, XXVI, 15.

Edile. Qualité qu'il doit avoir, II, 2.

Edit de Pistes. Par qui, en quelle année il fut donné : on y trouve les raisons pour lesquelles le droit romain s'est conservé dans les provinces qu'il gouverne encore, et a été aboli dans les autres, XXVIII, 4.

Education. Les lois de l'éducation doivent être relatives au principe du gouvernement, *Livre IV*. Ce n'est point au collège que se donne la principale éducation dans une monarchie, IV, 2. Quels en sont les trois principes dans une monarchie, *ibid*. Sur quoi elle porte dans une monarchie, *ibid*. Doit, dans une monarchie, être conforme

du mépris que l'on y fait de ce sexe, XV, 19. Sont juges très éclairés sur une partie des choses qui constituent le mérite personnel. De là, en partie, notre liaison avec elles, provoquée d'ailleurs par le plaisir des sens, et par celui d'aimer et d'être aimé, XXVIII, 22. Le commerce de galanterie avec elles produit l'oisiveté, fait qu'elles corrompent avant que d'être corrompues, qu'elles mettent tous les riens en valeur, réduisent à rien ce qui est important, et établissent les maximes du ridicule comme seules règles de la conduite, VII, 8. Leur désir de plaire, et le désir de leur plaire font que les deux sexes se gâtent, et perdent leur qualité distinctive et essentielle, XIX, 12. Si elles gâtent les mœurs, elles forment le goût, XIX, 8. Leur commerce nous inspire la politesse; et cette politesse corrige la vivacité des Français, qui, autrement, pourrait les faire manquer à tous les égards, XIX, 6. Leur communication avec les hommes inspire à ceux-ci cette galanterie qui empêche de se jeter dans la débauche, XIX, 27. Plus le nombre de celles qu'on possède tranquillement et exclusivement est grand, plus on désire celles que l'on ne possède pas; et l'on s'en dégoûte enfin totalement, pour se livrer à cet amour que la nature désavoue. Exemples tirés de Constantinople et d'Alger, XVI, 6. Elles inspirent deux sortes de jalousie; l'une de mœurs, l'autre de passion, XVI, 13. Leur débauche nuit à la propagation, XXIII, 2. Dans quelle proportion elles influent sur la population, XXIII, 7. Leur mariage dans un âge avancé, nuit à la propagation, XXIII, 21. Dans les pays où elles sont nubile dès l'enfance, la beauté et la raison ne se rencontrent jamais en même temps : la polygamie s'y introduit naturellement, XVI, 2. Ces deux avantages se trouvant réunis en même temps dans les femmes des pays tempérés et froids, la polygamie n'y doit pas avoir lieu, ibid. La pudeur leur est naturelle, parce qu'elles doivent toujours se défendre, et que la perte de leur pudeur cause de. grands maux dans le moral et dans le civil, XVI, 12, XXVI, 8. Cet état perpétuel de défense les porte à la sobriété : seconde raison qui bannit la polygamie des pays froids, XVI, 2. *Leur influence sur la religion et sur le gouvernement.* La liberté qu'elles doivent avoir de concourir aux assemblées publiques dans les églises nuit à la propagation de la religion chrétienne, XIX, 18. Un prince habile, en flattant leur vanité et leurs passions, peut changer, en peu de temps, les mœurs de sa nation. Exemple tiré de la Moscovie, XIX, 14. Leur liberté s'unit naturellement avec l'esprit de la monarchie, XIX, 15. Si elles ont peu de retenue, comme dans les monarchies, elles prennent cet esprit de liberté qui augmente leurs agréments et leurs passions : chacun s'en sert pour avancer sa fortune, et elles font régner avec elles le luxe et la vanité, VII, 9. Vues que les législateurs doivent se proposer dans les règles qu'ils établissent concernant les mœurs des femmes, XXVI, 9. Leur luxe et les dérèglements qu'elles font naître sont utiles aux monarques. Auguste et Tibère en firent usage pour substituer la monarchie à la république, VII, 4 et 13. Leurs déportements sont des prétextes dans la main des tyrans pour persécuter les grands. Exemple tiré de Tibère, VII, 13. Les empereurs romains se sont bornés à punir leurs crimes, sans chercher à établir chez elles la pureté des mœurs, *ibid*. Ces vices sont même quelquefois utiles à l'Etat, XIX, 5. L'envie de leur plaire établit les modes, et augmente sans cesse les branches du commerce, XIX, 8. Leur fécondité plus ou moins grande doit être la mesure du luxe dans un Etat monarchique. Exemple tiré de la Chine, VII, 6. Loi bizarre de l'île de Formose, pour prévenir leur trop grande fécondité, XXIII, 16. Leurs vices les rendent fatales au gouvernement républicain, VII, 8. Leur pluralité, autorisée par le mahométisme, tenant le prince toujours séparé de ses sujets lui fait oublier qu'il est homme, et qu'il ne peut pas tout. C'est le contraire dans les Etats chrétiens, XXIV, 3. *Lois et règles, faites ou à faire, concernant les femmes*. Pour qu'elles n'influent pas sur les mœurs, il faut les tenir séparées des hommes. Exemple tiré de la Chine, XIX, 13. Ne doivent point participer aux cérémonies religieuses qui sont contraires à la pudeur. Moyens de concilier ces cérémonies avec la pudeur, XXIV, 15. Les lois ne doivent jamais leur ôter la défense de la pudeur naturelle. Exemples tirés de la loi de Henri VIII, qui condamne toute fille que le roi veut épouser, si, ayant eu un mauvais commerce, elle ne lui déclare pas; et de celle de Henri II, qui condamne à mort toute fille qui ne déclare pas sa grossesse au magistrat, XXVI, 3. C'est un bon moyen pour les contenir, que de rendre publique l'accusation d'adultère, V, 7. Leur esclavage suit naturellement le despotisme du prince, XIX, 15. Leur liberté serait funeste dans ces Etats, XVI, 9, XIX, 12. On ne pourrait pas les tenir en servitude dans une république, XVI, 9. C'est un bon moyen pour les réduire, que de les attaquer par la vanité, XXIII, 21. On doit, dans une république, faire en sorte qu'elles ne puissent se prévaloir, pour le luxe, ni de leurs richesses, ni de l'espérance de leurs richesses, c'est le contraire dans une monarchie, XXVII, 1. On chercha, à Rome, à réprimer leur luxe, auquel les premières lois avaient laissé une porte ouverte : on défendit de les instituer héritières, *ibid*. Cas où la loi chez les premiers Romains, les appelait à la succession : cas où elle les en excluait, *ibid*. La loi peut, sans blesser la nature, les exclure de toute succession, *ibid*. Pourquoi, et dans quel cas la loi Papienne contre la disposition de la loi Voconienne, les rendit capables d'être légataires, tant de leurs maris, que des étrangers, *ibid*. Comment les lois romaines ont mis un frein aux libéralités que la séduction des femmes pourrait arracher des maris, XIX, 25. Limitation de ces lois, en faveur de la propagation, XXIII, 21. Leurs droit successifs chez les Germains et chez les Saliens, XVIII, 22. Sont assez portées au mariage, sans qu'il faille les y exciter par l'appât des gains nuptiaux, VII, 15. Causes de cette propension au mariage, XXIII, 10. Quels doivent être leurs dots et leurs gains nuptiaux dans les différents gouvernements, VII, 15. Etaient fort sages dans la Grèce. Circonstances et règlements qui maintenaient cette sagesse, VII, 9. A Rome, elles étaient comptables de leur conduite devant un tribunal domestique, VII, 10. Les traitements que les maris peuvent exercer envers elles dépendent de l'esprit du gouvernement, XXVI, 14. Etaient à Rome, et chez les Germains, dans une tutelle perpétuelle, VII, 12. Auguste, pour favoriser l'esprit de la monarchie qu'il fondait, et, en même temps, pour favoriser la population, affranchit de cette tutelle celles qui avaient trois ou quatre enfants, XXIII, 21. La loi salique les tenait dans une tutelle perpétuelle[1], XVIII, 22. Leurs mariages doivent être plus ou moins subordonnés à l'autorité paternelle, suivant les circonstances, XXIII, 7 et 8. Il est contre la nature de leur permettre de se choisir un mari à sept ans, XXVI, 3. Il est injuste, contraire au bien public et à l'intérêt particulier, d'interdire le mariage à celles dont le mari est absent depuis longtemps, quand elles n'en ont aucune nouvelle, XXVI, 9. Le respect qu'elles doivent à leurs maris est une des raisons qui empêchent que les mères puissent épouser leurs fils : leur fécondité prématurée en est une autre, XXVI, 14. Passent dans la famille du mari, XXIII, 4. Il est contre la nature, que leurs propres enfants soient reçus à les accuser d'adultère, XXVI, 4. La loi civile qui, dans les pays où il n'y a point de sérails, les soumet à l'inquisition de leurs esclaves, est absurde, XXVI, 19.

Un mari ne pouvait autrefois reprendre sa femme condamnée pour adultère : Justinien changea cette loi, XXVI, 9. Il est contre la loi naturelle de les forcer à se porter accusatrices contre leur mari, XXVI, 4. Doivent, dans les pays où la répudiation est admise, en avoir le droit comme les hommes : preuves, XVI, 15. Il est contre la nature que le père puisse obliger sa fille à répudier son mari, XXVI, 3. Pourquoi, dans les Indes, se brûlent à la mort de leurs maris, XXIV, 21. Les lois et la religion, dans certains pays, ont établi divers ordre des femmes légitimes pour le même homme, XXIII, 5. Quand on en a plusieurs, on leur doit un traitement égal. Preuves tirées des lois de Moïse, de Mahomet, et des Maldives, XVI, 7. Doivent, dans les pays où la polygamie est établie, être séparées d'avec les hommes, XVI, 8. On doit pourvoir à leur état civil, dans les pays où la polygamie est permise, quand il s'y introduit une religion qui la défend, XXVI, 10. Chaque homme, à

---

1. M. de Montesquieu tire la preuve de cette tutelle perpétuelle établie par la loi salique, du titre 46 de cette loi, suivant l'édition de Baluze; et 47, suivant d'autres éditions. Quoi qu'il en soit, l'auteur n'a pu trouver dans ce titre la tutelle dont il ne parle que par induction. Il y est dit que celui qui veut épouser une veuve doit donner, en présence du juge et en public, une certaine somme aux personnes désignées par la loi. Or, il paraît que cette somme était le prix du consentement que ces personnes donnaient au mariage; d'où il y a lieu de conclure que la veuve était sous leur tutelle. D'ailleurs, la loi des Lombards ordonne expressément cette tutelle perpétuelle, et met les veuves au ni-

veau des enfants orphelins. Voyez le Recueil de Baluze, t. I, page 544. Or, les personnes désignées sont en effet les parents du mari par femmes, suivant le degré de proximité. C'est, en premier lieu, le fils de la sœur du défunt; après lui, c'est le fils de la nièce; à son défaut, le fils de la cousine maternelle; ensuite le frère de la mère du défunt. Si tous ces parents manquent, alors le frère du défunt est appelé, pourvu qu'il n'ait pas droit à sa succession. Si tous ceux-là manquent, le plus proche, après eux, est appelé, jusqu'au sixième degré, mais toujours sous la condition, qu'il ne sera pas héritier de la veuve. (Note de l'édition de 1758.)

Veut que, dans un livre de jurisprudence, on ne parle que de théologie, D., art. *célibat*. Imputation stupide ou méchante de cet écrivain, D., art. *erreurs particulières*. Juste appréciation de ses talents et de son ouvrage, D., art. *usure*. Sa critique de l'*Esprit des lois* est pleine d'ignorance et de passion : n'est ni travaillée ni réfléchie : elle est pleine de ces emportements que les gens du monde ne se permettent jamais : pleine d'un pédantisme qui va à détruire toutes les sciences, D., *Troisième partie*.

NUMA. Fit des lois d'épargne sur les sacrifices, XXV, 7. Ses lois sur le partage des terres furent rétablies par Servius Tullius, XXVII, 1.

Numidie. Les frères du roi succédaient à la couronne, à l'exclusion de ses enfants, XXVI, 6.

O

Obéissance. Différence entre celle qui est due dans les Etats modérés, et celle qui est due dans les Etats despotiques, III, 10. L'honneur met des bornes à celle qui est due au souverain dans une monarchie, IV, 2.

Offices. Les maires du palais contribuèrent, de tout leur pouvoir, à les rendre inamovibles : pourquoi, XXXI, 7. Quand les grands offices commencèrent à devenir héréditaires, XXXI, 28.

Officiers généraux. Pourquoi, dans les Etats monarchiques, ils ne sont attachés à aucun corps de milice. — Pourquoi il n'y en a point en titre dans les Etats despotiques, V, 16.

Offrandes. Raison physique de la maxime religieuse d'Athènes, qui disait qu'une petite offrande honorait plus les dieux que le sacrifice d'un bœuf, XXIV, 24. On n'y doit rien admettre de ce qui approche du luxe, XXV, 7.

Olim. Ce que c'est que les registres que l'on appelle ainsi, XXVIII, 39.

Oncles. Sont regardés, aux Indes, comme les pères de leurs neveux : c'est ce qui fait que les mariages entre beau-frère et belle-sœur y sont permis, XXVI, 14.

Or. Plus il se multiplie, plus il perd de son prix, XXI, 22. La loi qui défend, en Espagne, de l'employer en superfluités, est absurde, *ibid*. Cause de la quantité plus ou moins grande de l'or et de l'argent, XXII, 4. Dans quel sens il serait utile qu'il y en eût beaucoup, et dans quel sens il serait utile qu'il y en eût peu, XXII, 5. De sa rareté relative à celle de l'argent, XXII, 9.

Or (Côte d'). Si les Carthaginois avaient pénétré jusque-là, ils y auraient fait un commerce bien plus important que celui que l'on y fait aujourd'hui, XXI, 11.

Oracles. A quoi Plutarque attribue leur cessation, XXIII, 19.

ORANGE (le prince d'). Sa proscription, XXIX, 16.

Orchomène. A été une des villes les plus opulentes de la Grèce : pourquoi, XXI, 7. Sous quel autre nom cette ville est connue, *ibid*.

Ordonnance de 1287. C'est à tort qu'on la regarde comme le titre de création des baillis; elle porte seulement qu'ils seront pris parmi les laïques, XXVIII, 43.

Ordonnance de 1670. Faute que l'auteur attribue à ceux qui l'ont rédigée, XXIX, 16.

Ordonnances. Les barons, du temps de Saint Louis, n'étaient soumis qu'à celles qui s'étaient faites de concert avec eux, XXVIII, 29.

Ordres. Ceux du despote ne peuvent être ni contredits ni éludés, III, 10.

Orgueil. Est la source ordinaire de notre politesse, IV, 2. Source de celui des courtisans; ses différents degrés, *ibid*. Est per-

principales fonctions à Rome, XI, 18. Temps de leur création : leurs fonctions; durée de leur pouvoir à Rome, *ibid.* Suivaient la lettre plutôt que l'esprit des lois, XXVII, 1. Quand commencèrent à être plus touchés des raisons d'équité que de l'esprit de la loi, *ibid.*

Prêtres. Sources de l'autorité qu'ils ont ordinairement chez les peuples barbares, XVIII, 31. Les peuples qui n'en ont point sont ordinairement barbares, XXV, 4. Leur origine. Pourquoi on s'est accoutumé à les honorer, *ibid.* Pourquoi sont devenus un corps séparé, *ibid.* Dans quel cas il serait dangereux qu'il y en eût trop, *ibid.* Pourquoi il y a des religions qui leur ont ôté non seulement l'embarras des affaires, mais même celui d'une famille, *ibid.*

Preuves. L'équité naturelle demande que leur évidence soit proportionnée à la gravité de l'accusation, D., I, 1. Celles que nos pères tiraient de l'eau bouillante, du fer chaud et du combat singulier, n'étaient pas si imparfaites qu'on le pense, XXVIII, 17.

Preuves négatives. N'étaient point admises par la loi salique : elles l'étaient par les autres lois barbares, XXVIII, 13. En quoi consistaient, *ibid.* Les inconvénients de la loi qui les admettait étaient réparés par celle qui admettait le combat singulier, XXVIII, 14. Exception de la loi salique à cet égard, *ibid.* Autre exception, XXVIII, 16. Inconvénients de celles qui étaient en usage chez nos pères, XXVIII, 18. Comment entraînaient la jurisprudence du combat judiciaire, *ibid.* Ne furent jamais admises dans les tribunaux ecclésiastiques, *ibid.*

Preuves par l'eau bouillante. Admises par la loi salique. Tempérament qu'elle prenait pour en adoucir la rigueur, XXVIII, 16. Comment se faisaient,

XXVIII, 17. Dans quel cas on y avait recours, *ibid.*

Preuves par l'eau froide. Abolies par Lothaire, XXVIII, 18.

Preuves par le combat. Par quelles lois admises, XXVIII, 14-18. Leur origine, XXVIII, 14. Lois particulières à ce sujet, *ibid.* Étaient en usage chez les Francs : preuves, XXVIII, 18. Comment s'étendirent, *ibid.* Voyez *Combat judiciaire.*

Preuves par le feu. Comment se faisaient. Ceux qui y succombaient étaient des efféminés, qui, dans une nation guerrière, méritaient d'être punis, XXVIII, 17.

Preuves par témoins. Révolutions qu'a essuyées cette espèce de preuves, XXVIII, 44.

Prière. Quand elle est réitérée un certain nombre de fois par jour, elle porte trop à la contemplation, XXIV, 11.

Prince. Comment doit gouverner une monarchie. Quelle doit être la règle de ses volontés, II, 4. Est la source de tout pouvoir dans une monarchie, *ibid.* Il y en a de vertueux, III, 5. Sa sûreté, dans les mouvements de la monarchie, dépend de l'attachement des corps intermédiaires pour les lois, V, 11. En quoi consiste sa vraie puissance, IX, 6. Quelle réputation lui est la plus utile, X, 2. Souvent ne sont tyrans que parce qu'ils sont faibles, XII, 8. Ne doit point empêcher qu'on lui parle des sujets disgraciés, XII, 30. La plupart de ceux de l'Europe emploient, pour se ruiner, des moyens que le fils de famille le plus dérangé imaginerait à peine, XIII, 17. Doit toujours avoir une somme de réserve : il se ruine quand il dépense exactement ses revenus, XIII, 18. Règles qu'il doit suivre quand il veut faire de grands changements dans sa nation, XIX, 14. Ne doit point faire le commerce, XX, 19. Dans quels rapports peut fixer la valeur de la monnaie, XXII, 10. Il est nécessaire qu'il croie,

mauvaise est celle qui contribue le plus au bonheur des hommes dans cette vie, XXIV, 1. L'auteur en parle, non comme théologien, mais comme politique : il ne veut qu'unir les intérêts de la vraie religion avec la politique : c'est être fort injuste que de lui prêter d'autres vues, *ibid.* Vaut-il mieux n'en avoir point du tout que d'en avoir une mauvaise ? XXIV, 2. Est-elle un motif réprimant ? Les maux qu'elle a faits sont-ils comparables aux biens qu'elle a faits ? *ibid.* Doit donner plus de conseils que les lois, XXIV, 7. Quelle qu'elle soit, elle doit s'accorder avec les lois de la morale, XXIV, 8. Ne doit pas trop porter à la contemplation, XXIV, 11. Quelle est celle qui ne doit point avoir de crimes inexpiables, XXIV, 13. Comment sa force s'applique à celle des lois civiles. Son principal but doit être de rendre les hommes bons citoyens, XXIV, 14. Celle qui ne promet ni récompense, ni peine dans l'autre vie, doit être soutenue par des lois sévères, et sévèrement exécutées, *ibid.* Celle qui admet la fatalité absolue endort les hommes; il faut que les lois civiles les excitent, *ibid.* Quand elle défend ce que les lois civiles doivent permettre, il est dangereux que, de leur côté, elles permettent ce qu'elle doit condamner, *ibid.* Quand elle fait dépendre le salut de certaines pratiques indifférentes, elle autorise la débauche, les dérèglements et les haines, *ibid.* et XXIV, 22. C'est une chose bien funeste quand elle attache la justification à une chose d'accident, XXIV, 14. Celle qui ne promettrait, dans l'autre monde, que des récompenses et point de punitions, serait funeste, *ibid.* Comment celles qui sont fausses sont quelquefois corrigées par les lois civiles, XXIV, 15. Comment ses lois corrigent les inconvénients de la constitution politique, XXIV, 16. Comment peut arrêter l'effet des haines particulières, XXIV, 17. Comment ses lois ont l'effet des lois civiles, XXIV, 18. Ce n'est pas la vérité ou la fausseté des dogmes qui les rend utiles ou pernicieuses; c'est l'usage ou l'abus qu'on fait de ces dogmes, XXIV, 19. Ce n'est pas assez qu'elle établisse un dogme, il faut qu'elle le dirige, *ibid.* Il est bon qu'elle nous mène à des idées spirituelles, *ibid.* Comment peut encourager la propagation, *ibid.* Usages avantageux ou pernicieux qu'elle peut faire de la métempsycose, XXIV, 21. Ne doit inspirer de mépris que pour les vices, *ibid.* Doit être fort réservée dans l'établissement des fêtes qui obligent à la cessation du travail; elle doit même, à cet égard, consulter le climat, XXIV, 23. Est susceptible de lois locales, relatives à la nature et aux productions du climat, XXIV, 24. Moyens de la rendre plus générale, *ibid.* Il y a de l'inconvénient à transporter une religion d'un pays à un autre, XXIV, 25. Celle qui est fondée sur le climat ne peut sortir de son pays, XXIV, 26. Toute religion doit avoir ses dogmes particuliers et un culte général, *ibid. Différentes causes de l'attachement plus ou moins fort que l'on peut avoir pour sa religion.* 1° L'idolâtrie nous attire sans nous attacher. La spiritualité ne nous attire guère; mais nous y sommes attachés. 2° La spiritualité, jointe aux idées sensibles dans le culte, attire et attache. De là, les catholiques tiennent plus à leur religion que les protestants à la leur. 3° La spiritualité jointe à une idée de distinction de la part de la divinité. De là, tant de bons musulmans. 4° Beaucoup de pratiques qui occupent. De là, l'attachement des mahométans, des Juifs, et l'indifférence des barbares. 5° La pro-

leures lois politiques et civiles, XXIV, 1. Avantages qu'elle a sur toutes les autres religions, même par rapport à cette vie, XXIV, 3. N'a pas seulement pour objet notre félicité future, mais elle fait notre bonheur dans ce monde : preuve par faits, *ibid.* Pourquoi n'a point de crimes inexpiables : beau tableau de cette religion, XXIV, 13.

— L'*Esprit des lois* n'étant qu'un ouvrage de pure politique et de pure jurisprudence, l'auteur n'a pas eu pour objet de faire croire à la religion chrétienne, mais il a cherché à la faire aimer, D., *Première partie,* I. Preuve que M. de Montesquieu la croyait et l'aimait, *ibid.*, II. Ne trouve d'obstacles nulle part où Dieu la veut établir, D., art. *tolérance, christianisme.*

Religion de l'île Formose. La singularité de ses dogmes prouve qu'il est dangereux qu'une religion condamne ce que le droit civil doit permettre, XXIV, 14.

Religion des Indes. Prouve qu'une religion, qui justifie par une chose d'accident, perd inutilement le plus grand ressort qui soit parmi les hommes, XXIV, 14.

Religion des Tartares de Gengis Kan. Ses dogmes singuliers prouvent qu'il est dangereux qu'une religion condamne ce que le droit civil doit permettre, XXIV, 14.

Religion juive. A été autrefois chérie de Dieu ; elle doit l'être encore : réfutation de ce raisonnement, qui est la source de l'aveuglement des Juifs, XXV, 13.

Religion naturelle. Est-ce en être sectateur de dire que l'homme pouvait, à tous les instants, oublier son créateur, et que Dieu l'a rappelé à lui par les lois de la religion ? D., *Première partie, septième objection,* — que le suicide, est en Angleterre, l'effet d'une maladie ?

D., *ibid., dixième objection,* — que d'expliquer quelque chose de ses principes ? D., *ibid.* Loin d'être la même chose que l'athéisme, c'est elle qui fournit les raisonnements pour le combattre, D., *ibid.*

Religion protestante. Pourquoi est-elle plus répandue dans le Nord ? XXIV, 5.

Religion révélée. L'auteur en reconnaît une : preuve, D., *première partie,* II.

Remontrances. Ne peuvent avoir lieu dans le despotisme, III, 10. Leur utilité dans une monarchie, V, 10.

Remontrances aux inquisiteurs d'Espagne et de Portugal, où l'injustice et la cruauté de l'inquisition sont démontrées, XXV, 13.

Renonciation à la couronne. Il est absurde de revenir contre par les restrictions tirées de la loi civile, XXVI, 16. Celui qui la fait, et ses descendants contre qui elle est faite, peuvent d'autant moins se plaindre que l'État aurait pu faire une loi pour les exclure, XXVI, 23.

Rentes. Pourquoi elles baissèrent après la découverte de l'Amérique, XXII, 6.

Rentiers. Ceux qui ne vivent que de rentes sur l'État et sur les particuliers, sont-ils ceux de tous les citoyens qui, comme les moins utiles à l'État, doivent être les moins ménagés ? XXII, 18.

Repos. Plus les causes physiques y portent les hommes, plus les causes morales les en doivent éloigner, XIV, 5.

Représentants du peuple dans un État libre. Quels ils doivent être, par qui choisis, et pour quel objet, XI, 6 *et suiv.* Quelles doivent être leurs fonctions, *ibid.*

République. Combien il y en a de sortes, II, 2. Comment se change en État monarchique, ou même despotique, II, 3. Nul citoyen n'y doit être revêtu d'un pouvoir exorbitant, *ibid.* Exception à cette

cordes civiles, les triumvirats et les proscriptions, que par aucune autre guerre, XXIII, 21. Il était permis à un mari de prêter sa femme à un autre; XXVI, 18. Par qui les lois, sur le partage des terres, y furent faites, XXVII, 1. On n'y pouvait faire autrefois de testament que dans une assemblée du peuple : pourquoi, *ibid.* La faculté indéfinie que les citoyens y avaient de tester, fut la source de biens et de maux, *ibid.* Pourquoi le peuple y demanda sans cesse des lois agraires, *ibid.* Pourquoi la galanterie de la chevalerie ne s'y est point introduite, XXVIII, 22. On ne pouvait entrer dans la maison d'aucun citoyen, pour le citer en jugement. En France, on ne peut pas faire de citations ailleurs : ces deux lois, qui sont contraires, partent du même esprit, XXIX, 10. On y punissait le receleur de la même peine que le voleur : cela était juste à Rome : cela est injuste en France, XXIX, 12. Comment le vol y était puni. Les lois, sur cette matière, n'avaient aucun rapport avec les autres lois civiles, XXIX, 13. Les médecins y étaient punis de la déportation, ou même de la mort, pour leur négligence ou leur impéritie, XXIX, 14. On y pouvait tuer le voleur qui se mettait en défense. Correctifs que la loi avait apportés à une disposition qui pouvait avoir de si funestes conséquences, XXIX, 15. Voyez *Droit romain, Lois rom   , Romains.*
Rome moderne. T   le monde y est à son aise, excepté ceux qui travaillent, XXIII, 29. On y regarde comme conforme au langage de la maltôte, et contraire à celui de l'écriture, la maxime qui dit que *le clergé doit contribuer aux charges de l'Etat,* XXV, 5.
ROMULUS. La crainte d'être regardé comme un tyran, empê-

cha Auguste de prendre ce nom, XIX, 3. Ses lois, touchant la conservation des enfants, XXIII, 22. Le partage qu'il fit des terres, est la source de toutes les lois romaines sur les successions, XXVII, 1. Ses lois sur le partage des terres, furent rétablies par Servius Tullius, *ibid.*
RORICON, historien franc. Etait pasteur, XXX, 6.
ROTARIS, roi des Lombards. Déclare, par une loi, que les lépreux sont morts civilement, XIV, 11. Ajouta de nouvelles lois à celles des Lombards, XXVIII, 1.
Royauté. Ce n'est pas un honneur seulement, XXIX, 16.
Ruse. Comment l'honneur l'autorise dans une monarchie, IV, 2.
Russie. Pourquoi on y a augmenté les tributs, XIII, 12. On y a très prudemment exclu de la couronne tout héritier qui possède une autre monarchie, XXVI, 23.

S

SABACON, roi pasteur, XXIV, 4.
Sabat. La stupidité des Juifs, dans l'observation de ce jour, prouve qu'il ne faut point décider par les préceptes de la religion, lorsqu'il s'agit de ceux de la loi naturelle, XXVI, 7.
Sacerdoce. L'empire a toujours du rapport avec le sacerdoce, XXIII, 21.
Sacrements. Etaient autrefois refusés à ceux qui mouraient sans donner une partie de leurs biens à l'église, XXVIII, 41.
Sacrifices. Quels étaient ceux des premiers hommes, selon Porphyre, XXV, 4.
Sacrilège. Le droit civil entend mieux ce que c'est que ce crime, que le droit canonique, XXVI, 8.
Sacrilège caché. Ne doit point être poursuivi, XII, 4.
Sacrilèges simples. Sont les seuls crimes contre la religion, XII,

W

TABLE DES MATIÈRES

QUATRIÈME PARTIE

LIVRE XX

DES LOIS, DANS LE RAPPORT QU'ELLES ONT AVEC LE COMMERCE, CONSIDÉRÉ DANS SA NATURE ET SES DISTINCTIONS

LIVRE XXI

*DES LOIS, DANS LE RAPPORT QU'ELLES ONT AVEC
LE COMMERCE, CONSIDÉRÉ DANS LES RÉVOLUTIONS
QU'IL A EUES DANS LE MONDE*

LIVRE XXII

LIVRE XXIII

CINQUIÈME PARTIE

LIVRE XXIV

DES LOIS, DANS LE RAPPORT QU'ELLES ONT AVEC LA RELIGION ÉTABLIE DANS CHAQUE PAYS, CONSIDÉRÉE DANS SES PRATIQUES, ET EN ELLE-MÊME

LIVRE XXV

DES LOIS, DANS LE RAPPORT QU'ELLES ONT AVEC L'ÉTABLISSEMENT DE LA RELIGION DE CHAQUE PAYS, ET SA POLICE EXTÉRIEURE

LIVRE XXVI

DES LOIS, DANS LE RAPPORT QU'ELLES DOIVENT AVOIR AVEC L'ORDRE DES CHOSES SUR LESQUELLES ELLES STATUENT

SIXIÈME PARTIE

LIVRE XXVII

LIVRE XXVIII

DE L'ORIGINE ET DES RÉVOLUTIONS DES LOIS CIVILES CHEZ LES FRANÇAIS

LIVRE XXIX

DE LA MANIÈRE DE COMPOSER LES LOIS

LIVRE XXX

THÉORIE DES LOIS FÉODALES CHEZ LES FRANCS, DANS LE RAPPORT QU'ELLES ONT AVEC L'ÉTABLISSEMENT DE LA MONARCHIE

LIVRE XXXI

*THÉORIE DES LOIS FÉODALES CHEZ LES FRANCS, DANS
LE RAPPORT QU'ELLES ONT AVEC LES RÉVOLUTIONS
DE LEUR MONARCHIE*

DÉFENSE DE L'ESPRIT DES LOIS

12/01/170323-I-2012 – Impr. MAURY Imprimeur, 45330 Malesherbes.
N° d'édition L.01EHPNFG0326.C016 – 3ᵉ trimestre 1979 – Printed in France.